Um Sopro de Destruição

José Augusto Pádua

Um Sopro de Destruição

Pensamento político e crítica ambiental
no Brasil escravista, 1786-1888

2ª edição

ZAHAR

Jorge Zahar Editor Ltda.
rua Marquês de S. Vicente 99 – 1º | 22451-041 Rio de Janeiro, RJ
tel (21) 2529-4750 | fax (21) 2529-4787
editora@zahar.com.br | www.zahar.com.br

Edição anterior: 2002

Capa: Sérgio Campante
Ilustração: *Arroteamento de uma floresta*, de Johann Moritz Rugendas,
extraído de *O Brasil de Rugendas* (vol.1)
Composição: TopTextos Edições Gráficas

CIP-Brasil. Catalogação-na-fonte
Sindicato Nacional dos Editores de Livros, RJ.

Pádua, José Augusto
P14s Um sopro de destruição: pensamento político e
2.ed. crítica ambiental no Brasil escravista, 1786-1888 / José Augusto Pádua. – 2.ed. – Rio de Janeiro: Zahar, 2004.

Inclui bibliografia
ISBN 978-85-7110-658-1

1. Brasil – História – Até 1889. 2. Brasil – Política e governo – Até 1889. 3. Política ambiental – Brasil – História – Até 1889. I. Título. II. Título: Pensamento político e crítica ambiental no Brasil escravista, 1786-1888.

CDD: 981
04-0742 CDU: 94(81)

A Natureza fez tudo a nosso favor, nós porém pouco ou nada temos feito a favor da Natureza. Nossas terras estão ermas, e as poucas que temos roteado são mal cultivadas, porque o são por braços indolentes e forçados. Nossas numerosas minas, por falta de trabalhadores ativos e instruídos, estão desconhecidas ou mal aproveitadas. Nossas preciosas matas vão desaparecendo, vítimas do fogo e do machado destruidor da ignorância e do egoísmo. Nossos montes e encostas vão-se escalvando diariamente, e com o andar do tempo faltarão as chuvas fecundantes que favoreçam a vegetação e alimentem nossas fontes e rios, sem o que o nosso belo Brasil, em menos de dois séculos, ficará reduzido aos páramos e desertos áridos da Líbia. Virá então este dia (dia terrível e fatal), em que a ultrajada natureza se ache vingada de tantos erros e crimes cometidos.

José Bonifácio de Andrada e Silva,
Representação à Assembléia Constituinte e Legislativa do império do Brasil sobre a escravatura, 1823

A cada passo encontramos e sentimos os vestígios deste sistema que reduz um belo país tropical ao aspecto das regiões onde se esgotou a força criadora da terra ... Onde quer que se a estude, a escravidão passou sobre o território e os povos que a acolheram como um sopro de destruição.

Joaquim Nabuco, *O abolicionismo*, 1883

Para Ligia, Victoria e Flora, meus elos fundamentais

E à memória de Warren Dean (1932-1994), pelas caminhadas nas florestas, os diálogos instigantes e a paixão em comum por este país contraditório

Sumário

INTRODUÇÃO

Em busca de uma tradição intelectual esquecida

Vinde comigo, brasileiros sábios,
Ao lugar onde outrora se ostentava
Cheio de vida, de fragrância e esmalte
Monumento votado a infindos seres
Odoroso teatro, onde mil cenas
A terra erguera ao som do hino eterno
Das várias estações! Vinde comigo
Prantear desse templo viridante
As ruínas majestosas convertidas
Em toros calcinados, e alva cinza!

Manoel de Araújo Porto-Alegre,
"A destruição das florestas", 1845

Pequena história de um redescobrimento

Este livro procura reconstituir, de maneira crítica e abrangente, um capítulo praticamente esquecido na história do pensamento brasileiro: a existência de uma reflexão profunda e consistente sobre o problema da destruição do ambiente natural por parte de pensadores que atuaram no país entre 1786 e 1888, muito antes do que convencionalmente se imagina como sendo o momento de origem desse tipo de debate. A consciência crítica diante da destruição ambiental costuma ser identificada como um fenômeno do mundo contemporâneo, uma conseqüência das grandes transformações — tanto objetivas quanto subjetivas — que acompanharam a expansão planetária da civilização urbano-industrial. No caso do Brasil, em particular, ela tende a ser considerada uma realidade recente e importada, uma difusão do debate europeu e norte-americano das últimas décadas. Existe toda uma nova historiografia, no entanto, que vem retrocedendo em alguns séculos a cronologia da controvérsia ambiental. E que também vem destacando a importância das colônias tropicais européias como um dos espaços privilegiados para o seu aparecimento.[1] Tais descobertas estão provocando uma rediscussão profunda sobre as origens e a identidade da consciência ecológica no universo da modernidade.

O presente trabalho apresenta pela primeira vez uma análise mais exaustiva do lugar do Brasil — um lugar bastante relevante, como veremos — nesse processo de rediscussão. A longa pesquisa que lhe deu origem possui uma história própria, cujas principais etapas vieram se desvelando ao longo da sua realização, sem qualquer conhecimento prévio. Em relação a ela é possível dizer, ao gosto do poeta Antonio Machado, que o caminho foi feito ao andar. Em meados da década de 1980, quando a pesquisa teve início, eu desconhecia completamente a presença de reflexões ambientais em autores brasileiros dos séculos XVIII e XIX. Eu desconhecia, na verdade, a própria existência da maioria dos autores aqui analisados, vários dos quais estavam praticamente desaparecidos da memória intelectual brasileira. E mesmo no caso dos autores mais famosos, como José Bonifácio e Joaquim Nabuco, a literatura histórica e sociológica ignorava os componentes ambientais do seu pensamento, exceto por algumas poucas menções pontuais. Penetrei no território dessa tradição intelectual esquecida, portanto, quase sem coordenadas previamente identificadas, deixando que meus interlocutores do passado se apresentassem, indicassem mutuamente os seus pares e expressassem suas idéias e anseios diante dos dilemas sociais e ambientais do Brasil de seu tempo. Dilemas que, em grande parte, continuam bastante atuais.

O ponto de partida ocorreu no momento em que, estudando a evolução do pensamento político brasileiro, deparei-me com os fortes componentes de crítica ambiental presentes na obra de José Bonifácio. Uma passagem, em especial, despertou minha atenção. Trata-se da página final da "Representação à Assembléia Constituinte e Legislativa do império do Brasil sobre a escravatura", de 1823, que aparece citada como epígrafe inicial deste livro. A leitura do texto causou-me forte impressão. Há vários anos, já naquela época, eu me dedicava ao estudo da crítica ambiental contemporânea, sem nunca imaginar que idéias semelhantes pudessem estar sendo discutidas no Brasil durante as primeiras décadas do século XIX. Surpreendeu-me o tom dramático com que o autor abordava as conseqüências da devastação ambiental, a começar pela idéia do "dia terrível e fatal" em que a "ultrajada natureza" se achasse vingada de "tantos erros e crimes cometidos". Também me impressionou o viés essencialmente político da sua crítica. Não se tratava de um lamento pessoal pela perda de alguma espécie ou área específica do mundo natural, mas sim de uma reflexão abrangente sobre a sobrevivência e o destino do país. Era o "nosso belo Brasil" — "nossa terras", "nossas numerosas minas", "nossas preciosas florestas", "nossas fontes e rios" — que estava sendo "reduzido aos páramos e desertos áridos da Líbia". Intrigaram-me, por fim, alguns elementos mais propriamente teóricos do seu discurso. Por que a perda das matas produziria uma falta de chuvas e de umidade? Que fundamentação científica, em 1823, poderia embasar esse tipo de afirmação?

A partir do encontro com a reflexão ambiental de Bonifácio, comecei a buscar em arquivos e bibliotecas outros textos de época que caminhassem na mesma direção. E a continuidade da pesquisa revelou que aquele autor não era um caso isolado. Suas preocupações inseriam-se em uma tradição bem mais extensa no pensamento brasileiro. Tal revelação, por si mesma, não foi surpreendente; mais estranho seria se Bonifácio fosse um exemplo insular de percepção ambiental visionária. A verdadeira surpresa ocorreu quando me dei conta da dimensão do universo que estava investigando. O número de escritores envolvidos, a quantidade de material produzido, o alcance temporal e geográfico das suas manifestações, tudo isso foi bem além das minhas expectativas iniciais.

Não pretendo dizer, bem entendido, que se trata de uma escala exorbitante. Em nenhum momento se deve negar o seu caráter minoritário. Mas não resta dúvida, comparado com o que tem sido descoberto em outros países, que estamos diante de uma das maiores expressões nacionais, no período anterior ao século XX, do que pode ser chamado de preocupação intelectual com a degradação do ambiente. O material que fui capaz de levantar incluiu cerca de 150 textos, produzidos por mais de 50 autores, nos quais se discutiram de forma direta, em um período de 102 anos, as conseqüências sociais da destruição das florestas, da erosão dos solos, do esgotamento das minas, dos desequilíbrios climáticos etc. Um levantamento que, aliás, não pretende ser completo, pois existem indícios de que pesquisas posteriores poderão revelar outros nomes e documentos em diferentes regiões do Brasil. Trata-se, de toda forma, de uma produção teórica muito significativa, tanto em termos quantitativos quanto qualitativos.

Apesar disso, a obra desses autores tem sido ignorada pelas histórias internacionais do pensamento ecológico e também, o que mais surpreende, pela própria memória social do país. A primeira forma de desconhecimento não chega a causar espanto. Ela reflete a dificuldade enfrentada por boa parte da produção historiográfica européia e norte-americana em reconhecer a contribuição de outras regiões do planeta, especialmente dos antigos espaços coloniais, para a constituição de eixos centrais do pensamento contemporâneo. É difícil para esses autores imaginar que precursores de uma área inovadora do saber, como é a reflexão ecológica, possam ter existido no Brasil dos séculos XVIII e XIX. O importante livro de Donald Worster sobre a história das idéias ecológicas, *Nature's Economy*, por exemplo, apenas menciona o Brasil para comentar o impacto que a passagem pelo país representou na evolução intelectual de Darwin, este sim reconhecido universalmente como um precursor.

Mas não é fácil criticar tal postura quando constatamos o próprio esquecimento ao qual essa tradição intelectual foi relegada no Brasil. Esse esquecimento auxiliou o aparecimento de opiniões superficiais, como a de que a discussão ambiental seria "externa" e "fora do lugar" no debate político brasileiro, quando, na verdade, ela acompanha a discussão sobre o destino do país desde os tempos coloniais. Um fato que não deveria causar surpresa, tendo em vista a importância objetiva e subjetiva da natureza e da territorialidade na identificação do fenômeno histórico e cultural que chamamos de "Brasil".

O processo pelo qual essa tradição foi esquecida, por outro lado, tanto em termos do seu significado profundo quanto do seu "*modus operandi*", mereceria ser objeto de trabalhos específicos de análise. O material aqui apresentado nunca se perdeu em termos objetivos. Ele continuou sempre presente no acervo de arquivos e bibliotecas, acessível aos estudiosos. Foi o olhar dos intelectuais, a partir de um determinado momento, que deixou desaparecerem a memória e a continuidade de um debate bastante visível no passado não tão distante do país. De toda forma, o crescimento do interesse público pelos temas ambientais, uma das características culturais mais marcantes do final do século XX, contribuiu para direcionar o olhar do presente no resgate desse material.

Nesse sentido, voltando ao andamento da pesquisa, é importante destacar que a análise comparativa dos textos coletados reforçou minha impressão de estar diante de uma tradição, mais do que de um conjunto desagregado de autores. Não se trata, por certo, de uma tradição no sentido estrito do termo: uma doutrina básica transmitida ao longo do tempo. Utilizo o conceito de forma bastante ampla, indicando, em primeiro lugar, a existência de um conjunto de preocupações, temas e idéias que foram retomados ao longo do tempo de forma recorrente e, em grande parte, acumulativa. Esse processo envolveu o estabelecimento de uma linhagem de pensadores onde, em muitas ocasiões, os autores mais recentes citaram os mais antigos, promovendo uma dinâmica coletiva de produção intelectual. Em segundo lugar, de modo ainda mais significativo, por ter sido possível encontrar, apesar das diferenças de forma e de conteúdo presentes em cada texto, um certo denominador comum teórico por trás de todos eles.

Esse denominador comum foi essencialmente político, cientificista, antropocêntrico e economicamente progressista. Em suma, profundamente enraizado no ideário iluminista herdado do século XVIII. Ao destacar o enfoque político desse pensamento não me refiro ao aspecto da reflexão sobre os mecanismos de conquista e exercício do poder, mas sim ao sentido clássico de meditação e debate sobre a sobrevivência e o destino da comunidade política. Os pensadores aqui analisados, de maneira geral, não defenderam o ambiente natural com base em sentimentos de simpatia pelo seu valor intrínseco, seja em sentido estético, ético ou espiritual, mas sim devido à sua importância para a construção nacional. Os recursos naturais constituíam o grande trunfo para o progresso futuro do país, devendo ser utilizados de forma inteligente e cuidadosa. A destruição e o desperdício dos mesmos eram considerados uma espécie de crime histórico, que deveria ser duramente combatido.

O valor do mundo natural, dessa forma, repousava principalmente na sua importância econômica e política. A dinâmica da natureza poderia e deveria ser decifrada pelo conhecimento científico e pela experimentação consciente, que estabeleceria as condições para o seu correto aproveitamento. A degradação do território derivava da utilização de práticas tecnológicas e sociais rudimentares, originadas do passado colonial. A grande panacéia para estabelecer a sanidade ambiental da economia brasileira, após séculos de colonialismo predatório, estava na modernização tecnológica e operacional do sistema produtivo e das instituições sociais. A destruição do ambiente natural não era entendida como um "preço do progresso", como na visão hoje dominante, mas sim como um "preço do atraso".

As origens intelectuais desse viés cientificista e pragmático tornaram-se mais claras quando comecei a investigar as fontes teóricas do pensamento ambiental de José Bonifácio, fortemente enraizadas no chamado "iluminismo luso-brasileiro". Duas constatações, nesse momento, se tornaram evidentes. Em primeiro lugar, a crítica ambiental brasileira não tinha sido inaugurada por aquele pensador. Desde as últimas décadas do século XVIII, outros autores tinham começado a escrever sobre o tema, utilizando um enfoque teórico semelhante ao que podemos encontrar na sua obra. Em segundo lugar, esses autores não escreveram a partir de iniciativas isoladas, mas sim como parte de um grupo bastante coerente em suas características intelectuais e sociais. Um grupo, do qual fazia parte proeminente o próprio Bonifácio, que pode ser considerado fundador da crítica sistemática da destruição ambiental no Brasil. A gênese desse grupo, por outro lado, possuiu dois epicentros institucionais bem definidos: a Universidade de Coimbra posterior à reforma de 1772, quando o ensino superior português começou a afastar-se do domínio da escolástica medieval, aproximando-se das novas idéias de filosofia natural e economia política que então se desenvolviam na Europa, e a Academia Real das Ciências de Lisboa, fundada em 1779.

Foi em direção a Coimbra que começaram a afluir alguns jovens da elite social do Brasil, já que no país não existiam universidades. A grande maioria desses jovens — 866 brasileiros formaram-se naquela universidade entre 1722 e 1822[2] — não chegou a adotar uma atividade intelectual regular ou a produzir algum tipo de crítica quanto à realidade da então colônia. Mas uma minoria dentro desse universo veio a constituir a chamada "geração ilustrada" luso-brasileira,[3] tornando-se o primeiro grupo de intelectuais nascidos no país que absorveu as concepções de filosofia natural, direito e economia — e também o espírito pragmático e progressista — que caracterizaram o Iluminismo europeu. Esse grupo foi capaz de aproveitar a conjuntura política na qual um setor importante da classe dirigente portuguesa — onde se destacava o Ministro da Marinha e dos Domínios Ultramarinos entre 1796 e 1801, Rodrigo de Sousa Coutinho — passou a defender uma modernização geral da economia e da cultura no mundo lusitano, antevendo na perspectiva de transferência da coroa para o Brasil uma esperança de sobrevivência e fortalecimento do império. Alguns desses líderes incentivaram a formação de uma elite intelectual e administrativa nascida no país, que assumiria uma posição de destaque nesse processo de renovação científica e econômica. Foi do interior dessa elite intelectual, constituindo uma minoria dentro da minoria, que emergiram os fundadores da crítica ambiental brasileira.

Um importante ponto de agregação para esses últimos foi a influência teórica exercida pelo naturalista italiano Domenico Vandelli, que estabeleceu-se em Portugal durante o governo do Marquês de Pombal.[4] Não foi por acaso que o governo português convidou um representante do iluminismo italiano, mais moderado e próximo do catolicismo, para apoiar a reforma universitária. Mesmo assim, tendo em vista o tradicionalismo que imperava na cultura portuguesa, o impacto intelectual de Vandelli foi profundamente renovador. Além de participar da reforma de Coimbra, ele tornou-se um animador científico e cultural, participando de iniciativas importantes como a criação dos jardins botânicos de Coimbra e Lisboa e da Academia das Ciências, além de consolidar-se como o grande mestre do naturalismo português, formando toda uma geração de estudiosos.

Vandelli difundiu um ideário intelectual que combinava as novas concepções de ciência natural divulgadas por Lineu (1707-1778) e Buffon (1707-1788) com a doutrina econômica fisiocrata, defensora do progresso a partir da produção primária. A "economia da natureza" de Lineu, em especial, ofereceu um importante instrumental teórico para embasar algumas das primeiras críticas modernas à destruição ambiental produzida pela ação humana. Segundo essa corrente científica, considerada por vários analistas como um dos elos genealógicos mais imediatos do que veio a ser chamado no século XIX de "ecologia", o mundo natural apresentava-se como um sistema interdependente onde cada elemento, mesmo o mais pequeno, desempenhava um papel importante para a manutenção da ordem coletiva.[5] Um texto publicado em 1760 por Lineu, por exemplo, em conjunto com H. Wilcke, afirmava que

> a partir do que nós sabemos, é possível julgar quão importante é cada uma das disposições da natureza, de forma que se faltasse uma única espécie de minhoca a água estagnante alteraria o solo e a umidade faria tudo apodrecer. Se uma única função importante faltasse no mundo animal, nós poderíamos temer o maior desastre no universo.[6]

Foi com base em pressupostos teóricos desse tipo que Vandelli começou a publicar, a partir da década de 1780, vários textos onde criticava a forte destruição ambiental que estava ocorrendo em Portugal e nas suas colônias. O caso do Brasil mereceu sua especial atenção, pois os grandes desmatamentos estavam destruindo muitas espécies da flora ainda desconhecidas pela ciência.[*] E também porque o enorme potencial agrícola do país estava sendo erodido pelo domínio das técnicas predatórias. É importante precisar que Vandelli nunca veio ao Brasil, baseando suas análises no testemunho de seus correspondentes brasileiros. À medida que seus ex-alunos retornavam à América portuguesa, começavam a produzir relatórios e memórias sobre a forte destruição do ambiente natural que caracterizava a economia colonial. O mestre italiano, por sua vez, impulsionava a realização de novos estudos de campo sobre a natureza brasileira, incentivando a organização de excursões científicas. Muitas dessas missões eram diretamente apoiadas e financiadas por Sousa Coutinho, que buscava obter novas informações sobre as riquezas naturais da maior colônia portuguesa.[**]

---

* O próprio Lineu, com quem Vandelli se correspondia, protestou contra a falta de interesse dos portugueses em estudar as ricas produções naturais da colônia. Em uma carta escrita ao naturalista italiano, ele chegou a exclamar: "Bom Deus! Se os lusitanos desconhecem os bens de sua natureza, como serão infelizes todos os outros que não possuem terras exóticas!" (D. Vandelli, "Memória sobre algumas produções naturais...", p.135).

** Kenneth Maxwell argumentou que as iniciativas de Coutinho também visavam impedir que os jovens eruditos da colônia se engajassem em rebeliões emancipacionistas, como as que ocorreram em Salvador e Vila Rica. (Ver *A devassa da devassa*, p. 254.)

É interessante observar que os primeiros críticos ambientais brasileiros não se concentraram em um ponto apenas do país, mas se espalharam por diferentes capitanias. Esse fato aumentou ainda mais a riqueza e a diversidade das suas observações. Os principais nomes desse período inicial foram Alexandre Rodrigues Ferreira (1756-1815), na Amazônia; Manuel Arruda da Câmara (1752-1811), em Pernambuco; Baltasar da Silva Lisboa (1761-1840) e Manuel Ferreira da Câmara Bittencourt e Sá (1762-1835), na Bahia; José Gregório de Moraes Navarro (?) e José Vieira Couto (1752-1827), em Minas Gerais; Antônio Rodrigues Veloso de Oliveira (1750-1824), no Maranhão e depois em São Paulo; João Severiano Maciel da Costa (1769-1833), no Rio de Janeiro; e José Bonifácio de Andrada e Silva (1763-1838), em São Paulo e depois no Rio de Janeiro.

Essa tradição crítica em processo de gestação encontrou sua expressão mais profunda e sistemática na obra de José Bonifácio. Após ter participado do grupo de Vandelli em Coimbra, Bonifácio permaneceu cerca de três décadas na Europa, retornando tardiamente ao Brasil em 1819. Nesse longo período europeu, ele encontrou oportunidades educacionais únicas para um brasileiro da época. A partir de 1790, por exemplo, comissionado pelo estado português, cumpriu um longo programa de estudos e estágios práticos que durou cerca de dez anos, estendendo-se por diversos países. No curso dessas viagens, logrou conviver diretamente com alguns dos principais nomes na cadeia de formação do pensamento ecológico, como o botânico Antoine-Laurent de Jussieu e o naturalista Alexander von Humboldt. Sua sensibilidade para com o tema da destruição ambiental aflorou ainda nesses anos europeus, quando escreveu tratados contra a destruição dos bosques e a caça predatória das baleias. Após retornar ao Brasil, essas reflexões ganharam um sentido político mais amplo, que enfatizava a reforma ambiental como instrumento de superação do passado colonial. Seu legado teórico mais importante, nesse sentido, foi o de estabelecer a existência de um nexo causal entre a produção escravista e a destruição do ambiente natural.

Nas décadas posteriores à morte de Bonifácio, o mesmo enfoque ilustrado, político e progressista continuou dominando a crítica ambiental brasileira. Em um trabalho publicado em 1987, "Natureza e projeto nacional", eu já havia constatado a existência desse prosseguimento em intelectuais abolicionistas como Joaquim Nabuco (1849-1910) e André Rebouças (1838-1898). E também, ultrapassando os marcos cronológicos deste livro, em ensaístas da Primeira República, como Euclides da Cunha e Alberto Torres. Mais tarde percebi que esse universo era bem maior. Ele incluiu, apenas para citar alguns dos nomes mais importantes, historiadores e geógrafos, como Januário da Cunha Barboza (1750-1846), Raymundo da Cunha Mattos (1776-1839), Ignácio Accioli de Cerqueira e Silva (1808-1865) e Domingos Ferreira Penna (1818-1888); médicos, como Francisco Freire

Alemão (1797-1874) e Emílio Joaquim da Silva Maia (1808-1859); naturalistas, como Guilherme Capanema (1824-1908), José Saldanha da Gama (1839-1905) e João Silva Coutinho (1830-1889); artistas, como Manoel de Araújo Porto-Alegre (1806-1879); especialistas em agricultura, como Carlos Taunay (1791-1867), Frederico Burlamaque (1803-1866), Nicolau Joaquim Moreira (1824-1894) e Miguel Antônio da Silva (1832-1879); fazendeiros como Francisco de Lacerda Werneck (1795-1861) e Luiz Corrêa de Azevedo (?); e políticos, como Miguel Calmon du Pin e Almeida (1796-1865), Luís Pedreira do Couto Ferraz (1818-1886) e Tomás Pompeu Brasil (1818-1877). (É importante considerar que a classificação feita acima é apenas indicativa, já que a multiplicidade de papéis era muito comum na elite intelectual da época. Um nome como Nicolau Moreira, por exemplo, definido como especialista em agricultura, era também médico, cientista, abolicionista e político.)

Quando menciono os aspectos comuns presentes na argumentação desse conjunto de autores não pretendo afirmar, por certo, que a tradição que está sendo analisada foi um bloco monolítico. Existiram diferenças importantes na formulação de cada autor, inclusive em termos de abrangência e profundidade. É possível perceber, além das idiossincrasias pessoais, diferenças no que se refere à estratégia expositiva, à seleção dos problemas enfocados, ao grau de profundidade analítica e ao nível de dramaticidade e urgência atribuído aos problemas ambientais. Alguns autores preocuparam-se particularmente com um aspecto da questão ambiental, em geral o tema das florestas, enquanto outros lograram perceber a existência de uma multiplicidade de problemas interligados (desflorestamento, esgotamento dos solos, disponibilidade de água, mudanças climáticas, extinção de espécies animais e vegetais etc.). Uma diferença bastante profunda, talvez a mais profunda de todas, disse respeito ao posicionamento de cada autor diante do escravismo. A maioria deles considerou que era viável modificar o caráter ambientalmente destrutivo da economia brasileira sem acabar com o sistema do trabalho forçado. Alguns outros, na tradição de Bonifácio, Rebouças e Nabuco, defenderam a idéia de que enquanto vigorasse a escravidão não seria possível estabelecer uma relação saudável entre o homem e a terra no Brasil.

Apesar de todas essas diferenças, no entanto, penso ser possível afirmar que, no que se refere ao modelo geral de análise, existiu uma unidade de perspectiva. Esse fato não deve ser tomado como um simples dado da realidade, mas sim como um problema a ser enfrentado. Seria possível esperar, e era essa a minha expectativa, um nível maior de diferenciação e descontinuidade interna dentro desse universo. Tanto em termos espaciais, considerando o fato dos trabalhos estarem sendo produzidos em diferentes regiões do país, quanto em termos cronológicos, considerando o longo período analisado, seria provável encontrar uma diversidade mais marcante de enfoques. Seria teoricamente possível, como ocorreu em alguns outros países, a adoção de enfoques alternativos de crítica ambiental, como uma preocupação mais centrada na necessidade de preservar a natureza devido ao seu valor intrínseco, ou então uma postura mais crítica quanto ao paradigma ocidental de progresso econômico. Elementos desse tipo de crítica estarão presentes aqui e ali, mas o viés "desenvolvimentista" será amplamente dominante. É significativo que ainda em 1876, quando André Rebouças lançou pela primeira vez a proposta de criar parques nacionais no Brasil, especialmente nas Sete Quedas de Guaíra e na Ilha do Bananal, o eixo da sua argumentação tenha sido o progresso que o turismo poderia trazer para aquelas regiões, e não a necessidade de colocar áreas selvagens fora do ímpeto destruidor da civilização.[7]

Algumas chaves explicativas iniciais podem ser utilizadas para analisar esse fato. Em primeiro lugar, é preciso considerar a continuidade de certas referências externas fundamentais, mesmo na segunda metade do século XIX. A ciência natural de Buffon, Lineu e Humboldt, especialmente a deste último, estará presente ao longo de todo o período. A influência de novas correntes científicas, como o evolucionismo darwinista, foi pouco relevante nos autores analisados. Um fato tanto mais surpreendente se levarmos em conta que a obra de Darwin e de seu discípulo Haeckel, criador da palavra "ecologia", começou a ser lida no Brasil a partir de 1870, através de médicos, juristas e filósofos como Miranda Azevedo, Tobias Barreto e Silvio Romero.[8] Esses autores, porém, até onde eu tenha logrado perceber, não trataram do problema da destruição ambiental. Os que assim o fizeram, citavam Humboldt e não Darwin, mesmo nas últimas décadas do século.

Uma outra permanência que merece ser mencionada é a de um certo enfoque fisiocrata. A economia política liberal, especialmente através das obras de Smith e Ricardo, apareceu algumas vezes nos autores analisados, mas sem modificar a preferência quase unânime por um modelo rural de progresso. A vida fabril e urbana, que transformava a paisagem sócio-ambiental das principais economias capitalistas, despertou uma permanente desconfiança. Apesar de, paradoxalmente, a Europa ter sempre permanecido como a referência civilizatória fundamental. Frederico Burlamaque e Nicolau Moreira, por exemplo, em seu *Catecismo da agricultura*, de 1870, pedem aos jovens oriundos do meio rural que não abandonem "o lar doméstico pelo engodo das cidades" e não se ofusquem com o "falso esplendor" e as "maravilhas que as indústrias ali reúnem", pois elas ocultam "nojentas chagas, o vício, a preguiça, a lepra da mendicidade".[9] Os problemas ambientais derivados da vida urbana e industrial quase não foram colocados na agenda de discussão. A hegemonia dos temas agrários e florestais foi marcante. Mesmo quando Pedro Caldeira analisou a situação crítica do Rio de Janeiro, em 1884, sua atenção estava voltada para a destruição do entorno natural da cidade, particularmente suas florestas e mangues, e não para as questões propriamente intra-urbanas, como a poluição sonora ou a sujeira das ruas.*

Essa opção reflete, em parte, uma realidade histórica objetiva, dada a dominância econômica e demográfica do mundo rural no Brasil da época. Mas reflete essencialmente um posicionamento teórico. O que estava em jogo não era a defesa da "vocação agrícola" por si mesma. A monocultura escravista era desprezada. O modelo ideal de sociedade passava por um rural modernizado, inclusive com a introdução de máquinas e produtos químicos. Essa agricultura modernizada não era vista como fonte de destruição ambiental, mas sim como o caminho mais direto para a salvação do território e para a construção de um país efetivamente civilizado. É preciso diferenciar, portanto, os que defendiam a vocação agrícola com base em uma certa concepção conservadora de vantagem internacional comparativa, ou mesmo em um "arcaísmo como projeto", para usar o título de um livro de João Fragoso e Manolo Florentino, dos que o faziam com base em uma crítica econômico-ambiental influenciada pela herança teórica da fisiocracia.

A permanência desse viés fisiocrata, a meu ver, não se deveu tanto à leitura continuada dos clássicos franceses, mas sim aos mecanismos de transmissão interna presentes na própria tradição. Os pensadores que analisei, em uma linha de mais de dez décadas, passaram adiante certas idéias-força que, com as necessárias mediações, foram assimiladas e citadas pelos autores mais recentes, inclusive o elogio da opção rural. A recorrência mais intensa, que serviu de elo para o conjunto da tradição, foi o apelo freqüente à autoridade de José Bonifácio. A obra desse último realizou duas operações básicas de conexão teórica entre autores de diferentes épocas e contextos: em primeiro lugar, constituiu a síntese mais perfeita e coerente do debate iniciado no final do século XVIII, ainda no círculo de Vandelli. As propostas básicas que emergiram desse debate fundador apareceram em Bonifácio de forma consistente e organizada, apresentando-se como um verdadeiro projeto nacional. Em segundo lugar, as idéias contidas nesse projeto, até por força do peso simbólico que o nome Bonifácio adquiriu a partir de meados do século XIX, influenciaram vários dos agentes posteriores do debate, servindo como referência e correia de transmissão para a continuidade das teses básicas antes delineadas.

---

* É verdade que, especialmente a partir do final da década de 1880, uma discussão desse tipo começou a emergir no Rio de Janeiro, centrada no problema da insalubridade das ruas e das fábricas. Uma síntese inicial encontra-se em J.L. Barbosa, "Olhos de ver, ouvidos de ouvir". No período que vai até 1888, entretanto, não consegui encontrar conexões fortes entre este tipo de discussão e o debate político-ambiental mais amplo que procurei reconstituir.

Mapa de viagem

Neste ponto, a partir dos elementos colocados acima, é possível apresentar a concepção geral do livro e de seus capítulos. No Brasil dos séculos XVIII e XIX, como já foi dito, a motivação política foi amplamente dominante entre os intelectuais que enfrentaram o problema ambiental, sendo também o foco das suas construções mais criativas e teoricamente relevantes. Por esse motivo privilegiei os pensadores políticos, ou então aqueles que, mesmo não tendo um objetivo explicitamente político, enveredaram de alguma forma por essa perspectiva. Em outras palavras, privilegiei os pensadores que relacionaram o problema da conservação ambiental com a questão mais ampla da construção, sobrevivência e destino da sociedade brasileira. Ao fazer essa opção, deixei de lado observações técnicas ou meramente descritivas sobre problemas ambientais que eventualmente apareceram na literatura da época. É interessante observar que a dominância do enfoque político na crítica ambiental brasileira não constituiu um caso isolado. Também no debate sobre a abolição da escravatura, como demonstrou José Murilo de Carvalho,[10] o eixo da reflexão foi político, contrastando com a racionalidade religiosa ou ética que esteve fortemente presente em outros países.

Por outro lado, é importante deixar claro que optei por enfocar, ao menos nesse primeiro trabalho, o debate centrado no tema da destruição ambiental. Não estou alheio à crítica feita por Simon Schama aos historiadores ambientais, no sentido de que esses tendem a priorizar os aspectos destrutivos da relação entre as sociedades e o mundo natural, deixando de lado uma ampla gama de relações objetivas e subjetivas, muitas das quais construtivas, que ocorrem cotidianamente.[11] Concordo com essa observação, inclusive no plano do debate político-ambiental, que vai além do problema da devastação. No caso do Brasil, porém, onde tanto se acha por fazer em termos de uma história ambiental, pareceu-me que seria válido concentrar-me no "sopro de destruição" que, inegavelmente, caracterizou grande parte dessa relação. Até porque a escala e a dramaticidade desse último foram uma fonte de inspiração permanente para reflexões políticas profundas e sofisticadas.

Essa opção pela política também me levou a privilegiar os autores brasileiros e, em alguns poucos casos, portugueses, que escreveram de forma direta sobre os problemas ambientais do país. Na literatura dos viajantes estrangeiros, especialmente os que percorreram o Brasil no século XIX, é possível encontrar interessantes reflexões sobre os usos destrutivos do mundo natural. Mas faltou a esses viajantes o compromisso político permanente, local ou nacional, que marcou o pensamento dos autores aqui analisados. Uma outra decisão estratégica, relacionada com a intenção de privilegiar a reflexão política mais abrangente, foi a de concentrar-me nos textos e ensaios elaborados com intuito de promover o debate de idéias, deixando de lado, a não ser em alguns poucos casos, o material mais diretamente relacionado com a prática parlamentar ou governamental. Seria possível, por exemplo, extrair elementos muito interessantes de debate político-ambiental das atas das assembléias legislativas e dos relatórios de ministros e governadores ao longo do período. Mas optei por explorar esse material em trabalhos futuros, esperando que outros historiadores também o façam.

O marco inicial de 1786, dentro do critério explicitado acima, referiu-se à publicação do primeiro ensaio escrito por um brasileiro com reflexões políticas amplas sobre os problemas ambientais do país. Trata-se do *Discurso histórico, político e econômico dos progressos e estado atual da filosofia natural portuguesa, acompanhado de algumas reflexões sobre o estado do Brasil*, de Baltasar da Silva Lisboa. O marco final de 1888, como parece óbvio, indica a abolição do trabalho forçado no Brasil. O legado crítico superior da tradição intelectual aqui analisada, em minha opinião, apareceu naqueles momentos em que se revelou o nexo causal existente entre a destruição ambiental e a dominância do que Joaquim Nabuco chamou de "obra da escravidão" — o complexo econômico, social, cultural e político fundado no tripé trabalho escravo-latifúndio-monocultura. Com o fim da escravidão, que de maneira alguma coincidiu com o fim da destruição do ambiente natural no país, encerrou-se um ciclo teórico da crítica ambiental brasileira, fortemente marcado pelas idéias de José Bonifácio. A partir desse momento, os autores que levaram adiante essa tradição crítica tiveram que buscar outros padrões explicativos, cuja análise foge aos marcos cronológicos desse trabalho.*

No capítulo 1, busco discutir as origens teóricas da primeira crítica ambiental brasileira, demarcando suas raízes no iluminismo luso-brasileiro. Após analisar uma obra paradigmática dessa fase inicial — o *Discurso sobre os melhoramentos da economia rústica no Brasil*, publicado em 1799 por José Gregório de Moraes Navarro —, procuro demonstrar a ligação entre suas principais propostas e os conteúdos do debate político-ambiental vigente em Portugal naquele momento histórico. Para isso discuto a natureza e as principais fontes teóricas das reflexões ambientais formuladas por Vandelli e Sousa Coutinho. Concluo o capítulo com uma análise do *Discurso* de Baltasar da Silva Lisboa, que pode ser considerado uma espécie de marco fundador da crítica ambiental brasileira.

No capítulo 2, analiso um conjunto de textos de crítica ambiental produzidos no Brasil entre 1799 e 1821. Esses textos refletiram o choque entre o racionalismo

---

* Alguns delineamentos iniciais dessa discussão podem ser lidos em meu trabalho "Natureza e projeto nacional".

cientificista dos intelectuais retornados da Europa e a realidade brutal e destrutiva vigente em seu país de origem. Antes de analisar esses textos, para facilitar sua compreensão, faço uma apresentação sintética do caráter ambientalmente predatório da economia colonial implantada no Brasil. A partir do material apresentado nos textos será possível visualizar de maneira concreta, no âmbito de diferentes regiões, as estruturas e práticas da devastação, assim como as chaves teóricas utilizadas pelos intelectuais brasileiros para decifrá-las e criticá-las.

No capítulo 3, discuto a síntese político-ambiental apresentada pela obra de José Bonifácio, entendida no contexto da sua trajetória de vida e da sua evolução intelectual. Apesar de o seu programa reformista não ter sido implementado, já que ele foi afastado do poder e exilado no ano seguinte ao da independência, suas idéias marcaram profundamente a continuidade do debate ambiental ao longo de todo o período monárquico.

Nos dois capítulos finais, analiso os pensadores que levaram adiante, nos sessenta e cinco anos posteriores ao exílio de Bonifácio, a crítica ambiental brasileira. Essa trajetória, a meu ver, bifurcou-se em duas grandes vertentes, ambas reivindicando a inspiração do velho "patriarca". A primeira vertente, que discuto no capítulo 4, reuniu um conjunto de intelectuais e homens públicos, quase todos membros da elite imperial, que se preocupou com a degradação do território a partir de um reformismo tecnológico e administrativo. A destruição ambiental, que eles viam como um dos principais obstáculos ao projeto civilizatório do Império, poderia ser superada sem a necessidade de reformas sociais mais profundas. Ou seja, tocando no ponto essencial, sem que fosse preciso abolir a escravidão. Apesar de suas preocupações com o meio natural terem sido bastante minoritárias, se comparadas com a mentalidade do conjunto da elite, alguns desses personagens lograram assumir posições de destaque na vida intelectual e política do país, especialmente nas grandes associações culturais e profissionais criadas sob a chancela do imperador.* Esse contexto, ao mesmo tempo em que gerou uma certa facilidade para a publicação e transmissão das idéias desses autores, definiu limites claros para o alcance crítico das mesmas, particularmente a omissão diante do escravismo. Apesar de mencionarem muitas vezes o nome de Bonifácio, evitou-se discutir o ponto central da sua proposta reformista, inclusive no plano ambiental, que era o abandono do trabalho servil.

* Veremos que existiram exceções a essa regra. Alguns críticos ambientais analisados no capítulo 4 atuaram de forma mais independente. É o caso de Antônio Muniz de Sousa (1790-?), o curioso escritor que tornou-se conhecido na década de 1830 como "o homem da natureza", por revelar ao público urbano aspectos da realidade dos sertões. Ou então os escritos do jornalista Pedro Soares Caldeira (1834-1898), publicados na década de 1880.

A segunda vertente, que analiso no capítulo 5, enfatizou exatamente a centralidade dessa questão, definindo o fim do escravismo como condição necessária para o estabelecimento de uma relação produtiva, saudável e não-destrutiva com o espaço natural brasileiro. É significativo o fato de essa vertente ter incluído um número bem menor de autores. Ela foi expressa, no final da década de 1830, por Frederico Burlamaque. Prosseguiu, de forma mais moderada, em alguns analistas de temas agrícolas que publicaram a partir da década de 1860. Sua realização mais plena, no entanto, apenas veio a emergir, com vigor político e maturidade teórica, na década de 1880, através da obra abolicionista de André Rebouças e Joaquim Nabuco. Nos escritos desses pensadores foi possível observar a verdadeira continuidade e renovação da herança bonifaciana, apontando para o fato de que a devastação ambiental não poderia ser contida de maneira isolada, mas sim no âmbito de uma reforma geral da economia e da sociedade. A politização do tema ambiental, nesse sentido, atingiu aqui o seu ápice no Segundo Reinado. É por esse motivo que penso ser correto localizar nesses autores o fecho teórico do período fundador da crítica ambiental brasileira.

Três questões de fundo

Antes de encerrar essa introdução, passando diretamente ao roteiro já especificado, penso ser necessário comentar três grandes questões que, de certa forma, estarão presentes ao longo dos capítulos que se seguem.

A primeira delas diz respeito ao contraste entre o cientificismo progressista e o romantismo na origem da crítica ambiental brasileira. Antes de iniciar o estudo concreto das fontes documentais, eu imaginava que a crítica da devastação ambiental no Brasil do século XIX, caso essa houvesse existido, teria surgido da sensibilidade dos intelectuais e artistas românticos, tão fortemente identificados com a valorização da natureza e do seu lugar na construção da nacionalidade. Seria de se esperar, seguindo tal associação, que houvesse surgido na cultura romântica brasileira um protesto contra a destruição brutal de sua principal fonte de inspiração. Algo nesse sentido ocorreu na Inglaterra, na Alemanha e nos Estados Unidos, onde intelectuais associados ao *ethos* romântico combateram a destruição do mundo natural com base no seu valor intrínseco, especialmente no seu valor estético.[12]

No caso dos Estados Unidos, por exemplo, a campanha pela criação de parques nacionais nas serras da Califórnia, na segunda metade do século XIX, liderada pelo naturalista John Muir, foi diretamente influenciada pelo transcendentalismo de Ralph Emerson e Henry Thoreau, fundamentando-se na sublimidade daquelas áreas.[13] O pano de fundo teórico da campanha centrava-se em uma desconfiança básica frente aos resultados da ação humana sobre o mundo da natureza, principalmente na moderna sociedade industrial. Um sentimento bem resumido nas palavras de Thoreau: "Hoje em dia quase todos os chamados melhoramentos feitos pelo homem, tais como a construção de casas e a derrubada das florestas e de todas as árvores grandes, simplesmente deformam a paisagem e fazem com que ela fique mais e mais domesticada e sem valor. Quem me dera um povo que preferisse pôr fogo nas cercas e deixar de pé as florestas!"[14]

Esse tipo de postura, até onde eu pude perceber, não se desenvolveu no romantismo brasileiro, tanto no plano intelectual quanto, menos ainda, no do ativismo público. Com exceção do importante livro de Manoel de Araújo Porto-Alegre sobre a destruição das florestas, publicado em 1845, apenas encontrei passagens relevantes de protesto contra a destruição ambiental, se bem que bastante pontuais, em obras de Gonçalves Dias, Bernardo Guimarães e José de Alencar. É possível que pesquisas posteriores venham a modificar esse quadro em algum nível, mas, ao que parece, a cultura que embasou a ideologia do eterno "berço esplêndido" não chegou a preocupar-se seriamente com o estado de conservação do mesmo.

Gonçalves Dias, por exemplo, ensaiou uma defesa genérica da natureza e das populações tribais contra a civilização moderna em "Os timbiras", ao cantar, diante dos vestígios de antigas aldeias destruídas, que

> Chama-lhe progresso/ Quem do extermínio secular se ufana;/ Eu modesto cantor do povo extinto/ Chorarei nos vastíssimos sepulcros/ ... Ali me sentarei meditabundo/ Em sítio, onde não oiçam meus ouvidos/ Os sons freqüentes d'europeus machados/ Por mão de escravos afros manejados:/ Nem veja as matas arrasar, e os troncos,/ Donde chorando a preciosa goma/ Resina virtuosa e grato incenso/ A nossa incúria grande eterno asselam.[15]

Mas na seqüência do poema, e em sua obra como um todo, esse tema não chegou a ser recorrente ou a receber uma expressão mais elaborada.

Um caso ainda mais significativo encontra-se no poema "O ermo", publicado em 1852 nos *Cantos da solidão* de Bernardo Guimarães, um dos escritores que mais se referiu à natureza e à cultura rústica na segunda geração do romantismo brasileiro. A primeira parte do poema pareceu expressar uma defesa radical da natureza contra a marcha da civilização. Os índios, muitas vezes tratados de forma abstrata nesse tipo de literatura, aparecem aqui como vítimas de uma violência concreta e desmedida: "Oh! Floresta, que é feito dos teus filhos?/ Esta mudez profunda dos desertos/ Um crime — bem atroz! — nos denuncia/ O extermínio, o cativeiro, a morte/ Para sempre varreu de sobre a terra/ Essa mísera raça." A chegada da fronteira econômica sobre os ermos do território é descrita como um processo dramático de destruição ambiental:

> Hei-lo que vem, de ferro e fogo armado,/ Da destruição o gênio formidável/ Em sua fatal marcha devastando/ O que de mais esplêndido e formoso/ Alardeia no ermo a natureza /...Oh! mais terrível/ Que o raio, que o dilúvio, o rubro incêndio/ Vem consumar essa obra deplorável/ Qual hidra formidável, no ar exalta/ A crista sanguinosa, sacudindo/ Com medonho rugido as ígneas asas/ E negros turbilhões de fumo ardente/ Das abrasadas fauces vomitando/ Em hórrido negrume os céus sepulta/ Estala, ruge, silva, devorando/ Das florestas os cadáveres gigantes.

Mas na parte final do poema, surpreendentemente, o forte protesto acaba desembocando em uma adesão conformista e esperançosa ao caminho inexorável do progresso. Nem sequer se busca uma feição menos agressiva do mesmo. Ele é aceito em seu sentido mais convencional:

> Mas, não te queixes, musa; — são decretos/ Da eterna providência irrevogáveis!/ Deixa passar destruição e morte/ Nessas risonhas e fecundas plagas,/ Como charrua que revolve a terra,/ Onde germinam do porvir os frutos/ O homem fraco, ainda, e que hoje a custo,/ Da criação a obra mutilando/ Sem nada produzir destrói apenas/ Amanhã criará, sua mão potente/ que doma e sobrepuja a natureza,/ Há de imprimir um dia forma nova/ Na face deste solo imenso e belo:/ Tempo virá em que nessa valada/ Onde flutua a coma da floresta/ Linda cidade surja, branquejando/ Como um bando de garças na planície;/... E esses rios, que vão por entre sombras/ Onde caudais serenos resvalando/ Em vez do tope escuro das florestas/ Refletirão no límpido regaço/ Torres, palácios, coruchéus brilhantes.[16]

Não se trata, como se vê, de uma resignação lamentosa, mas sim de uma clara defesa da destruição como preço do avanço civilizatório. Uma defesa que apenas aparece mitigada nos últimos versos do poema, quando Guimarães imagina que a musa pátria, ao revolver "memórias das eras que já foram" e despertar "do passado lembranças quase extintas", pode ser que "dos bosques teus, de tua rude infância, talvez terás saudade".[17] Um sentimento levemente nostálgico, e mesmo assim em sentido apenas potencial, que não se compara à oposição ativa encontrada em alguns escritores românticos de outros países.

Tudo isso corrobora as críticas ao caráter superficial do naturalismo romântico no Brasil, que foram expressas ao longo do tempo por diversos autores, como Álvares de Azevedo, Gilberto Freyre e Luiz Costa Lima. O primeiro deles, por exemplo, em uma divertida passagem de sua peça *Macário*, ironizou os escritores que elogiavam os sertões e as florestas com base apenas na leitura das "páginas de algum viajante" que havia esquecido de contar que "na floresta há insetos repulsivos, répteis imundos, que a pele furta-cor do tigre não tem o perfume das flores — que tudo isso é sublime nos livros, mas soberanamente desagradável na realidade". Freyre, por sua vez, falou em um "naturalismo morno e apenas literário, a sombra de mangueiras de sítio e macacos amansados pelos negros da casa". E Costa Lima, em uma perspectiva mais analítica, argumentou que setores do romantismo europeu caracterizaram-se por "seu caráter de rebeldia contra a sociedade instituída", de modo que o ato de "ir à natureza" representava "um estímulo à auto-reflexão libertadora". O romantismo brasileiro, ao contrário, cortejado pelo patrocínio imperial, construiu uma visão da natureza cujo rumo não era o de "estimular a auto-reflexão, mas sim o de desenvolver o êxtase".[18]

Tais observações, por certo, não devem conduzir a uma visão maniqueísta. Até porque nem sempre é fácil separar a cultura romântica da cultura racionalista-cientificista no Brasil da época. A revista *Niterói*, por exemplo, editada por Gonçalves de Magalhães em 1836 e tida como um marco no romantismo brasileiro, publicava artigos sobre astronomia, química e outros assuntos ao gosto do ideário ilustrado de divulgação científica. Alguns dos artistas românticos citados acima, por outro lado, possuíam fortes relações pessoais com intelectuais cientificistas que participaram da crítica à destruição ambiental no Brasil. Araújo Porto-Alegre, por exemplo, era amigo de José Bonifácio, Freire Alemão e Guilherme Capanema. Seu argumento em defesa das florestas, aliás, compartilhou a mesma lógica progressista e pragmática que inspirava aqueles autores. Gonçalves Dias participou em 1859, juntamente com Alemão e Capanema, da Imperial Comissão Científica de Exploração organizada pelo Instituto Histórico e Geográfico Brasileiro. Essa comissão, que realizou seus trabalhos no Ceará, teve um lugar relevante na evolução da crítica ambiental brasileira. Tudo isso revela que, no processo vivo da história, as correntes culturais encontram-se muito mais mescladas do que no didatismo das análises posteriores.

Mesmo assim não se pode negar o fato histórico, importante e desafiador, de que o romantismo brasileiro, enquanto movimento cultural, não chegou a organizar qualquer mobilização de maior alcance contra a destruição do rico espaço natural do país. Essa mobilização, ou pelo menos tentativas nesse sentido, acabou sendo promovida por intelectuais racionalistas que não manifestavam um especial interesse pelo valor sensível da natureza, mas sim pelo seu valor político e instrumental para o progresso nacional. É de se destacar, nesse sentido, que investigações teóricas recentes, indo ao encontro do que foi possível observar no caso brasileiro, têm enfatizado o lugar central da herança iluminista e do racionalismo crítico na formação do moderno pensamento ambientalista.[19]

É necessário qualificar melhor, nesse sentido, a posição dos autores analisados aqui diante do ideal do progresso. Compartilhar esse ideal no Brasil do século XIX, ou do final do XVIII, não constituía qualquer novidade. Palavras como "civilização" e "progresso" eram lugar-comum nos textos cultos da época, especialmente a partir da constituição do Estado independente. A grande novidade apresentada pelos primeiros críticos ambientais brasileiros foi a de produzir uma espécie de metacrítica do progresso. Ou seja, apesar de condenar a falta de progresso e defender esse último como um valor político superior, eles não aceitaram a idéia de que todas as atividades produtivas ou processos de expansão social, inclusive todas as inovações tecnológicas, pudessem ser enquadradas em seu bojo. A grande lavoura rotineira e escravista, por exemplo, em geral elogiada como um instrumento de domesticação do território e inserção do país na economia internacional, era criticada por assentar-se em condições estruturais destrutivas e efêmeras, algo bem diverso da estabilidade e da sabedoria próprias da verdadeira agricultura.

Não se tratava de uma crítica da modernidade e dos males do crescimento por si mesmos, como na passagem de Thoreau citada acima, mas sim de uma crítica interna ao universo moderno que, com base nas próprias premissas deste último, denunciava a realidade brasileira como uma espécie de farsa do avanço civilizatório, uma ordem calcada em instituições e técnicas herdadas do atraso colonial. Até mesmo o símbolo maior da modernidade no século XIX — a ferrovia — foi criticado com base nesse enfoque. Em um texto de 1858, por exemplo, Guilherme Capanema alertou para o fato de que "se não procurarmos mudar o nosso sistema de agricultura, e se não o fizermos com toda energia, acreditamos que as nossas estradas de ferro, em vez de nos serem úteis, virão a ser prejudiciais ... Só com o melhoramento da lavoura poderemos evitar que as estradas se tornem um instrumento de devastação."[20] Em suma, não se tratava de negar as ferrovias e outros elementos do mundo moderno, mas sim de questionar as conseqüências de superpô-las a uma realidade socioeconômica rudimentar e predatória.

A tradição intelectual que está sendo examinada, portanto, foi produzida ao longo do tempo por uma espécie de dissidência minoritária da elite social brasileira, que apresentou uma leitura alternativa da realidade e do potencial de progresso do país. Em relação ao tema da natureza, ela elaborou uma quinta perspectiva diante das quatro grandes visões que moldaram o comportamento cultural dominante: 1) a visão que desvalorizava o meio natural e não se importava com a sua destruição, seja pela indiferença ou pela desqualificação ativa (como nos casos em que se considerava a natureza tropical como inferior à temperada); 2) a visão que reconhecia a grandeza do meio natural, mas considerava que sua exuberância excessiva impedia o pleno desenvolvimento da sociedade humana (uma tese exposta, por exemplo, por Henry Buckle em sua *História da Civilização na Inglater-*

ra); 3) a visão que louvava a pujança do meio natural, mas considerava a sua destruição um preço a pagar pelo progresso (como no poema de Bernardo Guimarães citado acima); 4) a visão que louvava intensamente o meio natural em termos abstratos e retóricos, ao mesmo tempo em que ignorava o seu desaparecimento concreto (como no caso de grande parte dos artistas românticos).

A linhagem dos primeiros críticos ambientais brasileiros, ao contrário, não praticou — ou o fez de forma apenas moderada — o elogio laudatório da beleza e da grandeza do meio natural brasileiro. Mas ao mesmo tempo não ignorou, e principalmente não aceitou, a sua destruição. O meio natural foi elogiado por sua riqueza e potencial econômico, sendo sua destruição interpretada como um signo de atraso, ignorância e falta de cuidado. O verdadeiro progresso supunha a conservação e uso correto do mundo natural que, por sua vez, só fazia sentido no contexto desse progresso. A natureza era vista como um objeto político, um recurso essencial para o avanço social e econômico do país.

A segunda questão de fundo não está isolada da primeira, mas a situa em um plano mais universal. Trata-se da relevância do estudo dos autores brasileiros do século XVIII e XIX para o entendimento da gênese da sensibilidade ecológica no mundo moderno. O que a presente investigação parece estar indicando, assim como outras pesquisas em curso sobre a existência, no mesmo período, de debates ambientais em diferentes países*, é a necessidade de associarmos a gênese dessa sensibilidade com a dinâmica da modernidade em um sentido mais amplo do que antes se supunha. Ela não está relacionada apenas com as conseqüências da grande transformação urbano-industrial, que começou na Europa do final do século XVIII, mas também com uma série de outros processos macro-históricos que, em parte, lhe são anteriores. Entre esses processos, pode-se destacar a expansão colonial européia e a incorporação de vastas regiões do planeta a uma economia-mundo sob a sua dominância, inclusive biomas e ecossistemas que não faziam parte da experiência histórica ocidental. Um outro marco essencial, indissociável dessa expansão, foi a consolidação da ciência como um modo privilegiado de entendimento do mundo.

Tudo isso configurou uma cena internacional profundamente transformada em suas estruturas e paisagens, inclusive no aspecto subjetivo. A implantação de esquemas massivos de exploração do mundo natural nas Américas, na Ásia e na África, em benefício da economia européia, teve um impacto ecológico que só

* É o caso de L. Simonian, *Defending the Earth of the Jaguar*, para o México; R. Funes Monzote, "Azúcar y deforestación", para Cuba; e M. Prieto e T. Castrillejo, "Las ideas de los ilustrados...", para a Argentina. Investigações como essas permitirão que no futuro possamos desenhar um quadro comparativo mais amplo.

agora começa a ser avaliado em toda a sua extensão.[21] O nascimento de um naturalismo e de uma geografia universais, por outro lado, permitiu a identificação reflexiva desses impactos e, em alguns pensadores, alimentou o surgimento de uma postura crítica diante dos mesmos.

É importante, nesse ponto, estabelecer uma conexão entre o presente estudo e os trabalhos inovadores que vêm sendo realizados por Richard Grove[22] sobre as origens da crítica ambiental moderna. Segundo esses trabalhos, elaborados com base em uma vasta documentação primária, o início de uma percepção mais intensa e abrangente da problemática ambiental, especialmente a partir do século XVIII, deu-se no espaço das colônias européias nos trópicos. Grove demonstrou que em certas regiões — como a ilha Maurício, no Oceano Índico, e algumas ilhas do Caribe, assim como, mais tarde, em partes da Índia e da África — a percepção da destrutividade ambiental adquiriu força entre cientistas e administradores coloniais dos séculos XVIII e XIX. A brutalidade dos processos de apropriação econômica da natureza nessas regiões produziu uma degradação ambiental evidente, que ganhou ainda maior visibilidade pelo contraste entre a velocidade da dinâmica destrutiva e o ambiente natural dos trópicos — complexo, frágil e pouco familiar aos olhos dos europeus.

Foi do choque entre essas paisagens de degradação, inicialmente no espaço mais concentrado das ilhas, e certas fontes teóricas emergentes na cultura européia que teriam surgido as primeiras análises políticas sobre a insustentabilidade ambiental dos sistemas produtivos. As fontes teóricas detectadas por Richard Grove são basicamente as mesmas que encontramos nos primeiros críticos ambientais luso-brasileiros, especialmente a doutrina econômica fisiocrática e a filosofia natural de Lineu e Buffon.

O caso brasileiro, no entanto, apresenta elementos próprios dentro desse quadro comparativo. Nos exemplos analisados por Grove, a problemática ambiental era pensada e enfrentada por intelectuais e administradores oriundos das metrópoles colonizadoras, geralmente funcionários das próprias companhias de comércio e dos governos coloniais. Sua intenção, portanto, era buscar uma maior perfeição e permanência para o empreendimento colonial. No Brasil, ao contrário, ela foi discutida por indivíduos nascidos no país, membros da elite local que, apesar de educados na Europa, queriam um desenvolvimento autônomo para a região de onde provinham. Alguns desses personagens, inclusive, utilizaram o tema da destruição ambiental como argumento de crítica ao colonialismo e de defesa da independência. A motivação política, dessa forma, foi bastante diversa, apesar de as influências teóricas serem semelhantes.

De toda forma, os esforços de crítica ambiental existentes a partir do século XVIII, que estão sendo redescobertos pela historiografia recente, podem ser vistos como momentos no processo de tomada de consciência dos dilemas ambientais no universo da modernidade. Eles foram capazes de enunciar uma questão política global que apenas hoje, em plena mudança de milênio, está sendo percebida em toda a sua radicalidade. A idéia de uma visão comparativa dos ambientes naturais em escala planetária, impulsionada no século XIX pelo projeto humboldtiano de um conhecimento "cósmico", está por trás dos desenvolvimentos intelectuais que deram origem ao pensamento ecológico. As constantes trocas de informação entre os eruditos e as academias de ciências da Europa e de outras regiões, na dinâmica de formação de uma ciência com pretensões universais, configuraram um lugar privilegiado para esses desenvolvimentos. O trabalho dos intelectuais que atuavam na periferia colonial e pós-colonial, nesse contexto, adquiriu uma relevância considerável e, até mesmo, uma preeminência perceptiva (se aceitamos as teses de Grove).

É verdade que outros analistas, trabalhando com premissas diferentes das de Grove, têm argumentado que as origens da crítica ambiental não foram necessariamente coloniais, já que ela também vinha se desenvolvendo na própria Europa desde o século XVII. A necessidade de conservar as florestas como estoques de madeira para as necessidades das potências européias, inclusive no plano bélico, e a constatação do impacto destrutivo da ação humana sobre alguns espaços complexos daquela região, especialmente a cadeia dos Alpes, vêm sendo apontados como momentos importantes na formação dessa crítica.[23]

A questão essencial, no entanto, para além da polêmica algo sectária sobre as origens coloniais ou européias do ambientalismo — até porque as trocas intelectuais foram tão regulares que impossibilitam o estabelecimento de uma fronteira tão definida entre ambos os pólos — é a de que a evolução da consciência ecológica não deve ser considerada, como querem alguns, uma resposta exógena, tardia e regressiva ao mundo moderno. Ao contrário, ela é um fruto desse mesmo mundo, uma resultante interna das suas dinâmicas históricas planetárias, uma herdeira das suas revoluções científicas. A crítica ambiental desenvolveu-se, e continua a se desenvolver, como um questionamento endógeno ao universo da modernidade ou, melhor dizendo, a alguns dos padrões possíveis no avanço desse universo.

Por fim, a terceira questão de fundo, mais diretamente relacionada com o caso brasileiro, diz respeito às conseqüências concretas de todo o rico debate intelectual que se tentou reconstruir. Vimos que o domínio do viés racionalista e pragmático foi marcante nos autores analisados. Eles escreviam com o intuito de transformar a realidade do país, inclusive dos seus sertões mais distantes. É surpreendente, dessa forma, a falta de implementação concreta de suas propostas durante todo o período examinado. A discussão permaneceu restrita ao plano das idéias. Seus participantes não lograram promover ou influenciar políticas públicas que impulsionassem o enfrentamento da destruição ambiental, a não ser em alguns poucos casos, como no excepcionalmente bem-sucedido processo de restauração da floresta da Tijuca, entre 1861 e 1874. Essa falta de efetividade prática é ainda mais surpreendente quando lembramos que muitos daqueles autores possuíram uma posição social nada secundária. Vários deles ocuparam lugares de influência, e até mesmo de alta responsabilidade administrativa. José Bonifácio e João Maciel da Costa foram ministros dos negócios do Império. Freire Alemão era o médico da casa imperial. Guilherme Capanema chegou a ser diretor geral dos telégrafos (uma função-chave na construção geográfica do Brasil oitocentista). Mas, apesar de ocuparem essas altas funções, pouco conseguiram fazer em termos práticos.

Para entender com mais profundidade esse fenômeno, seria necessário realizar um outro tipo de pesquisa. Procurei entender, em um primeiro momento, a natureza das idéias sobre a destruição ambiental que circularam no Brasil dos séculos XVIII e XIX. O estudo das práticas e políticas ambientais requereria uma outra ordem de investigação. É importante deixar claro que não procurei fazer uma história das transformações ambientais ocorridas durante o período analisado, mas sim das idéias produzidas no contexto dessas transformações. Mesmo levando-se em conta o fato de que o estudo dos autores de época fornece uma importante via de acesso para a visualização dos problemas ambientais concretamente vividos.

De toda forma, qualquer que tenha sido a motivação da pesquisa, não é difícil observar os claros limites antepostos à ação política concreta dos autores analisados. E algumas observações iniciais podem ser feitas sobre esse tema. Antes de tudo, é preciso ter em mente que eles faziam parte daquela "ilha de letrados num mar de analfabetos" mencionada por Carvalho.[24] Mais ainda, mesmo dentro dessa ilha suas idéias eram amplamente minoritárias, apesar de em certos momentos terem capturado a imaginação de alguns personagens influentes, inclusive, em parte, do próprio Pedro II. Se as preocupações ambientais estavam longe de conquistar o conjunto da elite, mais distante ainda estavam de influenciar a realidade socioeconômica sobre a qual essa última erguia o seu domínio.

A elite dirigente do Império mostrou-se historicamente competente para construir uma estrutura política bastante estável e preservar a unidade de um enorme território. Bem mais questionável, porém, foi a sua capacidade para dirigir, para não falar em aperfeiçoar e transformar, as relações de produção no país real. Ilmar Mattos sintetizou bem essa situação ao afirmar que

> um território extenso, uma população excessivamente dispersa e uma escassez generalizada de recursos financeiros combinavam-se a todo momento e em cada local, dificultando a ação daqueles que deveriam constituir-se em agentes do poder central, impondo limites ao objetivo centralizador e possibilitando a ascendência real do governo da Casa — isto é, dos interesses particulares — sobre os do governo do Estado.[25]

José Murilo de Carvalho, por sua vez, chamou atenção para o fato de que os limites na capacidade de intervenção econômica do governo imperial revelavam-se nas dificuldades encontradas para criar sistemas mais eficientes de arrecadação de impostos, e também para fazer frente à pressão dos setores econômicos, especialmente rurais, no que diz respeito à alocação dos recursos orçamentários.[26]

Mesmo que a elite política estivesse unida no combate à economia predatória, portanto, é bem provável que sua capacidade para deter a destruição fosse bastante restrita. Mas o fato é que isso nunca chegou a ocorrer. Ao contrário, as práticas devastadoras, profundamente arraigadas na lavoura escravista, eram a fonte da renda que sustentava a elite senhorial e a máquina do Estado. Elas já se haviam transformado, para usar a linguagem da época, em uma "rotina" dotada de alto poder de inércia. Basta lembrar o caso do Vale do Paraíba, próximo da Corte, onde, apesar das advertências dos críticos ambientais, foi impossível impedir que a marcha da lavoura cafeeira produzisse um verdadeiro desastre ecológico.[27] A vontade de combater a destruição ambiental, que efetivamente existia na mente de alguns, chocava-se com o interesse imediato da elite socioeconômica do país.

Não deixa de ser notável, por esse mesmo motivo, a perseverança dos críticos ambientais brasileiros em levantar publicamente seus argumentos ao longo das décadas, tendo apenas como resposta a insensibilidade das elites e a inércia dos poderes públicos a quem o apelo era dirigido. Para entender essa persistência, é importante perceber o sentido de urgência, ou mesmo de desespero, que aparece freqüentemente nos escritos que serão analisados. O que aqueles pensadores estavam testemunhando, de fato, era a evolução do processo histórico cuja continuidade redundou na perda de quase cem milhões de hectares da mais rica floresta tropical, já que hoje resta apenas 7% da cobertura original da mata atlântica.[28*]

Foi o caráter dramático dessa percepção que os encorajou a ir além da ideologia abstrata de uma natureza eternamente pujante e vigorosa para enxergar com clareza o movimento demolidor que estava em curso. Ao decidir-se firmemente pelo enfrentamento da devastação, pelo menos no campo das idéias, um conjunto relativamente pequeno de intelectuais foi capaz de produzir uma das aventuras mais ricas de toda a história cultural do Brasil.

---

* A destruição de outros biomas, como o cerrado e a floresta amazônica, aparece com muito menos intensidade nos autores dos séculos XVIII e XIX. Até pelo simples motivo de que a dinâmica forte da sua destruição começou bem mais tarde, na segunda metade do século XX. Para o caso da Amazônia ver J.A. Pádua, "Biosfera, história e conjuntura na análise da questão amazônica".

CAPÍTULO 1

"Aniquilar as naturais produções": Cultura iluminista, crise colonial e as origens da crítica ambiental no Brasil

De todos os elementos que Deus criou para glória Sua, e para utilidade dos homens, nenhum é certamente mais digno de contemplação do que a Terra, Mãe comum de todos os viventes. Ela nos faz ainda hoje o mesmo agasalho que fizera aos nascidos no princípio do mundo. Nem a multidão imensa de famílias que a tem habitado, nem a terrível inundação e naufrágio que ela sofreu com todos os seus filhos criminosos, nem as diversas e espantosas revoluções que a têm muitas vezes quase lançado fora do seu eixo, nem a longa sucessão dos séculos que tudo muda e consome, são capazes de esterilizar o gérmen fecundo de sua fertilidade. Ela será sempre, até o fim do mundo, tão liberal e benéfica como foi no princípio ... apesar da ingratidão dos homens, que parece que trabalham continuamente para destruir e aniquilar as suas naturais produções, e para consumir e enfraquecer a sua primitiva substância.

José Gregório de Moraes Navarro, *Discurso sobre o melhoramento da economia rústica no Brasil*, 1799

Generosidade da terra, ingratidão dos homens

O autor das palavras dessa epígrafe atuava como magistrado no interior de Minas Gerais no final do século XVIII, momento em que a região vivia a decadência do ciclo de extração de ouro e diamantes que deixou marcas profundas na sua paisagem e na sua cultura. Pouco se sabe sobre a vida de José Gregório de Moraes Navarro. O *Dicionário bibliográfico brasileiro* de Augusto Sacramento Blake, publicado em 1898, importante fonte de informações sobre os antigos escritores do país, não menciona sequer o ano do seu nascimento e morte. Sabe-se que estudou direito na Universidade de Coimbra entre 1778 e 1782[1] e que serviu como juiz de fora em Paracatu do Príncipe, nos sertões ocidentais da capitania, sendo encarregado da instalação oficial daquela vila em 1798.[2] No ano seguinte, públicou em Lisboa um pequeno e fascinante livro intitulado *Discurso sobre o melhoramento da economia rústica no Brasil.*[*] Foi no corpo desse trabalho, após as formalidades de abertura comuns aos textos cultos da época — incluindo uma dedicatória ao príncipe real e um poema arcadista onde antevê a possibilidade de uma idade de ouro para o Brasil, um tempo em que Astréia pudesse novamente retornar ao convívio terreno[**] —, que Navarro formalizou pela primeira e única vez, até onde se conheça, suas reflexões sobre o contraste entre a generosidade da Terra e a ingratidão dos homens, que agem continuamente no sentido de destruir, aniquilar, consumir e enfraquecer as produções e a substância da natureza.

A visão do autor a respeito desse contraste, no entanto, não ficou restrita ao plano genérico, enveredando também por importantes observações críticas quanto à conduta dos colonizadores portugueses no país. Esses últimos

> fundaram sucessivamente grandes cidades, vilas notáveis e outros muitos lugares mais pequenos. Mas como se acham hoje todas essas antigas povoações? Como corpos desanimados. Porque os lavradores circunvizinhos, que por meio da agricultura lhes forneciam os gêneros de primeira necessidade, depois de reduzirem a cinza todas as árvores, depois de privarem a terra da sua mais vigorosa substância, a deixaram coberta de sapé e samambaia, que é uma espécie de grama ... e abandonando as suas casas com todos os seus engenhos, oficinas e abegoarias, se foram estabelecer em novos terrenos.[3]

---

* O livreto foi editado pelo botânico brasileiro frei José Mariano da Conceição Velloso, fazendo parte de uma coleção de trabalhos sobre agricultura dirigida aos proprietários rurais do Brasil. Sobre a natureza desse empreendimento editorial, ver a p.37 deste capítulo.

** O uso da imagem de Astréia, a deusa grega que se retirou da terra em protesto contra a maldade humana, foi recorrente no pensamento europeu pós-renascentista, inclusive com objetivos políticos. Para um belo estudo sobre o tema ver F. Yates, *Astraea*.

Apesar de constatar o estado de abandono em que se encontravam muitas povoações e centros produtivos da colônia, como conseqüência da degradação do espaço natural, o *Discurso* não chegou a afirmar que o colapso era o destino inexorável de qualquer esforço de assentamento humano. Ao contrário, ele defendeu a possibilidade de um progresso social e econômico duradouro, que superasse a tendência para a destruição através de uma conduta ambiental ativamente benéfica e inteligente:

> Suponhamos agora que os homens, mais bem aconselhados, tenham conservado as árvores frutíferas e úteis e que, fazendo dos diferentes terrenos o uso que lhes fosse mais próprio e mais natural, ajudaram a fecundidade da terra pelos meios que a experiência e a indústria mostraram ser os mais convenientes. Não seriam então muito mais felizes? Não seria para eles a Terra tão liberal e benéfica como foi no princípio para os seus primeiros povoadores?[4]

Não é difícil constatar que as idéias contidas na abertura desse discurso se apresentam aos olhos do observador atual como de todo inusitadas, se considerarmos o momento e o lugar em que foram elaboradas. Sob a roupagem de uma narrativa própria ao estilo da época — onde se misturam citações bíblicas, elementos de história natural e referências greco-romanas —, o que parece emergir do texto de Navarro assemelha-se a um conjunto de temas e percepções familiares ao debate ecológico das últimas décadas do século XX.

O *Discurso* apresenta a Terra, por exemplo, como uma potência benéfica e criadora em sentido global e abstrato. Note-se que não se trata de elogiar a fertilidade de uma região específica, mas sim de afirmar a fecundidade permanente da Terra como uma totalidade, a "Mãe comum de todos os viventes". O planeta adquire um sentido de personalidade, um gênero feminino e uma força de sobrevivência e regeneração que supera todos os inúmeros percalços e desafios surgidos ao longo do tempo — sejam produzidos pelo castigo divino (o dilúvio), pela mecânica cósmica (as revoluções) ou pelo crescimento exponencial e potencialmente destrutivo da presença humana.

Ao discutir a relação entre a humanidade e a Terra, por outro lado, Navarro sugere a existência de um antagonismo potencial entre ambas. O aspecto mais significativo dessa visão, assim como no ponto anterior, está na afirmação desse antagonismo em sentido genérico e permanente, para além dos contextos locais e específicos. A destrutividade ambiental dos seres humanos não derivava de ações fortuitas e ocasionais, mas sim de uma tendência básica para "continuamente" consumir a "primitiva substância" do planeta. É verdade que o texto também afirma, em outra passagem, que tal propensão aparece com maior intensidade nas sociedades novas e imaturas, tendendo a reduzir-se com o tempo através do aprendizado trágico das suas conseqüências. No caso do Brasil colonial, uma sociedade vivendo "como em sua infância",[5] observava-se um momento ascendente de destruição cujos resultados já se faziam sentir de forma concreta.

O colapso de várias comunidades e atividades produtivas não estava se dando por força da guerra entre os seres humanos, ou pela irrupção exógena de algum fator natural, mas sim pelos erros da ação humana frente ao mundo da natureza. Essa última passava a negar aos homens o seu vigor. Mas não o fazia por decisão própria. A "mãe comum" apresentava-se de uma maneira a um só tempo passiva e ativa. Passiva porque suportava em silêncio a agressão humana. Ativa porque esse silêncio era provisório, gestando uma vingança: ela se transmutava de húmus fecundo em domínio das ervas daninhas. Aqui se coloca o tema — expresso contemporaneamente na bela imagem de Michel Serres[6] — da passagem "da guerra de todos contra todos para a guerra de todos contra tudo". O problema da oposição entre humanidade e meio natural deixa de ser um objeto apenas moral para tornar-se uma questão política — uma ameaça à sobrevivência coletiva da comunidade.

Apesar de descrever um quadro de crise e decadência ambiental no Brasil do século XVIII, Navarro não adota uma postura pessimista quanto ao futuro. Com base em uma filosofia da história ambiguamente otimista (que será discutida com mais profundidade no final do capítulo 2), ele afirma que não apenas é possível aprender a conviver harmonicamente com o meio natural como também, o que é mais notável, agir no sentido de "ajudar a fecundidade da terra pelos meios que a experiência e a indústria mostrarem ser os mais convenientes". Para isso seria preciso conciliar a ação econômica com o mundo da natureza, buscando conhecer o uso "mais próprio e natural de cada terreno". Tratava-se de passar de uma postura ativamente maléfica para outra ativamente benéfica.

Navarro vai propor, na seqüência do texto, a adoção de três medidas fundamentais que poderiam induzir essa renovação: a) a introdução do arado, para recuperar o solo desgastado e dotar a agricultura de um sentido de permanência oposto ao do nomadismo das queimadas; b) a reforma das fornalhas, de forma a reduzir o consumo de lenha e aumentar a produtividade dos engenhos; c) a conservação das matas, através do estabelecimento de reservas florestais e do incentivo ao plantio de árvores lenhosas, frutíferas e medicinais.[7]

A introdução do arado, que se tornará um tema recorrente até o final do século XIX, simbolizava a promoção de uma agricultura mais intensiva e enraizada.* Ele concordava com a crítica de que nas terras recentemente abertas, devido à

* É significativo o fato de o potencial de destruição ambiental provocado pelo arado, tal qual foi percebido em outros países, não ter feito parte das conjecturas dos autores brasileiros.

presença de grossas raízes no solo, era impraticável o uso desse instrumento. Mas as terras de exploração mais antiga, que haviam sido abandonadas pela sucessão de práticas predatórias, poderiam ser recuperadas através do seu uso: "Tornem eles outra vez para as suas taperas, e acharão muitos tesouros escondidos debaixo das raízes do sapé e da samambaia. O ferro do arado só é capaz de descobrir estes tesouros, e de extinguir aquelas raízes venenosas e inúteis que têm chupado toda a substância da terra." A introdução do arado vivificaria "uma grande porção de terras próximas às grandes povoações, que estavam como amortecidas e abandonadas." Com a regeneração das fazendas mais próximas das povoações seria possível reduzir a carestia no preço dos alimentos, que estava crescendo na região. O trato mais adequado dos terrenos permitiria desenvolver as culturas da cana, do feijão e outras. Além disso, seria possível aclimatar no Brasil árvores e animais trazidos da Europa, especialmente os carneiros e as ovelhas, já que no país existiam campos com ervas próprias para esse pastoreio.[8]

Os benefícios do arado se estenderiam também ao campo social, já que ele pouparia o trabalho dos negros escravos. Numa crítica direta à pouca racionalidade do sistema escravista, mesmo que de forma bastante moderada, o autor afirmava que com a introdução do arado "um só Preto, com uma junta de bois, pode lavrar tanta terra como vinte Pretos com o uso de enxadas". Isso permitiria que fazendas que utilizavam 500 escravos passassem a utilizar 40. Com isso os escravos tornar-se-iam mais "contentes, sadios e duráveis pelo trabalho mais suave".[9]

Quanto à conservação das matas, ela se daria em primeiro lugar pela reforma das fornalhas, cuja tecnologia rudimentar provocava um consumo excessivo de lenha. Também seria necessário utilizar o bagaço da cana para alimentar as caldeiras e promover a plantação de árvores de crescimento rápido, capazes de "produzir em poucos anos lenhas para fabrico da lavoura". Os fazendeiros, além disso, deveriam ser incentivados a plantar árvores frutíferas, palmitos e plantas medicinais. Uma outra medida seria a "conservação de pequenos bosques junto das cidades e vilas, para o provimento das lenhas e madeiras necessárias para usos domésticos e públicos". Esses bosques "devem ser considerados como patrimônio público, arrendados e administrados por conta dos conselhos", sendo o seu produto "aplicado para as obras públicas". A "mais séria consideração", por fim, deveria ser dada aos arvoredos próximos do mar e dos rios navegáveis, que deveriam ser conservados para "provimento das madeiras necessárias aos navios e usos públicos". Essas matas seriam demarcadas e guardadas como "patrimônio público do

---

Sua presença inexpressiva no país fez com que ele permanecesse uma espécie de utopia tecnológica distante e idealizada. Para uma discussão histórica sobre esse tema ver S.B. de Holanda, *Caminhos e fronteiras*, cap. II, p.5.

Estado". O descuido com essa conservação poderia gerar no futuro um "dano irreparável".[10]

Não é difícil perceber a principal matriz teórica que informa esse projeto: a economia política fisiocrata, com sua leitura agrarista do ideal do progresso típico da Ilustração. É significativo o fato de o programa econômico de Navarro não incluir a mineração, que constituía a principal fonte de riqueza na Minas Gerais setecentista. Essa opção não foi casual. O autor apostava na "economia rústica" do país. A ênfase na vida rural estava no cerne da sua sensibilidade não apenas fisiocrata como também arcadista. A economia das minas, de fato, provocava-lhe antipatia. Ele chegou a criticar os homens que "principiaram a despedaçar a terra para tirar das suas entranhas aqueles tesouros que lisonjeavam mais a sua ambição". Tal conduta teria prejudicado os moradores das cidades, que tiveram de comprar "todos os gêneros necessários para a sua subsistência por maiores preços, à proporção da distância dos lugares das suas exportações". O futuro do Brasil não requeria esse tipo de risco, pois a adoção do conjunto de medidas apontado acima já seria suficiente para fazer do país "o mais rico e mais afortunado de todo o mundo", tornando-o capaz de "colher sem custo o trigo louro, o doce mel e o bálsamo cheiroso". O principal método para induzir essa transformação, por outro lado, seria o exemplo do Príncipe que, "tendo em todas as partes do Brasil muitas terras suscetíveis ao arado", deveria mandar lavrá-las segundo o novo método. Esse exemplo seria "mais poderoso e eficaz do que os prêmios", estimulando os proprietários a corrigirem suas práticas danosas e adotar um caminho mais benéfico.[11]

Economia geral da natureza

As temáticas discutidas por Navarro não eram inéditas no contexto do pensamento europeu e colonial da época, mas estavam longe de poderem ser consideradas triviais. No caso do pensamento brasileiro, ou mais propriamente do que se conhece sobre a história desse pensamento, elas soam quase inverossímeis. O fato de no final do século XVIII estarem sendo discutidas no país idéias que se aproximam da reflexão ecológica contemporânea — tais como a imagem da Terra como uma realidade viva e integrada, a tendência destrutiva da ação humana, o risco de colapso social pela degradação do meio ambiente e a necessidade de promover uma forma não-predatória de progresso — indica que estamos diante de um fenômeno intelectual instigante. É claro que não se trata de ignorar as enormes diferenças históricas que separam o século XVIII e o século XXI. Mas também não é correto, a meu ver, estabelecer uma barreira intransponível entre os pensamentos, práticas e instituições de ambos os períodos. Existe uma continuidade histórica entre os macroprocessos em curso no final do século XVIII, tanto em termos subjetivos quanto objetivos, e a constituição do mundo contemporâneo. E o que se está discutindo aqui, de fato, é o aparecimento da crítica ambiental no universo da modernidade.

Para entender o contexto cultural dentro do qual esse tipo de crítica foi capaz de emergir no Brasil setecentista, inclusive na obra de Navarro, é necessário reconstituir brevemente as dinâmicas sociais e intelectuais que propiciaram o nascimento de uma discussão política sobre o caráter ambientalmente predatório da economia colonial brasileira.

Até o final do século XVIII, poucas foram as vozes que lograram perceber, e mais ainda condenar, essa realidade. Mas a partir de 1780 começou a se delinear um movimento teórico nessa direção, que constituiu uma tendência minoritária no interior do Iluminismo luso-brasileiro. A introdução do ideário ilustrado em Portugal, ou mais especificamente de uma certa leitura desse ideário, foi promovida pelo próprio Estado, como parte de um projeto semi-oficial de modernização cultural e econômica. Digo "semi-oficial" porque tal projeto, lançado durante o longo governo do Marquês de Pombal, de 1750 a 1777, nunca logrou obter a adesão completa e permanente da elite dirigente do reino. Seu trajeto foi sinuoso, cheio de avanços e recuos. Seus promotores enfrentaram sempre uma convivência conflituosa com os representantes e beneficiários das idéias e práticas tradicionalistas. O apoio dos reis oscilava entre os dois campos, produzindo mudanças bruscas nas políticas ministeriais. Rodrigo de Sousa Coutinho, por exemplo, paradigma de ministro ilustrado e progressista, comparado por Hipólito José da Costa a um "relógio sempre adiantado", cedeu o lugar de Ministro da Marinha e do Ultramar, que ocupou entre 1796 e 1801, ao Visconde de Anadia, que o mesmo Hipólito comparava a um "relógio sempre atrasado".[12] Essas oscilações e inseguranças ajudaram a construir uma cultura ilustrada maleável e moderada. A mentalidade das Luzes era interpretada mais como um instrumento prático de progresso científico e desenvolvimento econômico do que como uma doutrina de emancipação política e filosófica. Nesse contexto, o Iluminismo contestatório, radical e republicano foi explicitamente rechaçado.

No final do século XVIII, de toda forma, o desenvolvimento das ciências naturais em Portugal já seguia um caminho mais ou menos irreversível, até mesmo por força da sua importante dimensão econômica. A produção de metais preciosos no Brasil, relevante fonte de receitas para a metrópole, apresentava sinais de esgotamento, sendo cada vez mais evidente a impossibilidade de levá-la adiante a partir dos métodos rudimentares que vinham sendo utilizados. O estudo da mineralogia tornou-se uma prioridade, representando uma esperança de salvação econômica pela descoberta de novas minas e revitalização das antigas. Por outro lado, as crises revolucionárias que estavam desarticulando provisoriamente importantes centros de agricultura colonial, como no caso do Caribe Francês posterior à revolução de 1789, abriam novos espaços de competição internacional que podiam ser aproveitados pela agricultura brasileira.

As mentes mais lúcidas, no entanto, percebiam que isso apenas seria possível através de uma reforma dessa agricultura marcada pela baixa produtividade. Para isso era fundamental promover duas dinâmicas que tinham seu eixo no trabalho científico. Em primeiro lugar, era preciso impulsionar no país a "aclimatação" de espécies exógenas que pudessem ter valor econômico. Esse, aliás, era um tema central da agenda econômica do final do século XVIII. A transposição de espécies de uma região do globo para outra, com o estabelecimento de jardins botânicos para garantir sua sobrevivência, estava na ordem do dia de potências coloniais como a França, a Inglaterra e a Holanda. Ocorreram, inclusive, vários episódios de espionagem botânica.[13] O atraso de Portugal nesse campo, especialmente no espaço das colônias, era bastante claro. Ainda se ensaiava a criação de jardins botânicos no Brasil das primeiras décadas do século XIX. O passeio público do Rio de Janeiro, construído entre 1779 e 1783, tinha funções mais urbanísticas do que botânicas. Cartas régias determinando a criação de verdadeiros jardins botânicos, assinadas pelo ministro Sousa Coutinho, foram enviadas para Belém em 1796 e, dois anos depois, para Olinda, Salvador, Vila Rica e São Paulo. Mas apenas no caso de Belém, onde um horto foi estabelecido em 1798, as determinações chegaram a sair realmente do papel. O importante Jardim Botânico do Rio de Janeiro começou a ser construído bem depois, em 1808.[14] Enquanto isso, na vizinha Guiana Francesa, que certamente não era a principal colônia daquele país, já estava consolidado desde o século anterior um belo jardim denominado "La Gabrielle".*

Em segundo lugar, era urgente estudar melhor a natureza brasileira, investigando a utilidade econômica das espécies nativas ainda desconhecidas. Nesse ponto, igualmente, o mundo lusitano estava em atraso. Desde o século XVI estavam sendo publicados na Europa inventários sistemáticos da utilidade de minerais, vegetais e animais encontrados ao redor do mundo, especialmente nas colônias asiáticas. Do riquíssimo território brasileiro, ao contrário, pouco se conhecia de sistemático, já que as informações desagregadas e inexatas dos cronistas esta-

---

* Esse jardim esteve mais tarde sob controle português, quando Caiena foi ocupada em represália à invasão de Portugal pelas tropas napoleônicas, entre 1809 e 1817. A partir dessa ocupação, transferiu-se para o Brasil uma quantidade razoável de material botânico, inclusive a variedade de cana que, devido a sua origem, ficou conhecida como "caiana".

vam muito aquém do que seria necessário. A economia colonial no Brasil praticamente havia ignorado as espécies locais, optando por utilizar a base territorial do país — e a fertilidade temporária propiciada pela queima da sua biomassa florestal — como um mero substrato para a implantação monocultural de espécies exóticas provenientes dos trópicos orientais. O quadro agora era diferente, pois as plantas convencionalmente importantes na economia-mundo dos últimos séculos, como a cana e o algodão, já estavam sendo cultivadas nas mais diversas regiões, gerando uma competição internacional generalizada. A descoberta e o monopólio de uma espécie endêmica de grande valor comercial, ao contrário, abririam espaço para a obtenção de lucros extraordinários, como aconteceu no caso da borracha das seringueiras no século XIX.

Essa motivação econômica veio ao encontro da nova mentalidade científica que emergia, de forma ainda bastante imperfeita, na Universidade de Coimbra e na Academia das Ciências de Lisboa. Domenico Vandelli, por exemplo, passou a orientar a realização de viagens que percorriam o interior de Portugal e de suas colônias em missão de pesquisa mineralógica e botânica. A mais conhecida dessas expedições, pelo menos no caso brasileiro, foi dirigida por um dos seus discípulos mais diletos, Alexandre Rodrigues Ferreira, que percorreu a Amazônia entre 1783 e 1791. É significativo observar, no entanto, que essa expedição padeceu de inúmeras dificuldades em termos de apoio operacional e político.[15] A busca de novos conhecimentos sobre o mundo natural ocorria de forma relativamente pobre no império português, se comparada com os esforços empreendidos por outras potências na mesma época. De toda forma, foi no contexto dessas pesquisas de campo que muitos intelectuais começaram a perceber com clareza que os recursos naturais dos territórios lusitanos estavam sendo destruídos antes mesmo de serem estudados ou aproveitados de forma mais apropriada.

O próprio Vandelli, com base nos relatos de seus alunos e correspondentes, assumiu a responsabilidade de denunciar esse fato. Ao analisar a situação dos bosques da metrópole, na sua *Memória sobre a agricultura de Portugal e de suas conquistas*, publicada em 1789, ele reclamava que "raros são os que se plantam, e nos antigos não há todo o cuidado necessário para a sua conservação e aumento". No que se refere à agricultura, Vandelli observava que a estrumação dos terrenos, em grande parte montanhosos, era feita de forma superficial, permitindo que as águas da chuva levassem consigo "quase todas as partes salinas e oleosas, que são um dos princípios da fertilidade". A perda da cobertura vegetal nativa fazia com que esses terrenos não fossem "sustentados em vários planos para impedir que as águas desçam com muita força", de tal maneira que eles se tornavam "cada vez mais estéreis", já que as águas levavam não apenas os sais e óleos, mas "juntamente a terra mais fértil". Em uma significativa nota de pé de página, ele afirmou que "seria necessário aplicar a este reino as leis de França para os bosques". Uma afirmação que revela o impacto das ordenações florestais promulgadas por Colbert, em 1669, na formação da crítica ambiental setecentista, como será discutido mais tarde.[16]

O protesto de Vandelli adquiriu um tom bem mais exaltado, porém, quando passou a discutir a degradação ambiental que estava ocorrendo no Brasil, já que a economia implantada nessa colônia lograva associar dois elementos igualmente negativos e aparentemente opostos: a subocupação e a superexploração. É interessante observar que esse tipo de comentário reapareceu posteriormente em vários outros autores. O paradigma conceitual era o de que os territórios não deviam permanecer intocados, mas sim serem aproveitados de maneira racional e cuidadosa. O progresso econômico não era entendido como antagônico em relação à conservação da natureza. É nesse sentido que podemos compreender o desapontamento de Vandelli com o fato de o "imenso país do Brasil" estar "quase despovoado e inculto".[17] As atividades de mineração desenvolvidas no século XVIII não comoviam a mente fisiocrata do mestre italiano. As minas não deveriam ser "o principal cuidado e trabalho no Brasil", apesar de ser necessário dotá-las de um "sábio regulamento" e de utilizar máquinas para drenar o seu interior e aperfeiçoar a sua capacidade de extração. O foco do progresso econômico estava em outra parte: "A riqueza maior que se deve retirar das conquistas é das outras suas naturais produções obtidas pela agricultura, ou assim como as subministra a natureza."[18] Mas eram exatamente essas "naturais produções", que poderiam ser objeto de uma boa agricultura e de um bom extrativismo, que estavam sendo dilapidadas "nos arredores das poucas povoações européias":

> Vai-se estendendo a agricultura nas bordas dos rios no interior do país, mas isso com um método que com o tempo será muito prejudicial. Porque consiste em queimar antiqüíssimos bosques cujas madeiras, pela facilidade de transporte pelos rios, seriam muito úteis para a construção de navios, ou para a tinturaria, ou para os marceneiros. Queimados estes bosques, semeiam por dois ou três anos, enquanto dura a fertilidade produzida pelas cinzas, a qual diminuída deixam inculto este terreno e queimam outros bosques. E assim vão continuando na destruição dos bosques nas vizinhanças dos rios.[19]

Em um outro texto também publicado em 1789, *Memória sobre algumas produções naturais das conquistas*, Vandelli utilizou um prisma diferente para criticar o mesmo processo. O avanço crescente do desflorestamento, além de ser um método agronômico incorreto, promovia a extinção de elementos ainda desconhecidos da flora tropical — que hoje incluiríamos na chamada "biodiversidade" —, abortando as possibilidades de uso futuro que poderiam advir da investigação científica:

> Entre as plantas das conquistas existem muitas desconhecidas dos botânicos, principalmente árvores de muita utilidade, ou para a construção de navios, casas e trastes, ou para a tinturaria. Porém no Brasil muitas delas com o tempo se farão raras e dificultoso o seu transporte. Pelo costume introduzido de queimar grandes bosques nas bordas dos rios para cultivar a maior parte do milho ou mandioca, e acabando-se a fertilidade deste terreno em poucos anos passam a fazer novas queimas, deixando inculto o que antes foi cultivado. E assim se destroem imensas árvores úteis e de fácil condução.[20]

Não é difícil perceber que no enfoque de Vandelli não existe qualquer culto da natureza ou arrebatamento subjetivo diante das suas manifestações. A destruição ambiental é criticada por motivos utilitários e políticos, fundamentados em uma visão essencialmente pragmática. A agricultura de queimadas é ruim por ser nômade e efêmera, sendo incapaz de conservar a fertilidade do solo. A extinção das espécies arbóreas é indesejável por impedir a sua utilização futura em navios, casas, trastes e tinturarias. O que estava em jogo era a correta ocupação de um enorme território, que nunca poderia fundar-se sobre uma base tão precária e devastadora.

Um outro aspecto que também já aparece em Vandelli, marcando toda uma linhagem posterior de pensamento, é o de relacionar os males da economia implantada no Brasil, inclusive a destruição ambiental, com certos padrões presentes na sua estrutura social. O problema do país não estava nas suas condições naturais, pois era "escusado indicar a bondade do clima, a fertilidade dos terrenos, porque tudo isso é bem conhecido". A violência dos indígenas também não era uma grande barreira, sendo "poucas as nações errantes habitadoras deste feliz continente". O cerne do atraso brasileiro, portanto, mesmo que indicado de forma moderada e cuidadosa, estava no domínio do escravismo. A "principal causa porque no Brasil nunca poderá ter grande aumento a agricultura" encontrava-se na realidade de que "o trabalho de toda a agricultura é encarregado aos escravos pretos, não havendo branco algum que se digne ser lavrador". Na *Memória sobre algumas produções naturais das conquistas*, ao elogiar os esforços para "amansar e civilizar os índios e costuma-los à agricultura e a algumas artes", ele destacou o fato de que com essa política o país não iria "necessitar de tantos negros, os quais com o tempo devem encarecer de modo que pouca conveniência se terá em transportá-los para o Brasil".[21]

É importante observar, nesse ponto, a identidade essencial de diagnóstico entre Vandelli e Navarro. O meio natural do Brasil era saudável e fértil. A mineração produzia um enriquecimento efêmero e desequilibrado, não devendo ser estimulada (apesar de nenhum dos dois autores sugerir a sua proibição). A base do verdadeiro progresso estava nos frutos da terra. A agricultura praticada no Brasil era rudimentar e predatória, degradando solos e destruindo florestas. A escravidão era um componente importante dessa rudimentariedade, devendo ser reduzida quantitativamente e, segundo Navarro, atenuada qualitativamente, prestando-se atenção nas condições de vida dos escravos. O atraso e a devastação ambiental poderiam ser superados pela modernização substantiva das tecnologias e pela diversificação da produção primária.

Para compreender essa identidade de conteúdos, para além do contato pessoal entre os autores, é preciso examinar as fontes teóricas que inspiravam o conjunto daquele grupo intelectual. O eixo central estava na descoberta daquilo que foi chamado por José Bonifácio, em um texto produzido em 1790 para a Academia das Ciências de Lisboa, de "sábias leis da economia geral da natureza".[22] A difusão da "economia da natureza" no pensamento europeu, a partir de meados do século XVIII, ajudou a suplantar a imagem da "grande cadeia do ser" como principal modelo de entendimento do mundo natural. O caminho que vai da "cadeia do ser" à "economia da natureza" expressou uma transformação intelectual mais ampla que Cassirer definiu como sendo de crescente domínio do "princípio da imanência". De uma ordem estática, concebida de forma acabada pela mente Divina, constrói-se a imagem de uma ordem dinâmica, dotada de uma legalidade que se manifesta em seu próprio funcionamento. Essa mudança, de maneira geral, não significou um abandono do princípio da criação Divina. A inversão teórica fundamental na formação do Iluminismo, ainda segundo Cassirer, foi a de "deduzir e explicar o Ser a partir do devir" e não, como antes, "o devir a partir do Ser".[23]

O domínio do princípio da imanência orientou a construção de novas visões integrativas do mundo natural, fundadas em uma observação empírica mais detalhada do seu funcionamento. As observações sobre o equilíbrio populacional das várias espécies, sobre os seus padrões alimentares (especialmente o papel dos predadores no controle populacional), sobre a interação dos seres vivos com o meio ambiente (solos, clima, sistema hídrico etc.), tudo isso veio modificando a metáfora de entendimento da natureza. A metáfora dominante passa a ser a de uma "economia", uma rede de iniciativas e controles mútuos cujo resultado agregado é a continuidade do equilíbrio geral. Na imagem da "cadeia do ser", Deus desenhava o mundo como uma arquitetura fixa. Na "economia da natureza", ao contrário, Ele criava os seres e os espaços naturais, dotando-os de leis que orientavam o seu comportamento específico e promoviam, desde que obedecidas, um equilíbrio funcional. Da observação das leis presentes no movimento dos seres vivos, da legalidade expressa no devir do mundo, era possível deduzir o plano da mente Divina.

A imagem de uma economia da natureza, apesar de ser mais propriamente identificada com a escola de Lineu, também pode ser utilizada, de maneira liberal, para indicar a visão de conjunto dos autores que renovaram o entendimento da natureza no século XVIII, entre os quais se incluem Buffon e Duhamel du Monceau (1700-1781). Foi essa a opção que adotei neste livro. Apesar de existirem diferenças marcantes de concepção entre esses diferentes autores — são bem conhecidas, por exemplo, as duras críticas de Buffon ao sistema de classificação de Lineu[24] —, o fato é que em todos eles se manifestava a visão da natureza como uma ordem construída a partir de movimentos interdependentes. Ou seja, um sistema de equilíbrios que, qualquer que fosse a fonte do seu dinamismo, deveria ser apreendido com base no princípio da imanência.

Nesse contexto, o modelo teórico elaborado por Lineu no seu "Systema Naturae" de 1735 — e depois em várias outras obras, especialmente no "Specimen Academicum de Oeconomia Naturae", de 1749 — exerceu uma influência fundamental. Esse modelo partia de um pressuposto deísta e explicitamente providencialista. O autor entendia a economia da natureza como sendo "a muito sábia disposição dos seres naturais, estabelecida pelo Soberano Criador, através da qual estes tendem para o estabelecimento de fins comuns e de funções recíprocas".[25]

Após o estabelecimento desse pressuposto metafísico, dessa definição dogmática da fonte do dinamismo natural, porém, colocava-se a necessidade de observar e desvendar concretamente o movimento complexo e circular através do qual essa disposição efetivamente se realizava. A descrição das relações recíprocas entre determinados predadores e presas, ou entre certas espécies vegetais e seu ambiente, supunha uma dinâmica onde "cada função, não importa qual, seja realizada visando uma justa proporção de trabalho e ganho". A interligação entre os vários componentes do sistema natural, que precisavam ser estudados taxonomicamente, dava origem aos processos de reciclagem que explicam a sua constante renovação. Os seres nasciam, viviam e morriam, retornando os elementos dos seus corpos ao solo que alimentava novos seres. Cada um deles, por menor que fosse, desempenhava um papel importante para a existência do grande sistema. Isso não significa dizer, porém, que Lineu adotava uma ética biocêntrica, uma valorização eqüitativa de todos os elementos da natureza. Todos eram importantes, mas o valor ético supremo e o direito de domínio repousavam exclusivamente no homem: "A natureza inteira tende a prover o bem-estar do homem, cuja autoridade se estende sobre toda a terra, podendo apropriar-se de todos os produtos."[26]

Mesmo considerando o forte viés antropocêntrico que caracterizou o pensamento ilustrado, foi no caldo de cultura do processo de elaboração de uma "economia da natureza" que começaram a emergir análises mais consistentes sobre os danos ambientais provocados pela ação humana, especialmente sobre as conseqüências do desflorestamento, da superexploração pesqueira, do esgotamento dos solos, do secamento dos cursos d'água etc. Uma formulação especialmente relevante, dentro desse contexto, foi a chamada "teoria do dessecamento". Essa teoria, possivelmente a primeira concepção científica moderna sobre o risco das mudanças climáticas antropicamente induzidas, relacionava a destruição da vegetação nativa com a redução da umidade, das chuvas e dos mananciais de água. Apesar de suas raízes remontarem a pensadores antigos, como Teofrasto e Plínio, o estabelecimento dessa concepção em bases mais sólidas deu-se apenas no final do século XVII e início do XVIII, através das investigações realizadas em Cambridge por John Woodward e Stephen Hales. A recepção mais entusiasta dessas investigações ocorreu na França, onde foram divulgadas por Buffon e Duhamel du Monceau na Academia de Ciências e no Jardin du Roi, sendo aplicadas em estudos de ponta sobre agricultura e manejo florestal.[27]

A difusão da teoria do dessecamento encontrou um terreno especialmente fértil naquele momento histórico. No século XVIII estavam sendo divulgadas diversas idéias sobre a influência do clima nas instituições e nos costumes dos povos, através de pensadores como Hume e Montesquieu. O impacto dos grandes terremotos de Londres, em 1750, e Lisboa, em 1755, aumentaram a preocupação com os problemas climáticos e meteorológicos. Tais preocupações logo se expandiram para o espaço das colônias tropicais. A idéia de que a destruição das florestas era responsável pelas secas e, no limite, pela desertificação, capturou a imaginação de vários observadores da vida colonial. A condenação do desflorestamento, com base nessa teoria, ganhou um novo patamar político e econômico. É nesse contexto que deve ser entendida, por exemplo, a advertência feita por José Bonifácio em 1823 sobre a falta das "chuvas fecundantes" que poderia reduzir o belo território brasileiro aos desertos da Líbia.

Essas novas visões sobre o funcionamento do mundo natural, e sobre as conseqüências da sua destruição, foram muitas vezes associadas, inclusive na crítica ambiental luso-brasileira, com uma outra linha emergente do pensamento iluminista europeu: a escola econômica fisiocrata. Não que essa escola manifestasse uma preocupação explícita com o problema da destruição ambiental. Sua principal influência, no que se refere à crítica ambiental, foi a de chamar atenção para o valor econômico fundamental da natureza. Os criadores da fisiocracia pretendiam aproximar a ordem econômica daquilo que entendiam como sendo a ordem da natureza. Nas obras de Richard Cantillon e François Quesnay, que começaram a ser publicadas em meados do século XVIII, as metáforas naturais servem de base para entender o funcionamento da economia. O médico Quesnay entendeu a paisagem econômica utilizando a metáfora do corpo humano, principalmente a interação funcional dos seus órgãos e a circulação do seu sangue. Mas a metáfora mais sugestiva foi utilizada por Cantillon, quando comparou a sociedade com uma árvore: a agricultura seria a raiz, a população o tronco e as artes e comércio as folhagens.

Existe aqui, como se pode ver, uma clara hierarquia de prioridades. As folhas, que de certa forma apresentam-se como o que de mais vistoso existe na árvore, são na verdade formas passageiras e frágeis. A continuidade da raiz é a verdadeira origem e garantia de existência da árvore social.[28] A partir dessa defesa da agricultura como fonte real da riqueza foi possível derivar uma série de críticas ao cenário econômico do Antigo Regime europeu. Entre os objetos dessa crítica estava o absenteísmo e a falta de zelo dos proprietários rurais, assim como o artificialismo e consumo perdulário da elite urbana. Os fisiocratas também manifestavam antipatia pelo escravismo e por qualquer outra relação de produção que promovesse a ociosidade dos proprietários rurais. O ideal da escola fisiocrata era essencialmente produtivista. O bom produtor rural, nas palavras de Quesnay, "cultiva em grande escala, governa, comanda, multiplica as despesas para aumentar os lucros; não negligenciando nenhum meio, nenhuma vantagem particular, faz o bem geral".[29]

A influência da fisiocracia na crítica ambiental da época, portanto, se deu de forma algo ambígua. A ênfase no produtivismo poderia ser um fator de aumento da destruição. Mas a associação com outros componentes teóricos, como a economia da natureza e a teoria do dessecamento, fez com que vários autores introduzissem uma forte variável de cuidado ambiental no projeto fisiocrata de promover uma agricultura inteligente e eficaz. No caso do Brasil, além disso, a presença da fisiocracia serviu para embasar, com diferentes graus de intensidade, uma antipatia constante frente ao escravismo. A regeneração econômica e social do país passava pelo surgimento de um agricultor responsável e bem informado, ciente dos desenvolvimentos observados nas ciências naturais e interessado no progresso coletivo. Ou seja, uma ética do trabalho agrícola em tudo oposta ao descaso predatório da elite colonial.

No momento de formação da antiga crítica ambiental brasileira, no entanto, uma terceira grande influência teórica despontava na Europa, dotada de forte potencial para influenciar a ação humana frente ao mundo natural: a cultura romântica. A natureza das relações entre a tradição romântica e a moderna consciência ecológica é ainda hoje um tema bastante polêmico. A identificação direta entre ambas, estabelecida por alguns autores, vem sendo cada vez mais criticada como uma estratégia teórica simplificadora.[30] O que não significa dizer que o componente romântico foi irrelevante na genealogia — bastante eclética, aliás — dessa forma de consciência. A valorização do mundo natural difundida pela cultura romântica e seus antecedentes, a partir da segunda metade do século XVIII, exerceu uma influência genérica sobre o conjunto da cultura ocidental. A influência romântica contribuiu, por exemplo, para valorizar a natureza selvagem — as grandes florestas, cordilheiras e desertos —, superando a tendência pós-renascentista de reduzir a imagem de "natureza" à paisagem dos jardins e dos campos arados. A atribuição de um caráter sublime àqueles espaços derivou diretamente das reflexões estéticas de Burke e das descrições literárias de Rousseau e de Wordsworth.[31] É importante considerar, contudo, como que para sabotar qualquer simplismo esquemático, que a contribuição do iluminista Kant, através das suas "Observações sobre o sentimento do Belo e do Sublime", de 1763, não foi menos importante nessa direção.[32]

O papel de Rousseau no estabelecimento de uma visão positiva do mundo natural, tanto no plano teórico quanto no da vida cotidiana, tem sido constantemente ressaltado. Apesar disso, a despeito do fato de alguns analistas o considerarem como precursor direto da mentalidade ecológica (como LaFreniere em "Rousseau and the European roots of environmentalism"), é interessante observar que o filósofo suíço não chegou a enfrentar realmente o tema da destruição ambiental. É verdade que muitas vezes se menciona o lamento expresso nos *Devaneios do caminhante solitário*, de 1782, pela destruição de uma pequena ilha no lago de Bienne, que seria sacrificada para que sua terra pudesse ser utilizada na recomposição de outra ilha maior. Mas o fato é que Rousseau não derivou desse episódio uma análise mais ampla sobre a necessidade de conservar a natureza, mas sim uma reflexão essencialmente política sobre o fato de que "a substância do fraco é sempre usada em proveito do poderoso".[33]

De toda forma, a crítica ambiental brasileira, apesar da dominância do racionalismo cientificista, não ficou imune às influências dos autores românticos. O nome de Rousseau apareceu ocasionalmente. As opiniões de Chateaubriand e Bernardin de Saint-Pierre em favor das florestas também foram mencionadas de maneira eventual. Dentre os pensadores europeus próximos do Romantismo, no entanto, o autor mais citado nos textos brasileiros foi certamente Alexander von Humboldt. É verdade que o eixo dessa influência não derivou do seu papel de principal herdeiro da *Naturphilosophie* de Schelling, Herder e Goethe, em seu esforço para combinar a ciência empírica com a sensibilidade romântica, mas sim da sua imagem de viajante infatigável e defensor da natureza americana.[34] Suas reflexões de economia da natureza aplicada, desenvolvidas especialmente no contexto das Américas, fazem com que seu nome se situe, de forma praticamente unânime entre os especialistas, na linhagem genealógica mais imediata da ecologia.[35] Um atrativo especial, para os intelectuais brasileiros do século XIX, esteve no fato de Humboldt ter sido capaz de observar e criticar duramente o impacto destrutivo da ação humana na América do Sul colonial. Em sua famosa observação sobre o estado do lago de Valência, na Venezuela, ele defendeu a tese de que as reduções no seu nível não derivavam de causas geológicas, mas sim resultavam das práticas destrutivas:

> As mudanças que a destruição das florestas, a retirada das plantas e o cultivo do índigo têm produzido, durante meio século, na quantidade do fluxo da água, de

um lado, e do outro a evaporação do solo e a secura da atmosfera, apresentam causas suficientemente poderosas para explicar a sucessiva diminuição do lago de Valência ... Ao cortar as árvores que cobrem o topo e as encostas das montanhas, os homens de todos os climas produzem de uma só vez duas calamidades para as gerações futuras: a falta de combustível e a escassez de água. Quando as florestas são destruídas, como o são em toda parte da América pelos plantadores europeus, com uma imprevidente precipitação, as fontes de água secam e se tornam menos abundantes; os leitos dos rios, ficando secos uma parte do ano, se convertem em torrentes sempre que uma forte chuva cai nas suas cabeceiras ... Desta forma o desflorestamento, a falta de fontes e a existência de torrentes são três fenômenos estreitamente conectados.[36]

Passagens como esta — onde se pode observar uma clara aplicação da teoria do dessecamento — foram mencionadas muitas vezes por pensadores brasileiros, ajudando a legitimar, através da autoridade de Humboldt, suas próprias preocupações com o que ocorria no país.

O ponto essencial a ser retirado do que foi dito nas páginas anteriores é o da confluência entre uma situação de fato, representada pelo caráter predatório do modelo econômico introduzido no Brasil pelo colonialismo, e a difusão de instrumentos teóricos que permitiram perceber e equacionar essa realidade no contexto de uma crítica política mais ampla. A inexistência anterior desses instrumentos ajuda a entender, ao menos em parte, a inexistência de uma verdadeira crítica ambiental no Brasil antes do final do século XVIII, apesar de o "sopro de destruição" ter começado ainda no século XVI. Não se trata de afirmar, porém, que estamos diante de uma simples transposição de idéias exógenas. A existência das três grandes influências teóricas apontadas acima — a economia da natureza, a fisiocracia e, em menor escala, a cultura romântica — não representou uma condição suficiente para a emergência dos primeiros esforços sistemáticos de crítica ambiental no Brasil. Esses esforços geraram um pensamento político próprio, construído a partir de um diálogo permanente com as novas concepções científicas surgidas na Europa setecentista. Tais influências, assim como outras que surgiram no século XIX, tiveram que ser objeto de um trabalho específico e seletivo de interpretação.

É importante lembrar, reforçando esse ponto, que a ansiedade diante da destruição ambiental não foi um aspecto dominante da cultura ilustrada. O próprio Montesquieu, que enfatizou o ambiente como elemento explicativo da vida social, não apenas ignorou o problema da sua devastação como adotou, a esse respeito, um otimismo tecnológico radical. Ele chegou a escrever que "o mar possui peixes em quantidade inesgotável, apenas faltam pescadores, frotas e negociantes. Se as florestas se esgotam, abram a terra e encontrareis materiais combustíveis."[37] Um outro exemplo, dessa vez retirado de uma figura-chave da Ilustração ibérica, pode ser encontrado nas palavras de Gaspar de Jovellanos, para quem "a natureza deve à intervenção humana grandes melhorias", pois por toda parte foram "desbastados os bosques, afugentadas as feras, secos os lagos, canalizados os rios, refreados os mares, cultivada toda a superfície da terra ... oferecendo em admirável espetáculo os monumentos da indústria humana". De tal forma que "o ofício do lavrador é lutar todo o tempo contra a natureza, que por si mesma não produz nada além de ervas daninhas, e que só dá frutos sazonais à custa de trabalho e cultivo".[38]

Esse modelo de mentalidade conquistadora frente à natureza, de elogio incondicional do avanço tecnológico, marcou profundamente o pensamento iluminista. Uma visão desse tipo seria provavelmente compartilhada pela maioria dos intelectuais ilustrados do Brasil, cuja vontade teórica de progresso não incluía qualquer atenção pelos danos potenciais da ação humana sobre o mundo natural. Basta lembrar, para citar um exemplo, a *Memória constitucional e política sobre o estado presente de Portugal e do Brasil*, escrita em 1822 por José Antônio de Miranda. Nesse livro, ao comentar a necessidade de paz e progresso para o Brasil, que naquele momento vivia uma situação conflituosa com Portugal, o autor defende o ideal de que as baionetas e espadas "fossem convertidas em instrumento de agricultura para fazerem uma útil e pacífica guerra às florestas e campos incultos". Sem a existência de guerras, "o Egito, a Síria, a Palestina, a Espanha, em uma palavra, todo o mundo estaria reduzido a um jardim e os seus habitantes seriam felizes".[39] Ou seja, as regiões áridas do Oriente Médio e do Mediterrâneo, que outros pensadores brasileiros, como José Bonifácio, entendiam como casos dramáticos de desertificação provocada pela ação humana inconseqüente, eram vistas por Miranda como áreas apenas carentes de mais trabalho produtivo, que poderia transformá-las em jardins.

Passando de um autor pouco conhecido para um dos personagens mais paradigmáticos da ilustração e do liberalismo no Brasil, José da Silva Lisboa, o Visconde de Cairu, podemos observar outro exemplo onde o problema da destruição ambiental não constituiu objeto de preocupação. Escrevendo para Vandelli, em 1781, Cairu reconheceu que a prática das queimadas era "ruinosa e danificadora da fertilidade da terra", mas contra-argumentou que "observações constantes têm mostrado a utilidade dessa estranha prática, porque terra virgem não queimada, nada produz".[40] Décadas mais tarde, em sua obra teórica central, os *Estudos do bem comum e economia política*, de 1819-20, apesar de discutir bastante o tema do ambiente, especialmente no sentido de refutar a tese de que a riqueza natural conduzia à indolência, não aparecem quaisquer referências a desflorestamentos, destruição de solos e outros elementos que ocupavam a mente de alguns dos seus contemporâneos. Ao contrário, sua postura estava mais próxima de

Jovellanos, ao afirmar que "o homem força a Natureza a trabalhar de companhia com ele na produção de riquezas, dirigindo a sua potência para lhe dar o que deseja. Esta potência lhe obedece, não só na cultura das terras, mas também nas tarefas de outras espécies de trabalhos".[41] Mais ainda, ao comentar a excelência do clima do Brasil para a saúde humana, ele especificava que isso podia ser observado "nos territórios cultivados" e não nas "vastas florestas e margens dos grandes rios, que o sol não ilumina e em que a inteligência e a mão do homem não entrou para exercer o domínio dado pelo Criador". Nesses "coutos de feras e selvagens", ao contrário, "predominava o império da morte".[42]

Em suma, não se deve considerar que existe uma relação automática de causalidade entre a influência teórica da economia da natureza, da fisiocracia e de outras vertentes iluministas e o nascimento de uma crítica ambiental nos séculos XVIII e XIX. No caso específico que aqui está sendo examinado, é possível dizer que os intelectuais brasileiros que cultivaram esse tipo de crítica tiveram que construí-la conscientemente, selecionando com cuidado as referências teóricas que mais atendiam às suas preocupações. A própria influência direta de Vandelli não pode ser considerada determinante. Vimos que José da Silva Lisboa, que foi aluno e correspondente do naturalista italiano, não acompanhou sua preocupação com a destruição dos recursos naturais. Já seu irmão mais novo, Baltasar da Silva Lisboa, também aluno de Vandelli, tornou-se um dos mais persistentes e radicais críticos da problemática ambiental brasileira. Os motivos que definiram essa diferença de opção teórica entre membros da mesma elite não estão claros, devendo ser objeto de futuros trabalhos de sociologia do conhecimento. Mas o fato é que a maioria dos ex-estudantes brasileiros de Coimbra não exerceu um esforço ativo de crítica ambiental. Apenas uma minoria se deixou seduzir por essa temática. Uma das riquezas da tradição intelectual iniciada por esses últimos, aliás, foi justamente a de não aceitar a mentalidade dominante, procurando retirar do pensamento científico da época elementos que pudessem embasar uma postura alternativa e profundamente crítica diante do modelo de sociedade que estava sendo implantado no país.

Interesses particulares, pública utilidade

Os temores pela destruição do ambiente natural brasileiro não ficaram restritos ao espaço acadêmico, aparecendo também na percepção de alguns dirigentes políticos. Nesse ponto, como em tantos outros, Rodrigo de Sousa Coutinho assumiu uma posição de liderança. Para entender a posição desse ministro é importante lembrar, em primeiro lugar, que ele dirigiu a Secretaria de Estado da Marinha e Domínios Ultramarinos entre 1796 e 1801, período em que a Europa vivia uma era de conflitos militares, no lastro da Revolução Francesa. Nesse contexto, as diferentes potências européias buscavam garantir o seu suprimento de recursos naturais, especialmente de madeira para os navios de guerra, desenhando legislações e políticas públicas para deter a destruição das florestas, inclusive nos espaços coloniais.[43] Essa tendência, na verdade, apesar de ter adquirido maior consistência no século XVIII, inclusive devido às correntes teóricas acima mencionadas, já vinha se delineando desde o século anterior. As transformações históricas ocorridas a partir do século XV, especialmente a expansão colonial e a competição mercantilista entre os Estados europeus, já vinham colocando na agenda política e intelectual o tema dos recursos naturais.

Um importante evento nesse sentido foi a publicação, em 1664, do livro de John Evelyn *Silva, or a Discourse of Forest-Trees and the Propagation of Timber in his Majesty's Dominions.* Apesar de a maior parte de suas páginas ser dedicada a questões técnicas de descrição e plantio de árvores, sendo certamente um marco no surgimento da moderna silvicultura, o eixo central do seu argumento foi político, referindo-se à necessidade de proteger um dos baluartes da nação inglesa — a "muralha de madeira" formada pela marinha real. A continuidade dessa muralha estava ameaçada pela falta de matéria-prima, uma vez que as florestas vinham sendo devastadas devido ao crescimento da agricultura, do pastoreio e da fundição de ferro. Evelyn criticava o desejo egoísta dos homens por "extirpar, demolir e arrasar todos esses bons bosques e florestas, que os nossos mais prudentes ancestrais deixaram de pé para ornamento e serviço do seu país". Seu enfoque, ao gosto da ideologia mercantilista, não repousava em uma preocupação universal com a conservação da natureza, mas sim com a capacidade de sustentação ambiental da Inglaterra. Uma prova disso encontra-se em sua sugestão de transferir as fundições de ferro para a Nova Inglaterra, de forma a preservar as árvores da metrópole. A sobrevivência desta última passava pela conservação das matas existentes e pelo plantio massivo de novas árvores. Essas medidas poderiam ser implantadas sem prejuízo do progresso econômico, desde que fosse estabelecida uma divisão racional do uso do espaço, definindo uma combinação inteligente entre as diferentes atividades produtivas e a permanência das áreas florestais.[44]

A obra de Evelyn foi sem dúvida precursora. Apesar de refletir os debates que então ocorriam na Royal Society, da qual ele foi o primeiro secretário, existiu uma grande dose de gênio pessoal em suas preocupações ambientais. Basta lembrar que ele também escreveu um trabalho pioneiro sobre outro tema bastante atual: a poluição do ar. Seu livro *Fumifugium, or the Inconvenience of the Air and Smoke of London Dissipated,* publicado em 1661, apresentou uma dura crítica da degradação do ar daquela capital pelas indústrias de cerveja, cal, sabão etc., propondo uma série de medidas que pudessem mitigar o problema. É curioso que um mesmo autor possa ter abordado de forma tão precoce dois temas que formam parte da agenda ambiental contemporânea. Especialmente se lembrarmos que as fontes intelectuais de que ele dispunha para tanto, além do ideal racionalista de Francis Bacon, eram basicamente as antigas, particularmente a leitura de Hipócrates, Teofrasto e Plínio.[45]

Suas reflexões sobre o problema florestal, além disso, causaram um impacto considerável nos meios políticos europeus. Elas tiveram influência direta, por exemplo, na elaboração das "Ordenações das Águas e das Florestas" promovida em 1669 por Colbert, o ministro de Luís XIV que se tornou um paradigma do intervencionismo mercantilista. O impacto dessa legislação francesa, de fato, estendeu-se até o século XIX, quando ainda era citada como modelo por pensadores brasileiros.* Em sua origem é possível detectar uma inquietação semelhante à que motivou o livro de Evelyn: a possibilidade do enfraquecimento do poder nacional francês devido à falta de florestas. O preâmbulo das "Ordenações" já deixava claro este princípio, afirmando que "uma desordem propagou-se nas águas e florestas do nosso reino, tornando-se tão universal e enraizada que um remédio parecia impossível ... Mas de nada vale o restabelecimento da ordem e da disciplina se não pudermos garantir, por uma regulação benéfica e sábia, que os seus frutos sejam assegurados para a posteridade."

Tratava-se, portanto, de uma intervenção inédita do poder político no ordenamento ecológico de um território, atingindo um grau de abrangência muito superior ao das regulações locais que existiam desde a Idade Média, especialmente no sentido de garantir as reservas de caça para a nobreza. É verdade que as ordenações aproveitaram, em uma nova síntese, várias leis e regulamentos que existiam anteriormente. Mas seu alcance político foi muito mais amplo, inclusive devido ao fato de não se restringir às propriedades e domínios do Estado, regulando também o uso das florestas pelas igrejas, corporações, comunidades e mesmo propriedades privadas.[46]

Ao longo do século XVIII, políticas semelhantes de defesa dos recursos naturais ganharam bastante abrangência, tanto na Europa quanto nos espaços coloniais. Uma experiência fascinante, relatada por Richard Grove,[47] ocorreu a partir de 1767 na ilha Maurício, então chamada de Isle de France. Essa experiência

* Vimos que Vandelli fez o mesmo em 1789. Vale observar, porém, que após a Revolução Francesa o quadro se inverteu, tornando-se a França um contra-exemplo. A Revolução de 1789 foi acusada muitas vezes, inclusive por autores brasileiros, de permitir uma devastação impiedosa das florestas, destruindo o legado de Colbert. (Cf. A. Corvol, *La nature en revolution*, e R. Grove, *Green Imperialism*, p.259.)

nasceu de uma confluência única de fatores, que teve como marco inicial a decisão do governo francês, através de ministros simpatizantes da fisiocracia, de nomear Pierre Poivre como intendente da ilha. Esse personagem complexo, um ex-jesuíta convertido em viajante com profundos conhecimentos da realidade e da cultura do Oriente, era um renomado teórico fisiocrata e especialista em agricultura comparada. Durante os anos em que permaneceu na função de intendente, ele foi capaz de estabelecer na administração da ilha um notável grupo de intelectuais, especialmente o botânico Philibert Commerson e o engenheiro Bernardin de Saint-Pierre, que mais tarde se tornou famoso como discípulo de Rousseau e escritor romântico.*

Apesar de a missão delegada pelo governo francês a Poivre ter sido bastante objetiva — promover a aclimatação de espécies úteis trazidas de outras regiões e trabalhar em favor da regeneração das florestas da ilha, no sentido de conservar a umidade e as chuvas, proteger os solos e garantir o suprimento de madeira para a marinha real —, o grupo acabou executando um programa muito mais amplo de reformas ambientais, inspirado por um claro espírito de renovação utópica da vida social. Tal programa incluía a promoção de leis de proteção das encostas e dos mananciais, o estabelecimento de reservas florestais e projetos de reflorestamento e o combate à poluição da água provocada pelos engenhos de açúcar. Um experimento desse tipo, como era de se esperar, provocou inúmeros conflitos com os poderes econômicos e políticos locais, acostumados com as formas de exploração predatória típicas de uma colônia de exploração. O acúmulo desses embates levou à renúncia de Poivre, em 1872, após a queda dos seus protetores no governo metropolitano.

A experiência de Maurício é relevante para o caso brasileiro em dois sentidos. Em primeiro lugar, devido ao fato de a combinação de fontes teóricas ter sido semelhante nos dois casos, especialmente a presença da economia da natureza e da fisiocracia. Em segundo lugar, por revelar que as práticas econômicas implantadas pelos europeus em várias das suas colônias tropicais geravam impactos ambientais extremamente visíveis e, conseqüentemente, um evidente campo de possibilidades para o aparecimento de uma crítica ambiental (desde

* Após deixar Maurício, em 1770, Saint-Pierre continuou escrevendo sobre a destruição ambiental, focalizando especialmente o problema da extinção das espécies animais e vegetais. Nessas reflexões ele passou a adotar uma postura mais radical, rompendo com o conservacionismo progressista de seu amigo Poivre. Chegou mesmo a romper com a fisiocracia, questionando a própria idéia de "agricultura". Existe uma bela passagem onde ele discute o direito dos homens de modificarem o mundo natural com a mesma arrogância do "tirano da Sicília", que cortava os membros dos viajantes para adaptá-los à sua cama de ferro. A imagem encontra-se em Saint-Pierre, *Harmonies of Nature*, vol.I, p.36.

que existissem olhares atentos e teoricamente preparados para isso). Essa realidade foi bem resumida por Bernardin de Saint-Pierre quando esse afirmou que "contemplar o desenvolvimento de uma colônia nascente é um espetáculo digno de um filósofo, pois é lá que a cultura do homem forma um contraste marcante com a da natureza".[48]

É bem possível, além disso, que a experiência de Maurício tenha sido do conhecimento de alguns intelectuais brasileiros. Sabe-se que pelo menos José Bonifácio tinha acesso direto à obra de Poivre. Um dos aspectos mais reveladores das pesquisas de Grove, aliás, foi justamente demonstrar que o grau de comunicação internacional entre os críticos ambientais dos séculos XVIII e XIX, na Europa e no mundo colonial e pós-colonial, era bem maior do que se supõe. Essa comunicação expressava-se através de uma rede de academias científicas e jardins botânicos, que foram sendo criados por toda parte. Ao longo de tal rede circulavam propostas e informações, sendo que as experiências adotadas em um lugar eram muitas vezes anotadas e aproveitadas em outro, inclusive entre colônias de diferentes potências européias.[49]

É no contexto desse debate internacional sobre o problema dos recursos naturais, associado às necessidades concretas da segurança militar, que devemos entender as posturas manifestadas sobre o tema por Rodrigo de Sousa Coutinho. A tese por ele defendida de promover uma federalização do império luso, tendo o Brasil como sede da Coroa, intensificou ainda mais suas preocupações com o destino do maior território colonial. Era preciso, em primeiro lugar, estudar suas potencialidades naturais através de expedições *in situ* e do envio de espécimes para serem examinados em Portugal. Instruções nesse sentido foram enviadas de forma recorrente para administradores da colônia, utilizando-se as orientações de Vandelli para a coleta e remessa desses materiais. Era preciso também revitalizar a região das minas, através da introdução de novas técnicas e de análises mineralógicas mais refinadas. É bastante citado o "Discurso sobre a verdadeira influência das minas dos metais preciosos na indústria das nações", de 1789, em que Sousa Coutinho defendia a importância de não descuidar da atividade mineira, contestando a posição rigidamente fisiocrata de que ela causava um desequilíbrio na economia.

A agricultura brasileira deveria ser estimulada pela diversificação de cultivos, a aclimatação de plantas exógenas, o desenvolvimento tecnológico e a educação dos lavradores. A tarefa de editar livros úteis para a educação desses agricultores foi entregue por Coutinho ao naturalista brasileiro frei José Mariano da Conceição Velloso, que, especialmente através da Tipografia Calcográfica e Literária do Arco do Cego, públicou diversos trabalhos a partir de 1797, inclusive o *Discurso* de Navarro. Além da publicação de dezenas de opúsculos, o esforço de maior envergadura de Velloso esteve na preparação dos vários volumes de uma espécie de enciclopédia prática intitulada *O fazendeiro do Brasil*. Coutinho enviou várias remessas desses livros aos governantes das capitanias, para serem vendidos aos proprietários.[50*]

O ministro estava consciente de que a implementação desse conjunto de reformas requeria a formação de uma elite intelectual e administrativa de origem brasileira, que pudesse dirigir a renovação econômica do país sem perder sua fidelidade ao soberano português. Ele trabalhou pessoalmente para cativar um grupo seleto de jovens brasileiros. Tornou-se seu protetor, apoiou seus estudos, ouviu seus conselhos e opiniões, e incumbiu-os de tarefas científicas e políticas. Muitos dos autores que fundaram a crítica ambiental brasileira compartilhavam essa dupla condição: eram discípulos de Vandelli e protegidos de Sousa Coutinho.

Os intelectuais brasileiros, por sua vez, ao se corresponderem com o ministro português, muitas vezes para prestar contas de missões que ele mesmo lhes atribuía, manifestavam um certo espírito de sacrifício e missão. Escrevendo de Pernambuco em 1797, por exemplo, em resposta ao pedido de Coutinho para fazer uma viagem de reconhecimento das minas potencialmente existentes na região, o botânico Manoel Arruda da Câmara anunciava que sem perda de tempo entraria "nessa longa e penível carreira, abandonando todos os obstáculos que os interesses particulares me poderiam subministrar, para ocupar-me do bem público, primeiro objeto que deve mover o verdadeiro Cidadão". Quatro meses depois, informava os fatores que poderiam retardar o envio das informações: "a vastidão dos sertões que devo percorrer, os lugares desertos e a falta de correios, as vigorosas invernadas e rios caudalosos que procurarei vencer com todas as minhas forças".[51] A realidade rústica do Brasil não cansava de surpreender aqueles estudiosos recém retornados da Europa.

Um sentimento semelhante apareceu em um ofício enviado a Coutinho por José Gregório de Moraes Navarro, em 1801, onde este último procurou descrever a dura situação dos sertões entre os rios São Francisco e Paracatu. Em sua viagem ele observou um território quase deserto, apesar dos muitos rios que o fertilizavam e das suas grandes campinas. Os moradores, por sua vez, estavam "reduzidos à última miséria". Com a decadência da mineração em Paracatu, depois de 1744, quando "a terra não continuou a dar aquela abundância extraordinária de ouro",

---

* Existem indícios de que essa experiência não foi bem-sucedida, tendo em vista o grau de ignorância e a mentalidade rotineira que imperavam entre aqueles proprietários. Uma correspondência enviada em 1800 pelo governador de São Paulo, Antônio Mello Castro e Mendonça, informava ao ministro que "não há quem se anime a comprar um só livro, de maneira que muitos dos que se têm espalhado, têm sido dados por mim ..." (Citado por M.L. Lyra, *A utopia do poderoso império*, p.88.)

as pessoas começaram a abandonar o local, desgostosos de viver em "sertões incultos" onde faltava polícia e justiça. O potencial de criação de rebanhos, por outro lado, não se desenvolvia devido aos "direitos excessivos" cobrados pelos registros das contagens ao redor das vilas da capitania. As propostas transmitidas por Navarro a Coutinho, apesar de um diagnóstico tão negativo, estavam sempre eivadas do enfoque progressista que caracterizava aqueles pensadores. Era necessário "mudar a face do sertão", favorecendo, protegendo e amparando os seus moradores, tão úteis ao Estado na "povoação e cultura dos sertões ermos" e nos "bons ofícios prestados aos viajantes". Para promover o progresso econômico era preciso implementar o livre comércio de gado na capitania, promover o plantio de mandioca, trigo, café e algodão e facilitar o escoamento de mercadorias pelo rio São Francisco.[52]

Apesar das correspondências de Arruda da Câmara e Navarro tratarem de realidades locais, as informações enviadas a Coutinho inseriam-se em um quadro político mais amplo. A construção coletiva de um novo projeto para o Brasil, a partir do debate entre intelectuais e políticos brasileiros e portugueses, fica clara na mensagem enviada por Sousa Coutinho a vários governadores de capitanias em janeiro de 1798, recomendando a adoção de medidas muito semelhantes às que seriam defendidas por Navarro no *Discurso* publicado no ano seguinte. Para promover o aumento da agricultura seria necessário introduzir "novos artigos de cultura" e aperfeiçoar os "antigos métodos de cultivar o terreno". Era recomendável, para tanto, "introduzir nessa capitania o uso de bois e arados, para cultivar as terras, com os quais se poupam muitos braços que se podem empregar em outras coisas igualmente interessantes". Também seria necessário implementar a "economia das lenhas, particularmente nas fornalhas dos engenhos de açúcar, inculcando o método de queimar as canas já moídas, como praticam os ingleses e franceses nas Antilhas". O ministro também solicitava às mesas de inspeção das capitanias, que eram responsáveis pela fiscalização das propriedades, que enviassem informações sobre os métodos e máquinas que estavam sendo utilizados e "tudo o que diz respeito ao açúcar, fornalhas, engenhos e depuração do mesmo".[53]

Vale observar que em sua resposta a essa mensagem, enviada em março de 1798, o governador da Bahia, Fernando José de Portugal, afirmava que a introdução da queima do bagaço não havia gerado bons resultados, pois as fornalhas estavam acostumadas a usar "não lenha miúda, mas grossa, a que chamam de rolos de lenha". As necessárias adaptações tecnológicas, dessa forma, não haviam sido adotadas. O mesmo podia ser dito em relação aos arados, apesar de o governador afirmar, contra outros testemunhos, que eles eram utilizados "em quase todos os engenhos dessa capitania".[54] O fato é que a introdução de arados pesados e profundos, próprios do ambiente europeu, fracassou no Brasil, levando muitos lavradores a desistir de qualquer tentativa nesse sentido.*

O tema do desflorestamento também ocupava a atenção de Sousa Coutinho. No famoso discurso por ele apresentado ao Conselho de Ministros de 1798, onde defendeu explicitamente a tese da federalização do Império, o problema da conservação florestal apareceu com clareza. Ao tratar das mudanças necessárias na legislação que definia a concessão de sesmarias e datas, determinou que um dos objetivos prioritários a ser atingido era o de "regular a conservação dos nossos bosques, matas e arvoredos, seja dos que servem para cortes de madeiras para as construções marítimas, seja os que servem para o combustível e trabalho das minas e fundições". O esforço de promover a navegação dos rios Paraíba do Sul, Doce, São Francisco, Tocantins, Tapajós, Madeira, Branco e Negro, por outro lado, fundamental para a vivificação da agricultura no país, não deveria significar uma abertura dos estoques de madeira contidos nas suas margens para a exploração dos particulares. Esses estoques deveriam ser guardados "para os Cortes Reais", já que a extração ordenada dos mesmos, com o escoamento através de jangadas, seria de grande proveito para a Fazenda e a Marinha reais.[55]

Essa mesma preocupação com o destino das florestas brasileiras esteve presente na carta de instruções enviada pelo ministro a Manoel Ferreira da Câmara Bittencourt e Sá, quando este se dirigiu para a Bahia, em 1800, para tratar de negócios pessoais. Ferreira da Câmara, mais tarde conhecido na história do Brasil como Intendente Câmara, era um dos seus mais diletos protegidos. Ele foi o companheiro de José Bonifácio em um longo programa de estudos mineralógicos por vários países da Europa, iniciado em 1790. No mesmo ano de 1800 foi nomeado para o cargo de intendente geral das minas e diamantes em Minas Gerais e Serro do Frio, tornando-se o primeiro brasileiro a ocupar essa posição (no ano seguinte, José Bonifácio foi nomeado intendente geral das minas e metais de Portugal). Na mencionada carta de instruções, escrita no mesmo mês de sua nomeação para intendente — que por uma série de motivos apenas se concretizou em 1807 —, Coutinho incumbiu-o de um conjunto de tarefas ilustrativas do clima cultural e político que está sendo descrito. Ele deveria, entre outras atividades, realizar prospecções em distritos onde pudesse haver novas minas; observar os meios de aumentar as comunicações na capitania, através de estradas e rios; trabalhar, juntamente com o diretor nomeado do jardim botâni-

* Um esforço de adaptação com resultados bem melhores ocorreu nas missões jesuíticas da região Sul. Nesse caso adotou-se um modelo de arado espanhol de pouca profundidade, semelhante ao "taclla", o arado de pé criado pelos antigos quíchuas, muito mais apropriado aos solos subtropicais. (Cf. S.B. de Holanda, *Raízes do Brasil*, cap. II, p.5.)

co local, no sentido de aclimatar a fruta-pão na Bahia; animar, através da introdução de novas tecnologias, as culturas da mandioca, da cana, da pimenta, da canela, do cânhamo e da cochonilha. A tarefa mais interessante, porém, ao menos para efeito do presente livro, seria a de enfrentar o problema da destruição florestal na região de Ilhéus:

> Encarrega S.A.R. a V.S.a., ainda que interessado como proprietário, de examinar os planos propostos e estabelecidos para a conservação das matas e arvoredos de Cairu, e a observar se com efeito os proprietários têm direito a fazerem imensas derrubadas e horrorosas queimadas, e se a Fazenda Real, com vantagem sua e em benefício do país, não deveria reincorporar todas as matas vizinhas ao mar, indenizando os proprietários e estabelecendo grandes e econômicos cortes regulares com utilidade da Marinha Real e Mercante ... Sobre as derrubadas e queimadas, a benefício da cultura da mandioca, ordena S.A.R. a V.S.a. que abra os olhos aos proprietários, e que lhes faça ver que grandes vantagens tirariam de substituir, a um tão absurdo método, o melhor sistema de uma cultura regular de que se aproveitam as Antilhas, e conseguem produções abundantes de mandioca.

No final da mesma carta, Coutinho acrescentou uma importante advertência que resumia sua posição essencial sobre a questão política do uso dos recursos naturais:

> E que tenha sempre presente aquele princípio de eterna verdade: que Minas e Bosques necessitam de ser regulados por princípios científicos, em que se ache calculada a sua utilidade geral, e não abandonadas aos interesses dos particulares que nestes casos, e só neles, podem contrariar a pública utilidade, formando uma notável exceção aos princípios da economia política.[56]

Essas duas passagens apresentam uma série de elementos muito significativos. Os plantadores de mandioca da localidade de Cairu, na região de Ilhéus, onde a família de Ferreira da Câmara possuía engenhos e lavouras estavam destruindo intensamente a mata atlântica. Era preciso encontrar um critério justo para avaliar os seus direitos de propriedade frente ao direito da Coroa de conservar e utilizar racionalmente esses recursos florestais. Uma informação essencial, para entender o teor da mensagem, é que o próprio Sousa Coutinho havia reafirmado enfaticamente esse direito, através de um conjunto de cartas régias enviadas entre 1797 e 1800 a vários governadores de capitanias. Um dado significativo foi a carta mandada à Bahia ter sido mais completa do que as remetidas a outras capitanias, como Paraíba e Rio Grande de São Pedro, indicando a importância que a Coroa atribuía às ricas matas baianas, especialmente as existentes na região de Ilhéus, como fontes de madeira nobre.*

A decisão de promover essa nova legislação, por outro lado, baseou-se em uma preocupação explícita com a destruição das matas brasileiras. A carta régia enviada à Bahia em 1797 falava da necessidade de "tomar todas as precauções para a conservação das matas no estado do Brasil, e evitar que elas se arruínem e destruam".[57] Já uma outra carta régia enviada em 1799, que modificava e detalhava alguns aspectos da legislação anterior no caso da mesma capitania, era ainda mais enfática, defendendo a importância de coibir

> a indiscreta e desordenada ambição dos habitantes, que com o pretexto das suas lavouras tem assolado e destruído preciosas matas à ferro e fogo, de tal sorte que, a não acudir Eu com as mais enérgicas providências, ficarão em poucos anos reduzidas à inutilidade de poderem fornecer os paus de construção de que tanto abundaram e já hoje ficam em distâncias consideráveis dos portos de embarque.[58]

É até desnecessário dizer que, apesar de o discurso da rainha estar na primeira pessoa, quem está falando aqui é o ministro Sousa Coutinho e, indiretamente, os intelectuais brasileiros que lhe serviam de informantes.

É verdade, como afirma um livro recente do historiador norte-americano Shawn Miller, que as medidas promovidas por essas cartas régias não apresentaram uma grande novidade metodológica, repetindo o enfoque de apropriação monopolista dos recursos madeireiros que vinha sendo aplicado por Portugal desde o século XVII e, mais especificamente, desde setembro de 1652, quando a Coroa decidiu tomar posse de todas as madeiras nobres e valiosas ("madeiras de lei") existentes no Brasil, inclusive no interior das sesmarias.[59]** Em 1795, por exemplo, pouco antes de Sousa Coutinho assumir a função de ministro, um alvará real, tratando das medições e demarcações das sesmarias, estabeleceu que nos

---

* As cartas enviadas a essas três capitanias foram publicadas em P.F. de Souza, *Legislação florestal*. O governador de São Paulo, Antônio de Mello Castro e Mendonça, recebeu uma carta semelhante, com base na qual elaborou as "Providências interinas para a conservação das matas e paus reais da costa desta capitania", em 1799. Outro governador que a recebeu foi o do Grão-Pará, Francisco de Sousa Coutinho, irmão do ministro. Apesar de ser um dos inspiradores da proposta de apropriação direta das matas litorâneas, esse governador encontrou fortes dificuldades logísticas para implementá-la em sua região. (Cf. S. Miller, *Fruitless Trees*, p.56.)

** O Regimento do Pau-Brasil, de 1605, já havia consolidado as regras anteriores que reservavam para a Coroa todos os espécimes dessa árvore existentes nas capitanias. (Cf. B.J. Souza, *O pau-brasil na história nacional*, p.82.)

distritos vizinhos dos portos de mar estariam reservadas para uso da Coroa as matas "donde pela sua boa qualidade, abundância e melhor comodidade se possam cortar as preciosas madeiras", proibindo-se que no futuro essas matas fossem dadas em sesmaria. No caso das matas existentes nas sesmarias já concedidas, ficavam os sesmeiros proibidos de cortar, sem licença dos governadores, as "madeiras grossas e de lei".[60]

É importante ter claro que essa decisão, apesar de ter sido estabelecida em termos muito vagos e, por isso mesmo, pouco efetivos, refletiu os debates que já ocorriam em Portugal sobre a crescente destruição florestal no Brasil. O alvará deixava claro esse ponto ao justificar que aquelas medidas haviam-se tornado necessárias devido à "laxidão com que se franqueiam e toleram os cortes das madeiras nas matas de todo o estado do Brasil". Com a permanência desses cortes "irregulares e nocivos", corria-se o risco de em poucos anos não existirem mais madeiras "em sítios cômodos e tais que facilitem os seus transportes", tornando-se necessária a sua busca em lugares "mais remotos" que dificultariam, ou mesmo impossibilitariam, a sua condução.[61]

As cartas régias promovidas por Sousa Coutinho a partir de 1797, apesar de fazerem parte desse mesmo caldo de cultura político, possuíam uma abrangência e um grau de detalhamento bem mais amplos e profundos. Esse foi o caso da proposta inovadora, apesar de ter sido prenunciada no alvará de 1795, de tomar posse não apenas de todas as madeiras de lei, mas também de "todas as matas e arvoredos à borda da costa, ou de rios que desemboquem imediatamente no mar". Uma decisão, que ganhava ainda maior radicalidade na medida em que se proibia que "para o futuro se possam dar sesmarias em tais sítios" e se pedia informações sobre "os meios por que se poderiam restituir à Minha Real Coroa as sesmarias já dadas, indenizando os proprietários com terras equivalentes no interior do país". Além disso, desde aquele momento, determinava-se "aos ditos proprietários a obrigação de conservarem as madeiras e paus reais", estabelecendo "as mais severas penas contra os incendiários e destruidores das matas".[62]

Tratava-se, portanto, de um projeto mais amplo de estabelecimento de reservas florestais que garantissem a conservação das matas frente aos incêndios dos agricultores, bem como a utilização das suas madeiras para uso da Marinha Real e lucro da Coroa (inclusive com exportação para outros países). A tentativa de implementação dessas medidas, de toda forma, gerou bastante oposição dos proprietários locais, em geral plantadores de mandioca, produzindo um interessante conflito político e teórico cujos detalhes serão discutidos no próximo capítulo.

É relevante o fato de que a proposta de retomar sesmarias nunca chegou a ser realmente concretizada. As enormes dificuldades práticas colocadas para a sua realização, assim como o apoio de políticos locais ao reclamo dos proprietários, fez com que ela fosse gradualmente esquecida. Isso apesar dos esforços empreendidos por parte do juiz conservador das matas de Ilhéus, Baltasar da Silva Lisboa (o mesmo personagem que será discutido na seção seguinte, em outro momento da sua rica trajetória histórica). De toda forma, a disputa envolveu familiares de Ferreira da Câmara, justificando a menção deste último, por parte do ministro, enquanto "interessado como proprietário" no conflito. Mesmo assim, o que Coutinho pedia ao seu protegido brasileiro era que ele avaliasse imparcialmente a justiça dos argumentos de cada parte, além de usar suas luzes para esclarecer os proprietários no sentido de substituir as queimadas permanentes por técnicas mais modernas e menos destrutivas. A referência às Antilhas revela mais uma vez que o estadista português estava atento ao desenvolvimento de práticas de conservação ambiental em outras regiões tropicais, almejando sua aplicação no Brasil.

Mas o aspecto mais significativo da visão exposta nas instruções de Coutinho, do ponto de vista teórico, encontra-se na sua discussão sobre os limites do liberalismo. Ele admitia implicitamente, segundo os "princípios da economia política", que os interesses particulares normalmente não entravam em conflito com o interesse público. As doutrinas de Adam Smith já começavam a ganhar espaço no mundo intelectual luso-brasileiro. O ministro afirmava, porém, a existência de uma "notável exceção" a esses princípios, que passa justamente pelo que hoje chamaríamos de problemática ecológica. No campo dos bosques e minas, os recursos naturais que mais interessavam ao autor naquele momento, o potencial de conflito entre a ação dos interesses privados e a "pública utilidade" era bastante grande. Por esse motivo seria necessário que o poder público regulasse o acesso a esses recursos segundo "princípios científicos", que levassem em conta a sua utilidade coletiva, ao invés de deixá-los "abandonados" nas mãos dos particulares.

Essa tese, de certa forma, constituiu o eixo da crítica ambiental brasileira nos séculos XVIII e XIX. É importante reafirmar, portanto, que ela não foi difundida univocamente a partir de Sousa Coutinho para seus interlocutores brasileiros, mas sim construída através de um diálogo coletivo. Em um texto de 1798, por exemplo, escrito a pedido do ministro, Ferreira da Câmara analisou a possibilidade de reerguer uma mina de ferro em Angola, com base em sugestões feitas pelo inconfidente mineiro José Álvares Maciel, degradado naquele país. Nesse texto estabeleceu-se claramente a necessidade de proibir "debaixo de rigorosas penas" o corte de lenhas nas margens de rios navegáveis e de regular a extração de madeiras nas áreas de mineração. Tal tarefa era reputada pelo erudito mineiro como de "não pequena dificuldade", tendo em vista que "como V. Exma. sabe, os bárbaros deitam abaixo a árvore para lhe colher de uma vez o fruto, sem se lembrarem que a natureza não a reproduz com a mesma facilidade com que se corta e destrói".[63] Foi na cumplicidade de diálogos desse tipo, que certamente ocorriam em viva voz antes de serem registrados no papel, que veio se constituindo uma crítica ambiental luso-brasileira a partir do final do século XVIII.

A filosofia natural como política

A partir do final do século XVIII, como já foi dito, intelectuais nascidos no Brasil começaram a publicar trabalhos onde discutiam temas ambientais semelhantes aos enfocados por Vandelli e Sousa Coutinho, passando a elaborar sua própria interpretação dessa problemática. Para avaliar de maneira apropriada as idéias divulgadas por esse grupo de autores, evitando interpretações anacrônicas, é necessário entender seu posicionamento básico diante da crise colonial vivenciada pelo Brasil. Na medida em que essa crise se tornava mais evidente, algumas alternativas políticas começaram a ser debatidas. Esse debate percorreu um espectro que foi da defesa conservadora do colonialismo puro — fundado no "exclusivo metropolitano" — à proposta de emancipação política do Brasil ou de algumas das suas regiões. A defesa desta última tese, no entanto, ao menos de forma explícita, tornou-se bastante problemática após os sucessivos fracassos, seguidos de violenta repressão, dos intentos ocorridos em Vila Rica (1789), Rio de Janeiro (1794) e Salvador (1798). A inclinação dominante entre os primeiros críticos ambientais brasileiros, até onde eu tenha podido perceber, foi na direção de uma proposta conciliadora: a defesa de uma espécie de federalismo luso universal, no qual cada território seria considerado, segundo a expressão de Sousa Coutinho, uma "província da monarquia".[64] Aqueles críticos eram plenamente favoráveis ao rompimento com o antigo padrão colonial, mas sem cortar os laços com o Estado português. A pregação essencial, de toda forma, era em favor de uma promoção específica do progresso econômico e social do Brasil.

Naquele momento de transição histórica — com toda a ambigüidade que tais momentos costumam apresentar —, começava a aparecer uma certa identidade intelectual e política "brasileira". O lugar de nascimento, nesse complexo jogo de referências, não era um dado irrelevante. Os primeiros autores analisados neste livro apresentavam-se freqüentemente como patriotas brasileiros, apesar da sua forte integração na *polis* portuguesa. É verdade que devemos relativizar o uso do termo "pátria" naquele contexto histórico, pois em grande parte ele indicava apenas o país de nascimento. Mas esse dado, por si só, não é capaz de expressar a totalidade do problema. Nos textos aqui selecionados aparece um sentimento bem mais substantivo, mesmo que não seja fácil defini-lo. O que aparece é uma preocupação especialmente intensa com o destino do Brasil, mesmo que no contexto do mundo português. Um sentimento intermediário entre um nacionalismo anacrônico e a mera formalidade do lugar de nascimento. É preciso levar em conta, igualmente, as mudanças de contexto político nos diferentes momentos da passagem do século XVIII para o XIX. É significativo observar, nesse sentido, que no início da década de 1820, quando se colocou o dilema de romper os laços políticos com Portugal, todos os autores que estão sendo discutidos — os que ainda estavam vivos, obviamente — participaram ativamente do movimento pela constituição de um Estado monárquico independente.

Um outro ponto que deve ser esclarecido é o de que não existia naquele momento um *corpus* definido de crítica ambiental, mas sim alguns instrumentos teóricos que, utilizados de diferentes maneiras, poderiam facilitar esse tipo de reflexão. Para visualizar o nascimento dessa crítica no Brasil, portanto, é necessário acompanhar, de maneira individual, os esforços de cada um dos membros daquele primeiro grupo de intelectuais que manifestou especial sensibilidade pelo tema. Não devemos esperar desse grupo uma homogeneidade de pensamento, mas sim o compartilhar de certos princípios e propostas básicas que vieram se definindo no próprio esforço acumulativo de reflexão.

Uma obra fundamental para delinear esses princípios e propostas foi o *Discurso histórico, político e econômico dos progressos e estado atual da filosofia natural portuguesa, acompanhado de algumas reflexões sobre o estado do Brasil*, publicado em 1786 por Baltasar da Silva Lisboa. Esse trabalho pode mesmo ser considerado uma síntese inicial, quase que um manifesto programático, da primeira crítica ambiental brasileira, uma vez que as temáticas e sugestões por ele apresentadas foram depois retomadas por vários outros escritores. O autor do livro, um dos principais doutores de Coimbra nascidos no Brasil, mais especificamente na Bahia, encarnou com perfeição o papel que Sousa Coutinho imaginava para a nova elite brasileira. Não é difícil perceber, na leitura do *Discurso histórico*, que o problema do Brasil ocupava um lugar especial nas suas reflexões, apesar da sua manifesta lealdade para com o Estado português. Esse era o tipo de patriotismo que o ministro considerava aceitável e necessário diante dos novos horizontes políticos do império lusitano.

O ponto de partida de Baltasar Lisboa, numa atitude típica do seu grupo intelectual, estava na confiança quase messiânica no poder transformador da racionalidade científica. Sua análise começa com um exame crítico dos altos e baixos da filosofia natural na história portuguesa, desde os tempos romanos até os marcos contemporâneos representados pela reforma da Universidade de Coimbra, a criação da Academia de Lisboa e a presença de Vandelli. O impulso renovador que estão se vivia era considerado altamente benfazejo, principalmente pelo que representava em termos políticos. A filosofia natural é "a ciência que mais contribui para o bem comum", e seu desenvolvimento tem efeitos sociais imediatos, ajudando a tornar "florente a agricultura, polidas e perfeitas as artes, aumentada a povoação, firmes os estabelecimentos das fábricas". A nação portuguesa, cuja economia estava em decadência, necessitava de magistrados que pudessem "inverter este mau conceito dos povos", animando a sua agricultura e promovendo o povoamento e a educação. Os "augustos soberanos" demonstrariam o seu "amor paternal" pelo povo se adotassem a "filosofia natural como a moral e a política de todas as suas comarcas, cidades e vilas".[65]

Na segunda parte do livro, bem mais concreta e propositiva, o autor dedicou-se a discutir a maneira pela qual os progressos da filosofia natural poderiam ajudar na correta ocupação do "vasto continente da América há três séculos descoberto". A situação do Brasil de fato era crítica, necessitando passar por um processo urgente de mudança. A agricultura era praticada no país "o mais miseravelmente que é possível imaginar", desconhecendo os progressos técnicos e o uso do arado. A mão-de-obra continuava a ser exercida "pelos miseráveis escravos que mal educados, nus, tiranizados, mortos muitas vezes de fome, como hão de se interessar na fortuna do senhor?"[66] As fornalhas eram pessimamente construídas, particularmente nos engenhos de açúcar, gerando um enorme desperdício de madeiras nativas, cuja escassez já começava a inviabilizar a continuidade de muitas fazendas:

> É incompreensível a imensa quantidade de lenhas que inutilmente consome a feitura do açúcar pela construção das suas fornalhas, pois que para uma carrada de cana se requer outra de lenha. A boa construção dos fornos de reverbero sanaria este mal, que causa gravíssimo prejuízo aos lavradores e senhores de engenho, vindo a suceder que aqueles que não possuem grandes matas não fabriquem o açúcar e os que as possuem pelo diante deixam de trabalhar os seus engenhos pela falta de lenhas, pois assim confirma a experiência.[67]

A solução para esse estado de coisas passava por uma política geral de reformas. Algumas delas teriam um alcance social mais amplo, como no caso da melhor incorporação dos negros e dos índios no processo produtivo. As reflexões do autor, nesse ponto, são essencialmente pragmáticas, passando ao largo da valorização cultural dessas populações, a não ser por um certo respeito pelo conhecimento empírico dos índios frente à natureza tropical.

O jovem doutor de Coimbra falava a partir de uma posição cultural assumida como superior — a racionalidade ocidental — e de um objetivo a ser pragmaticamente alcançado — o progresso econômico do Brasil. Mesmo quando fazia sugestões humanitárias, as propostas de Baltasar não passavam por uma ética politicamente desinteressada. O fim da violência contra os negros e os índios, por exemplo, respondia a uma evidente utilidade política. Os negros deveriam ser tratados com moderação, sem "os criminosos excessos" praticados pela maioria dos senhores. Era necessário que eles recebessem noções claras de religião e casamento, para "não prosseguirem nos crimes e excessos das paixões sensuais". Também deveriam receber dias na semana para labutarem o seu próprio sustento, ao invés de passarem o domingo "embriagados e nutrindo os vícios da sua natural frouxidão". Essa política de "boa moral e prudente economia" faria os escravos "mais fiéis e amigos dos seus senhores".[68] Apesar da estratégia argumentativa moderada e utilitária, já era possível vislumbrar aqui a antipatia pelo escravismo que, como veremos, tornou-se bem mais radical na obra madura do autor.

Quanto aos índios, era preciso "civilizá-los e salvar as suas almas". O método mais apropriado para isso, tal qual se praticava na América do Norte, era o de "multiplicar cada vez mais as suas necessidades, pelas quais eles serão forçados a comunicarem-se com os seus vizinhos mais industriosos". Era de interesse do Estado que eles fossem incorporados na produção econômica, não se devendo consentir que ficassem aldeados em "cidades inteiras cheias de eclesiásticos que tenham a este respeito toda a indiferença". A cultura da cochonilha, por exemplo, poderia ser entregue aos nativos "a troco de aguardentes e várias bugigangas de que eles tanto prezam". Sua utilidade mais fundamental, contudo, era a de servir como fonte de informações sobre a natureza brasileira. Baltasar reconhecia que os conhecimentos europeus eram limitados, pois "muitas outras [plantas] ignoramos completamente, mas sabemos sim que os índios conhecem imensas que servem de antídoto contra inumeráveis enfermidades". Era preciso que as expedições científicas procurassem obter conhecimentos dos índios "conciliados com brandura e prêmios". Essa tarefa não podia mais ser adiada, pois a chave do progresso futuro do país estava no conhecimento da sua diversidade natural. Era premente "fazer ver todos os portentos que a natureza quis ocultar naqueles paraísos, onde parece que em nenhuma outra parte do mundo procurou manifestar tanto o seu poder".[69]

No melhor estilo da época, Baltasar procurou examinar a utilidade potencial dessa natureza a partir dos seus três reinos. Mais que tudo era necessário incrementar o conhecimento prático sobre as espécies vegetais nativas, promovendo-se também a aclimatação de espécies úteis trazidas de outras regiões do planeta. As culturas já estabelecidas deveriam ser consolidadas através de métodos mais inteligentes e racionais. O arado puxado por bois e cavalos adaptar-se-ia bem aos solos massapés do Brasil, aumentando a produtividade. Era importante também introduzir novas culturas, tais como as do arroz, anil, café e uvas. A lavoura do algodão, em especial, deveria ser estimulada por constituir um "novo e poderoso ramo da indústria e comércio", já que na Inglaterra se estavam introduzindo "milhares de fábricas ao modelo das da Ásia" e "a Europa toda tem aprovado o gozo de semelhantes manufaturas".[70]

No que se refere ao reino animal, era preciso promover uma pecuária mais eficiente, que também produzisse manteiga e queijos. Baltasar protestou contra as práticas predatórias vigentes no trato com os animais, a começar pelo "costume de se matarem, logo que se quer completar certo número de couros, bois, vacas e bezerros indistintamente, sendo conseqüência disso a diminuição do gado e a má qualidade dos couros". O mesmo ocorria em relação aos animais selvagens. Os veados eram abundantes nos sertões, mas "como são a todo o tempo indiscretamente mortos, pelo diante serão mais raros". As grandes possibilidades da pesca eram frustradas pelas práticas rudimentares na conservação e preparo dos pescados. Diante do reino mineral, por fim, que não era prioritário para um fisiocrata, Baltasar deteve-se de forma breve, apenas para mencionar que as minas deveriam ser dirigidas por "magistrados filósofos" e que existia um importante potencial de exploração na Serra dos Órgãos.[71]

É possível observar, confrontando o que aparece em Baltasar Lisboa com o que já foi visto em Navarro, Vandelli e Sousa Coutinho, os delineamentos de uma espécie de projeto alternativo para o Brasil, dentro do qual os temas ambientais ocuparam um lugar de destaque. Algumas propostas, inclusive, foram comuns aos vários autores, como a necessidade de estudar as produções da natureza, de aclimatar espécies exóticas, de poupar as florestas, de reformar as fornalhas e de introduzir o arado. À exceção de Sousa Coutinho — cujo progressismo ilustrado, no caso do Brasil, era essencialmente econômico —, os outros autores adotaram também a prática de associar a crítica ambiental e econômica com o questionamento de algumas dinâmicas sociais perversas existentes na colônia, especialmente o tratamento dado aos índios e aos escravos africanos. Essas linhas mestras, de maneira geral, acompanharam os esforços posteriores de reflexão.

CAPÍTULO 2

"Com o machado em uma mão e o tição em outra": O desenvolvimento da crítica ambiental nas últimas décadas do Brasil Colônia

E, já que o remoto Brasil possui imensas florestas, ainda intactas desde a época de Deucalião, é fácil enfim compensar o repouso de um campo inativo e proporcionar às plantas novos abrigos num bosque arrasado. Derrube, portanto, a mata com a foice curva e o duro machado, mas cautelosamente, pois tal empresa é cheia de perigo.

José Rodrigues Melo e Prudêncio Amaral,
De rusticis brasiliae rebus, 1781

Já é tempo de se atentar nestas preciosas matas, nestas amenas selvas, que o cultivador do Brasil, com o machado em uma mão e o tição em outra, ameaça-as de total incêndio e desolação. Uma agricultura bárbara, ao mesmo tempo muito mais dispendiosa, tem sido a causa deste geral abrasamento.

José Vieira Couto, *Memória sobre a capitania de Minas*, 1799

Por tal método jamais a cultura se aperfeiçoará ... e em poucos anos o país apresentará um aspecto cadavérico, se nos podemos explicar assim, como já acontece em algumas capitanias.

João Severiano Maciel da Costa, *Memória sobre a necessidade de se abolir a introdução de escravos africanos no Brasil*, 1821

Aventura e predação

O intenso processo de mudança ambiental sofrido pelo Brasil a partir do século XVI, com o início da ocupação colonial européia, não é de fácil visualização para o analista contemporâneo. Uma das melhores vias de acesso continua sendo o testemunho dos que o presenciaram. É verdade que tais observações foram sempre parciais, referindo-se a realidades geográficas particulares. Mas mesmo essas limitações podem ser úteis à análise, servindo de contraste para avaliar o que se passava em outras regiões. A província de Goiás em 1823, por exemplo, não era um pólo de grande dinamismo econômico. A garimpagem do ouro, que havia impulsionado a ocupação daqueles sertões no século anterior, estava em franca decadência; a produção desse metal, que em 1750 chegou a 25.000 quilos por ano, caiu em 1778 para menos de 8.000.*

Esse contexto torna ainda mais significativo o que nos conta o marechal Raymundo da Cunha Mattos (1776-1839) no seu *Itinerário do Rio de Janeiro ao Pará e Maranhão pelas províncias de Minas Gerais e Goiás*, publicado em 1836. Cunha Mattos era um militar português que decidiu apoiar a independência de 1822. Mais tarde foi um dos fundadores do Instituto Histórico e Geográfico Brasileiro (IHGB). É nessa condição de historiador e geógrafo que algumas das suas observações interessam ao presente trabalho. Ele aproveitou suas movimentações militares, durante os anos de consolidação da independência, para descrever com perspicácia a realidade pouco conhecida do interior do Brasil. É o caso do seguinte episódio, ocorrido na localidade de Sítio das Areias, Goiás, em 5 de agosto de 1823:

> ... como o Major Alexandria, no engenho do Palmital, me deu o conselho de não marchar de noite para evitar precipícios, e andar às apalpadelas nas trevas da mata, pensei eu que a cousa seria como ele afiançava e de que tinha muitos conhecimentos por haver passado centos de vezes por estes lugares. Ora, como eu não encontrava grandes matas, e somente campos descobertos, perguntava ao Major se já estávamos perto da mata. O Major dizia sempre, daqui a um bocado. Com efeito, eu perdia a paciência por ter sido enganado, mas o Major, com toda a ingenuidade, me declarou ter atravessado a mata havia cinco anos, e que neste tempo não existiam as derrubadas, os claros, os campos, o capim gordura e as

* Esta queda de produtividade, aliás, foi em grande parte provocada pelos métodos predatórios utilizados nos garimpos. Ao desmatar as margens e revolver intensamente os leitos dos rios, em busca do ouro de aluvião, eles acabaram provocando um grande assoreamento, soterrando os depósitos auríferos sob uma massa crescente de entulho, lama e lixo estéril. (Cf. P. Bertran, "Desastres ambientais na capitania de Goiás".)

roças que agora encontrava. Isto vale o mesmo que dizer: os imprudentes moradores estão destruindo para sempre um dos mais belos bosques do Brasil — digo belos bosques, porque o resto do que existe é muito mais copado e vigoroso do que o da mata do Rio de Janeiro, tanto pela qualidade da terra quanto pela abundância das águas.[1]

Em menos de cinco anos, numa região remota do Brasil, sem que houvesse qualquer processo especialmente intenso de avanço da fronteira agro-exportadora, a paisagem havia sido completamente modificada e o rico ecossistema florestal estava em grande parte destruído! É natural que o autor não se limitasse a descrever esse episódio, animando-se também a fazer reflexões críticas de caráter mais amplo. Quando escreveu essas linhas, três anos antes da criação do IHGB, Cunha Mattos já estava ligado a um grupo de intelectuais que manifestava profunda preocupação com os processos de degradação ambiental que vinham ocorrendo no território brasileiro. Esse grupo incluía Januário da Cunha Barboza, Francisco Freire Alemão, Emílio da Silva Maia e Baltasar da Silva Lisboa (vivendo os últimos anos de sua vida). Nos escritos de Mattos, tal preocupação vai aparecer com bastante força descritiva, até pelas oportunidades que estava tendo de observar diretamente os processos de devastação. É impressionante, nesse sentido, sua descrição de uma "grande queimada de campo" em Goiás: "É um aspecto horroroso, sobretudo quando há vento forte. A que então ocorria era em nosso desfavor, e por isso apressamos a marcha até ficarmos em lugar seguro. As chamas pareciam subir ao céu, as árvores estalavam, e julgávamos estar debaixo de fortes trovoadas".[2]

Apesar da intensidade dessas experiências, Mattos não foi capaz de expressar naquele momento, pelo menos de forma explícita, a pergunta óbvia que o analista contemporâneo deduz do episódio anteriormente descrito. Se acontecimentos daquele tipo estavam ocorrendo em regiões tão distantes e aparentemente estagnadas, o que dizer das áreas mais centrais da economia e da sociedade brasileiras? Qual foi o grau de devastação ambiental nas regiões litorâneas, onde se concentravam os núcleos urbanos, as grandes monoculturas e as atividades madeireiras? Meu objetivo não é o de analisar com profundidade as dinâmicas históricas concretas que produziram essa devastação, mas sim a forma pela qual o pensamento político brasileiro interpretou e criticou esse processo. Mesmo assim vale a pena fazer alguns comentários gerais, que ajudem a entender melhor o contexto objetivo que inspirou o surgimento daquela tradição crítica.

Quando os conquistadores europeus começaram a chegar no atual território brasileiro, encontraram um conjunto impressionante de mangues, rios, florestas, cerrados, campos e outras estruturas complexas produzidas pela dinâmica da natureza. Encontraram também um mosaico de populações cujos ancestrais conviviam com tais estruturas há mais de 12 mil anos, utilizando-as, modificando-as e representando-as através de uma rica diversidade de culturas e formas sociais. Apesar das interações entre tais populações e ecossistemas terem sido consideráveis, marcando de maneira decisiva a construção da paisagem, não chegaram a produzir processos massivos do que hoje classificaríamos como "degradação ambiental". Na verdade é muito difícil para o observador atual visualizar a paisagem brasileira antes de 1500. Como seria esse território sem o impacto dos animais introduzidos pelos europeus, como os bois e os cavalos? Ou sem tantas espécies vegetais que, para provável surpresa de muitos, também foram introduzidas, como as mangueiras e os coqueiros?[3] Ou com o litoral quase todo coberto, de norte a sul, por mais de 110 milhões de hectares de mata atlântica?

Os colonizadores, de toda forma, logo perceberam que a exploração direta da natureza seria o principal eixo da busca por riquezas nessa parte da América. As sociedades indígenas locais, apesar do seu conhecimento da biodiversidade nativa, não despertavam um grande interesse econômico, se comparadas com as complexas estruturas produtivas e tecnológicas encontradas pelos espanhóis na Mesoamérica e nos Andes. Mas a base natural do território era exuberante e de acesso relativamente fácil. A vontade de explorá-la, da maneira mais agressiva que fosse possível, marcou o nascimento do Brasil como entidade política.

É verdade que as colônias de exploração, em diferentes regiões do planeta, caracterizaram-se sempre pela exploração brutal e imediatista dos seus recursos naturais, sofrendo intensos processos de devastação. Isso ocorreu, em primeiro lugar, pelo impacto direto das atividades coloniais sobre os ecossistemas previamente existentes, através de movimentos perturbadores ou francamente destrutivos. Em segundo lugar, pela introdução de espécies exóticas, que no contexto desses ambientes perturbados reproduziram-se de forma intensa e descontrolada. Esses elementos, incluindo animais e vegetais de maior porte, ervas daninhas e microrganismos patológicos, disseminados de forma voluntária ou não, terminaram por ter um peso desproporcional na estrutura da paisagem biofísica e social. No caso das Américas, de maneira especial, o impacto dos microrganismos patológicos foi dramático, produzindo um colapso demográfico que, em várias regiões, chegou a exterminar 90% da população anterior[4]. O Brasil, dessa forma, não foi um caso isolado de destruição ambiental na história colonial e pós-colonial dos últimos séculos. Mas foi, sem dúvida, um dos casos mais exemplares.

Isso não passou despercebido dos melhores analistas da formação social brasileira. Sérgio Buarque de Holanda, por exemplo, chamou atenção para o fato de que os colonizadores do Brasil sempre se distinguiram "pelo muito que pediam à terra e o pouco que lhe davam em retribuição". A conseqüência disso foi que

> só com alguma reserva se pode aplicar a palavra "agricultura" aos processos de exploração da terra que se introduziram amplamente no país com os engenhos

de cana. Nessa exploração, a técnica européia serviu apenas para fazer ainda mais devastadores os métodos rudimentares de que se valia o indígena em suas plantações ... A verdade é que a grande lavoura, conforme se praticou e ainda se pratica no Brasil, participa, por sua natureza perdulária, quase tanto da mineração quanto da agricultura. Sem braço escravo e terra farta, terra para gastar e arruinar, não para proteger ciosamente, ela seria irrealizável.[5]

A passagem acima apresenta quatro variáveis que, no meu entender, devem ser consideradas centrais para construir uma espécie de equação do caráter ambientalmente devastador da ocupação colonial do território brasileiro: 1) a terra farta, 2) as técnicas rudimentares, 3) o braço escravo e 4) a mentalidade de que terra era para gastar e arruinar, não para proteger ciosamente.

A primeira variável relacionou-se com a percepção de que o território do Brasil apresentava uma fronteira para sempre aberta ao avanço da produção econômica e da ocupação social. Os colonizadores portugueses, acostumados às limitações ecológicas de sua região de origem, viam a mata atlântica como um universo que jamais se consumiria. Como se pode ler na primeira epígrafe desse capítulo, retirada de um longo poema arcadista sobre o mundo rural brasileiro, publicado em 1781 por dois padres jesuítas, era "fácil" abandonar as antigas lavouras desgastadas e apropriar-se de novos espaços em bosques recentemente arrasados. A imagem de uma terra sempre disponível para o avanço horizontal da produção minimizava a importância do cuidado ambiental. À medida que os solos agrícolas e pastoris tornavam-se estéreis, a fronteira avançava em direção às florestas e aos campos ainda intactos. À medida que espécies úteis de madeira extinguiam-se na proximidade dos centros urbanos e produtivos, a fronteira buscava reservas onde elas ainda eram abundantes. Esse nomadismo predatório garantia uma certa continuidade na economia e na estrutura social do país, não obstante os muitos exemplos de vilas, fazendas e minas que foram abandonadas por haverem atingido o limite da sua capacidade de sustentação ecológica.

A segunda variável foi tecnológica. As técnicas produtivas utilizadas no Brasil, de maneira geral, foram descuidadas e extensivas, baseadas em uma postura parasitária frente à produtividade do mundo natural. É provável que a onipresença das queimadas tenha sido o símbolo maior dessa mentalidade. Os colonizadores multiplicaram o impacto das tecnologias indígenas tradicionais — como no caso da coivara (roça e queima em pequena escala) — ao aplicar o fogo em espaços muito mais extensos e com intervalos de tempo muito menores.* A queima das florestas

* É importante lembrar, porém, que a origem da introdução desse método no Brasil não foi totalmente indígena. As queimadas foram utilizadas tanto na antiga agricultura portuguesa quanto nas ilhas atlânticas colonizadas antes da chegada ao Brasil (cf. J. Dornas Filho,

e campos foi praticamente o único método de preparo da terra para o plantio e a criação adotado no país até o final do século XIX.* Ao invés de adubar o solo, para conservar sua fertilidade, optava-se por queimar progressivamente novas áreas de mata, uma vez que a riqueza das suas cinzas garantia boas colheitas por dois ou três anos, após o que a terra ficava estragada e ocupada por ervas daninhas e formigas. Ao invés de promover o replantio dos pastos, já que os campos naturais se degradavam após um ou dois ciclos de pastoreio, optava-se por incendiá-los, na expectativa de que o fogo fortalecesse o crescimento das ervas comestíveis e garantisse alguma sobrevida ao rebanho.

Essa opção por métodos fáceis e predatórios não pode ser dissociada da imagem de uma fronteira permanentemente aberta. É significativo observar, nesse sentido, que a implementação de melhorias nas fornalhas dos engenhos, passando a utilizar o próprio bagaço da cana, ocorreu de forma precoce nas ilhas do Caribe, onde a sensação de fechamento da fronteira e de esgotamento das florestas derivava de um óbvio condicionamento geográfico.[6] No caso do Brasil, ao contrário, o descaso com a exploração presente se pautava pela certeza da exploração futura. As fornalhas rudimentares continuaram a ser "bocas verdadeiramente tragadoras de matos", como afirmou o jesuíta Antonil no seu *Cultura e opulência do Brasil por suas drogas e minas*, de 1711. Mas isso não deveria ser motivo para grande preocupação. Um país como o Brasil, nas palavras do mesmo autor, "com a imensidade dos matos que tem, podia fartar, como fartou por tantos anos, e fartará nos tempos vindouros, a tantas fornalhas".[7]

Essa sensação de inesgotabilidade dos recursos naturais, por outro lado, estava associada a um fator jurídico-institucional: a facilidade na concessão de terras para a elite colonial. O crescimento horizontal não se dava apenas pela ocupação informal, mas também pela requisição e concessão de novas sesmarias oficialmente chanceladas. Tal fato foi criticado ainda em 1780, através de um texto escrito por José João Teixeira Coelho, desembargador da relação do Porto. Na sua "Instrução para o governo da capitania de Minas Gerais", escrita com base nos seus onze anos de estadia no Brasil, ele afirmou que "a facilidade que tem havido na concessão das sesmarias tem sido muito prejudicial, porque se têm queimado os matos melho-

---

Aspectos da economia colonial, p.253). Ainda no final do século XVIII, na Academia das Ciências de Lisboa, criticava-se a continuidade destas práticas no território português (A.A.N. Portugal, "Apontamentos sobre as queimadas..."). Para os usos da coivara na pequena agricultura indígena e camponesa no Brasil e na América Latina, em geral sem grandes danos ambientais, ver C.B. Schmidt, *Técnicas agrícolas primitivas e tradicionais*, e J. Chonchol, *Sistemas agrários en America Latina*.

* Apesar de terem ocorrido algumas exceções, como no caso da estrumação do solo para a lavoura de tabaco na Bahia do século XVIII (Cf. J.S. Lisboa, "Carta muito interessante...", ABN vol.32, p.503.)

res, e os mais próximos às povoações, as quais já sentem a falta das madeiras, das lenhas e dos capins". Os lavradores preferiam exercer seu domínio "sem beneficiar as terras, sendo infinitas as que estão deixadas, e que haviam de produzir frutos em mais abundância do que as deste reino, se as beneficiassem". A facilidade de receber terras fazia com que "os bens da capitania de Minas não sejam estáveis; porque os roceiros, como se lhes não dificulta a concessão de novas terras, não fazem benfeitorias atendíveis nas que possuem, e as abandonam por quaisquer motivos de conveniências fantásticas". O resultado era que, apesar de existirem na capitania "centos de sesmarias concedidas há muitos anos, sem a menor cultura", os povos continuavam "pedindo novas terras, sem que haja necessidade de se lhes concederem".[8]

A concessão fácil de novas terras estimulava a prática de explorá-las de maneira pouco cuidadosa e depois abandoná-las. A exploração concentrava-se nas florestas de mais fácil acesso, que eram rapidamente dilapidadas. A divulgação do lúcido diagnóstico elaborado por Teixeira Coelho — assim como das regras por ele sugeridas para enfrentar o problema, como a de que "não se deve conceder uma sesmaria a quem se tiver concedido outra, ainda que peça em diferente nome" ou que "o que possuir uma não pode possuir outra, ainda que seja por título de compra ou herança"[9] — não teve grandes conseqüências práticas. Observando a mesma capitania em 1837, em sua *Corografia histórica da província de Minas Gerais*, o marechal Cunha Mattos constatou a continuidade do problema:

> A demasiada condescendência e facilidade com que se concederam sesmarias e se toleraram as posses produziram efeitos terríveis que por muitos anos se hão de sentir. Os sesmeiros derrubaram e queimaram as matas, não beneficiaram os terrenos, e quando lhes faltava espaço necessário para as plantações abandonavam as sesmarias ou vendiam-nas por pouco mais que nada. E iam requerer nova sesmaria ou apossavam-se de terreno em outro lugar. É por isso que a maior parte daqueles homens construíram para sua habitação apenas uma insignificante barraca de pau-a-pique ... É por isso que se encontram tantas taperas ou casas abandonadas junto e longe das estradas. É por isso, finalmente, que no dia de hoje as madeiras de construção encontram-se unicamente nos matos virgens nas encostas das serras, a muita distância dos lugares povoados.[10]

E não cabe argumentar que se tratava de um fenômeno típico de Minas Gerais, onde o surto da mineração teria distorcido o padrão normal das atividades agrícolas. O padrão normal, que vigorava em todo o país, era o do avanço horizontal predatório, adaptado à realidade específica de cada região. Em São Paulo, por exemplo, na mesma época em que Cunha Mattos escreveu sobre Minas, um outro observador anotou tendência semelhante. Daniel Pedro Muller, no seu *Ensaio de um quadro estatístico da província de São Paulo*, publicado em 1837, não estava especialmente interessado nas questões ambientais, mas foi suficientemente arguto para constatar que "muitos cultivadores, não satisfeitos com os seus terrenos, vão após de outros que tenham matas, as quais destroem para as queimarem e plantarem, e as abandonam quando ficam em arbustos pouco frondosos ou em campos". Essa agricultura, ainda segundo o autor, "ao invés de conchegar os habitantes separou a muitos do seu antigo domicílio", além de provocar a "periódica destruição das matas", já que a regra era de que os proprietários conseguiam "colher mais quanto mais espessa e antiga é a mata".[11] Ou então, como deveria ser corrigido, quanto mais espessa e antiga *foi* a mata.

A terceira variável apontada no texto de Holanda, que está bastante associada ao fator tecnológico, foi o domínio do braço escravo. Essa variável foi mencionada por vários autores como tendo sido essencial para moldar as opções tecnológicas e organizativas que vieram a construir uma agricultura rudimentar, extensiva e predatória no Brasil. Alguns dos principais críticos ambientais brasileiros, a começar por José Bonifácio, entenderam que a abundância da mão-de-obra escrava, assim como o desestímulo ao avanço tecnológico inerente ao escravismo, foi o fator decisivo para a degradação ambiental no período colonial e pós-colonial. O trabalho forçado facilitou o domínio do latifúndio, da monocultura e da falta de cuidado no uso da terra. Bonifácio, assim como outros abolicionistas do século XIX, acreditou que a pequena propriedade familiar apresentaria uma tendência natural para o correto aproveitamento das terras já abertas, poupando as grandes reservas florestais ainda existentes. Ela seria um fator de estabilização da fronteira da agricultura e de fixação das famílias nas suas propriedades, dando origem a um círculo virtuoso de aprimoramento tecnológico e aperfeiçoamento social — dando origem, na verdade, ao processo de construção de uma verdadeira nação pós-colonial.

A quarta variável, por fim, deve ser vista como um fator subjacente a todas as dinâmicas descritas nos parágrafos anteriores: a idéia de que a terra era "para gastar e arruinar, não para proteger ciosamente". Tal imagem deve ser considerada à luz da mentalidade ambígua implantada pelo colonialismo português frente ao mundo natural no Brasil — uma mentalidade que, em suas complexas manifestações, calcou-se ao mesmo tempo no elogio retórico e no desprezo prático. A cultura luso-brasileira não se cansou de louvar a riqueza e a fertilidade dessas terras, que enunciavam a perspectiva de uma produção econômica relativamente fácil e abundante. Na "Memória sobre o estado atual da capitania de Minas Gerais", por exemplo, publicada em 1798, José Eloi Ottoni atribuía essa fertilidade à "sabedoria da natureza" diante da incapacidade intrínseca dos índios:

> em toda mata da capitania de Minas Gerais é tal a fertilidade do terreno que a maior parte dos nossos gêneros espontaneam, produzem sem mais cultura do que um provido efeito da sábia natureza que, prevendo talvez a inércia dos

> índios, conserva, para benefício da humanidade, a raiz e a semente que depositadas na terra vêm a seu tempo produzir na própria estação.[12]

É verdade que a "sábia natureza" não poderia prever que teria que sustentar não apenas a inércia dos índios, mas também o furor dos colonizadores. E que esses, ao contrário daqueles, abusariam com tal intensidade dessas produções naturais que chegariam a destruir, em muitos casos, a própria fertilidade louvada por Ottoni.

De toda forma, a postura de depender ao máximo da natureza, dentro dos limites de uma economia voltada para o mercado, esteve bastante disseminada na formação econômica do país. Em muitos casos isso significou depender da renovação espontânea dos estoques naturais. O extrativismo de madeiras, peles de animais e plantas selvagens, por exemplo, representou uma atividade básica para a reprodução da vida social. O mesmo pode ser dito da criação extensiva, onde o trabalho de alimentar os rebanhos era deixado quase que totalmente à natureza. Um episódio relatado pelo bispo Azeredo Coutinho em 1816, no seu "Ensaio econômico sobre o comércio de Portugal e suas colônias", ilustra esse fato melhor do que muitos raciocínios abstratos:

> Um fazendeiro, criador de gados em Pernambuco, me disse que, enquanto ele pudesse vender um boi nas grandes vilas e cidades pelo preço que nelas se vende uma galinha, queria antes criar bois naqueles sertões do que galinhas, porque estas precisam de milho e de quem as carregue para as feiras e praças publicas, e os bois vão por seus pés e têm pastos por toda parte.

O espírito dessa afirmação foi captado com perspicácia por Azeredo Coutinho, que explicou "o muito que eles possuem quase sem trabalho" pelo fato de que "a natureza só é a que chama aqueles gados, para trabalharem em benefício daqueles colonos criadores".[13]

Em muitos outros momentos, no entanto, quando essa dependência relacionava-se com uma natureza morta, como no caso da queima de florestas para produzir uma fertilidade momentânea dos solos, a paisagem tropical podia ser vista com desprezo, como um estorvo ao avanço da civilização. A fórmula mais sucinta e cabal da agricultura predatória no Brasil colonial foi elaborada por Antonil em 1711: "feita a escolha da melhor terra para a cana, roça-se, queima-se e alimpa-se, tirando-lhe tudo o que podia servir de embaraço".[14] A floresta tropical com toda a sua diversidade, aos olhos do colonizador, representava em certos momentos pouco mais do que um "embaraço".

Os resultados de toda essa dinâmica de ocupação predatória do território, com base nas quatro variáveis discutidas acima, logo se fizeram sentir. É significativo o fato de a primeira povoação criada pelos portugueses no país — a de São

Vicente, no litoral paulista — ter sido tragada pelo mar alguns anos depois da sua fundação em 1532. O porto situado na mesma localidade, após a sua reconstrução em 1542, logo se tornou inviável, sendo substituído pelo de Santos. Segundo Afonso Arinos, "Anchieta atribuiu isto à devastação das matas, nas elevações próximas ao ancoradouro, que fez que as enxurradas de morro abaixo arrastassem tal quantidade de terra que tenha tornado imprestável, ou quase, o fundeadouro fronteiro à vila".[15]

O fator ambiental também esteve presente nos processos de decadência econômica observados em diferentes momentos e regiões. Esse ponto foi claramente percebido por um outro analista lúcido da história brasileira, Caio Prado Júnior, apesar de sua visão baseada em sucessivos ciclos produtivos estar bastante superada. Comentando a decadência da produção de café no Vale do Paraíba, no final do século XIX, ele afirmou que

> repetia-se mais uma vez o ciclo normal das atividades produtivas no Brasil: a uma fase de intensa e rápida prosperidade, segue-se outra de estagnação e decadência. Já se vira isso (sem contar o longínquo caso do pau-brasil) na lavoura da cana-de-açúcar e do algodão no Norte, nas minas de ouro e diamantes do Centro-Sul. A causa é sempre a mesma: o acelerado esgotamento das reservas naturais por um sistema de exploração descuidado e extensivo.[16]

Até mesmo no caso da mineração — onde a maior renda gerada pela extração do ouro e dos diamantes poderia ter incentivado a criação de estruturas tecnológicas mais sólidas e permanentes — os métodos utilizados foram rudimentares e brutais, provocando um esgotamento precoce das reservas e um desnecessário impacto destrutivo sobre o entorno. A regra foi o uso de práticas degradantes, como o desvio dos cursos d'água e o escalvamento das encostas e leitos dos rios, gerando reações até mesmo em observadores que não se ocuparam especialmente do tema ambiental. É o caso do bispo Azeredo Coutinho, que no seu "Discurso sobre o estado atual das minas do Brasil", de 1804, criticou duramente o fato de que

> as minas de ouro em que se trabalha com água ... esterilizam as terras que, aliás, seriam utilíssimas para a agricultura, por isso que é necessário revolvê-las e rasgá-las muitas braças de profundidade. Ali tudo se transtorna, no centro fica sepultada a superfície da terra mais fértil, impregnada dos melhores sais há muitos séculos. A superfície fica coberta de cascalho, de piçarra e de outras terras que, depois de lavadas, para nada prestam.[17]

Ou então do próprio José Eloi Ottoni, na obra já mencionada. Esse defensor dos interesses dos garimpeiros admitiu abertamente o impacto desnecessariamente destrutivo das suas práticas, apesar de atribuí-lo às dificuldades e ao abandono de que padeciam:

> E como os mineiros se vêem oprimidos, recorrem aos meios que têm. Devastam as terras que, havendo forças suficientes, deviam ser lavradas a talho aberto, e fazem correr os entulhos sobre canais, que ainda podiam ser úteis. Deste modo as terras de mineração em poucos anos se tornam inúteis, e os mineiros sucumbem aos miseráveis efeitos da indigência.[18]

O autor não revela, porém, que os métodos destrutivos não se restringiram aos momentos de decadência, tendo vigorado durante todo o período de esplendor produtivo das minas.

É importante compreender que a destruição ambiental não foi algo de fortuito e pontual, mas sim um elemento constitutivo da própria lógica da ocupação colonial do Brasil. Sérgio Buarque de Holanda chamou atenção para o sentido "aventureiro" dessa lógica, denotando um tipo ideal de ação humana caracterizado pela ousadia, pela busca de horizontes largos e riquezas fáceis, pela instabilidade, imprevidência e imediatismo (em oposição ao trabalho constante e planejado). Foi através da "aventura", especialmente da adaptabilidade e do pragmatismo que a acompanharam, que um pequeno país europeu tornou-se capaz de encontrar uma fórmula histórica viável para implantar seu domínio sobre um vasto território tropical.[19]

Mas ao mesmo tempo é essencial entender essa lógica, para evitar julgamentos apressados e anacrônicos, no contexto histórico de uma colônia de exploração e no contexto geográfico do imenso território que estava sendo explorado. Considerando a abundância da biomassa florestal, por exemplo, é provável que as queimadas tenham sido o método mais barato e imediatamente eficaz para o estabelecimento das grandes plantações. Uma colônia de exploração é sempre um empreendimento brutal e imediatista. A lógica de longo prazo é, ou deve ser, própria da idéia de nação, do ideal de continuidade histórica de uma comunidade política. Seria ingênuo esperar esse tipo de lógica da parte dos colonizadores. Eles foram pragmáticos, valendo-se das possibilidades mais evidentes e menos trabalhosas que a realidade histórica apresentava em cada momento.

É interessante pensar, por exemplo, na possibilidade contrafactual de que um caminho diferente tivesse sido adotado. O fato de o modelo seguido pelos portugueses ter se revelado viável, em termos da manutenção do seu domínio histórico, não significa que ele fosse o único possível. Teria sido igualmente viável uma colonização do Brasil fundada na via do trabalho e do planejamento, e não na lógica da aventura? Essa é uma questão profunda que, obviamente, requereria um longo espaço de discussão. Faço apenas algumas observações centradas no aspecto ambiental.

Gilberto Freyre chamou atenção para a conquista histórica inédita que foi a criação de um modelo próprio de civilização européia em uma vasta região tropical, no contexto de um meio físico adverso e desconhecido para os colonizadores. Ele também enfatizou, com muita eloquência, o preço ecológico dessa conquista. Até porque um dos seus principais instrumentos foi "o canavial civilizador, mas ao mesmo tempo devastador". O modelo colonial implantou um "estado de guerra entre o homem e a mata", que impediu o desenvolvimento "daquele sistema meio misterioso de proteção recíproca entre o homem e a natureza ... que os sociólogos e economistas estão fartos de nos apontar como característico das sociedades verdadeiramente rurais. Das mais saudáveis, pelo menos, e não das pervertidas pela monocultura furiosa."[20] E, no entanto, de maneira análoga ao canavial, foi dessa dinâmica devastadora que nasceu, aos olhos de Freyre, a única possibilidade de constituir uma civilização colonial no Brasil: "Tenhamos a honestidade de reconhecer que só a colonização latifundiária e escravocrata teria sido capaz de resistir aos obstáculos enormes que se levantaram à colonização do Brasil pelo Europeu."[21] Trata-se de mais um exemplo dos "antagonismos em equilíbrio" que Gilberto Freyre apresentou como característicos da formação do país.[22]

Vale notar que Sérgio Buarque de Holanda também demonstrou ceticismo quanto à possibilidade de que algo muito diferente pudesse ter tido viabilidade histórica no Brasil. Durante a ocupação holandesa no Nordeste no século XVII, por exemplo, os novos colonizadores intervieram bastante nos espaços urbanos, mas desistiram de fazer mudanças nos métodos destrutivos utilizados pela grande lavoura. Cabe lembrar que os conhecimentos agronômicos disponíveis eram muito limitados, particularmente no que diz respeito aos trópicos. A mão-de-obra experimentada em técnicas agrícolas mais complexas era também escassa. Apesar das investigações realizadas pelos naturalistas holandeses na região, a prática das queimadas continuou hegemônica. A busca por métodos alternativos seria cara, demorada e incompatível com a lógica de uma colônia de exploração, seja portuguesa ou holandesa. Mesmo em um contexto histórico bastante distinto, a colonização do Sul do Brasil por alemães no início do século XX, a lógica da facilidade predatória também revelou a sua força prática. Esses colonos, ao se estabelecerem em uma região de mata atlântica subtropical, abandonaram o uso do arado ao qual estavam tradicionalmente acostumados, adotando as queimadas típicas dos agricultores brasileiros. Não se trata de dizer, segundo Holanda, que o uso de técnicas superiores teria sido impossível, ou que seus resultados não seriam muito mais benéficos, mas sim que a sua implantação, nas condições do país, requereria uma "energia paciente e sistemática", difícil de ser empregada quando existem meios mais fáceis e imediatos.[23]

A condenação do modelo predatório herdado do colonialismo, em sentido amplo, constituiu a temática central dos críticos ambientais dos séculos XVIII e XIX.

Sua proposta básica e recorrente foi a de superar o imediatismo, a rotina e a inconseqüência — a aventura enfim — através da disseminação de uma ética do trabalho, da racionalidade e do cuidado ambiental. O principal objeto da sua crítica, porém, não foi o período colonial em si, mas sim a continuidade das mesmas práticas e mentalidades no contexto pós-colonial. A lógica da exploração colonial não poderia valer para uma nação autônoma. Essa última requeria uma nova relação com o território, mesmo que isso significasse mais esforço, mais trabalho e mais estudo. O modelo colonial foi condenado tanto pelo que promoveu — uma economia destrutiva e improdutiva — quanto pelo que deixou de promover — um país estável e verdadeiramente civilizado. Mas o debate sobre a possibilidade de um caminho diferente foi muito mais político do que histórico. A crítica do passado foi uma unanimidade analítica, enquanto a necessidade de ruptura com o mesmo tornou-se uma obsessão política.

O nome do Brasil

Até o final do século XVIII, foram muito poucas as vozes que se manifestaram contra a massiva destruição do meio natural que vinha se processando no Brasil. Os atores sociais dominantes na colônia encontravam sua unidade na promoção do modelo predatório de ocupação. Esse modelo organizava o modo de apropriação da fatia do território submetida ao sistema colonial, garantindo para a elite local os benefícios econômicos possíveis no contexto do pacto colonial.

Mesmo assim, ainda no século XVII alguns personagens começaram a denunciar o trato destrutivo da terra. Esses autores viviam na região Nordeste, onde as atividades econômicas alcançavam uma escala mais expressiva, chegando a gerar processos visíveis de degradação ambiental. Alguns deles tinham ligação com o único setor social em condições de reivindicar um projeto alternativo para a colônia, para além da mera exploração econômica: a igreja católica. É superficial a visão que apresenta a igreja como um mero suporte ideológico para o empreendimento colonial. A igreja da contra-reforma, especialmente no contexto íbero-americano, tinha um olhar próprio sobre as novas terras e populações conquistadas: estava em aliança histórica com os Estados nacionais e agentes econômicos privados, mas não se confundia totalmente com eles. A multiplicação das populações convertidas e a criação de sociedades perfeitamente fiéis ao catolicismo representavam uma prioridade para igreja. Essa vontade de construir sociedades fiéis a ela também significava, por definição, uma vontade de construir sociedades estáveis, de exercer uma ação organizadora permanente. Um objetivo que muitas vezes se chocava com a ênfase imediatista na exploração econômico-ecológica.

Foi no contexto dessa vontade de permanência e estabilidade que alguns intelectuais da igreja começaram a criticar o trato predatório do território, considerando-o inconsistente com um povoamento de longo prazo. Isso não significa dizer, por certo, que a igreja tenha atuado em bloco nessa direção. É possível citar vários textos escritos por religiosos em que os desflorestamentos e as práticas agrícolas convencionais são enaltecidos, como no caso das passagens de Antonil citadas acima. Mas também é possível encontrar, mesmo que de forma fragmentada, os delineamentos de uma crítica ambiental. O exemplo mais importante apareceu em 1627, através da *História do Brasil* de frei Vicente Salvador. Esse autor criticou o fato de a colônia, mesmo sendo grande e fértil, não conseguir lograr estabilidade e prosperidade após cem anos da sua fundação. Para explicar esse fenômeno era preciso considerar tanto uma causa mística quanto uma causa social. A primeira delas se devia ao fato de que o nome sagrado de Santa Cruz, pelo qual o país foi conhecido muitos anos, tinha perdido espaço por influência do demônio, que "trabalhou para que se esquecesse o primeiro nome e lhe ficasse o de Brasil, por causa de um pau assim chamado de cor abrasada e vermelha".[24*] Essa mudança havia gerado uma espécie de sina negativa para o futuro do país.

A intuição presente nessa famosa passagem não deve ser subestimada. O nome Santa Cruz ecoava uma vontade de vida social, de desenvolvimento autônomo sob as bênçãos da religião. A carga semântica que o nome Brasil transmitia — com base no corte do pau-brasil, o primeiro elemento da natureza brasileira passível de exploração pelo mercantilismo europeu — estava associada à busca de ganho fácil, ao uso imediatista das riquezas do território. A mudança de nome, no entanto, não explicava a totalidade do problema. Era preciso considerar o comportamento dos colonizadores, que estabeleciam com a terra uma relação meramente utilitária, sendo incapazes de enraizar-se no novo ambiente: "Por mais arraigados que na terra estejam, e por mais ricos que sejam, tudo pretendem levar para Portugal ... e isso não têm só os que de lá vieram, mas ainda os que cá nasceram, que uns e outros usam da terra não como senhores, mas como usufrutuários, só para a desfrutarem e a deixarem destruída."[25]

---

* A crítica da mudança do nome manifestou-se também em outros intelectuais da igreja. Simão de Vasconcellos, em sua "Crônica da Companhia de Jesus do Estado do Brasil", de 1663, condena os que fizeram substituir "àquele madeiro vermelho com o sangue de Cristo, e preço da nossa redenção, por outro madeiro, que só tem de sangue a cor e de precioso o aparente da cobiça dos homens" (vol.I, p.137). É significativo o fato de esse autor ter sido um dos primeiros intelectuais no Brasil Colônia a valorizar a mata atlântica, escrevendo belas páginas sobre suas andanças pelo interior da mesma (vol.I, p.153 e 189).

É provável que esse texto tenha sido a primeira explicitação já escrita sobre o caráter destrutivo da economia colonial, uma espécie de antecipação das críticas mais sistemáticas que começaram a ser feitas no final do século seguinte. A postura usufrutuária e destruidora, denunciada por frei Salvador, estava associada à falta de cuidado com o espaço comum, configurando uma mentalidade egoísta e autoreferida por parte dos proprietários. Nessa terra, dizia ele, "nenhum homem ... é repúblico, nem zela ou trata do bem comum, senão cada um do bem particular". Os espaços coletivos — as fontes, pontes e caminhos — eram uma verdadeira "piedade", já que os colonos não construíam esse tipo de benfeitoria, ainda que "bebam água suja e se molhem ao passar os rios ou se orvalhem pelos caminhos". E todo esse desprezo derivava de uma mesma lógica: o fato de "não tratarem do que há cá de ficar, senão do que hão de levar para o reino".[26] O sentido de cidadania e responsabilidade pelo espaço coletivo estava ausente da sociedade em formação no Brasil.

Alguns escritores leigos fizeram denúncias semelhantes. Um bom exemplo de olhar crítico quanto à falta de sentido de permanência e de cuidado ambiental no Brasil colônia vai aparecer nos *Diálogos das grandezas do Brasil*, de 1618, escritos provavelmente pelo cristão-novo e senhor de engenho Ambrósio Fernandes Brandão. Também aqui aparece a falta de amor pela terra por parte de uma elite desejosa de voltar para o Reino. Tal postura gerava um comportamento imediatista e displicente frente ao mundo natural, mesmo considerando apenas o espaço das zonas ocupadas e não o das áreas selvagens. Os proprietários, dizia o texto,

> têm por muito tempo perdido o que gastam em plantar uma árvore que lhes haja de dar fruto em dois ou três anos, por lhes parecer que é muita a demora: porque se ajunta a isso o cuidar cada um deles que logo em breve tempo se hão de embarcar para o Reino, e que lá hão de ir morrer ... Não há homem em todo este estado que procure nem se disponha a plantar árvores frutíferas, nem fazer as benfeitorias acerca das plantas, que se fazem em Portugal ... E daqui nasce haver carestia e falta destas cousas, e o não vermos no Brasil quintas, pomares e jardins.[27]

O mais interessante é que o autor logrou estabelecer, de maneira muito precoce, a existência de alguma ligação entre esse comportamento e a difusão do escravismo, constatando que os proprietários fazem "suas lavouras e granjearias com escravos de Guiné, que para esse efeito compram por subido preço". Por esse motivo, pelo fato de viverem "somente do que granjeiam com os tais escravos", não se animam a "ocupar a nenhum deles em coisa que não seja tocante à lavoura".[28] A opção escravista, portanto, produzia impactos sobre a paisagem e sobre a civilização material.

Apesar das referências mencionadas acima, o fato é que o tema da destruição ambiental apareceu com muita raridade na literatura dos primeiros séculos. Isso não significa dizer que da natureza pouco se falou. Os escritores coloniais perceberam, desde os primórdios da ocupação européia, que a descrição das riquezas naturais do Brasil, muitas vezes com um certo exagero, era a principal estratégia para criar uma imagem atraente do país. Esse discurso vai estar presente já em Pero Vaz de Caminha, com a sua terra "onde as águas são muitas, infindas" e onde existe um camarão "como em nenhum tempo vi tamanho".[29] Ou então em Gabriel Soares de Souza, no seu *Tratado descritivo do Brasil*, de 1587, onde o abacaxi é apresentado como sendo "tão suave que nenhuma fruta da Espanha lhe chega na formosura, no sabor e no cheiro".[30] É nessa linha que vamos encontrar, de forma recorrente, imagens superlativas e manifestações de assombro ante a natureza brasileira. Tal movimento encontrou seu ápice nas passagens que interpretavam esse espaço natural como sendo o próprio paraíso terrestre. É o caso do famoso trecho de Simão de Vasconcellos, onde este afirmava, referindo-se ao território brasileiro, que "poderíamos fazer comparação, ou semelhança, de alguma parte sua, com aquele paraíso da terra, em que Deus Nosso Senhor, como em jardim, pôs o nosso primeiro pai".[31]

É possível encontrar nesse tipo de citação, assim como em várias outras que poderiam ser mencionadas, as origens de uma verdadeira "tradição edênica" na cultura brasileira. Um discurso que fincou raízes profundas, tanto nas suas expressões populares quanto eruditas.[32] O que surpreende o analista, no entanto, é constatar a convivência no Brasil desse duplo movimento: uma rica tradição de simpatia cultural e elogio laudatório da natureza, de um lado, e, do outro, uma história de contínua agressão contra as suas principais manifestações.

A percepção e o enfrentamento sistemáticos dessa última realidade, para além das meras condenações ocasionais, será uma das principais realizações do grande influxo teórico renovador do final do século XVIII.

Entre florestas, lavouras e engenhos

O marco decisivo no estabelecimento da primeira crítica ambiental brasileira foi o retorno ao Brasil dos estudantes que fizeram seus estudos superiores na Europa da última década do século XVIII, especialmente dos ex-alunos de Vandelli em Coimbra. O espírito do *Discurso histórico* de Baltasar da Silva Lisboa, no sentido de criticar duramente a situação vigente no país e defender sua transformação através da ciência e do progresso, estará presente no olhar de todos esses intelectuais retornados. Mas o teor dessa percepção crítica, particularmente no campo ambiental, ganhará uma nova radicalidade após o retorno ao Brasil. Ao invés de escrever desde Portugal, onde a lembrança da realidade colonial era necessariamente mais tênue, os textos de crítica ambiental começam a ser produzidos no calor da observação local. É significativo, aliás, que esses textos tenham sido elaborados no contexto de diferentes capitanias, revelando a onipresença da destruição.

Nesse contexto, é importante considerar a obra de um dos pioneiros desse novo influxo, Alexandre Rodrigues Ferreira, que retornou ao Brasil de forma precoce e em condições bastante especiais. Tendo nascido na Bahia, em 1756, Ferreira realizou seus estudos em Coimbra de 1770 a 1778. Sua formatura, portanto, ocorreu bem antes da de outros pensadores aqui analisados. Até por força desse fator cronológico, Ferreira foi um dos primeiros discípulos de Vandelli. Por influência do mestre italiano, foi comissionado pelo Estado português para retornar ao Brasil como chefe de uma viagem filosófica, uma expedição de coleta de materiais e informações que viria a percorrer, durante quase dez anos, vastas regiões do Norte e do Centro-Oeste do país. Logo após sua chegada ao Pará, em outubro de 1883, ele começou a produzir uma considerável obra escrita, onde não faltaram fortes elementos de crítica ambiental. É verdade que suas observações nesse campo, de maneira geral, foram menos radicais que a de outros autores que atuaram mais tarde no âmbito da mata atlântica. Três aspectos devem ser considerados para explicar esse fato: 1) a densidade quantitativa e qualitativa da ocupação colonial da Amazônia foi menos expressiva que a dos antigos pólos produtivos do Nordeste e do Sudeste, refletindo-se em uma menor visibilidade dos problemas de destruição ambiental; 2) no momento em que Ferreira começou a escrever, existia menos acúmulo de reflexão sobre esses problemas na cena cultural luso-brasileira. O próprio Vandelli ainda não havia publicado as memórias econômicas onde discutiu o tema; 3) apesar de quase todos os ex-alunos de Vandelli possuírem alguma ligação com o Estado português, ao menos com o ministro Sousa Coutinho, no caso de Ferreira essa dependência era mais pronunciada, já que toda a sua permanência na Amazônia foi financiada pelo poder público. Mesmo assim, a leitura dos seus principais trabalhos revela a presença de uma notável sensibilidade ambiental.

Já em 1784, ele escreveu um "Estado presente da agricultura do Pará", onde denunciou dois problemas básicos. O primeiro deles era o corte indiscriminado de árvores úteis. Ferreira criticou os colonos que

> sem medida alguma, deitam tudo abaixo, não excetuando árvore que fosse útil, tanto pela sua sombra quanto pelas suas produções. Cortaram desde o princípio e continuarão a cortar e a queimar as que existem, fora das regras que nos reinos polidos da França, da Alemanha e da Suécia, e nas repúblicas de Veneza e da

Holanda, prescrevem a polícia das matas e do corte das madeiras, onde têm lugar as ordenações de Portugal.[33]

É possível constatar, de imediato, a atenção do autor para com a legislação conservacionista que então se difundia na Europa. A regulação pública do uso das florestas, a "polícia das matas", ganhava espaço em vários países. É significativo que a França venha em primeiro lugar, dada a fama das ordenações de Colbert. Mas a menção a Veneza denota um conhecimento mais fino da questão. Como demonstrou Grove, desde o século XV aquela república vinha tomando interessantes medidas legislativas e políticas para tentar proteger o seu complexo ambiente hídrico e florestal.[34] A menção às ordenações de Portugal, por fim, apresentou um argumento que se tornou recorrente nas décadas seguintes: a de que a legislação portuguesa já continha os elementos necessários para combater o corte indiscriminado das árvores.

O segundo problema era o das queimadas. O autor condenava o fato de a agricultura do Pará, particularmente o cultivo da mandioca, não estar se baseando nas perguntas corretas que devem orientar a boa lavoura, tais como "quais são os melhores meios de beneficiar a terra?" e "quais são os melhores instrumentos?". Ao contrário, a "agricultura empírica e tradicional" vigente na região era incapaz de inspirar práticas mais racionais. Plantar uma roça de mandioca, segundo ele, era "deitar abaixo o mato à força do machado e sem fazer caso das extremidades dos troncos que ainda ficam por cortar, nem das raízes que estão por debaixo da terra ou na superfície. Contanto que se lance o fogo a tudo, em ordem a se desfazer tudo com as cinzas, está lavado o terreno."

Ferreira lançava mão dos estudos que vinham sendo produzidos sobre esse método na ilha da Martinica, realizados por um sábio francês, para criticar a sua pouca eficácia. Segundo esses estudos, o solo posterior à queima das florestas era apenas "passageiramente fértil". Na Martinica, ao invés de se "recorrer aos adubos para aumentar a sua fecundidade", cultivavam-se os terrenos apenas por algum tempo, para "fazer outra nova queimada cujo proveito não dura mais que o primeiro". E assim as matas do lugar estavam sendo completamente destruídas.[35] A insinuação implícita, por certo, era de que o mesmo poderia acontecer na Amazônia.

Na seqüência das suas viagens, Ferreira começou a observar outros problemas que também ameaçavam a saúde da economia regional, como o da pesca predatória. A exploração das tartarugas, tão importante para a população local, era um caso exemplar. Na "Memória sobre a jurararetê", de 1786, ele criticou o fato de que

> esse anfíbio tão útil ao Estado ainda não mereceu os cuidados ou providências que são requeridas para evitar os abusos que se praticam contra ele. Uma tartaru-

> ga para chegar ao seu devido crescimento gasta alguns anos. Anualmente são inúmeras as que se desperdiçam ao arbítrio absoluto dos índios; todas as ninhadas são descobertas, pisadas a eito e a maior parte das tartaruguinhas são comidas sem necessidade, o que em conjunto vem influir para sua raridade no decorrer do tempo.

Outra prática danosa era o mau manejo dos chamados currais onde se aprisionavam as tartarugas vivas, de modo que muitas delas morriam antes ou depois de entrar nos mesmos.

É de se notar, mais uma vez, o domínio do enfoque político: o massacre das tartarugas é denunciado não tanto por um sentimento de pena, mas sim pelo prejuízo que esse desperdício acarretava para o Estado, inclusive em termos da continuidade futura dessa atividade econômica. Ferreira não advogava a proibição dessa pesca, mas sim o seu aperfeiçoamento. Ele chega a comentar que uma proibição anterior do método de "viração" das tartarugas no rio Branco*, feita em 1769 pelo governador Tinoco Valente, tinha perdido a sua validade pela "necessidade desse tipo de alimento, que supre a falta de carne".[36] Os métodos predatórios, no entanto, acabavam por prejudicar o atendimento dessa mesma necessidade. Esse ponto será retomado em 1788, no diário da *Viagem filosófica ao rio Negro*, onde ele explicou que a tentativa de proibir a "viração" no rio Branco tinha sua origem no fato de que, apesar de serem "as tartarugas daquele rio precisas para o sustento dos moradores", esses últimos

> tão-somente arrastados por uma cega avareza com a fatura das manteigas das banhas, desperdiçavam mais do que aproveitavam, porque todas as tartarugas morriam; porém nem todas davam banhas suficientes, nem das que as davam se aproveitava mais do que as banhas; donde podia resultar que infinitas delas, cujas banhas podiam aproveitar para o sustento, pelo contrário se lançavam ao rio depois de tiradas as banhas, visto que se não podia salgá-las, e no rio serviam de pasto aos jacarés, aos urubus, às piranhas e às pirararas.[37]

Em suma, o Estado deveria regular o uso dos recursos naturais contra a avareza dos agentes privados. Mesmo que sua ação não visasse a proteção da natureza em si, mas sim o bem-estar dos próprios agentes privados que, irracionalmente, atentavam contra os seus próprios interesses, provocando a destruição e o desperdício de recursos fundamentais para a coletividade.

---

* O método consistia em virar de peito para cima todas tartarugas que vêm à praia para desovarem, de forma a não poderem mais se mover, tornando-se presas fáceis para os caçadores.

Na continuação das suas andanças, Ferreira registrou a mesma irracionalidade sendo adotada na pesca de outro animal amazônico, o peixe-boi. Ele condenou duramente o fato de que, mesmo considerando "tantas utilidades quantas são as que deste mamífero se tiram", sua pesca continuava sendo feita sem "nenhum policiamento". Um recurso de tal importância deveria ser objeto de uma "polícia" específica, no sentido de evitar a adoção de práticas contraprodutivas que, no limite, poderiam levar à sua extinção:

> Um peixe-boi para chegar ao seu devido crescimento deve gastar anos e todos os que aparecem são arpoados, mesmo as fêmeas prenhas. As fêmeas não parem mais de um até dois filhos por ano. Os filhotes tirados do ventre das mães que são arpoadas para nada servem. Não se conhece o tempo de criação e o arpoador fica feliz quando encontra um filhote para mais fácil arpoar a mãe. Arpoam-nos em todos os tamanhos, sem distinção de idade. Por isso não deve causar espanto a sua raridade em alguns lagos onde já não os encontramos há alguns anos.[38]

Os poucos exemplos mencionados acima são suficientes para indicar a presença de uma consciência política de conservação da natureza em Alexandre Ferreira. Mas é forçoso reconhecer que vamos encontrar pouco mais do que isso na coleção dos seus escritos. No contexto da Amazônia setecentista, esse tema não tendia a ser considerado prioritário. A condenação da caça predatória da tartaruga, por exemplo, mencionada na "Memória sobre a jurararetê", não aparece na "Memória sobre as tartarugas", que deveria ser uma obra de síntese. O mal das queimadas, que aparece no "Estado presente da agricultura do Pará", de 1784, não aparece no momento em que, anos mais tarde, no diário da *Viagem filosófica ao rio Negro*, o autor tentou formular uma lista das causas da decadência geral da agricultura nas duas grandes capitanias amazônicas, a não ser sob a rubrica muito geral de "ignorância dos bons métodos". Pode ser que a sua crítica de 1784, recém-chegado à região, fosse excessivamente teórica, e que na seqüência das viagens ele tivesse concluído que, no contexto de uma tão grande floresta, as queimadas não constituíam um verdadeiro problema. Essa hipótese pragmática pode ser reforçada pelo fato da "indolência dos naturais" e da "falta de braços" aparecerem com destaque — um tipo de percepção que leva o autor a defender, na contramão das posições de Vandelli, o aumento na introdução dos escravos africanos como solução para melhorar a agricultura.[39]

O interessante é que em 1790, já nos últimos anos da sua viagem, no manuscrito intitulado "Prospecto filosófico e político da serra de São Vicente", onde discute o problema da mineração no Mato Grosso, o tema da "polícia das matas", lançado em 1784, reapareceu com bastante força. Ao comentar o método da "fusão" no preparo do ouro — que deveria prevalecer "naqueles sítios onde não há falta de lenha para o carvão" —, Ferreira advertiu que

> perto dos arraiais é de recear que cedo não haja mais lenha, e nem a madeira precisa para as fábricas e para os prédios rústicos e urbanos, se também aqui não tiver lugar a "polícia das matas e do corte da madeira". Cada um corta o que quer, sem providência para o restabelecimento das matas úteis, particularmente aquelas que mais perto ficam dos povoados. As que se acham remotas pouco importa que as haja ou não, porque não valem a despesa do corte e da condução.[40]

Como se pode ver, apesar das inconstâncias presentes na evolução da sua crítica ambiental, a preocupação do autor com essa problemática permaneceu até o final da sua estadia no Brasil, sempre com base no enfoque político antes mencionado. A "polícia" da natureza deveria incidir na conservação dos recursos perto dos povoados, no sentido de garantir a permanência e ampliação do esforço civilizatório. As matas longe dos povoados, ao contrário, são desvalorizadas pela sua falta de utilidade social, não se levando em conta a importância intrínseca que poderiam ter para o sistema da natureza.

Um enfoque semelhante foi adotado pelos intelectuais que, de maneira mais sistemática e constante, começaram a produzir, por volta da mesma época, textos de crítica ambiental no Nordeste do Brasil. A maior intensidade das atividades econômicas naquela região, com seus danos ambientais igualmente mais intensos, estimulou a presença nesses textos de uma carga considerável de dramaticidade. A paisagem produtiva do país apresentava-se como uma realidade quase desesperante, que precisava ser transformada com urgência.

Um trabalho exemplar nesse sentido foi a "Memória sobre a cultura dos algodoeiros", publicada em 1799. O autor desse texto, Manoel Arruda da Câmara, fez parte do pequeno grupo de estudantes brasileiros que se formou na França, em Montpellier, e não em Coimbra. Na verdade ele passou pela universidade portuguesa, mas dela se afastou em 1789; existem suspeitas, não comprovadas, de que essa opção derivou de sua simpatia pela Revolução Francesa. Mesmo assim, anos mais tarde aproximou-se de Sousa Coutinho e, após retornar ao Brasil, foi designado pelo ministro para cumprir várias tarefas.

A perspectiva do intelectual ilustrado que retorna da Europa, desejoso de endireitar os caminhos tortuosos seguidos pela economia brasileira, aparece com clareza no texto sobre os algodoeiros. O ponto de partida era justamente a afirmação da existência de um conhecimento agronômico superior, derivado da reflexão acumulada no Velho Mundo. Os diferentes objetos da agricultura tiveram "em todo o tempo, ainda o mais remoto, gênios raros, grandes homens que escreveram e trabalharam por ensinar aos seus colonos os mais preferíveis e proveitosos métodos de sua cultura". Esse legado teórico, desde Columela e Plínio, ganhava no final do século XVIII uma nova dimensão, já que "à proporção que se aumentam os conhecimentos da Física e da Química, a cujo lado anda sempre a agricultura, acham os modernos o que adicionar, abolir e mudar". No caso do Brasil, ao contrário, onde era "infinito ... o número de imperfeições e de erros introduzidos na cultura dos gêneros", faltavam "homens sábios que tratassem do seu melhoramento".

Reflexões como essa faziam Arruda da Câmara confessar que "desde que tornei ao Brasil, ardi no desejo de empregar-me na fabricação do açúcar, a ver se, por meio de repetidas experiências, poderia achar regras, quando não exatas todas, ao menos aproximadas, que servissem de guia e constituíssem arte, o que até aqui tem sido rota cega". A observação da rotina empírica, de fato, causava consternação: "a cultura da cana ... e a preparação do açúcar, sendo uma das operações que exigem os mais profundos conhecimentos da Física e da Química", se achava no Brasil "inteiramente abandonada a homens néscios e estúpidos, em cujas mãos põe o senhor de engenho a sua fortuna ... O sucesso fortuito de uma hora, para assim dizer, decide o trabalho de um ano inteiro." Arruda da Câmara via o senhor de engenho conduzir a lenha para o "lugar do sacrifício onde há de ver queimar a sua safra". E todas as vezes que tinha "a desgraça de presenciar esta catástrofe", parecia-lhe "ver um filho dissipador e pródigo consumir em poucas horas a riqueza que o pai laborioso tirou da terra com a força do seu braço".[41] A reação do autor, típica do seu grupo intelectual, foi a de direcionar seus estudos em favor de uma maior eficácia na agricultura brasileira, especialmente na produção do algodão, já que a falta de um engenho dificultava a realização das experiências planejadas com a cana-de-açúcar.

Um outro aspecto essencial das suas reflexões foi o de antever as grandes possibilidades que se abririam para o país caso esse aproveitasse inteligentemente o seu potencial geográfico e biológico. No "Discurso sobre a utilidade da instituição de jardins nas principais províncias do Brasil", de 1810, ele defendeu a tese de que os trópicos representavam um espaço privilegiado para a existência humana. Ao lançar "um golpe de vista filosófico sobre a superfície do Globo", era possível constatar que a maior parte das produções naturais concentrava-se nessa região e que a Europa, ao contrário, havia recebido poucos frutos da natureza. Sua situação agrícola, inclusive, seria mesquinha caso não tivesse transplantado para seu território inúmeras espécies advindas dos trópicos ou das suas vizinhanças. Mesmo assim os limites naturais se apresentavam com clareza, pois era impossível cultivar em solo europeu espécies valiosas como o algodão, o café e o cacau.

Arruda da Câmara não desenvolveu aqui, como poderia ter feito a partir dessa reflexão, uma espécie de crítica do significado da produção colonial para a economia européia. Ao contrário, optou por assumir uma identidade portuguesa e por pensar o Brasil, em termos práticos, não como uma colônia, mas sim como um principado do rei de Portugal (cabe lembrar que dois anos antes o monarca havia se estabelecido no país). Os portugueses, afirma, "que deveríamos talvez gozar do privilégio exclusivo sobre o comércio destas drogas, como em prêmio de termos descoberto a navegação da Índia, temos pelo contrário sido esbulhados da posse dos melhores lugares daquela parte do mundo". Mas o Brasil representava um grande trunfo para reverter esse quadro. Seu vasto território seria capaz de aclimatar espécies vegetais e animais de todo o mundo, fornecendo uma poderosa base para a agricultura que, na visão fisiocrata do autor, era "a verdadeira mãe das Artes, do Comércio e da Navegação".[42]

A transplantação de especiarias da Ásia, que havia sido ensaiada e interrompida no século XVII, por receio de prejudicar o comércio oriental, deveria ser retomada com urgência. A aclimatação de animais seria outro aspecto dessa estratégia. O autor sugere a necessidade de introduzir no país as abelhas da Europa e de Angola, os grandes carneiros do Peru, as ovelhas da Espanha e, principalmente, os camelos e dromedários da Arábia, animais propensos ao transporte de pesadas cargas em países áridos. Era também necessário realizar transplantações de plantas entre as diferentes províncias do Brasil, do rio da Prata ao Orenoco, para que "o bem chegue a todos e se multiplique". O método mais adequado para cumprir esse programa estava na implantação de jardins botânicos em diferentes lugares do país. Esses jardins teriam também a importante função de preservar as plantas nativas que "são raras ou cuja destruição será inevitável, apesar de todas as proibições".[43] Arruda da Câmara foi um dos primeiros a chamar atenção para o risco da extinção de espécies no Brasil, apesar do conformismo fatalista, ou realista, de suas palavras.

A aclimatação de espécies vegetais e animais, contudo, não resumia a proposta estratégica do autor. Era preciso igualmente estudar as plantas nativas que pudessem abrir novos caminhos para a economia do país. Uma dessas plantas, encontrada por ele no sertão de Pernambuco, era a almécega, de cuja resina se podiam extrair inúmeras utilidades. Mas a simples validade científica dessa descoberta não era suficiente para garantir a sua boa utilização econômica. Em seu "Ofício sobre a almécega e a carnaúba", de 1809, o autor revela que também naqueles sertões teria que se defrontar com tudo aquilo que, sob a rubrica comum de "ignorância", causava-lhe tamanho desalento. Apesar de a madeira da almécega não ser de grande utilidade, a espécie estava ameaçada "pela ignorância dos povos" que "sem atenderem a preciosidade da sua resina, as derribam sem piedade nos matos e nos muitos roçados que fazem nas matas virgens, podendo-os antes fazer nas capoeiras, por se pouparem ao trabalho das mondas". A planta também sofria com os fogos que "vadios e caçadores pouco considerados soltam nas matas, com o fim de destruírem a espessura dos arbustos para mondearem sem embaraços". A solução para esse problema estava na "necessidade de proibir-se as derribadas de matas virgens, nas que são abundosas de almécegas, como também a de vedar-se o soltarem fogos, o que se não poderá conseguir sem fulminar alguma cominação de penas contra os agressores". Era preciso, além disso, promover a cultura dessas árvores nos lugares mais próprios. O autor não acreditava que isso pudesse acontecer sem propor aos agricultores "algum motivo de indenizar seu trabalho", já que "a demora comumente esmorece aos ignorantes, que não são animados de patriotismo e só encaram o proveito pouco tardonho".[44]

Uma outra árvore por ele analisada foi a carnaúba, cuja cera poderia ter grande valor econômico. Ela possuía, ademais, uma diversidade de usos para as populações do sertão, como a fécula que servia de nutriente para os seres humanos e as folhas que serviam para o alimento do gado e para o teto das casas rústicas. Só que, assim como no caso da almécega, era conveniente que o ministério empregasse "o seu cuidado na conservação dos imensos carnaubais", pois "os rústicos, ou por não ponderarem que cortando essas árvores podem vir a faltar, ou por se fiarem na grande quantidade delas, as derribam sem conta". Seria necessário, "proibir-se as derrubadas, principalmente para fazerem currais e cercados, em que gastam muitas, podendo aliás fazê-los de outras árvores, e se não o fazem é por se pouparem a maior trabalho". Para tirar as folhas e frutos, ademais, não era "necessário cortar as árvores, como eles praticam, basta arrimar uma escada ao tronco para o fazerem com muita facilidade, sem dano da planta".[45]

Em todos os exemplos mencionados, como se vê, apelava-se ao Estado e à razão na esperança de conseguir, fosse pela educação ou pela coerção, reduzir a ignorância e o desperdício que vigorava no trato com o mundo natural no Brasil, desde os engenhos de açúcar ao labor diário dos sertanejos.

"Destruíram-se e assolaram-se todas as matas"

O mesmo tipo de crítica à exploração descuidada e ignorante dos recursos da natureza apareceu na Bahia do final do século XVIII. O principal catalisador desse debate foi o destino econômico da região de Ilhéus, onde a concentração de densas e ricas reservas de mata atlântica estimulou o surgimento de importantes disputas econômicas e políticas.

Um dos primeiros autores a chamar atenção para esse tema foi o próprio Manuel Ferreira da Câmara Bittencourt e Sá, que públicou em 1789 um "Ensaio de descrição física e econômica da comarca de Ilhéus na América", premiado pela Academia das Ciências de Lisboa. Nesse texto, valendo-se do seu grande preparo teórico e da sua experiência como proprietário de terras na região, ele foi capaz de realizar um amplo diagnóstico que prenunciou os acontecimentos políticos da década seguinte.

O território de Ilhéus estava "pela maior parte ainda coberto de espessas matas" que seus habitantes "procuram diariamente destruir, só com a pequena utilidade de uma até quatro plantações, feitas no espaço de dezesseis ou vinte anos, sem contudo aproveitarem as preciosas madeiras de construção, tinturaria e machetaria que elas contêm". A população local não utilizava corretamente a sua riqueza florestal, dedicando-se a uma agricultura banal e predatória. Os lavradores pareciam satisfeitos com a "medíocre felicidade" de produzir a mandioca e o arroz "que seus primeiros pais lhes ensinaram", aproveitando a facilidade de escoar a produção para o mercado de Salvador e atender à "grande fome da faminta Baía, que quase tudo quanto gasta lhe vem de fora".[46]

Para um "espectador filósofo", no entanto, tal realidade era inaceitável. Uma região tão fértil como aquela merecia expandir suas possibilidades econômicas. Algumas experiências iniciais mostravam que era possível cultivar com sucesso as uvas, o cacau e o café. Para visualizar o potencial de apenas uma dessas culturas, o cacau, Ferreira da Câmara recorreu ao "filósofo a quem tem merecido mais contemplação a América" — referindo-se por certo a Humboldt —, que em uma das suas obras demonstrou que o México estava recebendo uma soma maior pela exportação daquele produto do que toda a renda gerada com a exportação do ouro das minas do Brasil. Um outro grande campo de possibilidade se abria com a exploração das frutas tropicais, como o ananás, o caju e a jabuticaba, especialmente para a produção de vinhos. As carnes, ao contrário, eram de difícil produção devido às "espessas matas" que dificultavam a criação de rezes. O consumo de Ilhéus, de fato, dependia em grande parte da carne salgada que se importava do Piauí e do Ceará. A produção do açúcar era pouco desenvolvida, afirmando alguns que as terras da região não eram propícias à cultura da cana. Na opinião de Ferreira da Câmara não haveria dificuldade para produzir açúcar de qualidade, desde que se adotassem métodos baseados na química aplicada e se promovesse uma radical reforma das fornalhas que, além de gerar um calor mais estável, contribuiria para evitar "a horrorosa despesa de lenhas, que eles julgam necessárias à fatura do açúcar, para o que supriria muito a queima do bagaço da cana".[47]

Um grande horizonte se abria também para as indústrias extrativas, especialmente a pesca das baleias e tartarugas e o corte das madeiras. É verdade que essas atividades, segundo notou o autor, apresentavam consideráveis riscos de destruição ambiental. Mas elas deveriam ser implementadas, segundo sua visão produtivista e cientificista, a partir da adoção de cuidados que reduzissem o potencial destrutivo. Ferreira da Câmara não conseguia conceber uma oposição entre o uso econômico e a conservação, a não ser, obviamente, quando os métodos utilizados fossem predatórios. A questão estava na qualidade da técnica utilizada. No caso da pesca da baleia, por exemplo, ele criticava os erros que vinham sendo adotados pelos pescadores, especialmente a "crença ignorante de que sem a destruição dos filhos não se pescam as mães". Observava também que a exaustão da presença de baleias em outras costas já estava fazendo com que navios norte-americanos se dirigissem para os mares do Brasil, fazendo a sua pesca "defronte dos nossos estabelecimentos". Se a pesca brasileira não fosse reformada, apesar da "fertilidade e bonança das nossas costas", acabaria sentindo "o mesmo dano, e então talvez não tenhamos a mesma indústria que têm aqueles que se aproveitam daquilo que nos sobra".[48]

Um alerta semelhante foi feito no caso da indústria madeireira. Apesar de o Brasil ainda estar coberto de matas, a devastação das mesmas acontecia de maneira crescente, pois nela

> trabalham assaz os habitantes, sem ainda contar que se tenha plantado um só pé das necessárias à construção e à combustão diária; e pelo axioma de que ninguém dá mais do que tem, em um dado tempo vir-se-ão a consumir todas as espécies de preciosas madeiras que possuímos, para o que principalmente contribui o não renascerem as espécies nativas.[49]

No caso da "extinção total, ou impossibilidade de transporte das espécies primitivas", o Estado perderia imensamente. Era o que revelavam as perspectivas de fim do comércio do pau-brasil, "privilégio exclusivo dado pela natureza às nossas possessões da América". O lucro tirado dessa venda "sem dúvida há de diminuir, e acabar-se enfim, se não se tomarem as medidas necessárias a sua cultura e reprodução".

As conseqüências da destruição florestal, no entanto, iam além da perda de espécies valiosas. "Se não houver grande cuidado a respeito daquelas terras vizinhas aos portos marítimos, e de fácil exportação, como a comarca de Ilhéus, que ainda não tem sido tão atacada, em breve tempo as madeiras serão um gênero mui caro e essa falta já tem sentido o Estado há alguns anos". Era necessário, dessa forma, tomar medidas políticas mais amplas e enérgicas:

> Creio que interessará muito ao Estado expedir não ordens meramente, porque algumas já as tem expedido, se bem que sem proveito, mas ministros que vigiem e regulem o corte das madeiras indistintamente, obrigando os proprietários dos terrenos marítimos a conservar ilesas as de construção, que ocupando uma parte pequena do seu terreno não danificam por certo a sua cultura ... Obrigando a todos a porem os meios para a sua reprodução, que não julgo impossível, e deste modo terem número determinado das ditas espécies. Se tivessem tomado há

mais tempo estas medidas, possuindo nós grande cópia de madeiras de construção, não nos veríamos necessitados a mendigar e comprar por bom preço os carvalhos da Pensilvânia, para o travejamento dos nossos navios de guerra.

Ferreira da Câmara não pretendia impedir o avanço da agricultura, mas sim separar uma "parte pequena" dos terrenos para a conservação. Também desejava promover o plantio de árvores. Seu foco estava na permanência das espécies mais úteis, especialmente as necessárias à construção civil, ao comércio e à produção dos navios de guerra. O enfoque, mais uma vez, era essencialmente político. O desperdício das queimadas e o ineficiente sistema de corte das madeiras, baseado no monopólio da exploração pela Coroa — que o fazia diretamente, através dos chamados "Reais Cortes", ou indiretamente, através de madeireiros licenciados —, faziam com que grande parte das madeiras vendidas nos mercados brasileiros fosse importada. As madeiras provenientes dos Estados Unidos, por exemplo, podiam ser vendidas no país, no início do século XIX, por metade do preço das produzidas localmente. A madeira brasileira, por outro lado, respondia no final do século XVIII por menos de 10% das importações da própria metrópole portuguesa, cujo consumo dependia basicamente das reservas da Rússia e da Europa do Norte.[50] Tudo isso gerava sérios problemas de autonomia econômica e segurança militar.

Não se deve imaginar, porém, que a preocupação de Ferreira da Câmara com as florestas foi meramente conjuntural. Sua visão sobre esse tema foi construída passo a passo, com base em raciocínios teóricos de mais longo alcance. Em 1798, ainda vivendo em Portugal, ele se ocupou do destino dos pinhais de Leiria, que estavam sofrendo problemas de desgaste biológico.[51] Na mesma época, quase dez anos depois de escrever a memória sobre Ilhéus, continuou a analisar com cuidado e paixão crítica o problema das matas brasileiras.

Em um texto onde apresentou comentários ao discurso de seu mentor Sousa Coutinho em defesa do federalismo no império português, Ferreira da Câmara elogiou as práticas de conservação florestal que observou nas minas da Alemanha, onde o direito de extração dos recursos naturais não era concedido com facilidade, ao contrário do que ocorria com as sesmarias e datas no Brasil. Durante sua estadia naquele país, ele chegou a escrever ao ministro Luís Pinto de Sousa Coutinho, que promovia a sua missão de estudos em companhia de José Bonifácio, pedindo-lhe que "não concedesse a ninguém um só palmo de terra, fosse para minerar e arruinar ainda mais as minas apenas descobertas; fosse para cultivar ou, o que vem ao mesmo, para destruir-lhes os bosques". Essa espécie de moratória, por certo, não seria definitiva, já que o objetivo final estava em "unir a administração das minas à dos bosques", valendo-se para tanto da direção de "homens peritos" que "vigiem sobre a conservação dos bosques, por hora livres, e que eles venham para o futuro a ser de mais utilidade à Coroa do que têm sido". Tal vigilância era necessária para garantir o futuro da economia mineral brasileira, pois uma das suas bases no país, que era a abundância potencial de carvão, apenas poderia existir "a não se continuar na destruição dos bosques".[52]

A proposta de Ferreira da Câmara para renovar a exploração das minas no Brasil, objeto de um diálogo permanente com Rodrigo de Sousa Coutinho, combinava elementos liberais e intervencionistas. Ao mesmo tempo em que defendia uma redução nos impostos e barreiras à produção de ouro e outras atividades subsidiárias, como a criação de gado, ele advogava uma forte regulação das técnicas produtivas, especialmente para coibir as práticas predatórias. Era essencial "restringir consideravelmente as funestas liberdades de que gozam hoje os nossos mineiros, particularmente a de extrair, ou antes de destruir, a propriedade do Estado que se lhes confiou".[53]

Na nova legislação por ele desenhada a partir de 1798, por encomenda do Estado, que recebeu também aportes de José Bonifácio e Alexandre Rodrigues Ferreira, previu-se um controle estrito no uso das águas e matas das regiões mineiras. Quando essa legislação entrou em vigor, através de um alvará em 13 de maio de 1803, apesar de bastante modificada em relação ao projeto original, ficou estabelecido que nessas regiões as matas existentes fora das propriedades estavam integralmente reservadas para os trabalhos de extração e fusão de metais, não podendo ser dadas em sesmarias.* E que as madeiras existentes nas propriedades poderiam ser livremente utilizadas pelo intendente das minas, que fixaria o preço a ser pago por elas. Ordenava-se também que as juntas administrativas de mineração e, se necessário os próprios governadores das capitanias inspecionassem em favor da conservação dos bosques e madeiras.[54]

Em 1807, quando ainda vivia na Bahia antes de transferir-se para Minas Gerais e assumir a posição de intendente, o tema das florestas continuava ocupando espaço relevante no pensamento de Ferreira da Câmara. Nessa época, vários proprietários escreveram cartas ao Senado da Câmara da Bahia, em resposta às indagações feitas por aquela assembléia sobre os principais problemas que afetavam a lavoura da capitania. Uma delas foi escrita por Ferreira da Câmara. Vale dizer que ele era um dos fazendeiros mais respeitados da região, tanto pelo seu

---

* Uma nova interpretação dessa lei, realizada em 1807 por Ferreira da Câmara e outros funcionários locais, abrandou essa regra, estabelecendo apenas a obrigatoriedade de se conservar 1/3 das matas existentes nas novas sesmarias e 1/5 nas sesmarias já concedidas. Determinou também que as queimadas poupassem os paus de construção e "de lei". Mesmo assim o intendente continuava a possuir o direito de reservar matas ainda não ocupadas ou extrair madeiras das propriedades para fins específicos de mineração. (Cf. M.C. Mendonça, *O intendente Câmara*, p.126.)

saber quanto por suas práticas econômicas. As técnicas inovadoras utilizadas em seu Engenho da Ponta não passaram despercebidas. Foi o caso da reforma das suas fornalhas, que economizou 2/3 da lenha normalmente utilizada. As modificações nos tubos da roda d'água, por outro lado, conseguiram poupar o trabalho de setenta cavalos. Com essas e outras medidas logrou duplicar a renda do engenho em menos de três anos, tornando-se um modelo para os outros proprietários.[55]

Sua opinião, portanto, possuía forte legitimidade. Ao abordar o problema da agricultura, da mesma maneira que os outros correspondentes, ele adotou um enfoque francamente liberal, inspirando-se diretamente em Adam Smith. Sua carta advogava ampla liberdade de produção e comércio, partindo do princípio de que "leis, regimentos, bandos, posturas de Câmara, não servem senão para lisonjear a vaidade dos que governam e obstar o progresso da lavoura". O autor admitia, contudo, "duas ou três exceções" a essa regra geral. A única mencionada foi justamente a legislação "para regular as plantações e conservar os bosques e matas". É interessante lembrar, nesse ponto, a carta enviada ao autor por Rodrigo de Sousa Coutinho, em 1800, na qual o ministro português também considerava a regulação do uso dos bosques como uma "notável exceção aos princípios da economia política". Já em 1609, segundo Ferreira da Câmara, se havia determinado no Brasil a regra de que o Estado deveria ter particular cuidado em "prever sobre as lenhas e madeiras, que se não cortem nem queimem para fazer roças, ou para outras coisas, em partes que se possam escusar". A razão dessa medida estava no fato de que em algumas capitanias "havia muita falta da dita lenha e madeiras, e pelo tempo em diante haveria muito maior, o que será causa de não poderem fazer mais engenhos e de os que agora a deixaram de moer". Essa lei, segundo o autor, que era "sábia e provida" há 198 anos quando o país apenas "tinha saído da barbaridade" e já se defrontava com a falta de lenhas — quanto mais não seria em 1807?[56]

O sucesso desse tipo de legislação, porém, era visto pelo autor com melancólico ceticismo. Se uma lei como a de 1609, que contrariava "em parte a liberdade de alguns proprietários a benefício de tantos", não teve cumprimento, que se deveria esperar das novas leis "que talvez não tenham a sabedoria daquela"? O fato era que de seu engenho ele podia ver "uma vasta extensão de terreno em o qual mais que em nenhum outro se deveria dar cumprimento à lei citada". Esse terreno — que se situava na redondeza de vinte engenhos, estava cercado de rios navegáveis e produzia excelentes lenhas de decoada, as melhores para a produção do açúcar — estava "inteiramente devastado e reduzido a campo ou charneca, depois de ter sido povoado de muito boas matas. E para quê? Para nele se ter plantado algum milho e arroz." A conclusão do autor era a de que as leis que "restringem a liberdade dos proprietários", mesmo quando faziam "uma das mais justas e direi ainda necessárias exceções ao direito de cada um fazer o que lhe parecer", eram sempre "iludidas e de nenhum efeito".[57]

A percepção da necessidade política de impedir que cada um fizesse "o que lhe parecer" com as matas da Bahia não ficou restrita a Ferreira da Câmara. Os desmatamentos provocados pelos plantadores, especialmente os de mandioca, já vinham despertando a preocupação de algumas autoridades. Apesar de a situação do governo da capitania ser ambígua, na medida em que as pressões para os lavradores plantarem mandioca, de modo a combater as crises de abastecimento da capital, eram um óbvio fator de estímulo às derrubadas. Mesmo assim, dependendo dos interesses e pontos de vista em jogo, algumas vozes de protesto começaram a aparecer ao nível local.

Um importante papel nesse debate foi assumido pelo ouvidor da comarca de Ilhéus e, desde 1782, inspetor dos Reais Cortes, desembargador Francisco Nunes da Costa. Embora esse personagem não tenha sido propriamente um intelectual, mas sim um funcionário consciente da necessidade de proteger os recursos florestais do país, nota-se que ele possuía boa cultura jurídica e era ousado e criativo nas suas propostas. Ainda em julho de 1784, por exemplo, ele enviou uma representação ao Trono pedindo

> remédio competente ao estrago com que as admiráveis matas da mesma capitania se vão arruinando e mostrando já a perda mais sensível para Vossa Majestade, para o comércio e para os moradores, que se ajudavam desta riquíssima extração, pela prodigiosa abundância das madeiras, que pareciam inexauríveis nos primitivos tempos desta colônia.

O ouvidor defendia a tese de que a abundância das matas havia obscurecido a necessidade de uma legislação mais forte para a sua conservação no Brasil, ao mesmo tempo em que propiciara distorções como a "demasiada facilidade nas sesmarias", a "introdução de diversos proprietários sem este título" e a "omissão do direito florestal, cujo uso é distintamente conhecido em toda a Europa".[58]

Para fundamentar a necessidade de intervenção estatal no controle das florestas, Francisco Nunes da Costa valia-se tanto das teorias de Hugo Grócio a respeito do direito de domínio do soberano sobre as áreas inacessíveis, quanto da antiga legislação portuguesa. As recomendações contidas nas leis coloniais para o Brasil, a partir do século XVII, tinham sido pouco eficazes, pois não estabeleciam sanções "que pela qualidade da pena fizessem conhecer o valor das matas, e a abominação dos incendiários e destruidores das mesmas". No final do século XVIII, quando "o abuso, o ferro, o fogo, a ignorância e a ambição têm estragado rapidamente a fértil e riquíssima mata" e que "esse flagelo continua com tal abuso que até se tem estabelecido a máxima que as matas são livres de um direito público e comum", era necessário reivindicar o uso dos direitos régios para "vedar e impedir tão ruinoso progresso". A simples autoridade de ouvidor era pequena para enfrentar os "homens rústicos e ambiciosos" que ele chamava de "arruinadores", "bárbaros", "inimigos do Estado" e "incendiários". Com grande antevisão, propunha uma política mais ampla, que reservasse para a Armada Real as matas próximas dos rios, inclusive em terras particulares. Essa medida, segundo ele, já estava prevista no antigo "Regimento do Monteiro-Mor".* Os roceiros, por sua vez, poderiam fazer suas plantações nas "matas já aproveitadas", as chamadas "capoeiras".[59]

Anos mais tarde, analisando a reação pública aos clamores de Nunes da Costa, Baltasar da Silva Lisboa descreveu com bastante ironia as oscilações do governo da capitania, ocupado em 1784 por Rodrigo José de Menezes, diante das pressões contraditórias pela defesa das matas e pela promoção da lavoura da mandioca. Em novembro de 1784, por exemplo, o governador deu razão ao ouvidor, determinando que este passasse uma "linha imaginária" nas matas próximas ao mar nos distritos onde ocorriam as maiores devastações, Jiquiriçá e Nazaré, e nelas proibisse a realização de qualquer roçado, sob pena de rigoroso castigo. Logo ficou claro, porém, que seria difícil proibir os roçados, tanto devido ao "grande clamor dos povos que viviam da lavoura" quanto pela "sensível falta que entrou a sentir-se do pão da mandioca no celeiro público". Também não se podia lançar a linha imaginária prescrita pelo governador devido à confusão dos títulos de domínio natural e de propriedade que existia na região.

Mesmo assim, em 15 de setembro de 1785, Nunes da Costa escreveu ao governador sugerindo a adoção de medidas ainda mais rígidas, com a elaboração de um regimento

> para guardar as matas e conservá-las, pois que da mal entendida liberdade que tinham os habitantes de entrar nelas ao seu arbítrio, sem escolha nem observação, nascia a sensível falta das madeiras que cada dia se experimentava, pois que cada um cortava por onde queria, desperdiçando-se infinitos paus em navios mercantis, que deviam ser reservados para se empregarem em peças de primeira ordem e grandeza.

Além dos roceiros, portanto, as matas sofriam com a ação dos pequenos fabricantes de barcos, que usavam a melhor madeira em detrimento da Marinha Real. O desembargador pedia a nomeação de um mestre e guarda das matas, Manuel Torroso, que coibiria as queimadas e o uso não-autorizado das madeiras para navios particulares.[60]

---

* A figura do Monteiro-Mor remonta às origens medievais do Estado português. Tratava-se do responsável pela guarda geral das florestas (ou "montes", como ainda hoje se diz na península ibérica). Cartas régias definindo as tarefas e direitos do Monteiro-Mor existem desde meados do século XV, mas só em 1605 estabeleceu-se o seu regimento.

Só que um ofício do governador, enviado ao ouvidor de Ilhéus logo depois, caminhava na direção oposta. Ele determinava que se "facilitasse a cultura da mandioca pela falta daquele mantimento da primeira necessidade que se experimentava", especificando que a proibição dos roçados restringia-se às matas "próximas ao mar e rios em que se pudesse conduzir as madeiras, e que, fora daquelas, em todas as mais se praticasse a cultura da mandioca". Em virtude dessa ordem, segundo Baltasar, "foi forçado o ouvidor da comarca, contraditoriamente aos princípios da conservação das matas, a permitir as derrubadas para a plantação da mandioca fora dos lugares à borda dágua". Com a saída de Nunes da Costa da cena política, no início da década seguinte*, o assunto caiu em desatenção e as matas de Ilhéus continuaram a ser destruídas. O resultado geral, ainda segundo Baltasar, foi que "não se procedeu até o presente à demarcação do domínio dos particulares ou do público. Destruíram-se e assolaram-se todas as matas à borda dágua com irreparável perda, pois que as matas que se propagam e crescem nas capoeiras não produzem árvores suficientes para o serviço dos navios de guerra".[61]

A disputa pelas matas da Bahia

Esse conflito entre a regulação estatal e a liberdade dos proprietários na exploração das florestas baianas ganhou especial ímpeto a partir de março de 1797, quando chegou às mãos do governo local a carta régia de Sousa Coutinho estabelecendo novos controles da Coroa sobre o uso das matas litorâneas. A carta determinava uma hierarquia de objetivos que começava com a "conservação das matas e arvoredos" e incluía a "maior economia nos cortes e conduções", a "maior facilidade nas remessas" e o estabelecimento de uma "perfeita contabilidade" do preço das peças de madeira. As medidas concretas a serem tomadas, nesse sentido, incluíam a definição de que as matas e arvoredos à borda da costa marítima, ou dos rios navegáveis que desembocassem no mar, eram consideradas propriedade exclusiva da Coroa. Essas áreas não poderiam ser dadas como sesmarias, e aquelas que já haviam sido dadas deveriam com o tempo ser retomadas, indenizando-se os proprietários com terras no interior. Além disso, a partir da promulgação das

* Nunes da Costa continuou no cargo até 1792. Ao longo desse período prosseguiu com sua luta inglória contra a destruição das florestas. Em 1789, por exemplo, escreveu ao governador da Bahia lembrando "a urgente necessidade que há de acudir para a conservação e defesa das matas". Remetia em anexo a representação que havia feito sobre o mesmo assunto em 1784. (Cf. F.N. Costa, "Ofício... para o governador da Bahia".)

cartas régias, ficavam os proprietários obrigados a conservar as madeiras reais, não podendo destruir as matas que as abrigavam.[62]

Não se trata de discutir aqui os resultados concretos dessa política. Ela provavelmente coibiu alguns desmatamentos no curto prazo, sem lograr estabelecer estruturas mais permanentes de conservação.[63] Em seu livro *Fruitless Trees*, Shawn Miller chegou a defender a tese de que ela foi contra-producente — assim como o conjunto das políticas de controle monopolista das madeiras nobres do Brasil por parte do Estado português —, ajudando a aumentar os desmatamentos na medida em que dificultou o aproveitamento comercial das madeiras pelos próprios proprietários, estimulando com isso a queima pura e simples das árvores. Esse tipo de tese, contudo, apenas indica que a madeira das florestas brasileiras poderia ter sido mais e melhor aproveitada no mercado, não demonstrando que esse aproveitamento teria impedido a destruição florestal, no contexto de uma fronteira aberta.

Mas o aspecto central, para efeito do presente trabalho, foi o das bases teóricas que moldaram uma tal política, assim como os debates intelectuais que ela ensejou. A decisão de implementá-la, tomada por Sousa Coutinho, foi certamente influenciada pela rede de intelectuais brasileiros com os quais ele se relacionava. É verdade que as decisões de 1797 configuraram uma resposta muito pontual e específica, se comparadas com as propostas mais amplas que vinham sendo formuladas. Essas propostas apontavam para a necessidade de uma reforma geral no caráter predatório da economia brasileira, ao passo que as medidas focalizavam apenas o suprimento dos arsenais da Marinha Real. Mesmo assim, parece evidente que elas não teriam sido tomadas se Sousa Coutinho não estivesse convencido, a partir do relato dos observadores locais, de que uma intensa destruição florestal estava ocorrendo na colônia. Morton[64] sugeriu, por exemplo, que a elaboração dessa política contou com a assessoria direta de Baltasar da Silva Lisboa. Esse tipo de conexão é bastante plausível. Baltasar encontrava-se em Portugal em 1796, após viver alguns anos no Brasil. Em 1786 tinha sido nomeado juiz de fora no Rio de Janeiro, cargo que teve que abandonar após desentender-se com o então vice-rei, conde de Resende. Ele combinava uma sólida formação de jurista com bons conhecimentos de filosofia natural, além de ser amigo de Sousa Coutinho e estar familiarizado com a realidade da Bahia, sua terra natal. Faz sentido que tenha sido consultado a respeito da idéia de fortalecer o controle estatal sobre as florestas daquela capitania — uma idéia cujos fundamentos vinham se delineando a partir da contribuição de Ferreira da Câmara, Nunes da Costa e outros.

De toda forma, tendo ou não participado na elaboração da carta régia de março, o fato é que logo depois, em maio de 1797, ele foi nomeado para os cargos de ouvidor e juiz conservador das matas da comarca de Ilhéus. Apesar de já existir em Portugal, esse último cargo foi estabelecido no Brasil naquele momento, tornando-se possivelmente a primeira posição especificamente ambiental na história da burocracia colonial brasileira.* Baltasar chegou à região com grande disposição intelectual e política. Realizou importantes estudos de mapeamento geográfico e inventário florístico da mata atlântica regional;[65] também produziu um lúcido diagnóstico sobre os problemas econômicos, sociais e ambientais da região, que encontrou sua expressão mais completa na *Memória topográfica e econômica da comarca dos Ilhéus*, publicada pela Academia das Ciências de Lisboa em 1825, apesar de sua primeira versão datar de 1799.

A região de Ilhéus, segundo esse diagnóstico, possuía grande potencial econômico, pois suas terras eram "fortíssimas, e a maior parte cobertas de húmus ou massapé", e as suas florestas eram "soberbamente vestidas". Mas a pergunta que se colocava, tendo em vista a mentalidade pragmática do autor, era "de que servem tão preciosos terrenos, cortados de vários rios, se não há algum industrioso estabelecimento, que facilite e promova com o trabalho, a agricultura e o comércio?" A administração colonial pouco havia feito nesse sentido, pois "nem os governadores da capitania, nem os ministros que têm servido na comarca, jamais têm dado algumas providências para a educação do povo".[66]

A ignorância era geral, transparecendo especialmente no uso descuidado dos recursos naturais. O trato dos animais era péssimo, sem qualquer noção de arte veterinária: "a preguiça e a indolência têm-se dado as mãos neste país para não serem socorridos nem tratados os animais". Na exploração do reino vegetal, a situação não era melhor. Na localidade de Marabu, por exemplo, "monstruosos paus de óleo de 140 e mais palmos de comprimento" eram "arruinados interiormente para a extração do óleo, que os naturais vão vender nas boticas da cidade". O desprezo pelas inovações e melhorias era tão grande que uma comunidade de índios, na vila de Camamu, acabou por destruir os pés de cacau que Baltasar lhes havia presenteado, "dizendo que de nada lhes serviam aquelas árvores".[67]

O eixo das críticas, porém, centrou-se na agricultura de queimadas, especialmente para a produção da mandioca. Em Camamu, uma das principais áreas produtoras, assim como "em todo o Brasil", a lavoura era "praticada por uma cega rotina". As grandes devastações e incêndios eram feitos "sem alguma reflexão e sem princípios, só porque assim praticaram os seus antepassados". Ninguém se dispunha a "aperfeiçoar o método da cultura do seu país, substituindo-o por

* A carta régia de março de 1797 definiu apenas o nome do juiz conservador de Alagoas, que foi o ouvidor daquela comarca, José de Mendonça de Mattos Moreira. Com base nessa experiência, ele escreveu muitos anos depois, em 1809, junto com José Joaquim da Silva Freitas, um interessante texto onde analisou a geografia e as principais causas da destruição das matas de Alagoas. Ver J.M.M. Moreira, "Das matas de Alagoas". Para uma análise das propostas desse documento ver M. Fraga, "A questão florestal ao tempo do Brasil Colônia".

algum menos dispendioso e de mais vantajosa utilidade". Os proprietários "não formam pastagens para a conservação do gado, não adubam as terras, nem as rasgam pelos arados, tão conhecidos nas europeanas lavouras". O trabalho agrícola estava entregue a escravos abandonados "à discrição e humor tirânico dos seus senhores" que, corrompidos e entregues à sensualidade, "de contínuo estudam novos e bárbaros castigos, de que se horroriza a humanidade e de que talvez algum dia se tomará vingança".[68]

O fracasso das medidas anteriores, ao estilo das que foram promovidas por Nunes da Costa, devia-se à impossibilidade de combater as queimadas sem reformas profundas na agricultura. Não era possível "executarem-se com formalidade legal aquelas ordens, sem que se conciliasse a lavoura da mandioca com a conservação das matas, por se não saber praticar aquela sem as derrubadas, assolamento e destruição dos bosques". Práticas alternativas, como a adubação da terra, eram de difícil implantação na comarca devido à falta de animais e estrumes. Não se devia esperar, além disso, que aqueles homens grosseiros "tivessem a indústria que só as artes e a civilização subministram para preparar os estéreis terrenos". Assim, uma mudança de mentalidade era fundamental. A opção por queimar as matas virgens ao invés das capoeiras, por exemplo, não derivava de uma impossibilidade técnica ou da menor capacidade de rendimento das últimas, mas sim da "preguiça e indolência". O cultivo da capoeira requeria trabalhos mais penosos de capinação, ocasionalmente três vezes maiores, e de enfrentamento sistemático das formigas.[69]

Para superar essa tendência ao menor esforço seria necessário estimular, no mesmo movimento, a conservação das matas e a boa agricultura. Os lavradores não deveriam ser oprimidos pela obrigação de plantar mandioca, imposta pelo governo da capitania, já que "nem todos os terrenos são próprios para a cultura da mandioca", não sendo justo obrigar os lavradores a ter despesas com essa produção quando poderiam aproveitar o terreno para outras culturas. A experiência mostrava, de maneira geral, que "a indústria dos povos cresce mais rapidamente quando a escolha do trabalho é espontaneamente dos cidadãos". Mas essa concessão liberal não anulava a crença na ação benéfica do governo, que estava no coração do pensamento político de Baltasar. O ideal seria adotar uma solução de equilíbrio entre os interesses privados e públicos. A experiência histórica revelava que os "progressivos adiantamentos da indústria" tendiam a ocorrer no momento em que "o governo dirige o trabalho dos cidadãos, com respeito a sua ordem natural, proporções e circunstâncias oportunas, tendo por objeto primário a subsistência, segurança e mantença dos particulares e do Estado, e depois o que é cômodo e agradável, e finalmente o que serve de ornato e mero luxo".[70]

O tema das florestas era um dos objetos que mais diziam respeito à "subsistência, segurança e mantença" da sociedade e do Estado. A defesa da conservação das matas primárias, e não apenas das capoeiras, fundamentava-se para o autor em dois pontos teóricos de grande importância. O primeiro deles derivava da teoria do dessecamento. As matas primárias exerciam uma função climática benéfica para o conjunto da região. Da sua conservação dependia "a fertilidade do país, pelos meteoros e eflúvios terrestres que elas produzem e que dão nascimento às periódicas chuvas que deixando de cair, e de regar a terra, tornarão os belos terrenos áridos e infecundos; matará a seca os animais, com grandíssima perda dos lavradores, e da subsistência dos povos, tornando-se as povoações em espantosos desertos". O segundo ponto tinha a ver com a disponibilidade das madeiras nobres. A regeneração natural das árvores era limitada nas capoeiras, não havendo garantia de que essas, ao contrário das matas originais, conseguiriam reproduzir as grandes árvores necessárias à Marinha Real. Por esse motivo, dizia o autor,

> a conservação das matas é um objeto de tanta importância quanto é a do Estado, que não pode fundar a sua prosperidade sem manter a Marinha Real e Mercantil: a irreparável perda dos monstruosos paus queimados e perdidos para a Marinha e Serviço Público, seria mais que justificado motivo para se tomarem medidas seguras de embaraçar o progresso das derrubadas.[71]

Ao assumir o cargo de juiz conservador das matas, dotado de sofisticadas posições científicas e uma forte vontade política, Baltasar Lisboa deparou-se com obstáculos consideráveis. O novo governador da Bahia, Fernando José de Portugal, havia mantido a mesma política oscilante do seu antecessor. Ele mandou investigar, por exemplo, a destruição das florestas ao longo dos rios Jiquiriçá e Das Donas, indignando-se com ela e ordenando o despejo dos plantadores próximos das margens. Logo depois, no entanto, desistiu de implementar essa decisão. Bastou para isso ter recebido uma representação, assinada por fabricantes licenciados de madeira da região, reclamando que não podiam continuar a fazer os cortes sem queimar a mata para plantar a mandioca que os sustentava. Ou seja, qualquer possibilidade de reduzir a oferta de madeira e farinha, naquele momento histórico, era politicamente perigosa. Basta lembrar que a carestia da farinha foi um dos fatores que estimulou as tentativas revolucionárias de 1798 na capital da Bahia, logo reprimidas com forte violência. A posição do governo, dessa forma, baseava-se em uma situação ambígua que Baltasar definiu como sendo de "incerteza dos meios de conservar as matas, querendo-se ao mesmo tempo que nelas se fizessem derrubadas e queimadas para a plantação da mandioca".[72]

Ao assumir, com zelo e certa arrogância, a liderança na implementação dos novos regulamentos florestais da Coroa portuguesa, não é difícil imaginar que Baltasar teve que enfrentar uma série de conflitos com setores da elite local. O doutor de Coimbra levou a sério os artigos da carta de 1797 que buscavam garantir para a Coroa a posse direta das matas litorâneas e constatou que para isso quase não seria necessário retomar sesmarias, pois a maioria dessas propriedades estava calcada em posses espontâneas e títulos irregulares. Começou então a realizar autos de tombo onde tomava posse de áreas florestadas em nome da rainha.[73] Também começou a fiscalizar os desmatamentos e a organizar de forma mais disciplinada os Cortes Reais, que eram praticados "sem arte alguma", apenas metendo-se "o machado no tronco das frondosas árvores que caindo levam consigo muitas outras". A proposta do juiz, ao contrário, era realizar os cortes de maneira mais cuidadosa, ao mesmo tempo em que se estabeleceriam viveiros e plantações de árvores em "caminhos públicos, nas bordas das fazendas dos particulares e nas terras vagas e devolutas". Era preciso conseguir que os proprietários não fizessem "corte das árvores sem substituírem aquelas por outras plantadas" e que fossem constrangidos a "cercarem as margens das estradas, onde estão situadas as suas fazendas, com árvores de construção".[74]

As reações a essas medidas e propostas logo se fizeram sentir. Ainda em 1797, câmaras locais fizeram representações ao governador afirmando que as povoações não podiam conservar-se sem os roçados para as suas plantações, e que as populações teriam que desertar das vilas para não morrerem de fome. Surgiram também representações de proprietários, dotados apenas de "posse natural", alegando que tinham ocupado aquelas matas durante as lutas contra os índios, nelas fazendo investimentos econômicos que justificavam a sua posse. O governador, diante desse quadro, começou a vacilar no apoio à nova política, deliberando que as medidas só deveriam incidir sobre os terrenos onde houvesse madeiras próprias para as naus, garantindo-se os outros espaços para os trabalhos de derrubada e plantação. Ele procurou não entrar em conflito com os proprietários irregulares, assegurando a continuidade da sua posse e determinando que os funcionários seriam responsáveis pelos "excessos que houvessem na execução das ordens mencionadas".[75] Também buscou realizar, ao longo de 1798, reuniões entre os funcionários e os proprietários locais, visando encontrar pontos de consenso.

Com base nesses debates, Baltasar escreveu no final daquele ano um "Regimento dos cortes de madeira", onde detalhava as medidas a serem tomadas e atenuava alguns dos princípios da carta régia de 1797. Nesse novo regimento, que foi oficializado através de uma carta régia em julho de 1799, desistiu-se da tomada (ou retomada) imediata de todas as matas litorâneas, inclusive as que fossem sesmarias já concedidas, determinando apenas que os seus proprietários deveriam conservar as "madeiras e paus reais" até uma deliberação futura.[76] Apesar disso, na medida em que mantinha algumas decisões fortes, como a reserva de importantes áreas florestais para o uso exclusivo da Coroa, esse novo plano foi igualmente rejeitado por muitos proprietários, que continuaram a pressionar o governador e a criticar o trabalho de Baltasar.

A polêmica ganhou um sentido teórico mais profundo quando os proprietários locais adquiriram um porta-voz de alto preparo intelectual: José de Sá Bittencourt e Aciolli. Esse personagem, nada menos que o irmão de Manoel Ferreira da Câmara, era também um doutor de Coimbra, onde se formara em 1787. Após ter sido preso por suspeitas de participar da Inconfidência Mineira de 1789, sendo subseqüentemente libertado, estabeleceu-se como fazendeiro na região de Cairu, em Ilhéus. Apesar do seu passado político problemático, logrou estabelecer boas relações com Sousa Coutinho, que o nomeou inspetor das minas de salitre de Montes Altos e encomendou-lhe a feitura de uma estrada ligando aquele sertão ao litoral baiano. Tratava-se, portanto, de um adversário bem formado e politicamente influente.

Em junho de 1799, Aciolli* divulgou um documento anônimo intitulado "Observações sobre o plano feito para a conservação das matas da capitania da Bahia", que continha uma série de críticas à política implementada por Baltasar. Não era a primeira vez que o autor enfrentava o tema da destruição florestal, que nunca considerou prioritário. Em sua *Memória sobre a plantação dos algodões*, publicada pela Academia das Ciências de Lisboa em 1797, ele explicou da seguinte forma a decadência da lavoura de mandioca na Vila da Camamu:

> Enquanto havia matas virgens à borda do mar, ou de muitos rios navegáveis, que entram algumas léguas terra adentro, a lavoura se fazia com facilidade, e com a mesma se conduziam as farinhas às costas dos escravos e de poucos animais para o porto de embarque. Hoje porém, que já as terras da borda d'água estão reduzidas a capoeiras, uma e muitas vezes plantadas, minadas de formigueiros destruidores da mandioca, sempre o produto da lavoura nas capoeiras, para o produto que tiravam os lavradores nas matas virgens, é como de cinco até dez para cinqüenta e sessenta.[77]

Ocorre que a solução para esse problema, segundo o autor, não estava na mudança do método de cultura, e sim na penetração em matas inexploradas e mais distantes da borda dos rios, que poderiam ser derrubadas caso houvesse no país maior disponibilidade de estradas e de animais para o transporte da farinha.

---

* A atribuição do documento a Aciolli foi feita por F.W. Morton em seu artigo "The royal timber trade in colonial Brazil" (*Hispanic American Review*, p.56). Essa autoria me parece altamente plausível, pois tanto a sua forma quanto o seu conteúdo são consistentes com outros escritos do mesmo autor. É preciso considerar, além disso, que dificilmente algum outro fazendeiro da região teria preparo intelectual suficiente para produzir um texto tão elaborado. A resposta de Baltasar, como veremos adiante, protesta explicitamente contra as calúnias de Aciolli e do padre Joaquim Malta.

Também se poderia introduzir, em algumas áreas climaticamente propícias, a lucrativa cultura dos algodões. Mas vale observar que o método defendido para essa última passava igualmente pela destruição das matas, que Aciolli chamava de "Caatingas Altas", apresentando-se o uso do fogo como um processo que reduz "tudo a cinzas, deixando a superfície da terra limpa para se fazer a plantação sem maior incômodo, ficando a terra estrumada e fértil pelo alcali vegetal".[78] A técnica da queimada, como se vê, não recebeu qualquer questionamento do autor, ao contrário do que se pode observar nos escritos de Baltasar.

A disputa teórica entre ambos, dessa forma, antepôs dois intelectuais formados na mesma tradição teórica e ao mesmo tempo separados por sensibilidades ambientais quase opostas. Aciolli, no entanto, em sua defesa intelectual dos proprietários, assumiu uma postura moderada, que em nenhum momento procurou negar a validade de conservar as florestas. Seu argumento principal foi o dos direitos dos agricultores, com base em um enfoque jurídico e econômico de cunho liberal. Era preciso evitar "a opressão dos povos que, estabelecidos há muitos anos nesses terrenos, têm edificado à proporção das suas forças os engenhos para o fabrico do açúcar, aguardentes e para a farinha da mandioca". As áreas litorâneas, sendo as mais apropriadas para o escoamento das madeiras, também o eram para o transporte dos produtos agrícolas, de modo que a reserva dessas áreas para a Marinha privava a agricultura da "facilidade de importação e exportação dos seus produtos", gerando "destruição das propriedades e despovoação do lugar". Esse era o motivo pelo qual o "zelo indiscreto dos autores do Plano" seria prejudicial à economia. A reserva de grandes áreas de florestas litorâneas para a Coroa, por outro lado, tirava dos proprietários "o direito de se utilizarem do seu terreno, e das madeiras que nestes tiverem, para o comércio e ainda para o seu uso". Não era condizente com a Justiça Real "tirar aos seus vassalos todos os meios de subsistência".[79]

Além disso, Aciolli defendeu a tese de que os fazendeiros teriam um interesse racional em preservar os recursos existentes nas suas propriedades, desde que tivessem garantia de posse e liberdade para administrar seus negócios. Eles estariam em melhores condições do que o Estado para conservar as matas. Se pudessem tirar a madeira comercialmente, passando a depender "da conservação das suas matas, de que tiram a sua subsistência, é de esperar de que as não destruam". O autor se revelou surpreendido ao ver "o quanto se esforça o governo em conservar aquilo mesmo que é do interesse dos proprietários conservar no seu terreno, pois que ainda os que se sustentam da lavoura, ou seja da cana ou da mandioca, têm necessidade da madeira para as suas fábricas e lhe é mister conservá-las". É interessante observar, na Bahia do século XVIII, a presença de uma idéia ainda hoje tão em voga nas discussões sobre política ambiental: a de que a privatização dos espaços naturais é o melhor meio para conservar os seus recursos (uma tese, diga-se de passagem, bem fundamentada na teoria e muito pouco demonstrada na prática, especialmente nos contextos de fronteira aberta). Em outras partes do texto, no entanto, aparecem fatos que contradizem esse argumento, como quando Aciolli afirma que "a cultura da mandioca, que é a principal na comarca dos Ilhéus, supõe a destruição de grossas matas onde melhor se produz". Ou seja, a produção só poderia prosseguir em um ambiente de destruição das matas primárias. A lavoura nas capoeiras, defendida por Nunes da Costa e Baltasar, não era considerada viável, uma vez que a produtividade era muito menor e a "destruição que lhe faz as formigas", muito maior.[80]

Na seqüência de sua exposição, Aciolli lança mão de um argumento que também ecoa atitudes observáveis no Brasil de hoje, sempre que o poder público tenta controlar a exploração predatória da fronteira florestal, especialmente na Amazônia: a ameaça econômica. Se o plano de conservação fosse adotado, a cultura da mandioca seria destruída e a fome tomaria conta da capital, uma vez que "a comarca de Ilhéus e a de Porto Seguro são as que subministram semelhante fornecimento à Bahia e seus contornos". O peso político dessa ameaça, como já foi visto, era considerável. A proposta das "Observações", de toda forma, era no sentido de encontrar uma "justa proporção" entre a conservação florestal e os desmatamentos necessários ao progresso econômico. Era preciso aceitar o fato de que "querer conciliar o aumento da agricultura com a conservação de todas as matas é pretender um impossível". A postura dos conservacionistas, além disso, era exagerada, pois afirmava existir "uma rigorosa necessidade de matas que realmente não há", já que toda costa da Bahia ainda era "bordada de espessas matas". Para promover a sua cultura era necessária "a destruição de uma parte", sem a qual não haveria "nem alimento, nem pastos". Um outro argumento, do eclético conjunto apresentado pelo autor, foi o de que a destruição de muitas dessas matas não seria negativa do ponto de vista ambiental, pois, em uma curiosa inversão da teoria do dessecamento, serviria para melhorar o "clima sumamente chuvoso" da região, que havia gerado "dificuldades inumeráveis aos primeiros povoadores".[81]

Para evitar o colapso econômico de Ilhéus, sem prejudicar o abastecimento de madeiras para o arsenal, Aciolli sugeriu que a Coroa estabelecesse reservas florestais em outras regiões. No sul da Bahia, área bem menos povoada pelos colonizadores, era possível reservar cem léguas de florestas. Somando-se outras tantas em Alagoas e na Paraíba, sem falar no Grão-Pará e no Rio Grande do Sul, já haveria garantia de que "não faltará madeira nunca para a construção dos navios de guerra". Ou seja, as reservas florestais eram benéficas, mas desde que estivessem bem longe das costas que Accioli e seus vizinhos costumavam explorar. Os proprietários de Ilhéus, por fim, poderiam dar a sua contribuição, explorando diretamente as madeiras para vender ao arsenal. Mais ainda, poderiam aproveitar as próprias queimadas com esse objetivo. Bastava marcar os paus reais existentes nos seus terrenos e "fazer as suas derrubadas deixando em pé as ditas madeiras que, secas pelo fogo, ficam mais próprias ao fim a que se destinam e se conservam por muito tempo...".[82]

A resposta de Baltasar (que por ironia era irmão de José da Silva Lisboa, o pai do liberalismo econômico brasileiro) caminhou numa direção teórica completamente diversa. Ele optou por defender com eloqüência a primazia do interesse público sobre os interesses particulares. Apesar de estar bem familiarizado com as doutrinas liberais, reconhecendo sua validade em várias circunstâncias, sua visão sobre a conservação das florestas revelou-se muito mais próxima da tradição pombalina de intervencionismo estatal. Toda a sua argumentação fundamentou-se na tese da razão de Estado, apesar de o autor não utilizar explicitamente essa expressão. A carta régia de 1797, segundo ele, tinha firmado "uma impenetrável barreira à ambição indiscreta dos colonos, que não queriam cultivar sem destruir" e "a ferro e fogo destruíam tão importantes terrenos". Era fundamental "providenciar a conservação das matas abundantes em madeira de construção", pois sem essas não poderiam existir os vasos de guerra que "sustentam a independência e o poder do Trono". Todos os setores da sociedade dependiam desse alicerce, inclusive os proprietários que reclamavam das medidas estabelecidas pelo "Plano". Sem a existência de navios, os "diferentes particulares" não poderiam "pelo comércio levar a sua indústria até a metrópole e desta às colônias". Também não poderiam "adquirir pela lavoura as riquezas de que são capazes, faltando-lhe os vasos para exportar". Os direitos da rainha, além disso, estavam garantidos pela legislação portuguesa, inclusive o "Regimento do Monteiro-Mor", que estabelecia o controle da Coroa sobre os bosques a fim de preservar a caça (e que, por dedução, poderia ser empregado na preservação das próprias árvores). A experiência dos outros países europeus, da mesma forma, recomendava essas políticas, pois "os homens mais inteligentes e os governos mais iluminados" estavam decretando a conservação dos bosques para garantia da Marinha.[83]

O Estado se apresentava, aos olhos de Baltasar, como o grande agente da racionalidade pública. Em nome dela era lícito contestar os proprietários que reagiam aos seus esforços. Um exemplo era o padre Joaquim Malta, "que vivia das madeiras que tirava das matas dos índios e particulares" e que "viu-se privado das vantagens que sua ambição e interesses prometiam". De mãos dadas com José de Sá Aciolli, afirma Baltasar, ele havia se dedicado a espalhar calúnias contra o juiz conservador. O desejo desses proprietários, na verdade, era que "Sua Alteza não tenha matas nas vizinhanças das cidades, que os seus vasos de guerra estejam na dependência do capricho e ambição dos negociantes, que ficarão sendo os dominadores da força pública da monarquia". Enquanto o país aceitasse a forma de agricultura por eles praticada, baseada "na derrubada das matas grossas", ficaria para sempre "em estado análogo ao dos povos nômades".[84]

Ocorre, no entanto, que a Coroa representava uma entidade autônoma e superior, que jamais poderia ser dominada pelos interesses privados. Por esse mesmo motivo ela deveria ter a primazia na ocupação do espaço geográfico. Assim, a proposta feita por Aciolli no sentido de reservar para a Coroa as florestas do sul da capitania, distantes dos centros urbanos*, foi recebida com intensa ironia:

> Querem que à Marinha Real se destinem só as matas dos sertões da costa, habitadas de índios selvagens e de negros fugidos em mocambos. Ainda assim não ficava esta propriedade segura, pelos direitos ... que reclamariam estes habitantes, e pelos danos da lavoura de que ficariam privados. E como neste século de tantas novidades têm havido publicistas e doutores que têm escrito livros expressos sobre o direito das bestas, quem sabe não dariam também boas razões aos orangotangos, tigres e surucucus** das matas grossas para se queixarem da violência e de uma indenização condigna à posse em que estavam de viverem nestas brenhas?[85]

Uma leitura dessa passagem é fundamental para entender a tradição intelectual que está sendo analisada. A crítica imediata de Baltasar referiu-se à pretensão de que pudessem existir direitos privados superiores aos da autoridade pública. Se os proprietários de Ilhéus recusavam-se a aceitar essa autoridade, por que outros grupos sociais não poderiam também fazê-lo (inclusive os índios e os escravos fugidos)? Mais ainda, se essa possibilidade existe, por que não estendê-la aos animais? Esta última ironia é importante para reafirmar o caráter antropocêntrico da primeira crítica ambiental brasileira. Os questionamentos sobre os direitos dos animais, que alguns filósofos começavam a expressar, são objeto de escárnio. O valor do ambiente natural, e dos seus recursos, estava ligado à sua importância social; as florestas eram um objeto político. Esse era o motivo que inspirava Baltasar na sua luta contra a destruição das mesmas. O eixo central do debate não

---

* Aciolli tinha consciência de que a exploração desses sertões remotos seria sumamente difícil, pois em outro trabalho, a *Memória sobre a viagem ao terreno nitroso*, de 1800, comparou a presença da régia autoridade nessas áreas com uma luz "cujos raios são mais fracos quanto é a sua maior distância do fogo" (p.104).

** É curioso que um bom conhecedor da mata atlântica, como era Baltasar, mencione nesta passagem animais que não existem no Brasil, como os tigres e os orangotangos. Trata-se, a meu ver, de uma questão de terminologia. Ele chamou a onça pintada de "tigre" (uma prática ainda observável no interior do país, segundo Von Ihering em seu *Dicionário dos animais do Brasil*). Por "orangotango", provavelmente, ele quis referir-se ao macaco guariba ou bugio (tendo em vista o seu tamanho). O autor procurou identificar esses animais através das listas zoológicas então conhecidas na Europa, revelando o quanto se desconhecia sobre a biodiversidade específica das florestas brasileiras.

se situava na oposição ética entre os direitos dos humanos e os direitos dos não-humanos, mas sim na disputa política entre uma visão imediatista/destrutiva e uma visão sustentabilista do progresso, como hoje provavelmente a chamaríamos.

Vale recordar, nesse ponto, que uma das passagens da carta de Sousa Coutinho para Manoel Ferreira da Câmara, comentada no capítulo 1, referiu-se exatamente a essa disputa. O ministro, que acompanhava o desenrolar do debate através dos seus correspondentes, teve que adotar uma posição de equilíbrio entre as decisões do governador, mais ligadas aos interesses dos proprietários, e o apoio às atividades do juiz conservador, que tentava colocar em prática um projeto político-ambiental que lhe era bastante caro. Num outro trecho da carta, que não foi citado anteriormente, ele chegou a manifestar dúvidas sobre a pertinência das mudanças que foram feitas em 1799, atenuando o alcance do projeto original de 1797. Usando a rainha como alter-ego, ele afirmou que "se a S.A.R. pareceu muito duro o primeiro plano, que não respeitava a propriedade, não deixou de ficar em equívoco os princípios do segundo, em que ficou algum receio de se haver sacrificado o interesse público e geral ao de alguns proprietários".[86] O ministro pedia que Ferreira da Câmara fizesse uma avaliação isenta do problema, sem deixar de lembrar que ele era parte interessada na questão, visto ser proprietário e irmão de um dos principais contendores.

Em sua resposta a Sousa Coutinho, escrita em fevereiro de 1801, na cidade de Salvador, Ferreira da Câmara evitou tocar diretamente no problema da disputa pelas matas de Ilhéus. Por esse motivo, provavelmente, adotou desde o início algumas salvaguardas, como a de explicar que era "covarde em avançar aquilo do que não estou convencido, assim como valoroso em dizer francamente tudo de que estou capacitado", e que também não havia "sido possível sair ainda desta cidade". Mesmo assim ele não deixou de posicionar-se de maneira técnica e construtiva, se bem que indireta, ao apoiar a tese de que era possível plantar a mandioca em capoeiras: "Sem ter ido longe, já tenho sobejas razões para me persuadir de que a mandioca, como V. Exª sempre pretendeu, vem bem em terrenos velhos ou cansados, mas regularmente trabalhados e estrumados." Para isso seria necessário combinar a lavoura com a criação de gados. O autor se dispunha, nesse sentido, a estudar o cultivo de plantas nativas ou européias que pudessem ser úteis à alimentação do gado.

Na carta não perde a oportunidade, por outro lado, de elogiar seu irmão, José de Sá Aciolli, alegando que ele estava construindo arados e mostrando aos plantadores de mandioca "que aquela era a melhor das enxadas". Elogiava, igualmente, a sua disposição para introduzir a cultura do linho e a sua diligência em conseguir promissoras amostras de minério de ferro para exploração futura na região de Ilhéus. Não se furtava, por fim, a criticar Fernando José de Portugal, insinuando que ele era pouco determinado e "tão prudente que nunca se decide a obrar, pensando que tudo que se tem feito e faz é bom, e tudo o que se pode fazer é perigoso". Essa pouca ousadia refletia-se no plano econômico, pois o governador manifestava pouco empenho no apoio às novas culturas, considerando que elas desviariam das velhas "os poucos braços que temos".[87]

De toda maneira, com a saída de Sousa Coutinho do Ministério do Ultramar, em 1801, o projeto de conservação e uso regulado das florestas brasileiras ficou completamente órfão de apoio político efetivo. A legislação continuou formalmente em vigor, mas com pouco esforço concreto de implementação* Baltasar permaneceu na função de juiz conservador das matas de Ilhéus até 1818, mas com um papel político muito restrito. Sem o suporte da Coroa, suas funções ficaram reduzidas à tarefa burocrática de supervisionar os Reais Cortes e, quando possível, pedir às autoridades que fizessem algo contra a continuidade da devastação. É um pouco patético, nesse sentido, observar o seu "Ofício ao Príncipe Regente", de dezembro de 1808, solicitando a d. João VI, que fosse cumprido o regimento de 1799!

Mas a presença de Baltasar na Bahia não deixou de gerar algumas repercussões. Em 1816, por exemplo, Manoel Jacinto de Sampaio e Melo, um ex-aluno de Coimbra que se estabeleceu como produtor de açúcar na Vila da Cachoeira, públicou um livro intitulado *Novo método de fazer açúcar*. Chocado com a tecnologia rudimentar e o desperdício de recursos naturais que observava, resolveu fazer por conta própria alguns experimentos que melhorassem a qualidade da produção dos engenhos, os quais, afirmava, continuavam a destruir diariamente as matas locais, fazendo avultadas despesas com a busca da lenha. As matas, por sua vez, "vão ficando em grandes distâncias e afinal devem acabar, e com elas os engenhos, como já tem acontecido a muitos, estando um grande número dos que ainda existem não longe do mesmo sucesso por falta de lenhas".[88]

Apesar dessa grave realidade, para sua surpresa, pouco se debatia o assunto na Bahia: "Entre nós apenas acho as justas reflexões que fez o erudito Baltasar da Silva Lisboa, em que doutamente expõe a necessidade da reforma dos engenhos para deles poder tirar alguma utilidade, e não virem a cair em total extinção por falta de lenhas." A solução para esse risco, segundo o autor, não estava longe de ser encontrada, bastando para isso utilizar o próprio bagaço da cana na alimentação das fornalhas. Esse método, que mais uma vez estava sendo proposto no contexto

---

* Mesmo assim, intelectuais influentes como o bispo Azeredo Coutinho argumentaram contra a sua continuidade, afirmando que ela atravancava o progresso do setor madeireiro ao coibir a livre iniciativa (cf. *Ensaio econômico...*, p.129.). Para uma formulação semelhante ver "Memória sobre a questão...", escrita pela Secretaria de Estado dos Negócios Estrangeiros, em 1811.

brasileiro, requereria apenas a adaptação das fornalhas, podendo evitar "a enorme despesa dos cortes e condução das lenhas" e a "derrota das matas", além de garantir "a perpétua existência dos engenhos do Brasil".[89]

O clima político para as reformas ambientais na Bahia de 1816, no entanto, parecia não estar mais favorável do que em 1797. Os produtores, como confessou o autor, "não quiseram ouvir falar" nas suas propostas, afirmando que "o modo de fazer açúcar já está descoberto, nada se pode inovar". Mais ainda, "puseram ao meu engenho o nome de 'engenho da filosofia', fizeram-lhe versos satíricos, e disseram o que bem lhes pareceu".[90] Esse foi o tratamento, bastante significativo aliás, recebido por uma das raras iniciativas particulares que visaram modificar a rotina predatória no Brasil oitocentista. É verdade que anos mais tarde, segundo o testemunho de Miguel Calmon du Pin e Almeida, nas páginas do seu *Ensaio sobre o fabrico do açúcar*, de 1834, vários senhores de engenho adotaram os métodos divulgados por Melo, garantindo assim uma sobrevida para a sua produção. Apesar disso, o balanço das melhorias tecnológicas na agricultura baiana da época apresentou um quadro bem mais marcado pela inércia e pelos fracassos do que por ousadias e acertos, inclusive no que se referiu à queima do bagaço nas caldeiras dos engenhos.[91]

Entre minas e florestas

Apesar da riqueza política e intelectual dos conflitos que foram travados na Bahia, não se pode dizer que esse tenha sido um momento único de sofisticação teórica na tradição original da crítica ambiental brasileira. Na capitania de Minas Gerais, no ano de 1799, foram publicadas duas obras igualmente importantes, tanto em termos de conteúdo quanto de qualidade literária. A primeira foi a "Memória sobre a capitania de Minas Gerais", de José Vieira Couto, e a segunda, em parte já discutida no capítulo anterior, foi o *Discurso sobre o melhoramento da economia rústica no Brasil*, de José Gregório de Moraes Navarro.

Vieira Couto, que nasceu no Arraial do Tijuco e estudou filosofia e matemática em Coimbra, escreveu seu trabalho com o objetivo explícito de discutir a decadência da mineração e as formas de reanimá-la. Essa decadência, segundo o autor, derivava mais que tudo da incompetência técnica. O desenvolvimento de uma "arte metalúrgica nacional", com o uso de máquinas e tecnologia moderna, poderia reanimar aquela produção, já que ainda existiam minérios em quantidade para serem explorados ("os montes estão só arranhados e não temos lavrada uma parte dos rios"). Para executar esse processo de renovação produtiva, seria necessário adotar três grandes medidas: diversificar a economia mineral, dando maior atenção ao potencial de exploração do ferro e ao estabelecimento de fundições; abolir os dias santos, incentivando uma ética de trabalho contínuo; e opor-se às derrubadas das matas nos arredores dos povoados.[92]

Uma outra medida fundamental seria melhorar o sistema de transportes para o escoamento da produção. Para isso seria necessário, em primeiro lugar, utilizar as vias naturais representadas pelos rios Doce, Jequitinhonha e São Francisco, construindo-se canais de ligação entre elas e o litoral. Em segundo lugar, seria preciso construir novas estradas em substituição às existentes, que encontravam-se em péssimas condições. Por fim, seria importante inovar os meios de transporte, apelando-se para animais até então estranhos no Brasil. O autor mencionava o búfalo africano e o camelo ("este animal tão útil, este bom e verdadeiro escravo do homem ... que faz a felicidade do árabe, seria também para nós um dom do céu"). Outra opção, dessa vez nativa, seria a anta dos matos, que poderia ser utilizada como animal de carga. Contra os que consideravam essas idéias quimeras, o autor objetava que era preciso ser criativo, e que no extremo norte da América até mesmo cães estavam sendo utilizados no transporte de pessoas e cargas. Uma última medida, complementar a todas as outras, seria a de aliviar os produtores dos interesses régios, ou mesmo estimulá-los com isenções e privilégios, de forma a promover o progresso econômico da capitania. Esse apoio seria compensado, no futuro, pelo aumento na arrecadação e do erário, como conseqüência do enriquecimento da população.[93]

O ponto mais importante, para efeito do presente livro, relacionou-se com o tratamento das florestas. Vieira Couto não foi capaz de perceber, ou evitou conscientemente fazê-lo, os problemas ambientais derivados da mineração (que chegaram a ser detectados, como vimos, por Eloi Ottoni e Azeredo Coutinho). No que se refere à questão agrícola e florestal, entretanto, seu diagnóstico foi dos mais eloqüentes. Acusou o agricultor brasileiro de bárbaro, assolando as matas com o machado em uma mão e o tição em outra; mas a continuidade da sua descrição apresentou outros elementos de grande interesse:

> O agricultor olha ao redor de si para duas ou mais léguas de matas, como para um nada, e ainda não as tem bem reduzido a cinzas já estende ao longe a vista para levar a destruição a outras partes. Não conserva apego nem amor ao território que cultiva, pois conhece mui bem que ele talvez não chegará a seus filhos. A terra, da sua parte, não se ri para ele, nem o gracioso ondear das louras espigas lhe alegra a vista. Um áspero campo, coberto de tocos e espinhos, compõe os seus amenos ferregiaes.[94]

Esse texto, com seu tom poético e arcadista, representou uma das mais belas tentativas de captar a psicologia do agricultor no Brasil colonial, dominado pela sensação da fronteira aberta e pelo nomadismo das queimadas. O desprezo pela paisagem natural, comentado acima, aparece claramente na visão da floresta como "um nada". E também a falta de amor à terra, a simpatia por uma lavoura feia e áspera. Vieira Couto desenha um agricultor cujo olhar está sempre voltado para o "longe", sem sentido de permanência diante de uma cultura que "não chegará a seus filhos".

A continuação do raciocínio, porém, revela que a preocupação do autor não era apenas com o aspecto subjetivo dessa realidade, mas principalmente com as suas conseqüências políticas. O mau método de cultivar a terra trazia consigo efeitos perniciosos para a população e o Estado. A agricultura era pouco diversificada, calcando-se apenas em quatro sementeiras (milho, feijão, arroz e mandioca). Como resultado das queimadas, a lenha e as madeiras de construção já começavam a faltar nos lugares mais povoados, de modo que o preço da lenha no Tijuco já era igual ao de Lisboa e a madeira de construção estava sendo buscada há mais de dez léguas de distância.

A resultante mais grave desse processo estava na possibilidade de a falta de madeiras vir a obstaculizar o potencial de renovação e incremento na extração das riquezas metálicas. A indústria de fundição necessitava de muita madeira de construção, carvão e lenha; o distanciamento das reservas disponíveis poderia inviabilizá-la. O autor chegou a observar "riquíssimas veias e camadas de excelente ferro" que "jamais virão a ser úteis a ninguém pela distância da lenha". A solução para o problema estava em proibir os cultivadores de derrubar e incendiar a metade dos matos virgens que estivessem em lugares distantes e a totalidade dos que estivessem nos arredores dos povoados. Essa política traria grandes benefícios para a sociedade e para a própria agricultura. A partir dela os lavradores "se veriam constrangidos pouco a pouco a lavrar e estrumar as terras". Com isso, "o restante dos matos se conservariam em utilidade sua, dos seus próprios filhos e do Estado". As propriedades "ficariam mais permanentes, a povoação fixa e não errante, a agricultura tomaria uma melhor face, e se promoveria enfim para que esta falta de lenhas e madeiras não venha a ser mais funesta para o futuro à ereção das nossas fundições e também ao público".[95]

Mas a seqüência das reflexões de Vieira Couto logo se tornam surpreendentes, se as comparamos com o *ethos* do ambientalismo contemporâneo. Após escrever o contundente protesto contra a destruição florestal transcrito acima, e fazer tantas sugestões em favor de um trato mais benéfico da terra, o autor apresenta da seguinte maneira a sua utopia para o futuro da capitania:

> Parece-me que já vejo um novo horizonte, um novo céu: milhares de fornalhas cobrem as planícies, que levantam espessos rolos de fumo às nuvens. Os montes já são minados, e por uma boca estreita vomitam as suas ricas entranhas. O

estrondo de mil máquinas fere os meus ouvidos, um povo laborioso, contente e alegre cobre em bandos a superfície da terra.[96]

O impacto que esse texto causa não é gratuito. O que parece ser o pesadelo do ambientalista atual — chamam atenção os "espessos rolos de fumo" e o "estrondo de mil máquinas" — aparenta ser o paraíso do antigo crítico ambiental. Em poucas passagens revela-se com tanta clareza um fato já mencionado e que retornará constantemente: na tradição original da crítica ambiental brasileira, a destruição do meio natural não era vista como um preço do progresso, mas sim como um preço do atraso. O avanço tecnológico não era entendido como uma ameaça ambiental. O que realmente degradava e destruía a paisagem era a permanência de práticas arcaicas e ignorantes, como a agricultura de queimadas, que poderiam ser superadas através de novas tecnologias e de utopias modernizantes.

É verdade que raras vezes essas utopias foram tão explicitamente industrialistas quanto nesse texto. Elas se referiam, em geral, à criação de uma moderna sociedade rural. Pode-se argumentar, além disso, que a visão positiva do industrialismo em Vieira Couto não chegou a ser propriamente uma avaliação, o resultado de uma experiência vivida. Trata-se de uma imagem idealizada e desencarnada do mundo industrial, que provavelmente seria modificada se o autor tivesse a oportunidade, que outros tiveram, de observar diretamente o impacto da cidade industrial européia sobre o meio ambiente.[97] Mesmo se aceitarmos esse ponto de vista contrafactual, não resta dúvida de que o texto permanece muito significativo, inclusive por perceber a existência da nova paisagem social que estava sendo gestada pela Revolução Industrial. Mais do que uma defesa racional e ponderada dessa paisagem, o que o texto revela é uma vontade de progresso, uma adesão ao rumo da modernidade.

Em outro trabalho do autor, a *Memória sobre as minas da capitania de Minas Gerais*, de 1801, aparece uma utopia semelhante, mas sem recorrer à imagem do mundo industrial. Ao navegar de canoa pelo rio São Francisco, ao mesmo tempo em que se deleita com as "belíssimas matas" e o "rio fertilíssimo em mil gêneros de produções", o autor se pergunta pelo uso social daqueles tesouros: "Tanta necessidade e pobreza por toda parte e aqui desaproveitado tudo o que é preciso para fazer uma vida feliz." Imagina então que "eras virão" quando "os povos correrão em chusmas sobre estas ribanceiras", os altos barrancos "serão decorados de frutíferos jardins" e as "vozes alegres de afortunados habitantes" retumbarão onde hoje "reina profundo silêncio, de vez em quando somente interrompido de feios roncos de tigres".[98] A grandeza do mundo natural nunca era vista de modo isolado, mas sim em conexão com o progresso humano.

Também no *Discurso* de Moraes Navarro estará presente esse otimismo modernizante, apesar de passar ao largo do industrialismo e assumir uma feição explicitamente rural. É difícil entender esse otimismo, no entanto, quando lembramos que foi Navarro quem percebeu com maior profundidade, no Brasil de sua época, a dimensão universal da crise no relacionamento entre a humanidade e a Terra. Como conciliar essa postura crítica com a filosofia otimista da história adotada no restante do seu texto? Penso que essas duas dimensões, na verdade, não chegaram a ser conciliadas pelo autor, permanecendo como uma tensão teórica, ou mesmo uma contradição, ao longo das suas reflexões.

A chave para entender essa tensão encontra-se na posição ambígua por ele adotada diante da irreversibilidade do colapso ambiental. Navarro parte do princípio, bastante comum na cultura iluminista, de que as sociedades passam por etapas semelhantes de evolução histórica. O Brasil encontrava-se na sua infância em relação a Portugal. Também no caso da metrópole, como agora ocorria na colônia, os primeiros povoadores tenderam a destruir a fertilidade da terra. Eles não sabiam, naquela época, "dar aos frutos naturais da terra o seu justo valor" e distinguir "as sementes próprias para cada terreno", e por esse motivo terminavam por privar a paisagem "de todas as árvores que a cobriam, sem exceção daquelas que produziam os mais belos frutos". Com o tempo, tendo acabado os terrenos disponíveis para abrir novas povoações, os portugueses, especialmente no Alentejo, começaram a aprender as lições da experiência, vendo-se "obrigados a cultivar melhor aqueles que habitavam e a conservar com cuidado os restos daqueles arvoredos que inconsideradamente destruíram". A exploração econômica de algumas árvores, como os olivais e os castanheiros, "que escaparam ao ferro e ao fogo dos seus maiores", passou a constituir um importante ramo do comércio. Para Navarro, divergindo da opinião de outros observadores do final do século XVIII, como Baltasar da Silva Lisboa, a agricultura de Portugal encontrava-se agora em boa condição produtiva.[99]

O aspecto essencial a ser observado é o da existência em Navarro de um pressuposto teórico que produz grande ambigüidade, reduzindo a coerência do seu raciocínio. Trata-se da afirmação, quase dogmática, de que "a terra, apesar de sua antigüidade, não perde nunca o seu vigor". Dessa forma, mesmo com o acúmulo de maus-tratos no passado, a partir do momento em que os homens decidissem mudar o seu comportamento destrutivo, existiria sempre a possibilidade de recuperar a saúde do ambiente.

O problema é que, em outras passagens do *Discurso*, existem afirmações que parecem contradizer esse pressuposto. Ao comentar o comportamento dos colonos brasileiros, por exemplo, ele realizou o exercício de supor, "como é provável", que eles não mudariam a sua conduta, seja porque "o seu mau hábito os arrasta", seja por preferirem "o seu interesse particular e aparente ao interesse público, real e verdadeiro". Nesse caso, o futuro do país seria nefasto, pois teria "as suas riquezas naturais perdidas, ou muito diminuídas, e os homens finalmente reduzidos a cultivar a terra que tão injustamente abandonaram, e a conservar as árvores que existirem, porém de muitas não terão já nem a semente".[100] Esse prognóstico já era uma realidade em muitas partes do Brasil, pois "corram-se as vizinhanças das grandes povoações da capitania de Minas Gerais, e procure-se em todas elas algumas daquelas preciosas árvores que faziam em outro tempo o seu mais belo ornamento, e não se achará nem os sinais da sua antiga existência". Ora, o que está sendo dito é que a destruição pode ser irreversível, já que muitos exemplares da biodiversidade local estavam extintos para sempre. A capacidade de recuperação da natureza, dessa forma, não era tão completa assim.

Em uma passagem importante do seu *Discurso*, Navarro tentou enfrentar, sem grande sucesso, a essência dessa ambigüidade. Discutindo a ação empreendida pelos colonizadores até aquele momento, ele admitiu que, apesar do comportamento destrutivo, várias tarefas civilizatórias haviam sido realizadas:

> Dirão que esta conduta dos homens do Brasil é muito útil e proveitosa, porque sem ela não se poderia tirar nenhum proveito daqueles imensos bosques, habitação oculta dos bichos e feras; não se conheceria a grande variedade de árvores e ervas, nem os seus préstimos e virtudes; não se descobririam os ricos tesouros que a terra oculta no seu seio; não se civilizaria as nações bárbaras, que ali nasceram; não se aumentaria o comércio interior e exterior daqueles vastos domínios.[101]

Mais ainda, era possível alegar, "segundo o nosso princípio mesmo", que não importava que os "homens por algum tempo a esterilizem" (referindo-se à terra). Pois quando chegasse o momento em que eles não mais tivessem "novos terrenos que voluntariamente lhes ofereçam as suas naturais produções"; depois de "povoarem toda a terra", de "extinguirem a raça dos animais ferozes e dos bichos venenosos" e de "civilizarem os povos criados entre as feras", eles poderiam simplesmente se valer "dos meios que a necessidade e a indústria mostrar serem os mais convenientes para ressuscitar na terra a sua antiga fertilidade". Ocorre que a lógica desse raciocínio suscitava uma pergunta bastante óbvia: por que então preocupar-se com a destruição ambiental que ocorria no Brasil, pelo menos naquele momento da sua evolução histórica? Navarro tentou responder essa questão "seguindo um meio termo". A resposta, de fato, veio através de outra pergunta: os brasileiros "não poderiam conseguir todas estas vantagens sem se privarem de outras muitas que por sua culpa vão perdendo, e que os seus descendentes não poderão, inda que queiram, reparar?"[102]

A inconsistência dessa pergunta salta aos olhos. Navarro acreditava que era possível seguir um caminho mais benéfico na relação com o ambiente natural, através do qual seria viável que os homens obtivessem as vantagens do progresso sem abrir mão de outros benefícios importantes que "por sua culpa vão perdendo", inclusive a capacidade de os seus descendentes repararem os males da degradação ambiental, caso assim o desejassem. Por não conseguir formular uma teoria da irreversibilidade do colapso ambiental, no entanto, o autor não consegue produzir uma argumentação decisiva em favor do abandono do padrão destrutivo. A lógica dessa mudança teria que fundamentar-se na impossibilidade de esse padrão sobreviver ao longo do tempo, e também na sua capacidade para inviabilizar, a partir de certo grau de destruição, a possibilidade de construir uma alternativa benéfica. Esse ponto não fica claro no texto, sendo apenas indicado sob a forma de algumas vantagens perdidas que os "descendentes não poderão, inda que queiram, reparar". Não fica evidente, afinal, o que os homens perderiam se adiassem indefinidamente a mudança de padrão produtivo (confiando na eterna disposição benéfica da terra).

A não-ruptura com o paradigma otimista da filosofia iluminista da história, a incapacidade para assumir uma visão do futuro que admitisse a possibilidade da catástrofe e da irreversibilidade das perdas ambientais, prejudicou a coerência da reflexão político-ambiental de Navarro, em outros aspectos notável pela sua perspicácia e alcance de visão. De toda forma, essa contradição entre o otimismo progressista da modernidade e o pessimismo potencial da crítica ecológica, que alguns preferem chamar de "realismo ecológico", continua presente no debate intelectual e na cena política do mundo contemporâneo. O *Discurso* pode ser incluído, dessa forma, nos primórdios do enfrentamento teórico de um dos dilemas básicos da humanidade atual.

"Pelas mãos dos escravos desgraçados"

Para concluir a análise dos primeiros delineamentos históricos da crítica ambiental brasileira, é necessário fazer um destaque especial para dois autores: Antônio Rodrigues Veloso de Oliveira e João Severiano Maciel da Costa. Esse destaque não se deve ao fato de ambos terem dedicado especial atenção ao problema ambiental, ou terem feito sugestões particularmente inovadoras. A importância de sua obra esteve na capacidade de formular, mesmo que de maneira inicial, a percepção básica que marcou a melhor parte da reflexão posterior: o vínculo entre o fim do escravismo e a superação da destruição ambiental. É verdade que elementos dessa percepção já vinham se delineando em autores como Vandelli, Baltasar da Silva Lisboa e Moraes Navarro. Em Veloso e Maciel da Costa, no entanto, ela apareceu de forma um pouco mais aprofundada, para atingir sua formulação mais perfeita, alguns anos depois, nos escritos de José Bonifácio.

Os autores do final do século XVIII, como vimos, começaram a apontar o domínio do trabalho servil como uma das principais causas da rudeza e ineficiência da agricultura brasileira, impedindo a emergência de uma classe de agricultores consciente, laboriosa e diretamente envolvida com o melhoramento tecnológico e administrativo da sua atividade. Baltasar Lisboa, além disso, foi corajoso em suas críticas contra a violência e a desumanidade no trato com os escravos, apontando para as conseqüências econômicas desse fato, na medida em que afastava os cativos de qualquer tipo de solidariedade com a sorte econômica dos seus senhores. Mas nenhum desses intelectuais chegou a defender o fim do escravismo ou, pelo menos, o fim do tráfico. Vozes nesse sentido apenas começaram a aparecer nas primeiras décadas do século XIX.

Antônio Veloso de Oliveira formou-se em direito na Universidade de Coimbra, tendo trabalhado depois como desembargador na Ilha da Madeira, no Maranhão e no Paço Imperial do Rio de Janeiro. Escreveu dois trabalhos, em 1810, onde apresentou suas reflexões sobre a realidade social e econômica do país: a "Memória sobre a agricultura no Brasil" e a *Memória sobre o melhoramento da província de São Paulo*. O que vamos encontrar nesses trabalhos, na verdade, é uma espécie de síntese das críticas e propostas progressistas sobre a vida rural brasileira que já vinham se desenhando anteriormente. Seu repertório de medidas repetiu vários dos pontos mencionados nas páginas anteriores, mas a vontade política de romper com o passado manifestou-se aqui de maneira bem mais explícita.

O "sistema colonial", sobre o qual o Brasil se formou, havia sido "três vezes pior que o feudal nos tempos funestíssimos de sua maior degeneração". Por esse motivo, "tudo se acha por fazer, porque não é bom o que se acha mal feito". Enquanto esse sistema "pesar sobre os povos desse clima, e lhes servir de regulador, debalde se instituirão discussões sobre a fortuna pública e individual, porque ela não há de existir". É importante lembrar que o autor escreveu no contexto posterior ao estabelecimento da Corte no Rio de Janeiro, em 1808, quando o soberano "destruiu o antigo sistema colonial, cuja fraqueza organizara e a necessidade conservara", substituindo-o por "uma honesta liberdade de cultivar com proveito os desertos até agora inúteis".[103]

Essa última sentença já é suficiente para indicar que Veloso de Oliveira, assim como os seus predecessores, não admitia a natureza como um valor intrínseco, que se bastava a si mesma. Ela possuía um valor político cuja realização dependia da qualidade do seu uso. E as atividades produtivas no Brasil não atendiam a esse requisito. A agricultura, base da economia, estava entregue nas mãos de "cegos ignorantes", precisando de uma urgente reforma, que teria que passar tanto por mudanças mais imediatas quanto por transformações estruturais mais profundas.

Entre as mudanças mais imediatas estava a necessidade de diversificar a agricultura pela valorização de espécies nativas (como a bananeira*, o pequi e a jabuticaba) e pela aclimatação de exóticas (como o cacau, o café, o anil e o cânhamo). As frutas tropicais poderiam ser aproveitadas na produção de vinhos. Novos rebanhos de animais domésticos deveriam ser introduzidos, incluindo os búfalos, as lhamas, as vicunhas, as ovelhas e, de novo, os camelos — "estes animais sóbrios, doces e forçosos, chamados vulgarmente de navios do deserto" —, que poderiam ser buscados no Senegal e no Gabão. Incentivos para introduzir o uso do arado, da charrua, da grade e de outros instrumentos agrícolas eram aconselháveis, assim como a pesca e a extração do sal. Também se devia apoiar o estabelecimento de fábricas, manufaturas, forjas e ferrarias, utilizando-se as ovelhas para alimentar uma indústria de lanifícios semelhante à inglesa. A vontade de d. João VI, segundo o autor, era romper com a proibição anterior de que no Brasil se estabelecessem as "preciosas e ricas produções da indústria". Para permitir a circulação de todos esses produtos seria necessário estabelecer uma nova rede de transportes, construindo-se estradas e liberando-se a navegação fluvial interna.[104]

O aspecto mais complexo do seu projeto reformista, no entanto, estava na promoção de mudanças estruturais. A primeira dessas mudanças passava por um processo de divisão das terras. Veloso de Oliveira não chegou a fazer, como mais tarde José Bonifácio, uma crítica radical do latifúndio e uma pregação em favor da reforma agrária. Ao contrário, considerava que, no contexto do Brasil, as propriedades deveriam ser, em geral, grandes. Só assim seria possível lançar "sementes de povoação por toda parte", de forma a aumentar o conhecimento do território, defendê-lo de invasões externas e promover o comércio interno. Apesar de o sistema original de sesmarias ter essa mesma intenção, ele não vinha sendo cumprido condignamente. As terras, em sua maior parte, estavam mal cultivadas, abandonadas e inúteis, sendo que muitos dos seus senhores viviam nas cidades, abandonando sua cultura a feitores despreparados. Era necessário, por esse motivo, aumentar com o tempo a divisão da terra. O melhor método para isso seria uma combinação de vendas, heranças e, principalmente, a promoção de diversas modalidades de parceria.[105]

A segunda e a terceira mudanças estavam no aumento da povoação e na promoção da instrução pública. A povoação deveria ser feita através de dois movimentos: a incorporação dos índios à sociedade nacional e o incentivo à

* O autor cita com grande orgulho a afirmação do sábio Humboldt, no tomo 3 do seu *Ensaio político sobre o reino da Nova Espanha*, de que dificilmente existiria no globo uma outra planta semelhante à bananeira, que "em um pequeno espaço de terreno pudesse produzir uma massa de substância nutriente tão considerável".

imigração dos europeus que ansiavam por fugir das guerras posteriores à Revolução Francesa. Apenas com a pacificação dos índios, por exemplo, seria possível "conquistar dois ou três milhões de vassalos", transformando-os em cidadãos produtivos. No caso da instrução seria preciso disseminar escolas públicas, assim como criar academias de agricultura nas diferentes regiões. A missão dessas últimas seria "regular as espécies de grãos, pastos e árvores que poderiam prosperar mais nos diferentes lugares". Outra sugestão do autor era o aproveitamento da rede de párocos que já existia no país, devendo ser treinada para o ensino das ciências naturais.[106]

Mas foi essencialmente na defesa da quarta grande mudança que Veloso de Oliveira assumiu uma postura corajosa e inovadora. Ele ousou afirmar explicitamente que "nunca desfrutaremos estes bens [do progresso] enquanto os nossos trabalhos agrários forem feitos pelas mãos dos escravos desgraçados". Os cativos eram trabalhadores de todo inadequados, pois não se moviam "mais do que pela força", eram dispendiosos e possuíam um curto tempo de vida. Além disso, no que talvez fosse o fator mais importante para o autor, eles não eram educáveis para uma nova agricultura, pois não tinham pátria, família, propriedade ou interesses particulares, fazendo "consistir a sua felicidade na inércia, no ócio e melhor ainda no sono que os torna indiferentes à sua triste condição". A experiência norte-americana demonstrava "as vantagens da cultura feita por brancos, eu diria simplesmente por homens livres, porque o acidente das cores nada influi nessa matéria".

O escravismo representava para o país a "origem certíssima de males incalculáveis". Não era mais suficiente condená-lo em termos vagos; o melhor para o Brasil seria "extinguir a escravidão pouco a pouco", começando com a liberdade para os filhos de escravos nascidos no Brasil. Esses deveriam permanecer até os 25 anos na casa dos senhores, trocando o seu trabalho pela instrução em um ofício. Também se deveria incentivar que os escravos comprassem a sua liberdade. A mão-de-obra que fosse perdida com o fim do escravismo, de toda forma, poderia ser reposta através da imigração de europeus pobres e de asiáticos. Era preciso, portanto, criar um Banco da Povoação, que fosse capaz de incentivar a incorporação desses migrantes como parceiros ou colonos.[107]

A crítica ambiental, como é de se supor, não estava ausente das análises do desembargador. Mas é preciso reconhecer que sua abordagem do tema foi bastante ambígua. Ao falar da província de São Paulo, por exemplo, o autor era capaz de deleitar-se com "os muitos e caudalosos rios que regam o seu belo terreno, todos bordados de preciosas madeiras e variados frutos" e de afirmar que nela "o homem frugal e moderado desfruta em quase todos os lugares dos doces prazeres da natureza".[108] Em outra passagem, comentando a agricultura dos antigos gregos, afirmou que necessitam as árvores e arbustos, a cultura em geral, e a criação dos gados, em qualquer situação do globo, aquela mesma proteção que em Atenas acharam as oliveiras de Pedion ... Os areopagitas examinavam pessoalmente o estado dos bosques e conservavam cuidadosamente o registro destas árvores consagradas a Minerva. E quando alguma pessoa era surpreendida no fato criminoso de destruir um só tronco, eles a castigavam com todo o rigor. E não devemos imitar exemplos que por velhos serão sempre mui respeitáveis?[109]

Diante de uma afirmação como essa, fica ainda mais surpreendente o que lemos em outra parte do mesmo livro, quando o autor alega que a atividade madeireira seria necessária para "desbaratar as terras de arvoredos inoportunos e até agora inúteis" e que as florestas eram "um tesouro que a natureza nos deu na maior abundância para todos os nossos usos ... e não deve ficar inútil por mais tempo". Essa aparente ambigüidade manifestava a tensão existente entre os dois objetivos que, simultaneamente, dominavam a visão política daqueles autores: a conquista produtiva do meio natural e a sua defesa contra as tendências destrutivas da ação humana. Não era fácil mover-se nesse universo e manter uma perfeita consistência teórica. A conservação do mundo não-humano por si mesmo, como já foi dito, não era um valor central. Veloso de Oliveira propôs, por exemplo, um esforço coletivo para extinguir as formigas, já que "exige o bem geral da agricultura que se remova tão prejudicial impedimento ao seu feliz progresso", mas, de maneira geral, as posições do autor foram majoritariamente em favor da conservação e do uso cuidadoso dos recursos naturais — apesar de esse objetivo estar atenuado, em algumas partes dos seus escritos, pela visão do Brasil como um espaço de grande abundância, onde as matas "por si mesmas e sem necessidade de cultura se reproduzem já das sementes caídas das grandes árvores, já dos próprios troncos depois de cortados, e chegam no espaço de trinta anos a grande perfeição".[110]

Mesmo assim, ao comentar os contratos de parceria no uso da terra, ele afirmava que esses deveriam ser sempre de longa duração — pelo menos 80 a 90 anos —, pois a experiência mostrava que "nos arrendamentos de pouco tempo os rendeiros só querem desfrutar, e por isso destroem as terras e não fazem benfeitorias cujos frutos deveriam realizar-se findo o tempo dos seus contratos". Era fundamental também que os rendeiros recebessem um claro certificado de domínio sobre as suas terras. O autor insurgia-se, por exemplo, contra o direito de extratores de madeira licenciados pela Coroa entrarem nas propriedades para extrair os "chamados paus reais", sem autorização dos proprietários ou arrendatários. Essa prática era danosa inclusive do ponto de vista ambiental, pois "bem sabido é que o corte e a condução de um só desses paus importa a perda e o estrago de muitos centos, todas as vezes que a operação é feita por pessoas de quem é indiferente a conservação dos bens alheios". A autorização de venda das madeiras para o serviço público pelos próprios proprietários lhe parecia a medida correta, podendo mesmo se tornar "um meio bem apropriado para a conservação das matas e a criação das melhores árvores, que agora destroem industriosamente os lavradores porque não têm conveniência em conservá-las, e só divisam perda na posse dessa espécie de propriedade".[111]

Apesar de criticar a atuação predatória dos madeireitos licenciados pela Coroa nas terras particulares, o autor não se opunha à criação de reservas florestais na beira dos rios para a realização dos Reais Cortes. No caso da província de São Paulo, onde advogava maior liberdade de exploração florestal, incluindo a produção de madeiras, móveis, resinas, tintas e óleos, ele advertia que "muitos rios se acham reservados para o corte privativo em benefício da Armada Real". Os que estavam franqueados ao uso particular, porém, eram mais do que suficientes para a exploração comercial. Mesmo assim era preciso praticar a arboricultura, cultivando-se todos os tipos de árvores e arbustos indígenas ou aclimatados. As árvores frutíferas, além disso, deveriam ficar livres de corte, pois "o interesse público exige da maneira mais positiva" que elas "fiquem salvas do insulto dos machados e que o corte delas seja um fato rigorosamente punível".[112]

Outro autor que associou a crítica ambiental e a crítica do escravismo foi João Maciel da Costa, mencionado acima. Após exercer as funções de desembargador do Paço e de governador civil da Guiana Francesa entre 1810 e 1817 — período em que esta foi ocupada pelas tropas de d. João VI —, esse doutor de Coimbra resolveu publicar em 1821, nas vésperas da Independência, uma "Memória sobre a necessidade de abolir a introdução dos escravos africanos no Brasil". A condenação do trabalho servil apareceu nesse texto de forma bem mais elaborada do que em Veloso de Oliveira. Nele estava presente, por exemplo, a idéia de que o escravismo era ofensivo à humanidade, contrariando o princípio de que os homens nascem livres. O eixo da discussão, entretanto, não estava no humanismo ético, e sim no argumento político da defesa do país contra o escravismo. O aspecto humano do problema, na verdade, foi atenuado por uma demonização da África, descrita como um território de selvageria, guerra e despotismo. Em relação ao seu lugar de origem, portanto, a vida dos escravos africanos no Brasil não era tão horrível quanto faziam crer os publicistas. A política inglesa contra o escravismo, por outro lado, era criticada por se basear em uma falsa filantropia, subjacente à qual estava um conjunto de interesses pragmáticos que o autor analisou de forma bastante lúcida.[113]

O fim do trafico deveria ser visto como uma necessidade política interna, e não como o resultado de uma pressão externa. Três motivos básicos tornavam a escravidão africana incompatível com o progresso do Brasil. Em primeiro lugar, pelos riscos que colocava para a segurança do Estado. Ela produzia uma massa popular estrangeira no país, "desligada de todo vínculo social e, por sua mesma natureza e condição, inimiga da classe livre"; os acontecimentos do Haiti mostravam o enorme potencial de perigo presente nessa realidade, agravado à medida que a população escrava crescia e espraiava-se geograficamente.

O segundo motivo estava no impacto deletério do escravismo sobre a sociedade brasileira. No Brasil, "por efeito do maldito sistema de trabalho por escravos", a população era composta de tal maneira que não havia "uma classe que constitua verdadeiramente o que se chama povo, e este defeito deve infalivelmente influir muito no método de governo". A formação de uma "cadeia bem tecida de cidadãos de diferentes classes e condições, os quais trabalhando ... cada um na sua esfera ... concorrem quase sem o saberem para o bem geral" — uma definição fortemente influenciada pela economia política liberal, como se pode ver — estava sendo abortada no país por conta das distorções geradas pelo trabalho forçado. Além disso, numa manifestação do racismo que impulsionou parte do sentimento abolicionista no Brasil do século XIX, existia o claro risco do "abastardamento total da bela raça de homens portugueses, confundida com os imensos africanos". Existia, na verdade, o risco de que "este magnifico império de tal sorte se inunde com a raça deles que com o rodear dos anos venha ... a confundir-se com a África". É verdade que, em uma nota de pé de página, Maciel da Costa procurou mitigar essa afirmação, declarando que "o africano pode ser tão homem de bem como os americanos, os asiáticos e os europeus, e muitos se conhecem excelentes, mas conserve-se cada um na esfera que lhe coube a sorte".[114] *

O terceiro motivo apresentou o argumento mais importante para efeito deste livro, pois expressou a crença de que não seria possível fazer avançar economicamente uma sociedade calcada no trabalho servil. O desenvolvimento da agricultura, da indústria e da mineração, o progresso enfim, estava sendo inibido pelo domínio do escravismo. A monocultura exportadora, estreitamente ligada ao sistema escravista, provocava uma falsa prosperidade, pois fragilizava a capacidade nacional para a subsistência. É no contexto dessa crítica à monocultura que a questão ambiental foi invocada, pois sua continuidade provocaria efeitos nefastos na paisagem. Comentando a lavoura do algodão no Nordeste, por exemplo, Maciel da Costa afirmou que:

> Uma caterva de vagabundos ... tem feito uma calamitosa irrupção contra matas riquíssimas e as tem devastado para fazerem roçados que abandonam depois das

---

* Os sentimentos racistas de Maciel da Costa influenciaram sua prática política posterior à Independência. Na Assembléia Constituinte de 1823, por exemplo, ele foi fortemente contra a concessão de cidadania brasileira aos escravos africanos libertos (cf. J.H. Rodrigues, *A Assembléia Constituinte de 1823*, p.133.).

primeiras colheitas. Madeiras de construção, de marcenaria, de tinturaria preciosas, como a do pau-brasil, têm sido derribadas e condenadas ao fogo pelas bárbaras mãos da populaça em uma imensa extensão e em todas as capitanias, principalmente nas de Pernambuco e Paraíba do Norte. São raros os cultivadores que escolhem terreno, nele se fixam e procuram tirar dele, por meio do estudo e da experiência, o partido possível; os mesmos que obtêm sesmarias, enquanto há matas que derribar, fazem todos os anos novos roçados ... E essa agricultura (se tal nome merece) grosseira, vagabunda e devastadora será porventura a que nos convém e a que devemos proteger tão absoluta e indistintamente? Ninguém o dirá.[115]

A continuidade desse sistema transformaria o rico território brasileiro em uma realidade de "aspecto cadavérico". Os problemas da agricultura eram inseparáveis dos males do escravismo, razão pela qual era "um dever imperioso da política proscrever esse sistema perigoso e ocupar-se em buscar os meios adequados para chegar a uma sólida prosperidade". A superação gradual do trabalho escravo abriria espaço para a construção de uma agricultura e de uma indústria diversificadas e eficientes.

O que se precisava, de fato, era de uma inversão de rumos. Maciel da Costa valeu-se de uma leitura política da "interessante obra do professor Malthus" para defender o ideal de uma agricultura diversificada de cereais e legumes, voltada primeiramente para o atendimento das necessidades alimentares da população (a "subsistência nacional"). O açúcar, o café e o algodão, ao contrário, "podem produzir dinheiro, mas não servem de alimento". A "imoderada tendência para a agricultura quase exclusiva dos gêneros de comércio externo" gerava um abandono dos "víveres necessários à vida". Tal situação configurava um quadro de dependência externa e um risco de fomes devastadoras diante de qualquer "acidente na regularidade das estações". O cenário agrícola brasileiro, com "milhões de braços ocupados em ... alimentarem o luxo esquisito e as manufaturas da Europa", parecia aos olhos do autor uma "das maiores extravagâncias". Essa vontade de autonomia, que mais tarde será retomada por José Bonifácio, implicava também o melhoramento dos métodos produtivos, gerando uma dinâmica favorável à "perfeição da agricultura" e a criação de um povo "ligado à terra pelo amor ao trabalho e ao suor nela derramado". Essa era a forma correta de estabelecer uma "população mais sólida e vigorosa", como se podia observar no exemplo europeu.[116]

Toda essa transformação apenas seria possível com a abolição gradual do trabalho escravo, no intervalo de tempo que fosse necessário para não arruinar a economia do país. Mas desde agora era fundamental melhorar as condições de vida dos escravos e promover o estabelecimento de novas e melhores opções de mão-de-obra, através da instrução dos trabalhadores livres e pobres, da incorporação dos indígenas e do estímulo à vinda de imigrantes. Com o fim do tráfico — "cessando a facilidade extrema que há entre nós de cultivar os gêneros comerciais, porque nada mais é necessário do que comprar negros, abater matos, queimar, plantar e colher" —, é provável que "os capitalistas procurariam novo emprego a seus fundos e a indústria ganharia muito". Em diferentes províncias começariam a surgir fábricas específicas, que se complementariam através de um "mútuo comércio interno absolutamente livre e favorecido". O resultado de todo esse processo é que o "nosso vastíssimo continente" ganharia uma "nova impulsão e vida" e seus habitantes deixariam "de ser os colonos da Europa".

Eram opções como essas que apareciam no campo de visão de importantes personagens do debate político e intelectual da época. No ano seguinte ao da publicação do livro de Maciel da Costa, a conflituosa conjuntura política portuguesa precipitou a declaração de independência política do Brasil. Para vários dos autores que estive examinando, o surgimento dessa ruptura não-antecipada, e anteriormente não-desejada, pareceu abrir horizontes promissores e qualitativamente novos. E a tradição da crítica ambiental brasileira estava apenas nos seus primórdios.

CAPÍTULO 3

A profecia dos desertos da Líbia: Conservação da natureza e construção nacional no pensamento de José Bonifácio

Como, pois, se atreve o homem a destruir, em um momento e sem reflexão, a obra que a natureza formou em séculos, dirigida pelo melhor conselho? Quem o autorizou para renunciar a tantos e tão importantes benefícios? A ignorância, sem dúvida. ... Destruir matos virgens, nos quais a natureza nos ofertou com mão pródiga as melhores e mais preciosas madeiras do mundo, além de muitos outros frutos dignos de particular estimação, e sem causa, como até agora se tem praticado no Brasil, é extravagância insofrível, crime horrendo e grande insulto feito à mesma natureza. Que defesa produziremos no tribunal da Razão, quando os nossos netos nos acusarem de fatos tão culposos? Já nós com justificada causa argüimos os passados dos crimes a esse respeito cometidos.

José Bonifácio de Andrada e Silva, *Necessidade de uma academia de agricultura no Brasil*, c. 1821

É preciso preferir o gênero de cultura que mais aumenta a anual produção e ocupa maior número de braços. Deve-se evitar o mais que possível o gênero de cultura que deteriora a qualidade do clima. Deve-se preferir o gênero de cultura que conserva toda a atividade da terra. Devemos preferir o gênero de cultivação que fornece o preciso às necessidades físicas, ao menos até que este preciso esteja seguro cabalmente.

José Bonifácio de Andrada e Silva, *Notas sobre economia política*, s/d

Viagens filosóficas

A obra escrita de José Bonifácio é fonte de muitas surpresas para todo estudioso que tenha a oportunidade de examiná-la em primeira mão, ultrapassando a nebulosa de mitos e interpretações contraditórias que cerca a imagem do "patriarca da independência". Um dos pontos que surpreendem em sua obra é o da radicalidade para a época — e até para o momento atual —, de algumas das suas propostas de reforma social, especialmente se confrontadas com suas posições conservadoras, se bem que legalistas, no que se refere à organização do poder político. Um outro ponto que chama atenção é o da relevância por ele atribuída ao tema da relação entre as sociedades e os territórios, particularmente no sentido de apontar as conseqüências sociais negativas da destruição do ambiente natural.

Esta última postura, apesar da sua evidente atualidade, foi fortemente subestimada na literatura existente sobre a obra intelectual e política de Bonifácio. As preocupações do autor com a questão ambiental, principalmente com o problema do desflorestamento, foram tomadas pela grande maioria dos analistas como uma espécie de idiossincrasia, um aspecto periférico do seu pensamento político.[*] Uma análise mais cuidadosa, a meu ver, revela exatamente o oposto: estas preocupações não devem ser vistas como um detalhe, mas sim como um elemento básico e recorrente que acompanha seu pensamento desde a juventude. Tal constatação permite analisar Bonifácio a partir de novas chaves interpretativas, abrindo horizontes teóricos até então insuspeitos. Ela permite entender melhor a sofisticada formação intelectual do autor, assim como as premissas que embasavam algumas das suas principais propostas políticas. Para aprofundar esse tema é preciso examinar a constituição do seu pensamento, que é indissociável da sua própria biografia.

Apesar de ter nascido no Brasil, filho de uma família abastada de Santos, Bonifácio viveu a maior parte da sua vida na Europa. Em 1783, com 20 anos de idade, seguiu para a Universidade de Coimbra, onde realizou a primeira parte dos seus estudos superiores. Esses estudos ocorreram no contexto da universidade reformada e do círculo de influência de Vandelli[**]. No contexto desse círculo, ele logrou destacar-se em dois sentidos. Em primeiro lugar, pelo maior tempo de

---

* Wilson Martins, na sua *História da inteligência brasileira*, teve o mérito de enfatizar a importância da memória de Bonifácio de 1815 sobre os bosques, que será analisada adiante. Mas exagerou ao considerá-lo "precursor absoluto da ecologia, esta ciência supostamente nova" (vol.II, p.56).

** A estreita relação entre Bonifácio e Vandelli transformou-se mais tarde em uma ligação familiar. Sua filha mais velha casou-se com o filho do naturalista italiano.

permanência na Europa — seu retorno ao Brasil deu-se apenas em 1819, já com 56 anos, após um longo amadurecimento como acadêmico e administrador público em Portugal. Em segundo lugar pelo maior volume de possibilidades intelectuais a que teve acesso. Já foi mencionado o longo programa de estudos por ele realizado a partir de 1790, estendendo-se por países como França, Itália, Alemanha, Dinamarca, Suécia e Noruega. Um programa diretamente apoiado pelo governo português, que buscava novos saberes científicos e tecnológicos que ajudassem a revitalizar a produção de metais preciosos no Brasil. Não foi por acaso, portanto, que do grupo de três jovens promissores enviados nessa "viagem filosófica", para usar o belo termo da época, em busca de conhecimentos que pudessem ser úteis ao império, dois eram nascidos no Brasil: Bonifácio e Manuel Ferreira da Câmara. É significativo o fato de a indicação de Bonifácio ter sido feita pelo Duque de Lafões, um dos membros da elite política portuguesa que, a exemplo de Sousa Coutinho, apoiava a política de modernização e trabalhava com a hipótese da transferência da corte portuguesa para o Brasil.[1]

Para Bonifácio, de toda forma, esse programa representou uma ampla iniciação ao universo cultural das "luzes". Embora o eixo dos seus estudos tenha sido a mineralogia, ele foi levado a percorrer praticamente todos os campos do conhecimento, tanto nas humanidades quanto nas ciências naturais, a partir do princípio pedagógico iluminista segundo o qual a multiplicidade de matérias estudadas não fragmentava a inteligência, pois em todas elas se cultivava a razão como fonte única da energia do conhecimento.[2]

Foi no curso desse processo de formação, tanto em Portugal quanto em outros países, que Bonifácio começou a preocupar-se mais sistematicamente com o problema da destruição dos recursos naturais. É difícil precisar com exatidão a gênese dessa preocupação. No Brasil de sua juventude não faltavam exemplos para serem observados. Em sua "Memória sobre a pesca das baleias", de 1790, ele evocou "a lembrança das desordens que vi e observei em algumas das armações de baleias no Brasil". É significativo, porém, que na seqüência do texto ele tenha reconhecido que passou a lastimar essa lembrança assim que se viu "munido do estudo das ciências naturais".[3] Foi na Europa, portanto, que tais recordações começaram a ganhar um sentido crítico mais profundo. As lições de Vandelli certamente lhe transmitiram uma visão condenatória da destruição da natureza, assim como uma visão positiva do progresso econômico calcado na produção primária, em concordância com a doutrina fisiocrata.

Ao chegar à França, em 1790, Bonifácio passou a freqüentar ambientes acadêmicos onde esse tipo de discussão tinha um lugar privilegiado. O Jardin du Roi de Paris, onde Bonifácio seguiu o curso de química com Fourcroy, era um centro de difusão na Europa das novas teses sobre o impacto ambiental do desflorestamento. Autores renomados, como Buffon e Duhamel du Monceau, tinham difundido naquela instituição a "teoria do dessecamento".[4] Não é difícil perceber, nos escritos posteriores de Bonifácio, o quanto ele estava familiarizado com essa teoria. Basta lembrar a tese, exposta na primeira epígrafe do presente livro, de que a destruição das matas provocaria a redução das "chuvas fecundantes" que "alimentam as nossas fontes e rios". Apesar de ser aluno da Escola Real de Minas", sob a orientação do geólogo Guillot-Duhamel, Bonifácio também enveredou pelo estudo das questões agrícolas e florestais. Ele assistiu, por exemplo, aos cursos do famoso botânico Jussieu, um dos naturalistas que costumam ser mencionados na linha genealógica da ecologia.[5] Estudou, igualmente, as novas teorias de silvicultura que estavam emergindo a partir dos trabalhos de Duhamel du Monceau, como se pode constatar no seu trabalho de 1815 sobre o problema dos bosques em Portugal.[6*]

As pesquisas de Richard Grove demonstraram a influência dessas teorias nas inovadoras políticas públicas contra a destruição ambiental postas em prática na Ilha Maurício, a partir de 1767.[7] Teria Bonifácio conhecido a experiência de Maurício? Infelizmente, a perda de boa parte dos seus arquivos e da biblioteca de 6.000 volumes que guardava no final da sua vida dificulta bastante uma reconstituição mais acurada das fontes intelectuais do seu pensamento. É certo, porém, que pelo menos a obra do principal líder daquela experiência, Pierre Poivre, não lhe era estranha. No texto sobre o problema da escravatura, de 1823, Bonifácio cita o "sábio Poivre" como a fonte da informação de que "na Cochinchina não há escravos, e todavia a produção e exportação de açúcar já montava em 1750 a quarenta mil pipas de duas mil libras cada uma". Mais ainda, "todo este açúcar vinha de um pequeno país, sem haver necessidade de estragar matas e esterilizar terrenos, como desgraçadamente entre nós está sucedendo".[8] Apesar dessa citação, cuja fonte não é mencionada, não existe qualquer comprovação de que as idéias desse famoso naturalista e viajante, e menos ainda a experiência por ele liderada em Maurício, tenham influenciado as propostas ambientais de Bonifácio, apesar de algumas das suas notas manuscritas referirem-se aos problemas demográficos e econômicos das colônias francesas no Oriente, inclusive daquela ilha.

A continuidade das viagens filosóficas de Bonifácio pela Europa rendeu-lhe outros contatos fundamentais. Após deixar a França, ele dirigiu-se à cidade alemã de Freiberg, para estudar mineralogia com o renomado professor Abraham Wer-

* A influência do sábio francês, aliás, foi considerável na Península Ibérica. No caso da Espanha, ela expressou-se nos campos da pesca, da agricultura e da ciência florestal. Sua obra também foi discutida na Academia das Ciências de Lisboa (Cf. respectivamente L. Urteaga, *La tierra esquilmada,* e A.A.N. Portugal, "Apontamentos sobre as queimadas...".)

ner. Dessa estadia nasceu um relacionamento pessoal com outro pensador decisivo na genealogia do pensamento ecológico, Alexander von Humboldt, então estudante da mesma escola. A influência posterior de Humboldt sobre Bonifácio foi considerável, tendo este último escrito extensas notas onde transcreveu e comentou as observações feitas pelo naturalista alemão em suas viagens pela América do Sul.[9] É importante lembrar que Humboldt criticou de forma direta os males da degradação ambiental neste continente, referindo-se especialmente, como já foi dito, à redução do espelho d'água do lago de Valência, na Venezuela. Sabe-se que a relação epistolar entre Humboldt e Bonifácio manteve-se ao longo das décadas, como revela o testemunho de Emílio da Silva Maia, que chegou a ver na casa de Bonifácio no Rio de Janeiro, na década de 1830, uma carta de Humboldt manifestando seu desejo de vir ao Brasil.[10]

Um outro ponto de referência na Alemanha, que infelizmente ainda se encontra muito pouco investigado, diz respeito ao contato de Bonifácio com a ciência florestal que então se desenvolvia naquele país, inclusive com fortes preocupações com a conservação dos recursos florestais.[11] Em seu livro sobre o problema dos bosques em Portugal, por exemplo, ele mencionou o trabalho do Conde de Burgsdorff, gestor dos bosques de Brandemburgo, que classificou como "meu sábio mestre e colega".[12] Após deixar a Alemanha, Bonifácio viveu entre 1797 e 1799 na Suécia, Noruega e Dinamarca, onde estudou mineralogia em Upsala, Copenhagen e outras cidades. O conteúdo teórico dessa viagem representa uma outra investigação que precisa ser feita nos arquivos locais. Uma pista a ser explorada refere-se à conexão do autor com a obra de Lineu, cuja escola tinha seu epicentro exatamente em Upsala, onde ainda viviam vários dos seus discípulos. Essa conexão direta é bastante plausível, já que a identificação de Bonifácio com Lineu foi amplamente reconhecida pelo seu círculo de admiradores. Ainda em 1845, por exemplo, o poeta Manoel de Araújo Porto-Alegre, que se tornou amigo pessoal de Bonifácio no final da década de 1820, referia-se ao estadista como "filho de Lineu", em uma das passagens de seu poema sobre a destruição das florestas.[13]

Por esta breve síntese das suas vivências européias, sobre as quais ainda existem muitas lacunas historiográficas, é possível constatar que Bonifácio conviveu diretamente com o processo de gestação de todo um novo universo teórico sobre a dinâmica da natureza que veio a desaguar, décadas mais tarde, no surgimento formal da ecologia. Esse universo marcou profundamente o seu pensamento, inclusive no plano político. Mas é importante notar que os escritos de Bonifácio não representaram uma mera transposição da discussão européia para o contexto luso-brasileiro, e sim uma interpretação pessoal derivada das suas próprias reflexões e vivências. Esse ponto fica especialmente claro após o seu retorno ao Brasil, quando a economia da natureza torna-se um instrumento teórico na luta pela emancipação política de um país com dimensões continentais. Bem antes disso, porém, o autor já havia começado a enfocar de forma clara e profunda o problema do uso destrutivo dos recursos naturais.

Baleias e bosques

O primeiro texto publicado por Bonifácio inseriu-se exatamente nesse campo de reflexão. Trata-se da "Memória sobre a pesca da baleia e a extração do seu azeite", editada em 1790 pela Academia das Ciências de Lisboa. Esse trabalho já vai estar marcado por quatro elementos teóricos que continuarão presentes ao longo de toda a obra de Bonifácio: a visão do mundo fundada na economia da natureza; a defesa do progresso econômico como instrumento civilizatório; a apologia da racionalização das técnicas produtivas através da aplicação pragmática do conhecimento científico; e a crítica da exploração destrutiva dos recursos naturais.

É verdade que a defesa do progresso econômico aparece nessa obra de juventude de forma algo exagerada, própria do espírito que imperava nos primeiros anos da Academia das Ciências de Lisboa. Em seus escritos da maturidade, apesar de o crescimento econômico continuar a ser um objetivo importante, existe um deslocamento de ênfase em favor dos aspectos sociais e políticos da construção civilizatória. Em certos momentos, inclusive, especialmente nas suas notas manuscritas, pode-se perceber um claro desencanto com a busca do crescimento econômico e comercial por si mesmo, cujo excesso poderia prejudicar a sanidade do corpo social. No texto de 1790, no entanto, o que predomina é a preocupação com os grandes lucros que Portugal deixava de obter por não fomentar suas pescarias, a exemplo do que faziam outras potências européias. A produção pesqueira, ao gosto da visão fisiocrata, era elogiada por ser uma criadora primária de riqueza, possuindo o benefício adicional de poder ser incrementada sem custos demasiados.

O aumento da pesca da baleia não era visto como antagônico em relação à sua conservação. Os recursos naturais do Brasil, de maneira geral, não padeciam de um excesso de exploração — ao contrário, estavam em uma condição de subexploração, podendo gerar muito mais riqueza no futuro. No caso da pesca das baleias, as poucas armações existentes no país poderiam ser multiplicadas através do estabelecimento de incentivos e da liberação da concorrência, já que a atividade era realizada, desde 1605, sob o regime de contrato exclusivo com a Coroa portuguesa.[14] O problema não estava na quantidade e sim na qualidade da exploração. A atividade baleeira, apesar de subexplorada, já começava a demonstrar sinais de declínio, gerando uma redução na população das baleias em algumas partes da costa brasileira. Tratava-se do pior dos mundos possíveis: a quantidade pescada era pequena, mas a qualidade dos métodos empregados era tão destrutiva que o recurso estava sendo dizimado antes mesmo de ser bem aproveitado.

Aqui se revela com clareza o choque entre o racionalismo arrogante dos intelectuais brasileiros de Coimbra e o empirismo predatório das práticas produtivas coloniais. Os feitores das armações são chamados de "estúpidos" e "totalmente ignorantes da arte de pescar baleias". Mesmo assim eles "se mostram vaidosos a quem os quer bem aconselhar" e "teimosamente crêem não poderem dirigir-se melhor estas manobras, só porque eles as têm dirigido assim há muitos anos".[15] O principal defeito desses feitores estava na "falta de luzes" a respeito da economia da natureza. Eles não sabiam que a "sabedoria do Criador" deu às baleias uma configuração apropriada ao fato de terem sido "destinadas a viverem no meio do oceano" — uma afirmação típica de um seguidor de Lineu, cuja teoria valia-se do providencialismo divino para explicar as diferentes localizações e funções assumidas pelos animais no sistema da natureza. A correta exploração econômica dos animais deveria partir do conhecimento dessas configurações, através da análise fisiológica e comportamental da cada espécie. A ignorância desses princípios produzia várias práticas "perniciosas", a principal delas sendo o costume de "matarem os baleotes de mama para assim arpoarem as mães com mais facilidade". À primeira vista esse método parecia eficaz, pois

> têm elas tanto amor aos seus filhinhos que quase sempre os trazem entre as barbatanas para lhes darem leite. E se por ventura lhes matam não deixarão o lugar sem deixar igualmente a vida na ponta dos arpões. E seu amor é tamanho que podendo demorar-se no fundo da água por mais de meia hora sem vir respirar acima, e escapar assim ao perigo que as ameaça, folgam antes expor a vida para salvarem a dos filhinhos, que não podem estar sem respirar por tanto tempo. Esta ternura das mães facilita sem dúvida a pesca. E o método de matar primeiro os baleotes pequenos para segurar as mães, que enraivecidas muitas vezes viram as lanchas, parece visto a vulto excelente.[16]

No médio e longo prazo, entretanto, esse método acabaria por provocar "a ruína desta tão importante pescaria". Bonifácio explicava que "as baleias, por uma destas sábias leis da economia geral da Natureza, só parem de dois em dois anos um único filho, morto o qual perecem com ele todos os seus descendentes". O arpoamento dos baleotes, dessa forma, levaria a "diminuir-se toda a geração futura". Além disso, a prática desorganizava o equilíbrio da espécie, aumentando a proporção de machos em relação às fêmeas. A matança dos filhotes, por fim, impedia que eles crescessem a ponto de serem melhor aproveitados. O resultado desses erros aparecia no fato de muitas armações da Bahia e do Rio de Janeiro estarem abandonadas, causando "grande quebra à pesca do Brasil".[17]

É interessante observar que na passagem citada acima, no trecho em que se discute a relação entre a baleia e seu filhote, a narrativa abandona o caráter objetivo para assumir um tom literário, as baleias aparecendo como sujeitos dotados de sentimentos e sofrimentos semelhantes aos dos seres humanos. Foi a partir de narrações como essa que surgiu na cultura ocidental moderna um questionamento quanto aos direitos dos animais.[18] No caso de Bonifácio, contudo, o tom dessa passagem não corresponde ao enfoque dominantemente encontrado na sua obra. Apesar de por vezes manifestar uma sensibilidade empática para com o mundo natural, especialmente na sua obra poética, é forçoso constatar que sua visão dos recursos naturais era essencialmente antropocêntrica e utilitarista.

Apesar dessa imagem subjetivada das baleias, a continuidade do texto deixa claro que elas deveriam ser mortas em maior quantidade do que estavam sendo, e a sua pesca mais intensa e minuciosa. Os próprios baleotes, enquanto continuassem a ser caçados, deveriam ser melhor aproveitados: "E já que matam os baleotes, por que não aproveitam os de mama, que fundem muito e dão excelente azeite?" É verdade que essa visão conquistadora foi atenuada por uma forte convicção do imperativo de não destruir as bases naturais da economia. Mesmo assim era perfeitamente possível praticar a pesca da baleia de forma que essa ocorresse "mui bem com lucro sem a danificarmos para o futuro". Mas para isso era necessário superar a ignorância e o desperdício no modo de sua exploração.[19]

Uma ignorância que não cessava, aliás, com a morte das baleias. A retirada posterior do seu azeite também estava cheia de erros e irracionalidades, o que gerava conseqüências ambientais indiretas bastante negativas. A principal delas, introduzindo um tema que estará presente em toda a obra posterior de Bonifácio, era o uso desmedido das lenhas. As fornalhas e caldeiras brasileiras eram pessimamente construídas. Isso fazia, no caso da indústria baleeira, com que o azeite ficasse negro e rançoso. E também produzia um grande desperdício de madeiras que se achavam "unicamente em matas antiqüíssimas ou, como ali dizem, em matos virgens". Tal desperdício era a causa "do prejuízo que o público recebe de se queimarem inutilmente madeiros que deveriam servir para a construção de navios e para usos semelhantes". O fato de "já não haver matas vizinhas" tornava o problema ainda mais grave, pois obrigava "toda a imensa escravatura das armações" a gastar a maior parte do ano "no corte das lenhas e nos carretos arrendados". Uma realidade que poderia facilmente ser evitada caso fossem construídas boas fornalhas, capazes de utilizar como alimento arvoredos menores e a própria matéria orgânica que era descartada no processo produtivo.[20]

O tema do desperdício das árvores e florestas será retomado, de forma muito mais profunda e consistente, em um trabalho posterior intitulado "Memória sobre a necessidade e a utilidade do plantio de novos bosques em Portugal", publicado em 1815 pela mesma Academia das Ciências de Lisboa. A segunda parte desse trabalho possui um interesse menor para os meus objetivos, pois apresenta um compendio de informações técnicas sobre os melhores métodos para reflorestar os areais das costas portuguesas, coletadas pelo autor quando ocupava a posição de Superintendente das Obras de Reflorestamento nos Areais das Costas Marítimas, um dos muitos cargos que lhe foram atribuídos pelo governo português. A primeira parte, no entanto, apresentou reflexões políticas altamente instigantes. Um dos seus componentes teóricos mais importantes, que Bonifácio vai inaugurar no pensamento brasileiro, esteve na tentativa de equacionar o problema florestal/ambiental a partir de uma perspectiva histórica ampla, inclusive retrocedendo ao passado longínquo. A sorte ou a ruína das nações, na visão do autor, estava ligada ao destino das suas florestas: "Todos os que conhecem por estudo a grande influência dos bosques e arvoredos na economia geral da natureza sabem que os países que perderam suas matas estão quase de todo estéreis e sem gente. Assim sucedeu a Síria, Fenícia, Palestina, Chipre, e outras terras, e vai sucedendo ao nosso Portugal."[21]

É significativa a menção ao Oriente Médio. A desertificação existente naquela região, assim como no Norte da África, era entendida por Bonifácio como sendo em grande parte um produto da ação humana. Uma percepção que, aliás, vem sendo corroborada por pesquisas recentes no campo da história ambiental. A antiga região da Mesopotâmia, onde hoje se observa a paisagem desértica do sul do Iraque, já foi um grande celeiro agrícola, parte integrante do chamado "crescente fértil" da Antigüidade. A sucessão milenar de práticas ambientais danosas — incluindo o desflorestamento, a sedimentação dos rios e canais, a salinização dos solos devido a obras mal feitas de irrigação e o sobrepastoreio de caprinos — foi responsável pela erosão radical da paisagem. Algo semelhante pode ser dito do território da Líbia, grande fornecedor de grãos para o império romano. O avanço do deserto, em muitas partes daquele território, foi impulsionado por práticas agrícolas destrutivas.[22] Aos olhos de Bonifácio, o Mediterrâneo centro-oriental representava o futuro sombrio das sociedades que atuavam de forma nociva para com seu ambiente natural. E o mesmo poderia ocorrer no Mediterrâneo ocidental. Em outra passagem do livro, ao comentar o crescimento dos areais nas zonas costeiras de Portugal, causado principalmente pela destruição da cobertura vegetal, ele denominou essas regiões de "desertos líbicos".[23] Já vimos que anos mais tarde, ao criticar a destruição ambiental no Brasil em 1823, ele profetizou que o mesmo poderia ocorrer com esse rico território tropical, que em menos de dois séculos se converteria nos "páramos e desertos áridos da Líbia". O ponto essencial, portanto, não estava na mera constatação de exemplos históricos relativamente distantes, mas sim na possibilidade de sua replicação onde quer que se adotassem padrões semelhantes de uso destrutivo da terra.

Em 1815, quatro anos antes do retorno de Bonifácio ao Brasil, essa preocupação ainda se centrava no contexto europeu. A importância das florestas para os povos originais da Europa ultrapassava o plano meramente econômico, penetrando no próprio espaço da identidade cultural: "Na infância da nossa Europa, as matas acoitavam os homens errantes e davam-lhes sustento. Davam-lhes armas para se defenderem, ainda antes do cobre e do ferro. Balsas espessas e cerros escuros foram seus primeiros templos, e o culto dos faunos e silvanos sua primeira religião." Mas os desenvolvimentos históricos posteriores estavam ameaçando seriamente a continuidade desse elo entre os europeus e as florestas:

> Graças à Divindade eram então imensas as matas. Mas com o andar dos séculos estes ricos tesouros, com que nos tinha dotado a mão liberal da natureza, foram diminuindo e acabando pelo aumento da povoação e da agricultura, e muito mais pela indolência, egoísmo e luxo desenfreado de precisões fictícias, que destruíam em um dia a obra de muitos séculos. É já tempo de acordarmos de tão profundo sono, e de refletirmos seriamente nos males que sofre Portugal pela falta de matas e arvoredos.[24]

É importante destacar a imagem das "precisões fictícias", pois nesse texto já se pode observar, vinte e cinco anos depois do trabalho sobre a pesca das baleias, uma certa visão crítica do crescimento econômico. É preciso diferenciar, nesse sentido, o "aumento da povoação e da agricultura" e a "indolência, egoísmo e luxo desenfreado de precisões fictícias". Estes últimos fatores eram os principais responsáveis pela destruição das florestas; eles representavam, de fato, um aspecto indesejável da vida moderna, um modelo de comportamento que causava repugnância à sua sensibilidade estóica e despojada. Reflexões desse tipo começaram a configurar, no pensamento de Bonifácio, os elementos de uma crítica da civilização, que ele nunca chegou a levar às últimas conseqüências. A condenação das "precisões fictícias" é bastante explícita, mas não fica claro se elas eram uma conseqüência inevitável do progresso econômico, do "aumento da povoação e da agricultura", ou um desvio e deturpação deste último. É provável que o autor adotasse a segunda opção. Todo o seu ideário político baseava-se na crença de que era possível construir uma civilização progressista, racional, ilustrada e sóbria. O que aparece na sua obra madura, porém, são os sinais de uma crescente descrença quanto à possibilidade de a Europa realizar esse ideal e continuar a servir de modelo civilizatório para os outros povos. Em uma carta escrita em 1813, por exemplo, ele se definiu como "um paulista avezado à meditação dos antigos e enfadado dos horrores da moderna Europa".[25] A "meditação dos antigos", especialmente a tradição estóica, vai influenciar fortemente na constituição do *ethos* pessoal do autor, marcado pelo elogio do viver fundado na simplicidade e na clareza racionalista.

De toda forma, quaisquer que fossem as motivações e os resultados presentes no desenvolvimento das sociedades, essas nunca deveriam basear seu crescimento no uso destrutivo das florestas, pois os males ocasionados por essa destruição ameaçavam o próprio futuro da vida social. Bonifácio vai dividir esses males em dois tipos: os cósmicos e os políticos. Os males cósmicos se relacionavam com a degeneração do espaço natural onde a comunidade estava assentada. Referia-se à saúde do solo, que sem matas "se faz árido e nu", e à umidade do território, já que a falta de matas ameaçava "os cabedais certos e perenes dos rios e das fontes". O desmatamento, além disso, deteriorava o clima; favorecia as tempestades e inundações; estimulava o surgimento de "sezões e febres malignas"; prejudicava a pureza do ar, impedindo a absorção dos "miasmas dos charcos"; e dificultava a reprodução da caça.[26] Os males cósmicos, portanto, não deviam ser entendidos como isolados do dinamismo social. Na verdade, para Bonifácio os fatores cósmicos unificam-se com a vida social e econômica em uma única cadeia de causalidade. Ele expressou essa interligação na seguinte passagem:

> Se os canais de rega e navegação aviventam o comércio e a lavoura, não pode havê-los sem rios, não pode haver rios sem fontes, não há fontes sem chuva e orvalhos, não há chuvas e orvalhos sem umidade, e não há umidade sem matas ... De mais, sem bastante umidade não há prados, sem prados poucos ou nenhuns gados, e sem gados nenhuma agricultura. Assim tudo é ligado na imensa cadeia do Universo, e os bárbaros que cortam e quebram seus fuzis pecam contra Deus e a humanidade, e são os próprios autores de seus males.

Além das perdas cósmicas ocasionadas pelo desflorestamento, com suas imbricações socioeconômicas, o autor chamou também atenção para as perdas especificamente políticas. O tema das florestas, por exemplo, foi usado como um dos elementos da sua crítica aos desdobramentos da Revolução Francesa. Bonifácio acompanhou de perto, na Paris dos anos 1790 e 1791, os primeiros resultados da Revolução. A simpatia inicial foi quebrada pela observação das desordens e violências que ocorreram. Esse desencanto ajuda a explicar, em boa medida, a posição politicamente conservadora que passou a defender, contrária a tudo que lembrasse republicanismo e anarquia; a monarquia constitucional e reformista de Montesquieu e Diderot consolidou-se como o seu paradigma político. Essa antipatia pela Revolução Francesa, curiosamente, vai reaparecer nas suas reflexões florestais. Ao tratar da utilidade das matas para as antigas populações européias, ele mencionou a sua relevância como refúgio político, pois nelas os povos inocentes "achavam abrigo para escapar da escravidão dos Bonapartes do tempo". Além do seu caráter agressivo e conquistador, a "horrível revolução" era responsabilizada pelo fato de aquele país ter "devastado as belas matas que possuía", anulando os avanços realizados nos séculos anteriores.[27]

As conseqüências políticas do desflorestamento, no entanto, iam muito além da situação conjuntural da França. As florestas naturais ou plantadas traziam grandes rendas para o Estado, garantindo o seu poderio militar e a alimentação constante dos seus arsenais e estaleiros. As economias nacionais, além disso, dependiam em seus diversos aspectos dos insumos florestais. Uma sólida base florestal assegurava maior autonomia no comércio internacional, pois "a nação tendo-os de próprio cabedal não pagará tributo aos estranhos". O país que não conservava suas florestas, dessa forma, ficava seriamente ameaçado em termos políticos, militares e econômicos. O progresso da sociedade estava diretamente relacionado com tal conservação, pois "sem matas suficientes, em terrenos próprios e adequados, debalde procurará o governo fomentar a laboração das minas, a indústria das fábricas, a marinha, a navegação interior, a agricultura, e todos os mais gozos do homem social e culto".[28]

Apesar da sua importância cósmica e política, as florestas continuavam a ser intensamente destruídas em Portugal. Para combater essa dinâmica era preciso estabelecer uma ação enérgica por parte do poder público. As leis existentes não eram cumpridas devido ao "desleixo e ignorância dos encarregados"; era preciso estabelecer novas políticas, que fossem centralizadas e coerentes. A proposta de José Bonifácio estava em reunir numa mesma diretoria geral todas as ações relativas às matas, caminhos, rios e minas. Esse diretório deveria enfrentar os problemas de forma integrada, através de um "sistema único e ligado de meios e de fins". Só um sistema desse tipo seria capaz de superar a ineficácia das repartições públicas, que viviam "desligadas, e até que parece algumas vezes inimigas umas das outras, obrando cada uma como lhe apraz e segundo caprichos momentâneos ou interesses individuais". O que se necessitava era de uma "administração única e enérgica", composta de "homens sábios e zelosos". Tal organismo deveria estabelecer um processo rígido de inspeção que pudesse "coutar e guardar as matas, castigando pronta e irremissivelmente os que as roubam e incendeiam, ou lhes metem gados daninhos fora de tempo e lugar". Para isso seria imprescindível estabelecer "novos regulamentos, assim gerais como particulares, acomodados às circunstâncias do Estado e às localidades particulares de cada distrito, em que se aproveitem as boas idéias antigas e se corrijam as más por outras melhores, fundados em princípios científicos e na experiência do século". Bonifácio estava atento às políticas ambientais que vinham se desenvolvendo em outros países europeus, mencionando a tradição francesa do Grão-Mestre das Águas e Matas, assim como práticas semelhantes estabelecidas mais recentemente na Alemanha e na Prússia.

Essas medidas apontavam na direção de uma administração central e integrada, nos mesmos moldes da sua proposta.[29]

Tais eram as idéias que dominavam a visão de Bonifácio sobre a política dos recursos naturais nos anos anteriores ao seu regresso definitivo ao Brasil. Vemos que são idéias definidas e bem elaboradas sobre a importância social desses recursos, as principais causas da sua destruição e a necessidade de conservá-los através de uma ação pública enérgica. Idéias que mesclavam o intervencionismo da tradição pombalina com os novos argumentos científicos que então afloravam, especialmente a partir da economia da natureza. Tratava-se, na verdade, de um projeto de aproximação entre a racionalidade teórica da ciência e a racionalidade prática da ação política. Esse imperativo ainda dominava suas reflexões no final de 1819, quando desembarcou nas costas brasileiras.

"Entranhar-me nas matas de São Paulo"

Durante os anos europeus de José Bonifácio, o destino do Brasil foi um tema constante e ao mesmo tempo distante. A verdade é que ele conhecia relativamente pouco o país onde havia nascido. A quase totalidade dos vinte anos em que nele vivera foi passada na vila de Santos, ou em escolas dirigidas por eclesiásticos, restringindo-se ao pequeno círculo da elite colonial. Foi na Europa que ocorreu o seu desabrochar intelectual. Isso não significa dizer que a imagem do Brasil tivesse perdido importância em sua mente. Durante todas as décadas de estadia na Europa, a preocupação com o país, assim como a fantasia de um possível retorno, inspirou incontáveis leituras e conversações.

Um exemplo são as notas manuscritas por ele enviadas aos seus amigos Rodrigo e Domingos de Sousa Coutinho, membros da elite política portuguesa que compartilhavam suas teses sobre a necessidade de fazer progredir o Brasil para bem do império lusitano. Essas notas, elaboradas por volta de 1812, contêm uma lista diversificada de idéias e projetos para o país, vários dos quais se referindo ao problema dos recursos naturais. No conjunto desse material é possível ler sugestões como: "plantar bosques nas caatingas de Pernambuco, Ceará, Maranhão e Rio Grande do Sul, ao longo dos rios e córregos"; "criar uma administração de minas, águas e bosques, com cadeiras necessárias para formar empregados hábeis"; "introduzir camelos de Bissau nas campinas do nordeste e vicunhas do Peru nas serras do sul"; "estabelecer fazendas normais nas capitanias para introduzir a agricultura européia e novas culturas"; "estabelecer sociedades econômicas pelo Brasil, para promover a indústria popular"; "introduzir barcas de vapor para a navegação interior"; "favorecer a imigração de gente pobre do reino e dos estrangeiros ativos, dando-lhes terras"; "estabelecer um depósito de modelos de máquinas e instrumentos"; "fazer guerra contínua às formigas"; "mandar vir de Macau casais de Chins que saibam cultivar e preparar o chá"; "estabelecer duas boas escolas de metalurgia" e assim por diante.[30]

Um ano depois, em carta enviada a Domingos de Sousa Coutinho, conde de Funchal, que estava para assumir um posto de ministro de Estado, fica claro que Bonifácio já antevia a necessidade de reformas mais amplas. O Brasil, imaginava, poderia vir a se transformar em um império tão poderoso como a China. Mas isso nunca poderia ocorrer com a permanência da escravidão, um "cancro" que deveria ser curado com "tempo e jeito". Outro ponto fundamental era o de melhorar a sorte dos índios, incorporando-os à sociedade brasileira — a qual, de maneira geral, precisava superar a sua grande heterogeneidade, amalgamando-se "brancos, mulatos, pretos livres e escravos, índios etc." em um "corpo sólido e político". Ele chegou a insinuar a possibilidade de assumir o governo de uma região relativamente periférica do Brasil, a de Santa Catarina, onde poderia, se tivesse liberdade para tanto, "plantar as artes e agricultura européia", "pôr em administração regular os bosques", "criar pescarias e salgações" e "experimentar o meu projeto de civilizar a cristãos os índios".[31]

Por mais lúcidas que pudessem ser essas propostas, sua formulação continuava a basear-se em um Brasil distante e livresco, o mesmo que estava disponível para tantos estudiosos europeus que consumiam avidamente os relatos produzidos por viajantes naturalistas. O elemento diferencial, de fato, estava na lembrança nostálgica da sua juventude. É significativo observar, nesse sentido, que tal nostalgia quase nunca tinha por referência situações ou personagens da tacanha sociedade colonial. O verdadeiro esteio dessa memória estava na natureza, na imagem da flora e da fauna tropicais. Em uma carta escrita a um amigo em 1818, num dos seus momentos de desilusão com a vida européia, ele afirmava que "só suspiro por entranhar-me nas matas de São Paulo, onde ao menos tenho bananas, carne de porco e farinha de pau à fartura".[32]

Apesar da existência de declarações desse tipo, não estão totalmente claras as motivações que determinaram o retorno de José Bonifácio ao Brasil, trinta e seis anos depois da sua partida. Existem sinais contraditórios. No discurso de despedida à Academia das Ciências de Lisboa, da qual era secretário desde 1812, ficou a impressão de que ele retornava com o firme propósito de participar da construção de uma nova utopia política. Nesse belo discurso, proferido em junho de 1819, Bonifácio repassou sua trajetória acadêmica e política desde que chegou à Europa — inclusive o tempo em que exercitou sua "alma de viajante observador" que "extasia-se a cada passo que dá pelo universo". Na parte final da sua fala, atribuiu seu retorno ao país natal a questões de gratidão, vassalagem, honra, saúde e razão.

O Brasil é chamado de "nova Lusitânia", afirmando-se que a "fundação da monarquia brasílica" será um evento que "fará uma época na história futura do universo".[33]

É irônico observar que o futuro "patriarca da independência" não estava cogitando, apenas três anos antes do 1822, a hipótese de um país politicamente emancipado. Desde 1815, o Brasil havia deixado de ser uma colônia para constituir um reino unido a Portugal; desde 1808, havia se tornado o lugar de residência do rei e dos seus principais ministros, como Rodrigo de Sousa Coutinho. A proposta amplamente dominante entre os membros da elite intelectual e política brasileira era a de prosseguir nesse movimento, promovendo-se um desenvolvimento autônomo que não rompesse com a Coroa portuguesa. O que o discurso de Bonifácio antevia era o grande potencial para esse tipo de desenvolvimento, considerando-se a riqueza natural e a privilegiada localização do país.

Esse é um ponto a ser ressaltado: o notável potencial do Brasil residia quase que exclusivamente na sua natureza. Ao exclamar "E que país este, senhores, para uma nova civilização e para um novo assento das ciências! Que terra para um vasto e grande império!", Bonifácio não deixava a menor dúvida de que estava se referindo ao território "banhado pelas ondas do Atlântico", "com um sem número de rios caudais", "riquíssimo nos três reinos da natureza" e assentado "quase no meio do globo, defronte e à porta da África, que deve senhorear, com a Ásia à direita e com a Europa à esquerda, que região se lhe pode igualar?". O potencial da sociedade brasileira, ao contrário, quase não aparece no discurso, e quando aparece é para ser elogiado mais que tudo pelo que nela não existia. O clero era bem organizado, mas sua maior vantagem estava em não possuir "riqueza inútil". Uma outra dessas vantagens pela ausência, apresentada com sutil ironia, estava no fato de a nova terra possuir "pouca gente das classes poderosas, que muitas vezes separam seus interesses particulares dos da nação e do Estado".[34] Em suma, aquela sociedade escravista e ignorante não inspirava grandes esperanças no autor, exceto pelo fato de ainda não estar muito cristalizada, podendo passar por um processo de educação e reforma.

Não é difícil inferir, a partir do discurso acima, que Bonifácio pretendia assumir um lugar de liderança na construção dessa utopia política. Mas existem sinais que apontam na direção contrária. As décadas portuguesas haviam sido de trabalho exaustivo e enormes frustrações. O Estado português lhe designara uma grande variedade de tarefas acadêmicas e administrativas, mas a burocracia, o fidalguismo, o descaso administrativo e o atraso cultural haviam impedido a sua boa realização. Aos olhos de muitos portugueses ele era tido quase como um herege por não fazer, em suas palavras, "novenas de Santa Rita" e "petites capucinades". As relações pessoais tampouco lhe entusiasmavam: "A maior parte dos homens que conheço são para mim como os habitantes da Lua; são nulos ao meu coração; são de outra espécie moral".[35] Não se pode esquecer, por fim, que Bonifácio havia participado ativamente das guerras contra os invasores franceses, assistindo aos muitos atos de violência que então se sucederam. A idéia de voltar ao Brasil, portanto, também podia ser vista como um tranqüilo fim de carreira. Em cartas da época, ele afirmava estar velho e cansado, aspirando por voltar a Santos e "viver e morrer como um simples roceiro".[36]

De toda forma, a opção imediata de Bonifácio após seu retorno ao país foi a de estabelecer-se em sua vila natal e renovar seu conhecimento direto da realidade brasileira. Apenas alguns meses após sua chegada, ele logrou cumprir seu desejo de embrenhar-se nos sertões de São Paulo, valendo-se da companhia de seu irmão Martim Francisco, que atuava na época como intendente das minas e matas daquela capitania. Essa viagem, cujo objetivo formal foi a pesquisa mineralógica, marcou o seu reencontro com o Brasil real, servindo para intensificar suas preocupações sociais e ambientais.

A renovação do contato com a natureza brasileira, como era de se esperar, não lhe causou qualquer frustração. Bonifácio não cansou de elogiar as riquezas e belezas naturais da sua província, com seus belos vales, sua "agradável variedade de árvores, campos e pomares, através dos quais correm rios de cristalinas águas" e suas matas que "abundam em caça, principalmente viados, pacas, tatus, antas, jacus, pombas etc." Até mesmo os depósitos minerais, apesar de pouco explorados, causaram entusiasmo por seu potencial de uso. O viajante deleitou-se também com a beleza das mulheres paulistas, com "sua boa figura e esbelta estatura, cor de jasmins e rosas".[37] Esse era o Brasil pelo qual havia ansiado por tantas décadas.

A realidade social e econômica que se estendia sobre esse fundo natural, no entanto, chocava pelo atraso, pela violência e pela destruição. Logo nos primeiros dias de viagem, ele se lamentou pelo

> miserável estado em que se acham os rios Tietê e Tamanduataí, sem margens nem leitos fixos, sangrados em toda parte por sarjetas, que formam lagos e paues que inundam esta bela planície. E o que é mais para lastimar é que quase todos esses males não são obra da natureza, mas sim o resultado da ignorância dos que quiseram melhorar o curso destes rios.[38]

Note-se que Bonifácio não protestou contra a intervenção artificial nos rios, nem defendeu que esses fossem deixados para sempre em seu estado natural. O objeto da sua crítica foi a intervenção mal feita e destruidora — tanto que chegou a indicar o método mais correto pelo qual se deveria encanar o rio Tamanduataí, sugerindo depois que algumas obras fossem feitas para melhorar o curso do rio Grande.

Um outro aspecto que considerou lastimável foi o estado da agricultura. A maior parte daquele "tão bom terreno" estava inculta, "tanto pelo desleixo dos habitantes quanto pela falta de braços". Quando existia alguma atividade agrícola, essa era em geral predatória, chegando a ameaçar o futuro político de algumas regiões do estado. Nos arredores da vila de Itu, por exemplo, o autor observou que

> todas as antigas matas foram barbaramente destruídas com fogo e machado, e esta falta acabou em muitas partes com os engenhos. Se o governo não tomar enérgicas medidas contra aquela raiva de destruição, sem a qual não se sabe cultivar, depressa se acabarão todas as madeiras e lenhas, os engenhos serão abandonados, as fazendas se esterilizarão, a população emigrará para outros lugares, a civilização atrasar-se-á, e a apuração da justiça e a punição dos crimes experimentará cada vez maiores dificuldades no meio dos desertos.[39]

Esta passagem ajuda a revelar o conteúdo essencialmente político da visão ambiental de Bonifácio. A destruição do meio natural poderia gerar repercussões sociais muito amplas, inclusive a queda coletiva da própria comunidade. Ela tendia a provocar uma forte desorganização das atividades produtivas e da vida civil, que por definição requerem estabilidade geográfica e demográfica. É especialmente interessante, nesse sentido, a afirmação feita pelo autor de que o avanço dos desertos dificultaria a "apuração da justiça e a punição dos crimes". Infelizmente ele não desenvolveu o tipo de causalidade que tinha em mente, mas o simples fato de a afirmação ter sido feita já indica a amplitude dos prejuízos políticos que podiam advir da degradação do território.

Em estreita conexão com essas observações ambientais, apareceram no relato do viajante uma série de constatações críticas de natureza social. Ele se chocou, por exemplo, com o tratamento dado aos índios e aos escravos africanos. Ao saber que se preparava uma expedição para capturar índios, que ele identificou como caiapós, nas margens do rio Paraná, Bonifácio comentou que "a sorte daqueles índios ... merece toda a nossa atenção, para que não ajuntemos, ao tráfico vergonhoso e desumano dos desgraçados filhos da África, o ainda mais horrível dos infelizes índios de que usurpamos a terra, e que são livres não só conforme à razão, mas também pelas leis".[40]

Tudo o que ele observou, na verdade, serviu para renovar e intensificar suas preocupações e ansiedades quanto ao futuro do Brasil. Vários dos grandes problemas que estarão presentes na sua pregação posterior, na medida em que ele veio assumindo responsabilidades de estadista, afloraram com clareza na viagem de 1820: a destruição dos recursos naturais, o atraso da economia, a violência contra os índios, os males da escravidão. Outras mazelas também percebidas foram a corrupção dos políticos locais e a ignorância e superstição que dominava a população rural (inclusive o clero).

Para não pintar um quadro exclusivamente negativo, é importante reconhecer que Bonifácio também se animou com algumas poucas regiões onde foi capaz de encontrar exemplos de desenvolvimento autônomo. Algumas localidades apresentavam uma agricultura doméstica sadia, laborada por habitantes "ativos e de bons costumes". Algumas poucas vilas, como Piracicaba, eram modernas e bem cuidadas. Nessa mesma vila "as criações de gado fornecem e dão grandes esperanças".[41] Esses exemplos aproximavam-se daquilo que ele imaginava ser o ideal para o país. Nessas ilhas de prosperidade rural era possível antever um país economicamente progressista, ambientalmente equilibrado e livre da escravidão.

O reencontro com a realidade brasileira, dessa forma, renovou em Bonifácio a antiga percepção quanto à necessidade de elaborar e implementar um projeto sistemático de reforma para o Brasil. A velocidade dos acontecimentos políticos posteriores deu um novo sentido de urgência a essa necessidade.

Na seqüência da Revolução do Porto, ocorrida em Portugal no ano de 1820, inaugurou-se um período de intenso debate e participação política nos reinos unidos. O que emergiu de toda essa movimentação, em um primeiro momento, foi a proposta de dotar o império lusitano de uma ordem constitucional. Ao longo do ano de 1821, formaram-se juntas governamentais de caráter semi-revolucionário em várias províncias do Brasil. O objetivo central dessas juntas, além das tarefas de governo, era o de organizar a participação dos deputados brasileiros nas Cortes que se reuniriam em Portugal. Não cabe repetir aqui os detalhes desse processo, mas o fato é que através dele José Bonifácio foi rapidamente catapultado para o centro da política nacional. Inicialmente, no começo de 1821, foi eleito integrante e principal liderança da junta governativa de São Paulo. Em seguida, no início de 1822, quando já estavam mais do que claros os propósitos das Cortes no sentido de reduzir a autonomia do Brasil, e até mesmo de recolonizá-lo, foi chamado pelo príncipe regente, o futuro imperador Pedro I, para chefiar, como Ministro do Reino e dos Estrangeiros, o gabinete que acabou por conduzir a emancipação política do país.

A proposta de manutenção do reino unido, que Bonifácio defendia ainda no ano anterior, tornou-se inviável, e vários dos intelectuais e políticos que antes trabalhavam com esse paradigma passaram a assumir posições de liderança em favor da independência completa. Dentro desse quadro complexo, em pouco tempo Bonifácio assumiu as rédeas do poder, dirigindo as ações políticas e militares que asseguraram, de forma irreversível, a independência. Esse contexto histórico extremamente especial ajudou a abrir novos horizontes para o seu pensamento, inclusive no plano ambiental.

O ambiente da liberdade

Não resta dúvida de que os desafios colocados pela conjuntura da época, assim como as novas tarefas políticas assumidas por Bonifácio, serviram de estímulo para o seu esforço de elaboração de projetos para o Brasil. Sua liderança crescente na política nacional, especialmente naquele momento crucial de ruptura com a antiga metrópole, colocava uma oportunidade única de passar da teoria à prática no processo de construção do novo país. Era urgente, nesse sentido, organizar e refinar melhor o conteúdo das propostas de mudança. Isso foi feito, basicamente, através de quatro textos: as "Lembranças e apontamentos do governo provisório para os senhores deputados da província de São Paulo", de 1821; a "Necessidade de uma academia de agricultura no Brasil", provavelmente também de 1821; os "Apontamentos para a civilização dos índios bravos do Império do Brasil", de 1823; e a "Representação à Assembléia Geral Constituinte e Legislativa do Império do Brasil sobre a Escravatura", também de 1823.

O conteúdo desses trabalhos manifestou a vontade de Bonifácio de transformar todas as intuições, observações e propostas anteriores em um projeto nacional amplo e coerente. Esse projeto se fundamentava, a meu ver, em duas diretrizes básicas: em primeiro lugar, era preciso fazer daquela população heterogênea, fragmentada e dispersa uma sociedade nacional integrada e dotada de sentido de unidade. A solução para esse problema incluía políticas graduais de emancipação e incorporação dos escravos, assimilação dos índios, promoção da imigração estrangeira e educação popular. Em segundo lugar, era necessária uma política geral de proteção dos recursos naturais no Brasil, pois esse era o grande trunfo com o qual o país podia contar para o seu progresso futuro. Tal política passava essencialmente pela superação do modelo agrícola implantado pelo sistema colonial, calcado no latifúndio, na monocultura e na destruição florestal. Esse modelo deveria ser transformado através de uma reforma agrária e da difusão de métodos agronômicos modernos e ambientalmente equilibrados.

A primeira diretriz, que já havia aparecido em escritos anteriores, como na carta para Domingos de Sousa Coutinho em 1813, passou a ser explicitada de forma bem mais radical. Era necessário superar a intenção do "antigo despotismo" de que fôssemos "um povo mesclado e heterogêneo, sem nacionalidade e sem irmandade, para melhor nos escravizar". Era preciso, na imagem típica de um metalurgista, "amalgamar tantos metais diversos para que saia um todo homogêneo e compacto, que não se esfarele ao pequeno toque de qualquer nova convulsão política".[42] A simples melhora nas condições de vida dos escravos africanos, diminuindo o seu potencial para a rebelião, não era mais suficiente; o objetivo deveria ser, no limite, a transformação dos negros "de homens imorais e brutos em cidadãos ativos e virtuosos"[43], fazendo a sociedade aceitá-los como "nossos irmãos e nossos compatriotas".[44] Mais ainda, Bonifácio inaugurou no pensamento social brasileiro, mesmo que de forma incipiente, o elogio da miscigenação racial, ao afirmar que "os mulatos são a melhor raça do Brasil para trabalhos fabris que exigem atividade e inteligência".[45] A idéia de promover a mistura de etnias para facilitar a estabilidade social não era novidade, pois havia sido compartilhada por várias autoridades coloniais. Mas intuir que dessa mistura poderia surgir um tipo humano intrinsecamente positivo era uma hipótese profundamente inovadora.

Não é difícil imaginar o desagrado que essas expressões causaram na elite social da época. A segurança do autor em manifestá-las repousava em uma dupla base teórica. Como estudioso da história, ele sabia que o conceito de "raças puras" era ilusório. Os próprios colonizadores portugueses são por ele definidos, em sua nota manuscrita "*Sobre a população do Brasil*" como "mestiços de alanos e outras hordas tártaras misturadas com suevos e visogodos, mouros indiáticos, negros e judeus mesclados com romanos e ibérios". O Brasil, por sua vez, seguia pelo mesmo caminho, possuindo um povo formado por "um misto de índios de várias tribos, negros de diversas regiões e de europeus e turcos". A segunda premissa, própria de um pensador radicalmente iluminista, era a de que todos os homens nasciam iguais e eram dotados da mesma capacidade racional, sendo as diferenças entre eles uma conseqüência das contingências socioculturais e ambientais presentes em cada contexto.

O autor chegou a afirmar, por exemplo, que "Newton, se nascera entre os guaranis, seria mais um bípede que pisara sobre a superfície da terra, mas um guarani criado por Newton, talvez que ocupasse o seu lugar".[46] Ou seja, tanto os índios quanto os africanos, se passassem por uma correta educação, seriam perfeitamente assimiláveis em uma nova sociedade brasileira; os aspectos raciais e biológicos não eram determinantes. O que não significa, na perspectiva do autor, uma adesão a qualquer tipo de relativismo cultural. É preciso ter claro que, na visão de José Bonifácio, o critério da verdade estava em Newton e não nos guaranis. A dignidade dos índios e africanos não era culturalmente intrínseca, mas repousava na sua humanidade, no seu potencial para rapidamente se educarem nas normas da civilização.

A cultura e o modo de vida dos índios era desprezível. Sua incorporação na sociedade nacional tinha que passar por uma conversão às noções civilizadoras de propriedade, trabalho, religião, matrimônio, governo etc. Apesar disso, e por causa disso, era necessário cessar as guerras e violências contra eles, reconhecendo que o tratamento que haviam recebido era o pior possível, incluindo "o roubo contínuo das suas melhores terras". Uma correta estratégia de assimilação tinha que passar pelo esforço de entender o seu modo de vida e, a partir daí, desenhar formas eficazes de atraí-los para o mundo civilizado.

No contexto dessa estratégia, Bonifácio chegou a elaborar algumas reflexões bastante sofisticadas sobre as sociedades indígenas. Essas reflexões incluíram o aspecto ambiental e, de forma análoga ao trabalho de antropólogos contemporâneos, na linha de Marshall Sahlins[47], enfatizaram o fator abundância de recursos naturais versus necessidades materiais limitadas para entender o baixo nível de sedentarização e institucionalização do modo de vida nômade:

> O homem no estado selvático, e mormente o índio bravo do Brasil, deve ser preguiçoso, porque tem poucas ou nenhuma necessidade; porque vagabundo, na sua mão está arranchar-se sucessivamente em terrenos abundantes de caça ou de pesca, ou ainda mesmo de frutos silvestres e espontâneos; porque vivendo todo o dia exposto ao tempo, não precisa de casas e vestidos cômodos, nem dos melindres do nosso luxo; porque, finalmente, não tem idéia de propriedade, nem desejos de distinções e vaidades sociais, que são as molas poderosas que põem em atividade o homem civilizado.[48]

Essa condição socioeconômica explicava o motivo pelo qual as suas "atividades sociais nunca ganhavam extensão e intensidade para que fossem obrigados a criar governos regulares, que só podem reprimir as injúrias recíprocas dos sócios". A política de aldeamento dos índios, dentro dessa lógica, deveria levar em conta o fator ambiental, evitando que "eles se estabeleçam em país de muita caça ou peixe, para que os novos colonos não se entreguem somente nas mãos da natureza, antes pelo contrário sejam forçados a ganhar e assegurar o seu sustento à custa de seus trabalhos rústicos".

O sentido da incorporação dos índios na sociedade brasileira, para além do benefício imediato de reduzir a necessidade dos escravos africanos, inseria-se em uma proposta mais geral de reforma ambiental e política. A abundância da natureza no Brasil podia ser um elemento de inibição do esforço civilizador, como demonstrava o exemplo dos índios e, igualmente, o parasitismo ambiental das atividades produtivas dos próprios colonizadores. Mas se essa abundância, ao contrário, fosse aproveitada de forma laboriosa e inteligente, ela se transformaria em uma alavanca formidável de progresso. Para isso era fundamental superar as formas econômicas que faziam um uso inadequado desses recursos, seja pelo parasitismo, pela subutilização ou pela devastação. O modo de vida tradicional dos índios, dentro dessa lógica, tinha que ser superado, assim como a grande monocultura escravista.

Esta última, de fato, causava um mal ainda maior ao país, pois além de não promover um progresso econômico verdadeiro, conseguia minar e destruir os dois alicerces sobre os quais ele poderia ser construído: o espírito industrioso e a riqueza natural. O trabalho escravo destruía tanto a saúde e a dignidade dos cativos quanto a capacidade de trabalho e a moral dos homens livres, os quais, por conta da escravidão, viviam na indolência e nos vícios. A "ordem das vicissitudes humanas", devido a tal sistema, estava "de todo invertida" no Brasil, pois "o luxo e a corrupção nasceram entre nós antes da civilização e da indústria". A escravidão inculcava crueldade e promiscuidade nos jovens, drenava para o exterior numerário brasileiro, inibia o avanço tecnológico e promovia a destruição da base natural de toda riqueza.[49] Bonifácio foi o primeiro pensador brasileiro a estabelecer um nexo causal entre essa destruição e o domínio do escravismo. Isso foi feito em uma passagem admirável que merece ser citada na íntegra:

> Se os senhores de terras não tivessem uma multidão demasiada de escravos, eles mesmos aproveitariam terras já abertas e livres de matos, que hoje jazem abandonadas como maninhas. Nossas matas preciosas em madeiras de construção civil e náutica não seriam destruídas pelo machado assassino do negro e pelas chamas devastadoras da ignorância. Os cumes das nossas serras, fonte perene de umidade e fertilidade para as terras baixas, e de circulação elétrica, não estariam escalvados e tostados pelos ardentes estios do nosso clima. É pois evidente, que se a agricultura se fizer com os braços livre dos pequenos proprietários, ou por jornaleiros, por necessidade e interesse serão aproveitadas estas terras, mormente na vizinhança das grandes povoações, onde se acha sempre um mercado certo, pronto e proveitoso, e deste modo se conservarão, como herança sagrada para a nossa posteridade, as antigas matas virgens que pela sua vastidão e frondosidade caracterizam o nosso belo país.[50]

A existência dessa "multidão demasiada de escravos" era a pedra angular da agricultura predatória no Brasil, a qual não era resultado de um descuido fortuito, mas sim a derivação lógica de um modelo de produção. A confluência entre o escravismo e o latifúndio, como ficará mais claro adiante, fazia com que a terra fosse tratada com descaso e agressividade. As áreas já abertas eram exploradas de forma descuidada e imprevidente para, alguns anos depois, serem abandonadas em favor de novas queimadas e novos desmatamentos. A esperança de Bonifácio era que os "braços livres dos pequenos proprietários e jornaleiros", obrigados a se fixar nos limites permanentes de propriedades menores, produziriam, por sua própria "necessidade e interesse", um aproveitamento cuidadoso e renovado da terra cultivada, poupando as grandes florestas que constituíam uma "herança sagrada" da natureza brasileira.

Neste ponto é possível examinar de forma mais explícita a segunda premissa presente no projeto nacional de Bonifácio, que era a proteção dos recursos naturais. Vimos, no discurso de despedida de 1819, que a riqueza natural e a localização geográfica do território estavam no centro do seu diagnóstico e do seu prognóstico políticos para o Brasil. Em 1823, na tentativa de persuadir os deputados nacionais da necessidade de ir abolindo a escravidão, ele retornou ao tema de forma ainda mais intensa:

> O vastíssimo Brasil, situado no clima o mais ameno e temperado do Universo, dotado da maior fertilidade natural, rico de numerosas produções próprias suas, e capaz de mil outras que se podem nele climatizar, sem os gelos da Europa e sem os ardores da África e da Índia, pode e deve ser civilizado e cultivado sem as fadigas demasiadas de uma vida inquieta e trabalhada, e sem os esforços alambicados das artes e comércios exclusivos da velha Europa.[51]

É possível detectar a mensagem sutil que estava sendo transmitida nessas palavras: o país possuía uma sociedade atrasada e ignorante. Era ilusório pensar que ela poderia construir em pouco tempo uma capacidade de trabalho semelhante à da velha Europa, com suas "fadigas demasiadas" e seus "esforços alambicados". As condições ambientais de que o Brasil dispunha, no entanto, faziam com que essa construção penosa e demorada não fosse tão necessária, pois o progresso poderia ser conseguido por caminhos mais rápidos, através de uma espécie de salto civilizatório. Esse ponto fica ainda mais claro em outra parte do texto, apesar de Bonifácio evitar admitir a inferioridade produtiva dos brasileiros:

> Conceda-se (caso negado) que com efeito a gente do Brasil não pode com trabalhos aturados na lavoura, como na Europa. Pergunto, se produzindo o milho por exemplo em Portugal nas melhores terras quarenta por um, e no Brasil acima de duzentos, e as mais sementeiras à proporção, e estando as horas do trabalho necessário da lavoura na razão inversa do produto da mesma, para que se precisa de maior robustez e trabalhos mais aturados?[52]

Uma outra mensagem sutil, que pode ser derivada dessas reflexões, era que na ausência dessas condições naturais ficaria inviabilizado o esforço de fazer progredir o país, ao menos em uma escala de tempo relativamente pequena. Bonifácio não tinha uma concepção fatalista do destino humano — tudo era fruto da ação dos homens e das circunstâncias onde ela se inseria. Um índio poderia ser um Newton e Newton, um índio. A sociedade brasileira não estava fadada a ser fragmentada e predatória. O câncer da escravidão é que tinha produzido esse estado de coisas. A antiga província de São Paulo, por exemplo, "antes da criação dos engenhos de açúcar", tinha "poucos escravos" e "crescia anualmente em povoação e agricultura, e sustentava de milho, feijão, farinha, arroz, toucinhos, carne de porco etc. a muitas outras províncias marítimas e interiores".[53] Esse desenvolvimento endógeno tinha sido abortado pela implantação da monocultura escravista, mas nada impedia a sua retomada — a não ser a continuidade da escravidão e dos outros males estruturais que com ela estavam relacionados.

Com a promoção de reformas sociais adequadas, o grande tempo histórico perdido pelo país poderia ser recuperado com o auxílio da sua prodigiosa riqueza natural. Esse é um ponto importante, que ajuda a entender o desespero do autor diante da destruição ambiental. O pior dos mundos possíveis estaria na soma dos vícios tradicionais da sociedade brasileira com um território transformado em "desertos da Líbia". Tal perspectiva representaria a ruína completa das melhores esperanças da nacionalidade. Se nessa equação se mantivesse, pelo menos, a presença de uma natureza rica e pujante, sempre haveria a possibilidade de uma regeneração progressiva da sociedade e da economia. Era essa presença, aliás, que explicava a sobrevivência, mesmo que precária, da população rural do país, apesar da continuidade das práticas insustentáveis: "Os brasileiros para viverem não têm quase necessidade de trabalharem. A natureza dá-lhes tudo de graça. A superstição, a ignorância e a preguiça não têm podido ainda tornar miseráveis os roceiros."[54]

A conservação dessa prodigiosa herança natural, no entanto, exigia uma ação decisiva. Antes de tudo era preciso conhecer com perfeição a geografia desse "país novo e ainda em grande parte desconhecido, por causa da admirável extensão do seu território, das muitas e diferentes nações que o habitam, e da quase infinita variedade das suas naturais e espontâneas produções".[55] Esse amplo programa científico deveria ser executado por uma nova Academia de Agricultura a ser criada no Brasil. Nela se promoveria o estudo da "nova terra" no que diz respeito à "situação e ponto que ocupa no globo", aos "portos, rios e lagos, os montes, vales e bosques que nela se encontram" e às "suas produções naturais e espontâneas, respectivamente aos três reinos, animal, vegetal e mineral". Além disso, a Academia teria que investigar a capacidade do país para "climatizar frutos, produções e animais", partindo de uma análise das "analogias e proporções que na mesma terra se divisam com as outras partes do globo". Um ponto adicional das pesquisas deveria ser o das "nações americanas civilizadas, semibárbaras ou inteiramente selvagens que habitam as terras que possuímos, apontando com igual individuação os meios mais próprios para a civilização delas". O conhecimento acumulado por todas essas investigações seria apresentado através de textos e mapas elaborados para cada uma das províncias.[56]

A produção desse material analítico e cartográfico tinha para José Bonifácio um claro significado político. Seria um conhecimento científico diretamente aplicado ao aperfeiçoamento da sociedade brasileira, devendo também ser difundido através de jardins botânicos e centros de educação prática. Ele serviria para orientar a abertura de novos meios de comunicação e transporte entre as províncias, e também a criação planejada de novas povoações. O conhecimento do reino animal, por exemplo, ajudaria a entender quais eram "os insetos proveitosos e inimigos do homem e da sua cômoda existência", para fundamentar a análise dos meios de "criar aqueles e de extinguir, ou pelo menos diminuir, o excessivo número e quantidade destes". Uma passagem que revela, mais uma vez, o caráter antropocêntrico da visão ambiental do autor. Assim como era lícito intervir no curso dos rios, desde que de forma racional e inteligente, também era lícito promover a diminuição, ou mesmo a extinção, de determinadas espécies, caso estivessem ameaçando a "cômoda existência" dos humanos. Por isso era necessário combater os "morcegos, ratos, aves e animais que devoram searas e plantações inteiras, extinguem rebanhos numerosos ... e são notavelmente ruinosos ao Estado".[57]

A segunda medida básica para conservar os recursos naturais brasileiros seria a criação, em moldes semelhantes aos que havia proposto em 1815 para Portugal, de uma direção geral que regulasse e vigiasse o seu uso. Todavia, para o caso de um país nascente como o Brasil, Bonifácio propunha algo ainda mais integrado e radical: criar uma Direção Geral de Economia Política, que teria a seu cargo as obras públicas, minas, bosques, agricultura e fábricas. Essa política integrada seria responsável pela conservação dos rios e canais navegáveis com os quais o Brasil havia sido "especialmente afortunado". Também deveria proteger os lagos perenes e de água viva, ao mesmo tempo em que se trabalharia para extinguir e drenar os lagos de águas estagnadas que causavam danos à saúde pública. Mais importante que tudo seria conservar "os montes, vales e bosques que existem no país", já que eles constituíam "as respeitáveis muralhas com as quais a natureza quis cercar as terras destinadas à sustentação dos homens, e defendê-las do insulto dos ventos, das neves, dos excessivos frios e das grandes calmas".[58]

A presença das vastas florestas, de fato, era absolutamente essencial para a saúde do território brasileiro. Em primeiro lugar, por garantir a umidade e a fertilidade da terra, já que eram

> o reservatório das águas, o perene manancial das fontes e dos rios, a origem certíssima e a causa próxima e imediata da fertilidade dos vales, pois que para estes baixa diariamente a terra húmus, formada pelas diferentes matérias fermentáveis que se criam por toda a extensão dos montes, e as diversas espécies de estrume, animal e vegetal, mineral e misto, que ainda os homens menos instruídos sabem neles divisar.[59]

Em segundo lugar por seu papel no equilíbrio e sanidade do clima, pois

> as grandes árvores crescidas no cume das montanhas, são os condutores naturais dos raios e dos vapores pestilenciais dos vales: pelo ministério delas, conservada a nossa vida, defendidos os nossos gados e os nossos edifícios, desce a matéria

elétrica a fertilizar a terra e dar-lhe novas forças vegetativas, e sobem igualmente os vapores à região etérea, onde se purificam facilmente, como no mais perfeito laboratório, para deles recebermos com as chuvas repetidos e contínuos favores do Autor da natureza.

Em terceiro e último lugar, por sua relevância como abrigo vivo para uma variada presença mineral, vegetal e animal, de grande utilidade para os humanos:

> Crescem finalmente nos montes muitos animais de grande valor e préstimo, e quase infinitas aves de que tiramos incalculável proveito, não menos que das excelentes madeiras e dos frutos arbóreos, para não falar dos minerais, os quais nos fornecem mui saboroso alimento e sustentam os nossos gados e até vão servir de origem à fertilidade e abundância dos peixes nos rios e nos mares vizinhos.

Trata-se, como se pode ver, de uma cosmovisão sofisticada e integrativa, fundada no que de melhor havia na filosofia natural do seu tempo. Aqui aparecem, como disse Bonifácio em outro contexto, "as páginas do grande livro da natureza que aprendi a decifrar com aturado e longo estudo".[60]

É na seqüência da descrição feita acima, além disso, como está citado na primeira epígrafe deste capítulo, que o autor se questiona sobre o direito de os homens destruírem, "em um momento e sem reflexão", uma realidade tão benéfica, concluindo estar na "ignorância" a fonte de tal comportamento. Só ela podia justificar os malefícios que tal ação causava na vida do país. Com o desflorestamento, além de tudo que já foi dito, os ventos tomavam uma direção prejudicial, as fontes secavam, as águas baixavam de nível e não podiam mais fertilizar as terras altas, os rios perdiam sua força, os peixes deixavam de ser abundantes, as terras se erodiam e desertificavam.[61] Tudo isso escandalizava o economista da natureza convertido em estadista.

A culpa principal pela destruição das florestas cabia ao péssimo sistema de agricultura reinante no país, que o autor definia como sendo caracterizado pela "ignorância, associada com a preguiça e a má fé". Para transformá-lo seria necessário, em primeiro lugar, combater dois grandes males: o cultivo das encostas e a prática das queimadas. Bonifácio defendia que uma agricultura racional deveria ser feita apenas nos vales, campos e terras baixas, que recebem dos montes matéria orgânica e águas puras. Nessas terras era válido limpar o solo de árvores e praticar o cultivo agrícola e a criação de animais, associado-os à construção de canais para o escoamento das águas. A destruição das encostas era uma ação insensata, adotada apenas devido à preguiça e à facilidade de desmatar, uma vez que o cultivo das terras baixas, assim como o adubamento do solo e a defesa contra as formigas, exigiam cuidados e fadigas. Era mais fácil botar abaixo as florestas nas encostas e viver durante três ou quatro anos das suas cinzas.

As terras assim degradadas, e logo abandonadas, transformavam-se em domínio para enxames de formigas, enquanto prosseguia o movimento perverso de novos desmatamentos e abandonos. Essa dinâmica gerava um verdadeiro círculo vicioso, pois fortalecia cada vez mais a presença das próprias formigas, que por sua vez eram usadas como desculpa para a necessidade das queimadas, com o argumento de que qualquer outro método era inviabilizado pela invasão daqueles insetos.[62] Na visão de Bonifácio, ao contrário, apenas uma agricultura saudável e bem trabalhada poderia superar o problema das formigas, que sempre importunou os agricultores dos trópicos brasileiros; as queimadas e abandonos de terra apenas fortaleciam o avanço das formigas, já que "todos os dias se lhes oferecem novos e ricos estabelecimentos e se lhes prepara maior poder e grandíssimo império".[63]

A nova agricultura que se queria promover seria praticada com "estável e firme assento" nos vales e campos desembaraçados. As florestas dos montes seriam protegidas ou usadas com moderação, segundo uma necessidade real, e não derrubadas "sem cálculo e sem regra". Essa agricultura deveria utilizar arados e charruas, cuidando-se de "estercar e preparar a terra para a boa e regular cultura". Deveria igualmente utilizar os melhores conhecimentos científicos da química e da história natural, servindo-se de máquinas e tecnologias que aumentassem a produtividade ("causa raiva e riso ver vinte escravos ocupados em transportar vinte sacos de açúcar que podiam conduzir uma ou duas carretas bem construídas"). O "lavrador ignorante", que predominava amplamente no campo brasileiro, seria instruído sobre que árvores podem dar melhor proveito, que sementes devem ser lançadas a terra, que animais podem ser de melhor valia, como plantar bosques e construir viveiros de árvores frutíferas, como curar as enfermidades das plantações e dos rebanhos etc.[64]

O autor acreditava na possibilidade de uma agricultura que conservasse indefinidamente a fertilidade da terra, obtivesse cada vez melhores colheitas e gerasse o maior número possível de empregos. É o que se pode ler claramente em uma das suas notas manuscritas, citada como segunda epígrafe deste capítulo. Note-se que nessa reflexão aparece uma clara preferência pela agricultura de subsistência, já que as "necessidades físicas" tinham que ser atendidas antes de qualquer outro objetivo de mercado (pelo menos até que estivessem "cabalmente asseguradas"). Também é significativo o fato de questões ambientais, como a "qualidade do clima" e a conservação da "atividade da terra", estarem associadas com metas sociais, como o uso de muitos braços e o aumento da produção global. Os aspectos ambientais e sociais nunca estavam separados em seu pensamento. A almejada reforma da agricultura não poderia ser obtida apenas por meios técnicos, estando associada a mudanças mais amplas na estrutura da propriedade e no caráter do produtor.

O latifúndio escravista, por exemplo, era incapaz de realizá-la. O ideal seria uma economia de pequenos proprietários livres, e para tanto seria fundamental realizar uma forte reforma agrária no Brasil. As linhas gerais dessa reforma foram expostas nas "Lembranças e apontamentos" de 1821, e também em notas manuscritas. A proposta central fundava-se numa quase revogação, em termos práticos, da maior parte das antigas sesmarias. Aquelas que estivessem improdutivas retornariam às mãos do Estado, ficando apenas meia légua quadrada para o antigo sesmeiro, caso este se dispusesse a cultivá-la imediatamente. As posses não-legalizadas teriam direito de reter apenas a área que já tivesse sido cultivada, além de algum espaço extra para expansão do cultivo.

O restante das terras não-legalizadas ou não-cultivadas retornaria ao poder público, para ser, em parte, vendida em pequenos lotes. A arrecadação obtida com essa venda serviria para financiar a doação de outros lotes para "europeus pobres, índios, mulatos e negros forros", de forma a promover sua incorporação na sociedade. Um planejamento geográfico da demarcação desses terrenos seria estabelecido, garantindo que eles fossem abastecidos de água e que houvesse espaço para um futuro incremento demográfico. A venda ou distribuição das terras, por outro lado, teria um condicionante ambiental explícito: os beneficiados seriam obrigados a deixar 1/6 do terreno como florestas e árvores, sejam naturais ou plantadas.[65] Na versão manuscrita do projeto, "Notas sobre as sesmarias", exigia-se também que os beneficiados seguissem o "novo método de cultura à européia". Uma explicação para o significado desta última sentença pode ser encontrada na "Representação" de 1823:

> Uma vez que acabe o péssimo método da lavoura de destruir matas e esterilizar terrenos em rápida progressão, e se forem introduzindo os melhoramentos da cultura da Europa, a favor dos arados e outros instrumentos rústicos, de certo com poucos braços a agricultura ganhará pés diariamente, as fazendas serão estáveis, e o terreno quanto mais trabalhado mais fértil ficará.[66]

A discussão em conjunto do problema ambiental, agrário e agrícola ilustra bem o tipo de enfoque integrado que o projeto bonifaciano pretendia adotar para o enfrentamento dos problemas brasileiros. Um projeto que, ademais, incluía o objetivo mais amplo de racionalizar o uso coletivo do território. O antigo sistema das sesmarias havia criado uma realidade na qual as "povoações do sertão se acham muito espalhadas e isoladas por causa dos imensos terrenos de permeio ... seguindo-se também viver a gente do campo dispersa como feras no meio de brenhas e de matos, com sumo prejuízo para a administração da justiça e da civilização do país".[67] A reforma agrária reordenaria a ocupação do espaço, criando uma sociedade mais compacta e integrada. Tal reforma do Brasil rural, assim como todos os outros aspectos do projeto nacional que estava sendo desenhado, encontrava sua referência central na idéia quase mística de "civilizar" o país. Tudo que caminhasse nessa direção deveria ser incentivado; tudo que a ela se opusesse deveria ser combatido.

O horizonte futuro de um Brasil civilizado não seria de pequena expressão. Assim como o fez na carta para Domingos de Sousa Coutinho, de 1813, Bonifácio continuou a compará-lo com uma nova China, pela extensão e riqueza geográfica, abundância de navegação interna e auto-suficiência econômica (tratava-se, obviamente, de uma imagem da China anterior àquela que se configurou no final do século XIX, marcada pela desagregação política e pela submissão às potências européias). Na verdade, sua utopia era ainda mais audaciosa, pois imaginava algo que fosse semelhante à China "na duração e existência civil", mas superior na "prosperidade" e na "bem-aventurança".[68]

O potencial para a auto-suficiência era especialmente festejado. É importante observar que nas últimas décadas da sua vida o autor tornou-se cada vez mais crítico quanto aos empréstimos externos, o comércio exterior e a excessiva dependência cultural exógena, inclusive em relação à Europa. Em seu "Pensamentos sobre o trabalho, o luxo e a desnecessidade do comércio externo para o Brasil", uma nota manuscrita onde revela seus sentimentos mais íntimos, Bonifácio chegou a pregar que o Brasil deixasse a prática do comércio externo para os "povos velhos e corrompidos" que dele necessitam para "não perecer". O Brasil podia dispensar essa dependência, pois possuía bens reais e não "fictícios". Era desejável, além disso, que a nova civilização implantada no país não fosse dominada pela conversão do "supérfluo em necessidade", nem desse alimento para "ocas vaidades e desejos pueris". Pois o luxo "custa mais do que vale, empobrece muitos para enriquecer a poucos, sacrifica mil vidas para dar poucos prazeres". O Brasil, ao contrário, poderia ser "grande sem ostentações", recusando-se a ser dominado pelo "espírito mercantil", pois "quando se avalia cada ação como cada mercância, vendem-se os talentos e virtudes, e todos são mercadores e ninguém é homem".

Ao contrário do jovem e entusiasmado economista da Academia de Lisboa em 1790, o Bonifácio maduro, cada vez mais próximo de uma visão estóica do mundo, entendia o progresso econômico e produtivo como um mero instrumento para o objetivo real de construir a independência política e a afirmação moral da sociedade brasileira. Seu desejo era que o país não perdesse o seu caráter rústico e simples em favor dos maneirismos do modo de vida urbano europeu.[69] Na "Europa culta", dizia em outra nota manuscrita, "tudo é artificial e monotônico", enquanto no "ditoso clima do Brasil" era ainda possível "observar o sublime e grandioso da natureza, natureza rica sem ornamentos comprados e bela sem vestidos".[70]

Por tudo o que foi dito acima, podemos vislumbrar o espírito que prevalecia na mente daquele estadista-filósofo, tantas vezes comparado aos *founding fathers* norte-americanos, nos gloriosos anos de 1821 e 1822, quando os horizontes que se abriam para a construção de um Brasil independente e próspero pareciam vastos e luminosos. As dinâmicas políticas posteriores, no entanto, abortaram todos os seus projetos. Em julho de 1823 ele foi forçado a abandonar o ministério. Em novembro do mesmo ano foi preso e exilado na França, onde permaneceu até 1829. A elite dos grandes proprietários, que constituía a base do poder econômico e político, não estava disposta a acompanhá-lo em seus propósitos de extinguir a escravidão, dividir as propriedades e combater a rotina predatória e lucrativa da monocultura exportadora. Esse foi o motivo profundo da sua queda, muito mais do que os conflitos conjunturais e intrigas políticas em que se envolveu. É verdade que a sua prepotência no exercício do poder, somada à incapacidade para estabelecer acordos e alianças, contribuiu para sua derrota política.[71] Bonifácio era fundamentalmente um intelectual, que tentou exercer o governo com a mesma impetuosidade com que participava dos debates acadêmicos. O seu desprezo por ostentações de riqueza, títulos de nobreza e artificialismos de etiqueta, além disso, provocou desavenças com a elite da monarquia emergente. Mas tudo isso é relativamente secundário diante da ameaça que o seu projeto quase revolucionário de mudança social e ambiental colocava para essa mesma elite.

A derrota de 1823, de toda forma, desestruturou profundamente a capacidade política e psicológica de Bonifácio. Para um intelectual que passou toda a sua vida elaborando projetos de reforma para seu país natal, a súbita chegada ao poder, com a possibilidade efetiva de passar da teoria à prática, deve ter representado um momento extraordinário do ponto de vista subjetivo. O curto tempo de duração dessa expectativa, logo substituída pelo seu oposto, o absoluto não-poder do exílio, representou um choque insuperável. Apesar da abundância de tempo livre durante o exílio, e dos muitos projetos intelectuais que ainda acalentava, não chegou a produzir nenhuma obra relevante naquele período. Todo ele foi dominado por uma atenção obsessiva para com as intrigas e discussões políticas menores que ocupavam a cena brasileira.

Após sua volta ao Brasil, já com 65 anos de idade, a intenção de retirar-se para a ilha de Paquetá e dedicar-se ao trabalho científico e intelectual também foi abortada, dessa vez por um rápido e precário retorno ao centro dos conflitos políticos brasileiros. Esse interregno ocorreu com a sua nomeação, em abril de 1831, para tutor dos filhos do imperador recém-abdicado. Nesse lugar politicamente ingrato — no qual as intrigas prevaleciam muito mais do que qualquer perspectiva de influenciar o governo do país, e mais ainda de tentar retomar os trilhos do projeto nacional antes delineado —, permaneceu por algum tempo, até ser novamente deposto do seu cargo em 1833, seguindo-se depois um longo e arrastado processo penal que durou até 1835, quando foi absolvido das acusações de conspiração.

Nos poucos anos que restaram até a sua morte, em abril de 1838, o já velho e doente Bonifácio permaneceu em Paquetá, sem ter logrado produzir qualquer obra importante. Seu papel na história do pensamento social brasileiro, dessa forma, praticamente terminou em 1823. O que não significa dizer que ele abandonou as idéias antes defendidas. Em setembro de 1831, por exemplo, tendo assumido temporariamente um lugar na Câmara dos Deputados, repetiu de forma algo melancólica as mesmas teses que tão eloqüentemente havia pregado no passado. Dizia o deputado, segundo o relator, que "era preciso fazer com que o lavrador soubesse cultivar melhor as suas terras", pois

> deitar abaixo e queimar as nossas preciosas madeiras para abrir uma cova, e deitar-lhe dentro um grão de feijão ou de milho, era cultura de negro de Angola, e que podia bem comparar-se às tribos errantes dos desertos do Saara e da Arábia aqueles lavradores que mudavam de posição logo depois que a terra começava a não produzir tanto como quando haviam principiado a plantá-la.[72]

Sobre os Estados Unidos, que haviam sido citados no debate, dizia ali existirem "duas nações diferentes, sendo uma delas ainda muito pouco adiantada na civilização, a qual deitava abaixo matos que não sabia aproveitar, enquanto a outra tirava vantagem destes matos". Afirmava, por fim, "que não era necessário que o Brasil tivesse engenhos de muitos escravos, pois a Índia produzia muito açúcar e não tinha escravos". As idéias, portanto, continuavam vivas, mesmo que seu autor não fosse mais que uma sombra do que havia sido.

Nas décadas posteriores à morte de Bonifácio, sua obra de estadista ganhou forte reconhecimento público. Seu nome foi mitificado como herói nacional, inspirando a produção de monumentos e páginas de louvor. O aspecto essencial, porém, que era o conteúdo das suas idéias reformistas, foi posto à margem pela elite dirigente do país. Mas essas idéias não foram esquecidas nas décadas posteriores, influenciando a continuidade do debate crítico sobre os problemas ambientais e sociais do Brasil.

CAPÍTULO 4

"Mais inconseqüentes que os selvagens da Lusiana": As associações imperiais e a vertente não-abolicionista da crítica ambiental no Brasil monárquico

Que pena não é, senhores, ver um tão belo país como o Brasil, dotado pela natureza de bosques que produzem bálsamos divinos, frutos delicados, especiarias finas, por um obstinado desmazelo dos seus filhos tornar-se um país estéril e insalubre? Esta é a sorte que nos espera, se quanto antes o nosso governo não tomar providências a este respeito.

Emílio da Silva Maia, *Discurso sobre os males que tem produzido no Brasil o corte das matas e sobre os meios de os remediar*, 1835

Semelhantes aos Israelitas no deserto cuidamos somente do dia de hoje, amanhã cairá o maná do céu! E mais inconseqüentes que os selvagens da Lusiana, que cortavam a árvore para colher o fruto, mas mudavam-se de um lugar para o outro, nós inutilizamos a terra, esterilizamos suas fontes de produção, sem arredarmo-nos do solo.

Tomás Pompeu de Sousa Brasil, *A necessidade da conservação das matas e da arboricultura*, 1860

Poética da destruição

Em 1845, o poeta e pintor Manoel de Araújo Porto-Alegre públicou um longo poema, depois inserido na série *Brasilianas*, intitulado "A destruição das florestas". A obra compunha-se de três cantos — a "Derribada", a "Queimada" e a "Meditação". Porto-Alegre estava longe de ser um opositor da ordem social e econômica do império. Amigo pessoal de Pedro II, professor da Academia de Belas-Artes, secretário do Instituto Histórico e Geográfico Brasileiro, diretor de uma das seções do Museu Nacional, poucos personagens no Brasil da época circulavam com tanta desenvoltura pelos círculos oficiais. No que se refere ao desaparecimento das florestas, no entanto, sua oposição era dura e quase desesperada.

A crítica de Porto-Alegre manifestava, em primeiro lugar, um sofrimento individual e subjetivo, uma espécie de dor estética pela destruição de algo imensamente belo e generoso (e pela perspectiva de viver em uma paisagem onde essa realidade não mais existisse): "Choro dos bosques a beleza imensa/ Choro das fontes o benigno amparo/ Dos rios a riqueza e o ar saudável/ Que as florestas expandem do seu seio"; "Não é vida ante os olhos ter constante/ De um hórrido esqueleto a árida imagem/ E um quadro carcomido e lacerado/ Pelo trado do verme do egoísmo".[1]

Note-se, de passagem, que aqui aparece novamente a teoria do dessecamento — a ligação das florestas com a umidade, as fontes e os rios. As florestas não representavam um elemento isolado no território brasileiro, mas sim a base do seu equilíbrio e vitalidade. Chorando a sorte das florestas, o autor estava também lamentando a degradação do país como um todo. Além do sentimento subjetivo, esse lamento envolvia uma preocupação política. O que vamos encontrar por detrás dos versos de Porto-Alegre, na verdade, será a reafirmação de algumas das teses que já vinham marcando a crítica ambiental brasileira. A influência decisiva derivava do próprio José Bonifácio, que o poeta conheceu pessoalmente no final da década de 1820 e por quem tinha, segundo testemunhas, "uma espécie de adoração".[2*] Uma dessas teses era a de que a destruição das florestas colocava graves riscos para a sobrevivência do Brasil enquanto tal: "Um vulcão se ateou que tudo assola/ Mudas leis, que o porvir de trevas cobrem/ Cavam abismos, sorvedouros abrem/ Ante o futuro deste Império imenso".[3]

* A viagem de Porto-Alegre à França em 1831, para estudar pintura com Debret, onde permaneceu até 1837, foi conseguida através de Bonifácio, que intercedeu nesse sentido junto ao almirante Grivel.

Esse "porvir de trevas" podia ser exemplificado através de três ameaças concretas — o enfraquecimento da defesa militar, a perda de auto-suficiência em madeiras de construção e a queda na qualidade de vida do povo comum:

> Um dia chegará, que inimigas hostes/ Intentem desonrar-nos, leis impondo/ E nós, bradando em fúria, sem podermos/ Em grossas naves de canhões bordadas/ A afronta repelir...
>
> Um dia chegará que a peso de ouro/ Compre o monarca no seu vasto império/ Estranhos lenhos, que mesquinhos teçam/ Dos fastígios reais a cumeeira!
>
> Um dia chegará, íncola insano/ Que o suor de teu filho a estrada banhe/ Que arquejando, cansado, em longos dias/ Em vão busque um esteio...[4]

A preocupação com o destino coletivo, com o futuro da nação, não é o único elemento que aproxima Porto-Alegre do enfoque político que caracterizou os autores antes analisados. Ele também compartilhou o seu espírito progressista e o seu elogio da eficácia produtiva. Não existe em "A destruição das florestas", como seria possível esperar, uma defesa romântica da preservação das florestas em sentido absoluto, anteposta ao desenvolvimento da agricultura e da civilização. Apesar do seu romantismo literário, a proposta de Porto-Alegre foi bem mais pragmática. Ele aceitou que florestas fossem derrubadas em escala razoável, com o objetivo de atender às necessidades humanas, Mas revoltou-se profundamente, da mesma forma que os autores que o precederam, com o desperdício, a ineficácia e a falta de sentido econômico da maior parte daquela destruição:

> Eu não praguejo a provida lavoura/ E o braço criador, infatigável/ Que as artes alimenta, e se converte/ Com mágico poder um grão em ouro/ Homem sou, e do fruto que a cultura/ Da terra colhe meu sustento formo/ Conheço o médio termo, a sã baliza/ Que os limites contêm ao siso humano/ Mas impróvidas ruínas, sem proveito,/ Sem plano, sem futuro! — Sim, lastimo-as,/ E a perda irreparável de elementos de invejável grandeza!/ Vejo campos semeados de arbustos ociosos/ Vejo nos montes áridos roçados/ Largos vales de inúteis capoeiras/ De répteis e de feras povoados/ Sem que a mão do cultor, mão poderosa/ Em férteis regiões destra os converta.[5]

Esta passagem poderia perfeitamente ter sido assinada por José Bonifácio — o equilíbrio racional (a "sã baliza"); o reconhecimento da "invejável grandeza" da natureza brasileira; a aceitação de que ela não é intocável, podendo ser modificada em favor de uma atividade econômica eficiente e benéfica (o "fruto que a cultura da terra colhe"); a revolta contra a sua destruição inconseqüente ("impróvidas ruínas, sem proveito, sem plano, sem futuro"); até mesmo a tese bonifaciana de que o desflorestamento para a agricultura deveria ser feito nos vales e não nas encostas, aparece aqui com toda clareza: nos montes apareciam "áridos roçados", enquanto os vales estavam dominados por "inúteis capoeiras". Estas últimas, aliás, estavam povoadas de répteis e feras, quando deveriam estar convertidas em "férteis regiões". As feras, por si mesmas, não tinham grande valor, mas a destruição inconseqüente também era inaceitável.

Porto-Alegre não apenas reconheceu a inspiração de outros autores como chegou a afirmar, de maneira explícita, a existência de um movimento coletivo contra a destruição do meio natural no Brasil. Em seus versos ele pede que a própria pátria assuma o protagonismo desse movimento, não permitindo que seu destino seja definido pelo "sedento egoísmo" de mesquinhos "pigmeus": "Combate, suplanta, esmaga/ Num século de vandalismo/ O vil, sedento egoísmo,/ Que no teu solo alçou/ A pigmeus não consintas/ Traçar teu futuro e glória/ Que no templo da memória/ Mesquinha mão não entrou".[6]

Em sentido mais concreto, porém, a liderança do movimento é colocada quase que exclusivamente nas mãos dos artistas e dos intelectuais. O poeta identificou nestes últimos os seus companheiros de combate, conclamando-os a se engajarem nessa "luta grandiosa": "Vamos trabalhando/ Pouco importa, se lutando/ Acabarmos por vencer/ Nossa fé se reanime/ Nesta luta grandiosa/ Que uma idéia gloriosa/ Exalta o nosso labor".[7]

É significativa a ênfase na classe intelectual como anteparo ao sedento egoísmo que estava destruindo o território. São os homens de letras, os "brasileiros sábios" que aparecem na epígrafe da introdução deste livro, que Porto-Alegre convoca para enfrentar a destruição. Esse era o grupo social ao qual pertencia, e com o qual lidava de forma mais constante. Era desse grupo, além disso, que recorrentemente emergiam vozes de crítica ambiental.

Mesmo com seu discurso caindo usualmente no vazio, vivendo o papel de "inúteis cassandras", como afirmou mais tarde Tomás Pompeu Brasil[8], esse era o grupo dotado da necessária ilustração, liberdade crítica e independência econômica para tentar fazer frente ao processo destrutivo. É verdade, como veremos, que tanto a sua liberdade crítica quanto a sua independência econômica tinham limites bastante claros. Mas qual era a alternativa? Não fazia sentido, por exemplo, apelar para os proprietários e comerciantes que promoviam a economia predatória. Menos ainda para os escravos, índios e pobres que, aos olhos daqueles intelectuais, não haviam sequer entrado no umbral da civilização. A única opção era iluminar o poder público, a começar pelo imperador e os ministros de Estado. O trajeto possível era dos intelectuais ao Estado monárquico, e daí aos proprietários que agiam de modo atrasado e ignorante. Por esse motivo o poema não conclamava diretamente os políticos a participarem da "luta grandiosa"; isso só poderia ocorrer a partir da influência indireta dos intelectuais.

Para representar estes últimos, Porto-Alegre lançou mão de quatro nomes, membros do seu círculo de amizades, que simbolizavam a nova consciência contra a destruição das florestas. Dois deles, o poeta Gonçalves de Magalhães e o geólogo Custódio Serrão, não tiveram, até onde eu tenha conseguido perceber, uma presença forte na crítica ambiental brasileira; é bem provável que expressassem no âmbito pessoal sua contrariedade com os desmatamentos, apesar de não terem publicado trabalhos relevantes sobre o tema. Os outros dois nomes, ao contrário, ocuparam um lugar central na evolução dessa crítica. O primeiro deles, o único que não estava mais vivo, já foi amplamente discutido:

> Meu nobre Silva, meu patrício caro/ Que a passos graves triunfante marchas/ Por entre legiões de augustas larvas!/ Silva que eu amo, e a quem meu canto oferto /Deixa os sepulcros dos helenos astros/ E do reino da morte a lousa fecha/ Os doutos solilóquios suspendendo/ Teus ouvidos afeitos à magia/ Da voz de Homero, dos antigos vates.../ Comigo a erma campa vem saudoso/ Da floresta, onde a pródiga Natura/ Do seio maternal brotara em copia/ Sobre um solo infeliz tantos prodígios/ Que a mão do homem com o incansável ferro/ De dia em dia empobrecido torna!/ Oh filho de Lineu, vem, meu amigo/ Mesclar teu pranto, teus gemidos graves/ Sobre os delubros do frondoso bosque/ Que o sol da pátria aviventou benigno.[9]

Tratava-se, por certo, de José Bonifácio. O amante da literatura grega que agora vivia "nos sepulcros dos helenos astros", o naturalista que merecia ser chamado de "filho de Lineu", o denunciador do "incansável ferro" com que a mão do homem aniquilava, nesse solo "infeliz" pelo empobrecimento crescente, os "prodígios" manifestados pela "pródiga Natura". Em 1845, quando o poema foi publicado, sua influência intelectual e política estava em ascensão, no bojo do processo de reabilitação histórica que gradualmente veio a constituir a imagem do "patriarca da Independência".[10] A idéia da superioridade de Bonifácio frente às "legiões de augustas larvas" da política brasileira ganhava cada vez mais espaço.

Mas falta mencionar o último nome homenageado por Porto-Alegre, que também vai merecer um lugar de destaque neste livro: "Amável Freire, companheiro errante/ Sobre o cimo das serras de Petrópolis/ Que adoras a Natura e lhe consagras/ Sábio e artista, culto tão sublime!/ Vem, amante de Flora, vem comigo..."[11]

Com a menção desse personagem, o botânico e médico Francisco Freire Alemão Cisneiros, chegamos a um dos autores fundamentais da crítica ambiental pós-bonifaciana no Brasil monárquico, cuja obra será analisada adiante.

Mas antes disso é imprescindível discutir um último aspecto essencial presente no poema de Porto-Alegre. Vimos no capítulo anterior que o ponto de chegada da síntese elaborada por José Bonifácio foi identificar o vínculo causal existente entre o trabalho escravo e a destruição do ambiente natural. Seria lógico supor, assim, que os críticos ambientais posteriores, especialmente aqueles que reivindicavam abertamente o legado bonifaciano, como era o caso de Porto-Alegre, tomassem o tema da escravidão como seu ponto de partida. Até porque esse deveria ser o eixo central de qualquer análise não-cosmética da questão nacional brasileira no século XIX. Essa suposição, entretanto, não se confirma no corpo do poema. Não apenas a crítica de Porto-Alegre à destruição florestal passa ao largo da condenação do escravismo como também, o que é ainda mais notável, aponta várias vezes o escravo como culpado, pelo menos em sentido imediato, por essa mesma destruição*:

> Na mão do escravo acicalado ferro/ Brilha, e reflete do africano vulto/ Sorriso delator de interno gozo!/ E sôfrego acudindo à voz do íncola.../ Na frondente floresta se aprofunda.
>
> Prorrompe o capataz com gesto fero/ Afras canções do peito borbotando/ Que alentam do machado o golpe.
>
> Nas mãos do bruto escravo, e da ignorância/ Sega o ferro sacrílego, e profana/ Dos virgens bosques a beleza.[12]

Não se trata, obviamente, de negar o papel imediato do braço escravo como instrumento de destruição. O próprio Bonifácio reconheceu esse papel mais de uma vez. É bem possível, por exemplo, que os versos que mencionam as "mãos do bruto escravo, e da ignorância" estejam citando a conhecida passagem onde Bonifácio mencionou o "machado assassino do negro e às chamas devastadoras da ignorância".[13] Qualquer leitura mais acurada, no entanto, deixa claro que aquele autor culpava a escravidão, e não o escravo!, pela destruição das florestas. O embrutecimento deste último não era um componente intrínseco, mas sim uma conseqüência da situação em que vivia. Sua transformação em pequeno agricultor e cidadão ativo mudaria radicalmente o quadro. A referência ao desleixo do trabalhador cativo, nesse sentido, nunca estava divorciada de uma crítica mais ampla ao sistema de produção que o oprimia.

---

* Também na poesia "O ermo" de Bernardo Guimarães, comentada na introdução, o escravo aparece como agente da destruição: "Lá vem o escravo/ Brandindo o ferro, que dá morte às selvas/ E — afanoso — põe peito à ímpia obra/ Já o tronco, que os séculos criaram/ Ao som dos cantos do africano adusto/ Geme aos sonoros, compassados golpes."

Nos versos de Porto-Alegre, ao contrário, esse divórcio é bastante evidente. Ele apresentou uma crítica ambiental que não levava em conta, ou pelo menos não abordava abertamente, a escravidão como problema. O escravo aparece como agente, não como desafio. Tal postura não será exclusiva desse autor. Ela vai demarcar, na verdade, uma clivagem básica que dividiu o conjunto do pensamento ambiental no Brasil oitocentista, delimitando duas posições fundamentais. A primeira delas culpava a mentalidade de imprevidência e descaso, assim como o domínio de tecnologias atrasadas, pela destruição ambiental que ocorria no país. Seu enfoque não deixou de ser essencialmente político, já que o principal problema estava na incompatibilidade entre a economia predatória e o projeto civilizador do Império. Esse tipo de economia, no entanto, podia ser superado sem que fosse necessário abandonar o trabalho servil (mesmo que muitos autores dessa vertente considerassem tal abandono desejável, por tudo de arcaico e imoral que o escravismo trazia). A segunda vertente foi justamente a que afirmou esse abandono como uma condição necessária, e não apenas desejável, para pôr fim à destruição.

A primeira posição, efetivamente, marcou a maioria dos críticos ambientais oitocentistas. O ponto de partida para uma explicação sociológica desse fenômeno deve ser buscado na proximidade desses autores com o núcleo simbólico do poder imperial; quase todos eles participavam das grandes associações culturais e profissionais que foram criadas sob a chancela do imperador. Uma participação assim envolvia, necessariamente, a adoção de uma certa etiqueta de moderação e autocensura. Essa afirmação, contudo, não deve ser tomada de forma simplista. Trata-se de uma caracterização geral que admitiu muitas nuances internas. A proximidade pessoal com Pedro II, por exemplo, não impediu que escritores abolicionistas, como André Rebouças, adotassem uma postura bastante agressiva na sua pregação reformista. Eles foram capazes de arriscar corajosamente o seu prestígio social — prestando-se inclusive a serem chamados de "aventureiros" e "comunistas" — em nome das suas convicções.

O eixo da clivagem, portanto, não estava determinado pela maior ou menor adesão à monarquia. Ele passava pelo grau de disposição para desafiar as forças sociais e econômicas dominantes — uma disposição que dependia, em grande parte, além da coragem pessoal, do tipo de diagnóstico teórico que se realizava sobre o nível de profundidade da problemática nacional e, conseqüentemente, sobre a medida de radicalidade requerida para o seu enfrentamento. É preciso considerar, além disso, as diferenças de contexto ao longo de cada década. Em suma, mais do que arriscar definições precoces, o melhor é ir desenhando o quadro evolutivo da crítica ambiental no Brasil oitocentista para, à medida que os argumentos forem sendo apresentados, indicar os principais sentidos, conceitos e estratégias que separaram as suas duas grandes vertentes.

A presença dos fundadores

Um primeiro ponto a ser examinado diz respeito à possível existência de uma continuidade na reflexão dos autores analisados nos capítulos 1 e 2, remanescentes do período colonial, na medida em que alguns deles continuaram a ter uma atuação pública nos primeiros anos do Brasil independente. Um exame desse tipo serve para revelar, de imediato, que tal continuidade não foi muito expressiva. É verdade que todos os pioneiros da crítica ambiental brasileira — os que estavam vivos em 1822, evidentemente — apoiaram a emancipação política. Esse posicionamento era previsível pela natureza dos seus escritos, pois fica claro que nenhum deles concordaria com qualquer tipo de recolonização. A maioria desses personagens, no entanto, faleceu pouco depois da Independência; apenas quatro nomes daquele grupo original vieram a ocupar um lugar relevante na vida política do Primeiro Reinado.

Antônio Rodrigues Veloso de Oliveira tornou-se conselheiro do imperador e deputado na Assembléia Constituinte de 1823, onde se alinhou com os parlamentares que defendiam a superação do escravismo. Mas seu falecimento em 1824 interrompeu o importante papel político que poderia ter exercido.

Manoel Ferreira da Câmara sobreviveu até 1835, chegando a ser deputado constituinte e senador do império. Nessas funções continuou a preocupar-se com a questão dos recursos naturais, propondo a criação de uma comissão de "minas e bosques" na Assembléia Legislativa e de uma academia de mineralogia em Minas Gerais. Durante um debate no Senado sobre um novo projeto de lei para a mineração, ocorrido em 1827, apresentou uma emenda que resumia em poucas palavras o enfoque político e intervencionista que dominou a crítica ambiental brasileira desde o século XVIII: "É patrimônio da nação tudo quanto a terra encerra de precioso, e ninguém o poderá extrair sem seu expresso consentimento e debaixo das condições que a lei determinar."[14] A atuação política de Ferreira da Câmara, no entanto, foi muito prejudicada por sua saúde. Em 1830, tendo em vista o agravamento de sua condição, renunciou à função de senador e estabeleceu-se em definitivo na Bahia. Mesmo assim, em seus últimos anos de vida, continuou a ter uma influência pública ao nível local, assumindo em 1832 a presidência da Sociedade de Agricultura, Comércio e Indústria da Bahia. Nesta posição continuou a defender o uso racional dos recursos naturais, inspirando inclusive as idéias de outros autores, como se verá mais tarde.

João Severiano Maciel da Costa, que faleceu em 1833, ocupou posições políticas destacadas, assumindo no final de 1823 o cargo de Ministro dos Negócios do Império e, quatro anos depois, o de Ministro dos Negócios Estrangeiros. Mas os conflitos e tarefas urgentes de governo, no difícil período de consolidação da independência, impediram que ele tentasse implementar as propostas de superação do escravismo e de reforma da agricultura presentes na sua memória de 1821.* Mesmo assim a temática ambiental não esteve ausente das suas preocupações como ministro. Na Decisão do Império n.152, por ele assinada em 1824, determinava-se que na distribuição de terras aos colonos estrangeiros do Rio Grande do Sul fossem preservadas "as matas da borda do mar e dos rios navegáveis". A decisão lembrava a necessidade de conservar em "perfeita e regular observância" as ordens que vinham sendo expedidas nesse sentido.[15]

O caso mais interessante de continuidade, ao menos do ponto de vista teórico, foi o de Baltasar da Silva Lisboa. Além de testemunharem a riqueza e longevidade da sua história de vida, as atividades finais desse autor, especialmente sua dedicação ao ofício de historiador, ajudam a entender o novo contexto social aberto pela Independência. Após aposentar-se do cargo de ouvidor e juiz conservador das matas de Ilhéus, Baltasar optou por permanecer na região e dedicar-se ao trabalho intelectual. Seu principal objetivo era concluir alguns estudos históricos que tinha iniciado, mas as inimizades que cultivou ao longo de décadas, inclusive devido à disputa pelo destino das matas, logo se fizeram sentir. Em 1820, por exemplo, ele foi acusado pelas Câmaras Municipais da região de não apoiar as Cortes de Lisboa, sendo preso e obrigado a jurar o novo regime em Salvador. Dois anos mais tarde, as mesmas forças políticas o acusaram de não apoiar a "causa do Brasil". Essas acusações, de fato, se revelaram posteriormente infundadas, pois Baltasar havia defendido desde o início a expulsão das tropas portuguesas da Bahia.[16] Diante desse novo ataque, ele decidiu viajar para o Rio de Janeiro e explicar-se pessoalmente com José Bonifácio. Este último, ao que parece, deu ouvidos inicialmente às acusações, recusando-se a recebê-lo e introduzi-lo ao imperador. Apesar de o encontro ter finalmente ocorrido, e de o equívoco ter sido esclarecido, tal atitude gerou em Baltasar um ressentimento profundo contra Bonifácio.[17]

De toda forma, após a solução do problema, Baltasar decidiu não retornar à Bahia, passando a exercer as funções de advogado, conselheiro do imperador e professor da faculdade de direito de São Paulo, de 1827 a 1829. Mais tarde, em 1830, foi eleito juiz de paz da freguesia de São José, na cidade do Rio de Janeiro. Apesar de exercer todas essas atividades, inclusive por necessidade profissional,

---

* É preciso considerar, além disso, que os períodos de Maciel no governo foram curtos. A rotatividade na ocupação dos ministérios foi muito intensa na época. Na pasta de império ele esteve de novembro de 1823 a outubro de 1824, e na pasta de estrangeiros entre janeiro e novembro de 1827. (Cf. O.T. Souza, *Fatos e personagens em torno de um regime*, p. 307-9.)

o principal foco de seu interesse, até seu falecimento em 1840, foi a produção literária, dentro da qual os temas ambientais continuaram a ter posição importante.

Em 1823, logo após seu estabelecimento no Rio de Janeiro, ele retomou sua antiga pregação em favor da conservação e uso racional das florestas. Com este objetivo públicou o livro *Riqueza do Brasil em madeiras de construção e carpintaria.* O trabalho apresentava um levantamento analítico das principais madeiras existentes na mata atlântica, de forma a "servir de estímulo aos cidadãos enérgicos para efetuarem exames mais dignos e úteis à causa brasílica". Esses exames eram fundamentais para apoiar as providências que estavam sendo tomadas pelo novo governo no sentido de "ressuscitar a marinha deste império, antes reduzida a decadência e a ruína". Sua esperança — uma vez mais em sua longa carreira! — era de que o tema das florestas receberia

> os cuidados do nosso corpo legislativo, para as saudáveis regulações que, conciliando o sistema liberal no exercício da propriedade dos cidadãos com os direitos não menos sagrados do interesse geral do império, previna a destruição e promova a reprodução das matas, e com especialidade das madeiras de construção que, em reconhecido abuso do domínio absoluto dos particulares, tem já diminuído esta grande fonte da riqueza nacional e da força do Estado.[18]

É interessante observar como os elementos essenciais da disputa pelas matas de Ilhéus na virada do século — os direitos de propriedade, o abuso dos particulares, as prerrogativas do Estado, a necessidade da regulação, a conservação das madeiras nobres, as demandas da marinha — estão todos presentes nesse texto.

A maioria dos novos escritos de Baltasar, no entanto, centrou-se nos temas históricos. Em 1833, após uma longa pesquisa que se iniciou na última década do século anterior, ele cumpriu seu antigo sonho de escrever uma história da capital do Brasil, começando a publicar os sete volumes dos *Anais do Rio de Janeiro*, uma obra que, na verdade, foi muito além do que o título indica. A evolução do Rio de Janeiro serviu de mote para o autor discutir aspectos importantes da realidade brasileira, inclusive revisitando vários dos seus temas políticos anteriores.

Um aspecto bastante presente, como não poderia deixar de ser, foi o da relação entre a sociedade e o mundo natural. O tema das florestas, em especial, apareceu muitas vezes nos *Anais*. Ele discutiu, por exemplo, as dificuldades encontradas para estabelecer uma fábrica de galeões no Rio de Janeiro em 1666, devido ao desperdício e esgotamento das madeiras necessárias ("pois não se conhecia naquele tempo a física dos bosques, para regular com discrição o corte das madeiras, que sendo de superior bondade e duração às da Europa, se faziam defeituosas e inúteis, cortadas fora da sezão própria"). Descreveu também os esforços de alguns governantes coloniais para conservar as madeiras nobres, como no caso do Marquês do Lavradio — que em 1773 proibiu o corte do tapinhoã e de outras madeiras úteis para a construção naval — e das iniciativas tomadas em 1797 por Rodrigo de Sousa Coutinho, que ele chama de "o mais íntimo amigo do Brasil".[19]

Baltasar Lisboa lamentou profundamente que políticas semelhantes não estivessem sendo adotadas no país independente, pois, apesar de "ser de grande importância à conservação das matas", os ministros de Estado estavam desprezando esse "ramo da indústria, defesa e segurança pública, ficando exposto o grande império do Brasil aos projetos dos infames invasores". Era fundamental, portanto, que a "representação nacional, imitando em seus projetos de constituição política as nações civilizadas, tenha a mais viva consideração a respeito das matas, estabelecendo escolas para a sua cultura e conservação e encarregando sua fiscalização a magistrados instruídos na história natural e na física dos bosques".[20]

É interessante confrontar algumas posições do velho Baltasar com as que apareceram nos seus textos de juventude. A questão do trabalho escravo, por exemplo, ganhou um enfoque condenatório bem mais intenso. Os *Anais* criticaram duramente o fato de os africanos terem sido "arrancados por violência do seu país" e submetidos a viver "definhados na miséria e nudez" e suas mulheres, por sua vez, sendo "violentadas pelos próprios senhores" e "mais duramente tratadas pelo furor dos ciúmes de suas senhoras", que exerceram sobre elas "barbaridades que o pejo e a decência impedem de referir". Esses escravos, segundo a "voz da consciência e da boa razão", deveriam ser considerados homens livres, não devendo "sofrer em nossa utilidade o destino das bestas".[21]

Além do problema ético, reapareceu também a antiga crítica dos males que a escravidão produzia na agricultura brasileira, gerando o paradoxo de que "valem pouco as terras no Brasil da mais exuberante fertilidade, por não serem estas agricultadas por homens livres e industriosos". O país, ao contrário, estava sendo civilizado, como classificavam os romanos, "por coisas e não por pessoas". O resultado era a "ignorância da cultura e indústria da nossa lavoura", onde se ignorava até o uso de termômetros para medir a temperatura adequada do caldo de cana. Por todos esses motivos, o autor apoiava fortemente as medidas que, "graças à filantropia dos ingleses", estavam sendo tomadas para fazer desaparecer "este tráfico injusto e desumano".* Tais medidas, segundo esperava, logo fariam

* O autor se refere ao tratado assinado com a Inglaterra em 1826, e ratificado em 1827, pelo qual em três anos seria declarado ilegal o tráfico de escravos para o Brasil. Refere-se também à lei de novembro de 1831, que pretendia fazer cumprir aquele acordo através do estabelecimento de penas rígidas para os traficantes. Uma medida que, como se sabe, não chegou a ser cumprida.

sentir os seus efeitos positivos no Brasil, estimulando o surgimento de colônias de trabalhadores livres, aumentando a população e intensificando "a força, riqueza e esplendor da monarquia". Somente o trabalho livre seria capaz de "rotear as nossas matas" e converter "os seus pantanais em formosos campos de cereais".[22]

Para aproveitar plenamente aquele momento de renovação histórica era necessário adotar uma política adequada ao progresso brasileiro, que fosse capaz de romper com os monopólios e apoiar a livre iniciativa, mas sempre evitando os exageros na defesa dos interesses privados. Os "poderosos instrumentos da prosperidade" seriam construídos por uma combinação de "trabalho bem dividido, franqueza e liberdade de comércio, justiça, moralidade e boa ordem". O velho Baltasar, como se pode ver, continuava a ser um defensor do poder público, pregando a necessidade de o poder estatal balizar com clareza a economia liberal: "Quando o povo cresce em riqueza e sabedoria tanto mais se aumenta o poder público, para manter a boa ordem e assegurar a felicidade geral dos povos."[23]

"O abuso das derrubadas"

Ao chegar ao Rio de Janeiro, Baltasar aproximou-se de outros intelectuais que compartilhavam suas preocupações com a destruição ambiental. Mas ao contrário dos que foram examinados nos capítulos anteriores, que atuavam de forma basicamente individual, mesmo que intercambiando informações diretamente ou através das academias de ciência, esses novos intelectuais participavam intensamente de processos associativos, ajudando a criar instâncias coletivas de atuação cultural e social. A Sociedade Auxiliadora da indústria Nacional (SAIN), criada em 1827, e o Instituto Histórico e Geográfico Brasileiro (IHGB), fundado em 1838, constituem dois exemplos paradigmáticos desse novo contexto institucional. É significativo o fato de que Baltasar tenha estabelecido relações próximas com dois dos principais líderes de ambas as entidades: Januário da Cunha Barboza e Raymundo da Cunha Mattos.

É curioso constatar que esses três autores compartilharam tanto uma forte preocupação ambiental quanto uma inimizade pelo pensador da época que melhor sintetizou esse tipo de preocupação: José Bonifácio. Isso demonstra que a crítica ambiental cruzou transversalmente desavenças políticas específicas. Baltasar, como vimos, tinha mágoa de Bonifácio por sua reação diante das acusações de que era contra a independência. Cunha Barboza, por outro lado, alinhou-se com o liberalismo político mais radical de Gonçalves Ledo, com quem fundou o jornal

Revérbero Constitucional Fluminense. Ambos foram perseguidos e exilados por Bonifácio, no início de 1823, sob a acusação de republicanismo.[24] Menos de um ano mais tarde, contudo, a situação se inverteu: Bonifácio foi exilado e Barboza, de volta ao Brasil, assumiu uma posição social destacada, inclusive como cônego da capela imperial. Cunha Mattos também antipatizava com Bonifácio, tendo sido o oficial responsável por sua prisão em 1833, depois que a Assembléia Legislativa o destituiu da tutoria dos herdeiros do trono.

Mas, para além das questões pessoais, cabe destacar a importante atuação dos três personagens na década de 1830. Uma das suas principais iniciativas foi justamente a criação do Instituto Histórico e Geográfico Brasileiro. A idéia de criar uma instituição desse tipo foi concebida no interior da Sociedade Auxiliadora da Indústria Nacional, sendo que o papel decisivo foi assumido por Cunha Mattos, que era o seu secretário.[25] O sentido subjacente a esse novo tipo de associativismo sociocultural, que ganhou forte impulso no Segundo Reinado, pode ser analisado com base em duas motivações centrais. Em primeiro lugar, ele serviu como canal de organização e estímulo para a própria elite intelectual, que buscava encontrar o seu espaço de atuação no contexto de um país dotado de vida cultural ainda muito incipiente. Em segundo lugar, assumiu uma posição política mais ampla, apresentando-se como uma tarefa civilizadora, uma condição mesma para a admissão do Brasil no concerto das nações civilizadas.

A existência de uma sociedade auxiliadora da indústria, de um instituto histórico e geográfico, de uma academia de belas-artes, de um museu nacional, de uma academia de medicina, de um instituto de agricultura, era um elemento essencial para a construção — inclusive simbólica — da ordem nacional. Diante dessa dimensão política, o associativismo sociocultural tornou-se também uma ponte para o relacionamento direto entre os intelectuais e o poder. A participação do imperador, e de alguns ministros, em reuniões científicas e culturais representava o aspecto mais imediato dessa relação, que também se expressava no patrocínio direto ou indireto de diversas iniciativas. Algumas dessas entidades inseriram-se na própria estrutura do Estado, como o Museu Nacional. Outras mantiveram uma existência formalmente privada, apesar de serem fortemente subvencionadas, como o IHGB. Algumas, por fim, como a SAIN, adotaram um estatuto híbrido, sendo ao mesmo tempo entidades dotadas de quadro associativo e repartições ministeriais.

Essa nova forma de organização do trabalho intelectual influenciou consideravelmente a crítica ambiental brasileira, estabelecendo caminhos mais institucionais para uma tradição de pensamento que até então havia dependido essencialmente de iniciativas individuais. Não é de se estranhar, por outro lado, que os problemas ambientais tenham estado presentes no debate das associações imperiais. Os riscos que a destruição do meio natural colocavam para o desenvolvimento daquela nova monarquia tropical, ou mesmo para a sua simples sobrevivência, capturaram a imaginação de vários intelectuais. É preciso deixar claro, no entanto, para não criar falsas expectativas, que a discussão ambiental, pelo menos em sentido crítico, foi sempre minoritária e ocasional nessas associações, nunca se tornando hegemônica, ou mesmo central, para o conjunto dos associados. Ela apenas ganhou centralidade para um número relativamente pequeno de pensadores, que procurou difundir entre seus pares, com maior ou menor sucesso, a preocupação com o destino do espaço natural brasileiro.

Mas falar em ausência de hegemonia não significa dizer irrelevância. A revista *O Auxiliador da Indústria Nacional*, por exemplo, que começou a circular em 1833, públicou em seus primeiros anos vários documentos e artigos sobre o problema dos recursos naturais, inclusive, eventualmente, com críticas ao seu uso destrutivo. É preciso lembrar, nesse sentido, que seu primeiro redator foi Baltasar da Silva Lisboa, juntamente com Custódio Serrão e Januário da Cunha Barboza. Um dos textos mais radicais desse período inicial foi escrito justamente por Cunha Barboza, em 1833, tendo por título "Discurso sobre o abuso das derrubadas de árvores em lugares superiores de vales, e sobre o das queimadas". Nesse trabalho, como em tantos outros, a crítica do desflorestamento serviu de porta de entrada para uma discussão política bem mais ampla. O eixo de tal critica, ademais, seguiu a mesma tendência fisiocrata, progressista e ilustrada que vinha se definindo desde o século XVIII.

A agricultura brasileira, segundo o autor, poderia ser "um manancial seguro de riquezas progressivas", mas apenas se o conhecimento científico a desembaraçasse dos "prejuízos da velha, por não dizer estúpida, rotina". Aos agricultores brasileiros faltava "o auxílio das luzes, que parecem reunir-se em bem poucos dos que se empregam na cultura da terra". Barboza confessou ter adotado uma atitude temerária ao escrever sobre o tema, já que ele constituía "matéria alheia da sua profissão". Mas essa atitude se justificava pelo desejo de "ilustrar os meus compatriotas" e pela revolta diante do que estava assistindo: "O abuso que em muitas partes do Brasil se comete quando se derrubam árvores seculares e majestosas que nos deveriam receber todo o respeito ... condenando-as à destruição de um incêndio, à título de estrumarem-se as terras com as suas cinzas, operando as vezes a machado e fogo a destruição de uma obra em que a natureza gastara longos anos."[26]

Esse tipo de prática estava produzindo uma série de problemas sociais, dotados de diferentes graus de gravidade política. O elemento mais superficial, apesar de importante, estava no fato de uma série de produtos florestais úteis estarem escasseando nas cidades por força da sua exploração inconseqüente. Muitos "frutos, resinas e bálsamos" já tinham que ser procurados "a léguas no centro de sertões, onde só chega o homem para destruir estas fontes de sua riqueza". Cada árvore de copaíba derrubada, por exemplo, "como em castigo de conterem um óleo tão precioso", representava um "atestado de nossa ignorância", pois através de uma extração racional seria possível colher o bálsamo sem destruir a árvore. Mas, ao invés de agirem de maneira mais cuidadosa, os brasileiros se assemelhavam "aos selvagens que cortam as árvores para lhes colherem os frutos".[27]

A perda desses produtos úteis, apesar de lamentável, não se comparava ao risco político representado pelos impactos que a "bárbara destruição" poderia exercer sobre a umidade, a fertilidade e o equilíbrio climático do país. Esse tipo de risco deveria merecer

> toda atenção não só dos lavradores como também dos que têm a seu cargo a boa polícia do país, porque do abuso que quase todos os dias se comete a tal respeito resultaram prejuízos gravíssimos, não só para a agricultura como também para as grandes povoações ... Seja-me lícito dizer, com Chateaubriand, que a natureza quase ressentindo-se da afronta que lhe fazem os homens, derribando as matas que ela tão sabiamente criara em certos lugares para conservar o manancial de fertilidade dos seus campos, castiga-os logo com a falta de águas necessárias nas suas plantações e nos principais usos da vida.[28]

A teoria do dessecamento, aqui transmitida através das observações do escritor romântico Chateaubriand, como para romper divisões teóricas rígidas e esquemáticas, apontava o risco de privar a sociedade daquilo que ela mais necessitava para sobreviver — a água. Essa ameaça, no caso do Brasil, já não era uma possibilidade distante, mas sim um processo em pleno andamento. Para comprovar isso bastava escutar

> as observações de pessoas inteligentes encarregadas do encanamento das nossas águas para as fontes públicas, que a sua notável diminuição procede em grande parte de se haverem destruído as matas nos terrenos de sua nascença e passagem. O que vemos ... confirma o princípio de que o abuso da derrubada de árvores, em certas circunstâncias, concorre a esterilizar terrenos que têm sido férteis e que ainda poderão produzir como dantes, se lhes forem conservadas as águas ao abrigo das árvores que o homem tão insensatamente destrói.[29]

O que estava ocorrendo no Brasil, de fato, podia ser classificado como um ataque ignorante e autodestrutivo à própria economia da natureza, já que

> a natureza tem estabelecido um sábio equilíbrio na repartição das águas, que as montanhas recebem para comunicar aos vales e manter assim a fertilidade dos terrenos adjacentes. As árvores entram como elemento necessário desta sábia economia, que é toda em benefício do homem. Cortá-las nos pontos em que são

úteis é desmanchar a obra da natureza. É atentar contra o verdadeiro interesse dos agricultores.

Para criticar o abuso das derrubadas, detalhando algumas das suas mais sérias conseqüências, Barboza apelava para conceitos derivados não apenas da teoria do dessecamento como também, ao que parece, da teoria das torrentes divulgada por Humboldt e Jean Antoine Fabre. Vimos anteriormente que Humboldt, em sua análise da situação do lago de Valência, defendeu a tese de que a falta de matas fazia secar o leito de alguns rios em certas partes do ano, que se convertiam em torrentes quando uma forte chuva caía nas suas cabeceiras. Uma tese semelhante foi difundida alguns anos antes por Fabre, um engenheiro que atuava na região dos Alpes franceses. Em seu *Essai sur la théorie des torrents et des riviéres*, publicado em 1797, ele condenou duramente as dinâmicas de desflorestamento que haviam se intensificado após a revolução de 1789, acusando-as de provocar desequilíbrios na circulação hídrica que ameaçavam a sobrevivência das comunidades rurais.

Na visão de Barboza, provavelmente ecoando influências teóricas desse tipo*, a maneira pela qual o território de um determinado país absorvia e distribuía as águas pluviais que caíam sobre a sua superfície — em direção à atmosfera, ao mar ou aos solos — era a causa principal da sua secura ou umidade. Quanto mais despida de árvores, desguarnecida de sombra e sujeita à ação dos ventos fosse a superfície do terreno, maior seria a evaporação da água. Nas montanhas com forte declive, era preciso acrescentar o problema da falta de obstáculos para o escoamento das águas, que se precipitam ao solo formando torrentes. Quando se conservavam as florestas, ao contrário, "a evaporação é menos copiosa, o líquido infiltra-se em maior quantidade e a gravidade apenas forma ribeiros que correm sem perigo nos prados".[30]

Além do problema das torrentes, o desflorestamento produzia outros "inconvenientes por muitos anos irremediáveis". As regiões vizinhas ficavam expostas aos ventos pouco sadios. Os solos perdiam a cobertura de terra vegetal que constituía a origem da sua fertilidade. O desgaste contínuo do terreno resultava na "nudeza completa da ossada da montanha", terminando por privar os agricultores das "vantagens efêmeras" que buscavam adquirir com a retirada das matas. A idéia de adubar a terra com as cinzas das árvores, por outro lado, era igualmente absurda. Se fosse verdade que os terrenos se fertilizavam pelas cinzas de tais queimadas, "nós teríamos visto reproduzirem-se todos os anos plantações nestas derrubadas

* A probabilidade de o autor conhecer o texto de Fabre não era pequena, já que ele foi traduzido para o português e publicado, ainda em 1800, na coleção dirigida pelo frei Conceição Veloso.

de matas virgens, que ficam logo convertidas em miseráveis capoeiras, abandonadas pelos lavradores e esperando alguns anos a reparação dos estragos que lhe causara o fogo imprudentemente lançado".[31]

A permanência dessas práticas rudimentares, que "perturbam a economia vegetal", gerava muitos outros malefícios. Os aceiros muitas vezes não continham o fogo, que espraiava-se por lavouras e canaviais. A queima indiscriminada das matas, além disso, estava gerando "a falta de lenhas que já se experimenta nas grandes povoações do Brasil" e a escassez de madeiras que "a muito custo aparecem nos mercados". Diante desse conjunto de erros, Barboza deixava clara a necessidade de realizar uma mudança radical na economia rural brasileira, que deveria fundar-se no melhor conhecimento científico. Ele conclamava os "tão conspícuos auxiliadores da indústria nacional" para fazerem "progredir a ciência agronômica ainda tão infante entre nós". Até pelo fato de que a lavoura se fazia cada vez mais extensa, mas "sem as cautelas necessárias aconselhadas pelos sábios agrônomos".[32]

O artigo de Cunha Barboza, como já foi dito, não foi um fenômeno isolado nas páginas do *Auxiliador da Indústria Nacional*. Em 1836, para dar outro exemplo, o Conde de Gestas, nobre francês que se estabeleceu no Brasil em 1807, voltava ao mesmo tema com a publicação de uma "Memória sobre os abusos das derrubadas e cortes de madeiras". Nesse trabalho, menos completo que o de Barboza, lamentava a "negligência que em geral se nota em todo o Brasil pela conservação das madeiras e que preside ao corte delas, onde nascem milhares de inconvenientes, tanto para a economia rural como para as artes". A indústria extrativa da madeira estava dominada pela "rotina e a ignorância", sendo entregue quase que exclusivamente aos indígenas. O corte dos matos, por outro lado, era encarado unicamente como um trabalho preliminar à agricultura.[33]

Essa mentalidade era uniforme entre os agricultores, apesar de já existir no país uma variedade de situações que deveria ser considerada. Em áreas distantes a conversão dos matos era necessária, mas existiam casos onde uma lavoura adiantada já não carecia dessa destruição, e outros onde existia uma "obrigação de as poupar". Muitos fazendeiros, inclusive, estavam tendo que procurar a madeira fora dos seus limites, devido a "desperdícios irrefletidos praticados no começo do estabelecimento". Os abusos, porém, eram generalizados, quer existisse abundância ou escassez de florestas. A "funesta máxima de destruir matos a torto e a direito está vulgarizada no Brasil" e a "empresa de a combater e desarraigar apresenta dificuldades".[34]

Gestas lembrava, passados dois anos da publicação do texto de Cunha Barboza, que seus "conceitos deveriam ser repetidos para melhorar a agricultura e a indústria do país". Frente aos que não se abalavam com os alertas que estavam sendo feitos, o autor apresentava argumentos amplos e realistas. Alguns poderiam considerar irrisórios, afirmava, "os meus sustos sobre a falta de madeiras no Brasil, pela abundância que delas ainda possuem certas partes e pela recente descoberta de minas de carvão de pedra". Ocorre, porém, que as matas abundantes do interior eram inúteis devido à falta de comunicação. E isso não se referia apenas aos sertões remotos. Em torno do Rio de Janeiro, por exemplo, metade das matas havia escapado da destruição porque "o custo do transporte era superior ao lucro da sua extração". No caso do carvão de pedra, era preciso considerar que seu aproveitamento demoraria ainda muitos anos, e que as reservas teriam que estar localizadas perto de rios navegáveis. Mesmo que fosse fácil e econômica sua extração no Brasil, ainda assim o autor clamaria "pela conservação das matas, por serem estas riquezas certas, e ser do homem cordato o não desperdiçar o que possui".[35] O conde, efetivamente, estava sendo bastante lúcido, já que o uso de combustíveis fósseis, que alimentava a Revolução Industrial na Europa, apenas se tornou uma realidade no país a partir do século XX.

O grupo de críticos ambientais que circulou nos primeiros anos da Sociedade Auxiliadora da indústria Nacional, e também do Instituto Histórico e Geográfico Brasileiro, incluiu ainda o nome do marechal Raymundo da Cunha Mattos. É verdade que a natureza dos seus escritos, centrada na descrição de viagens de levantamento geográfico, dificulta a análise da sua substância política. A literatura das corografias, ou "descrições regionais" (do grego "coros", região), esteve bastante em voga no século XIX. No Brasil da época, que tinha uma realidade física e humana ainda pouco conhecida, ela constituiu um foco de grande interesse intelectual. Um marco nesse sentido foi a "Corografia brasílica" do padre Manoel Aires do Casal, publicada em 1817. Tratava-se, em geral, de uma literatura árida, contendo longas listagens de povoações, igrejas etc. Os comentários críticos não eram freqüentes, manifestando-se apenas naquelas situações consideradas particularmente importantes.

Mesmo assim, por detrás da objetividade austera da narrativa de Cunha Mattos, é possível identificar uma nítida indignação pessoal e política com a destruição ambiental. É o caso das passagens citadas no capítulo 2, como a descrição de uma queimada em Goiás e a exposição dos "efeitos terríveis" produzidos pela licenciosidade na concessão de terras em Minas Gerais. Em outro momento da sua corografia desta última província, publicada em 1837, o tom crítico também apareceu de forma explicita:

> As matas e bosques desta província têm sofrido os mais cruéis estragos pelas mãos dos homens: as imensas derrubadas feitas para plantações, fornalhas e carvoarias, e as subseqüentes queimadas dos troncos e raízes, em grande parte extinguiram a força da sua reprodução. Por este modo, terras imensas que outrora foram uma continuada floresta, acham-se hoje convertidas em campos de

> ervas gramínea, capim ou capoeira fraca e rara, que apenas serve para entrelaçar as cercas, e para outros insignificantes edifícios rústicos ou urbanos. Em vários lugares onde antigamente existiam largas matas virgens, acham-se os moradores obrigados a procurar madeiras para as suas obras na distância de muitas léguas.[36]

A visão crítica do marechal ganhava mais dramaticidade na medida em que as perspectivas de solução para o problema não apareciam no horizonte do provável: "Até hoje não foram proibidos de fato estes excessos, nem os proprietários obrigados a plantar um árvore quando derrubam outra, e por isso supondo eles, quando descobriram a província, terem bosques e madeiras para largos séculos, acham-se privados há muito tempo daqueles recursos de que inconsideradamente não cessaram de abusar".[37]

É possível constatar, pela natureza dos textos citados acima, que o tema da destruição ambiental fez parte desde o início das discussões ocorridas na intercessão entre a SAIN e o IHGB. A criação deste último, inclusive, permitiu que o tema fosse abordado de forma mais ampla, para além do viés econômico que caracterizava a Sociedade Auxiliadora. Na revista do Instituto, que começou a circular em 1839, apareceram ao longo do século XIX vários trabalhos que enfocaram o tema do espaço natural e, em certos momentos, a crítica da sua destruição. Muitos dos autores que serão discutidos adiante, como Freire Alemão, Silva Maia e Guilherme Capanema, estiveram entre as suas lideranças mais expressivas. O IHGB promoveu, além disso, iniciativas de caráter coletivo que tiveram relevância para o debate ambiental. O exemplo mais notório foi o da Comissão Científica de Exploração, que percorreu o Ceará entre 1859 e 1861 sob a liderança de Freire Alemão. O sistema de sócios correspondentes, por outro lado, fazia com que autores situados em províncias afastadas da capital, como Tomás Pompeu Brasil, no Ceará, e Ignácio Acciolli, na Bahia, pudessem compartilhar suas preocupações ambientais com os intelectuais que viviam na Corte.

Por todos esses motivos, é possível afirmar que o IHGB constituiu-se no principal eixo institucional da vertente não-abolicionista da crítica ambiental no Brasil monárquico. Isso porque os membros mais proeminentes dessa comunidade intelectual, patrocinada oficialmente pelo imperador, evitaram explicitar, ao menos de maneira direta, uma condenação do sistema escravista, inclusive nas suas conexões com a destruição do mundo natural. Os textos de Cunha Barboza e Cunha Mattos já deixavam transparecer essa tendência, condenando as técnicas agrícolas predatórias sem denunciar o caráter perverso da sua principal força de trabalho. O mesmo ocorreu no poema já analisado de Araújo Porto-Alegre, outro dirigente do IHGB. Os escritos históricos de Baltasar da Silva Lisboa, que podem ser apontados como uma exceção, provinham de uma reflexão bem mais antiga, cujas raízes estavam situadas no contexto não-institucionalizado dos intelectuais setecentistas.

Médicos e florestas

Mas não foi apenas nas associações de caráter geral, como a SAIN e o IHGB, que o debate sobre a destruição ambiental se manifestou a partir da década de 1830. Ele também esteve presente nas associações profissionais específicas que começaram a surgir na mesma época, especialmente na Academia Imperial de Medicina fundada em 1835 (a partir de uma Sociedade de Medicina que existia desde 1829). A carreira médica, naquele momento histórico, representou um espaço de convergência para indivíduos interessados no estudo sistemático da natureza. Era comum que botânicos e zoólogos realizassem uma formação médica, inclusive para obter maior estabilidade profissional. A importância da tradição hipocrática na formação da crítica ambiental oitocentista, centrada nos efeitos da degradação do ambiente sobre a saúde humana, foi enfatizada por Richard Grove, que analisou seus prolongamentos em diferentes espaços coloniais. Vários médicos e cirurgiões que trabalhavam para os governos e companhias de comércio coloniais, especialmente no caso da Índia, adotaram posturas condenatórias diante dos problemas do desflorestamento, da deterioração climática etc.[38]

No caso do Brasil, um marco nessa direção foi a conferência pronunciada em 1835 por Emílio da Silva Maia, na sede da Academia, com o título de *Discurso sobre os males que tem produzido no Brasil o corte das matas e sobre os meios de os remediar*. Nessa conferência, que depois foi publicada na *Revista Médica Fluminense*, o autor, que dois anos antes havia se formado em medicina pela Universidade de Paris, apresentou uma confluência entre as antigas motivações políticas e as novas motivações profissionais. Essa confluência apareceu logo no início do texto, quando o autor atribuiu sua preocupação com as florestas à dupla condição de médico e patriota. O humanismo universal próprio da medicina mesclava-se com a atenção específica para com o destino do Brasil, para com as "calamidades" que despontavam no horizonte da nação: "Poderia eu, como brasileiro e como médico, ser indiferente a tantos males que tem acarretado sobre nossa pátria o bárbaro e desumano sistema do corte das nossas preciosas matas? De certo que não, pois como brasileiro os males da pátria me são mui sensíveis e como médico os da humanidade me tocam mui de perto."[39]

É interessante observar que a posição política do autor recupera várias das idéias de José Bonifácio, de quem ele se considerava um discípulo. Quando da morte do estadista, três anos mais tarde, Maia recitou na Academia um emocionado elogio histórico em que descreveu sua admiração e seu relacionamento pessoal com ele.[40] Sua abordagem do problema florestal, ao modo de Bonifácio, partiu de um referencial histórico amplo. A destruição ambiental, que ameaçava arruinar o Brasil, já havia provocado a decadência de vários países do Oriente. Mas tal destruição não era inexorável, podendo ser superada por uma ação política ilustrada e consciente: "A Síria, Fenícia, Palestina e Chipre, outrora férteis e populosas, estão quase de todo estéreis e sem gente, pela perda de suas matas. A mesma sorte tem por diferentes vezes ameaçado diversas nações da nova Europa, se os seus sábios governos não tivessem tomado providências adequadas."[41]

Para fundamentar a sua defesa das florestas, Maia vai recorrer a uma eclética lista de autoridades intelectuais: Benjamin Franklin, Priestley, Fontenelle, Reaumur, Buffon, Bernardino de São Pedro, Rauch e José Bonifácio. Este último foi apresentado como "um sábio nosso compatriota, um dos ilustres fundadores da nossa Independência", cuja memória sobre os bosques de 1815 "devia se achar nas mãos de todos os nossos estadistas".[42]

A observação desses sábios é invocada para apresentar exemplos históricos que demonstravam os males da devastação. O "eloqüente Buffon", por exemplo, fazia ver "que o vale de Montmorency, antigamente rico e belo como o chamava Rousseau, tem se tornado mui estéril com a diminuição que suas águas tiveram pelo corte de seus bosques". Esse mesmo autor afirmava que em Caiena, tendo-se destruído uma pequena parte de suas vastas florestas, a temperatura de fresca que era "tornou-se mui cálida e seca mesmo durante a noite". O "profundo Bernardino de São Pedro", por outro lado, revelou que "em algumas partes da Ilha de França muitos regatos e rios têm secado com o corte de suas antigas florestas". O escritor Rauch demonstrou "que muitas províncias meridionais da França foram sujeitas a uma terrível seca em 1817, por se acharem os seus terrenos a descoberto com o corte de suas florestas".[43]

Valendo-se das observações de "alguns dos nossos antigos", Maia notava que os mesmos males já vinham afetando o Brasil. As secas, por exemplo, "que de um século para cá têm devastado por diversas vezes as belas províncias do Ceará, Pernambuco e Bahia, e que há dois anos tantos estragos produziu na rica província de Minas, não tiveram outra origem provavelmente, para serem tão assoladoras, senão no corte que tem havido em nossas matas virgens". Esse corte também estava gerando sérios perigos para a saúde, na medida em que fazia "aparecer entre nós graves moléstias, cuja intensidade se tem aumentado com a continuação da destruição". As massas florestais protegiam as cidades contra o flagelo da peste e da cólera-morbo; o potencial dos pântanos e lagoas para produzir sezões e febres intermitentes apenas podia ser controlado com a presença das grandes árvores que a "previdente natureza" colocou ao seu redor. Sua destruição liberava miasmas infectos que prejudicavam os seres humanos. No Rio de Janeiro, por exemplo, a abundância de mangues e árvores dentro e em volta dos pântanos controlava o seu potencial danoso. Apenas a partir de 1829, quando a intensidade do seu corte aumentou, as febres começaram a se disseminar.[44]

Para enfrentar todos esses males era necessária uma política firme e decidida. A França já havia dado o exemplo em 1669, quando Guilherme de Lamoignon e Colbert convenceram Luiz XIV a promulgar suas ordenanças florestais (uma medida que, como se vê, continuava a repercutir em meados do século XIX). No Brasil, ao contrário, continuava o "costume de queimar os nossos preciosos bosques a torto e a direito", não tendo ainda "aparecido entre nós um homem de Estado assaz forte para se opor a este prejuízo". Maia apelava aos "cidadãos em geral, e aos seus colegas médicos em particular, no sentido de empregar todos os meios possíveis para fazer cessar a destruição".[45]

É importante observar que Silva Maia foi um dos pensadores que mais explicitamente procurou introduzir um enfoque romântico na crítica ambiental do Brasil oitocentista. Não se tratou, por certo, de um tipo ideal de narrativa romântica, já que os elementos utilitários, pragmáticos e racionalistas nela apareceram de forma dominante. Mas existem alguns aspectos, bastante inspirados pela leitura dos românticos franceses, que introduziram uma dimensão mais espiritual e simbólica à crítica da destruição. A comunidade nacional precisava da conservação das florestas não apenas do ponto de vista da sua sobrevivência material, mas também para garantir a sua identidade cósmica. Os seres criados se distribuíam regularmente pela superfície do globo, de modo que, "como diz Bernardino de São Pedro, cada vegetal tem sua temperatura, cada animal sua pátria e cada homem seu império. Este é, senhores, o principal gérmen deste sagrado amor da pátria, que obrigando o homem a amar seu país natal como a melhor habitação do globo, o tem feito praticar as mais heróicas ações".[46]

Como explicou Lorelai Kury, em seu trabalho sobre a Academia Imperial de Medicina entre 1830 e 1850, esse tipo de visão cósmico-política influenciou o próprio posicionamento de Maia como teórico da medicina. O pensamento médico brasileiro debatia-se naquele momento com o mesmo tema que ocupava de forma obsessiva o conjunto da elite intelectual: o potencial de civilização dos trópicos. A qualidade do meio natural, no contexto desse debate, dividia os pensadores da Academia. Alguns elogiavam a sua fertilidade e salubridade, enquanto outros apontavam a umidade e o calor como causa de muitas doenças. Nessa discussão, Maia demarcou uma posição permanente de defesa do caráter positivo da natureza brasileira. As doenças e moléstias que grassavam no país não podiam ser atribuídas aos defeitos do meio natural, mas sim aos desequilíbrios provocados pela ação predatória dos homens.[47]

A valorização do meio natural constituía a base teórica do seu patriotismo naturalista, fundado na tese de que existia uma ligação profunda entre a sociedade e o espaço natural onde ela se formou. Essa tese, na verdade, já vinha sendo divulgada por Humboldt, que escreveu nos seus *Quadros da natureza*, de 1808, sobre a relação entre o caráter dos povos e os seus habitats de origem.[48*] Em contextos históricos posteriores, inclusive no século XX, esse tipo de visão embasou leituras ecológico-políticas de cunho conservador e racista, como na ideologia nazista da unidade entre sangue e solo.[49]

Na obra de Maia, no entanto, tal concepção apareceu mitigada por uma ética racionalista e progressista. Ela não ocupou um espaço totalizante de explicação e motivação política, mas apareceu combinada com outras linhas de argumentação. Ao mesmo tempo em que o autor afirmou a existência de uma espécie de princípio da plenitude no mundo natural, fundado na harmonia e na concórdia — de tal maneira que "o inseto mais insignificante, a menor planta, tem um motivo necessário na criação. Os rios correm onde deviam correr, as montanhas receberão as distinções, formas e alturas necessárias a cada latitude e em fim os bosques, tendo a maior relação com os terrenos onde se acham, são de absoluta necessidade onde existem" —, em outras passagens acabou por defender o secamento de pântanos e lagos, em uma clara contradição com a idéia de que tudo existe onde deve existir.[50]

A possível falta de consistência desse ecletismo teórico também indica, em sentido contrário, um pensamento aberto e variado, mas sempre a serviço de um projeto político semelhante ao que estivemos analisando em outros autores. A utopia social de Maia passava essencialmente por um mundo rural modernizado e ambientalmente equilibrado, de tal maneira que "o estrangeiro que visitar as nossas florestas verá com admiração que lugares que pareciam só habitação da morte e da dissolução se têm tornado em princípios de vida e manancial de riquezas; animais abrigados à sua sombra, os pássaros cantando alegres sobre os seus ramos, o lavrador cultivando os seus campos e gozando de saúde e força".[51] Vale observar, porém, que o braço cativo e sofrido que efetivamente trabalhava nos campos do país, bastante diverso do saudável lavrador imaginado no texto, não aparece na fala desse suposto discípulo de José Bonifácio, ao menos no âmbito da Academia Imperial de Medicina.

No mesmo momento e lugar institucional em que Maia divulgava essas idéias, outra voz influente se levantava para criticar a devastação ambiental. Na cerimônia comemorativa do primeiro aniversário daquela entidade, em 1836, o discurso proferido pelo seu próprio presidente, na presença do imperador, retomou alguns dos pontos básicos levantados no trabalho de Maia. O orador foi Francisco Freire Alemão. É importante fazer alguns comentários prévios sobre esse personagem, para além da menção feita na análise do poema de Porto-Alegre.

A ligação de Freire Alemão com as plantas e as florestas tinha uma origem bem mais existencial e científica do que política. Nesse sentido ele vai se diferen-

---

* Concepções desse tipo já podiam ser detectadas em Herder e Goethe, mestres mais imediatos de Humboldt, fazendo parte da tradição intelectual do romantismo.

ciar, ou mesmo excluir-se deliberadamente, do enfoque eminentemente político da tradição intelectual que está sendo analisada. Filho de agricultores sitiantes da região do Mendanha, na zona oeste do Rio de Janeiro, apesar de afilhado do senhor de engenho local, ele cresceu em meio às belas florestas atlânticas que naquele tempo cobriam quase toda a região. Seu interesse afetivo e científico por essa vegetação nasceu dessa vivência rural, que também moldou o estilo sábio e rústico que levou alguns contemporâneos a considerá-lo uma espécie de santo secular. A preocupação com a destruição da flora, também nasceu dessa mesma origem campestre. Desde criança ele acompanhou e lamentou a derrubada de grandes árvores de eriribá, copaíba, jacarandá e ipê-açu, assim como a extinção de animais que essa desflorestação provocava. Apesar de ter se tornado um importante médico, naturalista e professor de botânica, nunca perdeu sua relação com aqueles arredores da capital, registrando sempre a destruição ambiental que lá ocorria.[52]

Esse sentimento pessoal aflorou no discurso de 1836, onde chegou a assumir um tom algo político. Era preciso, segundo ele, que os homens se ocupassem "em comum do interesse e felicidade dos seus concidadãos e do seu país". Os médicos, especialmente, quando lidassem com os problemas da higiene pública, deveriam estar voltados para "o alívio dos sofrimentos públicos e para o melhoramento das nossas instituições". Por esse motivo era necessário enfrentar os problemas tanto do meio rural quanto do meio urbano. O meio rural do Brasil era um espaço privilegiado, pois nenhum lugar do planeta se revestia "de uma vegetação mais rica e mais pomposa", diante da qual "o observador europeu se extasia, se penetra de profundo respeito, ao aspecto melancólico e majestoso de nossas primitivas florestas".[53] Não é irrelevante essa referência ao olhar europeu, pois ele simbolizava a imagem do país frente à civilização. A natureza era o orgulho maior do Brasil, aquele aspecto que o fazia grande aos olhos do mundo; o sábio brasileiro, por certo, também podia com ela deleitar-se. O próprio Freire Alemão deixou belas descrições sobre suas vivências no interior da mata atlântica, como nessa passagem de 1851:

> O observador que pela primeira vez penetra numa mata virgem sente-se como absorto e não sabe o que mais o enleva, se a pujança dos troncos seculares, se a variedade das formas vegetais, se o contraste e vivo matizado das flores. Este enlevo o abala tanto mais profundamente quanto é mais absoluto o silêncio que aí domina, só desmentido pelo sussurro monótono que vem da copa das árvores agitadas pelo vento.[54]

Essa visão quase mística das florestas e de sua relação com a nacionalidade brasileira, próxima do patriotismo naturalista de Silva Maia, permaneceu ao longo de todo o seu pensamento posterior. Em 1851, em carta a Auguste de Saint-Hilaire, ele referia-se às florestas como "timbre do solo brasileiro à admiração do estrangeiro", lamentando que essa "preciosa riqueza" estivesse sendo destruída "com uma imprevidência pertinaz e estulta".[55]

O mesmo diagnóstico já aparecia no discurso de aniversário da Academia, em 1836. Seguindo a tradição dos autores que o precederam — ele cita explicitamente o artigo já comentado de Cunha Barboza —, Freire Alemão recorreu novamente ao enfoque histórico, afirmando que os países que haviam perdido suas florestas tornaram-se áridos, estéreis e inabitados. Também repetiu a advertência de que o Brasil estava indo pelo mesmo caminho:

> Quão mudado está hoje [o Brasil] do que ele era na época em que aqui chegou o homem da Europa, que trouxe a civilização armada da espada e do machado. O homem dos bosques, ou foi exterminado ou fugiu espavorido. Os madeiros seculares sucumbiam aos golpes do machado e as florestas desapareciam da superfície do país com uma imprevidência deplorável e, o que não é menos deplorável, até hoje nenhuma medida vigorosa se tem posto em prática para regular o corte das matas e opor-se ao seu total aniquilamento.[56]

A rapidez das mudanças era tão intensa, segundo ele, que mesmo os que não eram muito velhos podiam observar os crescentes desequilíbrios ambientais:

> A irregularidade das estações; a secura de lugares dantes regados por águas que manavam de fontes abundantes; o escalvamento e esterilidade de colinas e encostas em outros tempos verdejantes; epidemias assoladoras causadas pelo imprudente descortinamento dos paues; são fatos patentes a todas as luzes, e que estão bradando por medidas prontas e eficazes.

Esses desequilíbrios não eram exclusivos do meio rural, já que também as povoações e cidades brasileiras estavam esquecidas de tudo o que "recomenda a higiene pública e a polícia médica". Nesse ponto Freire Alemão realiza, mesmo que de forma breve, uma das poucas reflexões explicitamente urbanas encontráveis nos textos examinados aqui. A capital do império parecia materializar o pensamento do "filósofo de Genebra", pois tendo sido criada como um lugar "majestoso e sadio" pelo "autor das coisas", nas mãos dos homens não parava de degenerar. Seus habitantes, ao invés de aproveitarem suas belezas e vantagens naturais, pareciam aprisionados a "uma fatalidade que os arrasta a tudo inundar e destruir". Os problemas de insalubridade da capital — produzidos pela combinação de calor, umidade e evaporação dos pântanos e da água do mar — poderiam ser corrigidos, até certo ponto, pela indústria do homem. Mas não era isso o que estava ocorrendo. As regras de arquitetura e urbanismo favoráveis à saúde pública não eram seguidas, e a organização política das municipalidades era imprópria para executar a política sanitária que se fazia necessária. Freire Alemão chegava a sugerir algumas medidas nesse sentido, como a elaboração de um plano geral para a cidade, a criação de uma repartição de obras públicas e a formação de um conselho de salubridade.[57]

O tom relativamente forte utilizado pelo autor em certos momentos do seu discurso, como quando fala do extermínio dos índios, é bastante incomum no conjunto dos seus escritos e pronunciamentos, sempre caracterizados por uma voz moderada e conciliatória. No final do próprio discurso de 1836, inclusive, ele corrigiu o rumo adotado, elogiando o Ministério da Marinha por tomar "medidas importantíssimas" para conter a destruição das matas, e o governo do império por empenhar-se na melhoria das "instituições do país" e da "condição do povo".[58]

Essa postura moderada, quase sempre explicitamente apolítica, impediu que Freire Alemão assumisse uma liderança mais forte no esforço contra a destruição da natureza brasileira, a que seu grande prestígio moral o habilitaria. A honestidade e a capacidade científica desse personagem era inquestionável, assim como seu sentimento amoroso para com a terra e a gente do Brasil, mas seu temperamento era antitético com qualquer perspectiva de enfrentamento radical. Nos debates sobre a conjuntura política que ocorriam entre os cientistas do Museu Nacional, segundo o testemunho de José Saldanha da Gama, a voz centrista de Freire Alemão sempre encerrava as discussões com a seguinte mensagem conciliatória: "O Brasil é um país novo, rico e em vias de progresso; mas, por isso mesmo que moço e inexperiente, há de errar muitas vezes antes de chegar à idade de reflexão e juízo...Vamos cuidar cada um de nós do seu ofício."[59] Anos mais tarde, em 1860, ao ser indagado no Ceará sobre o seu grau de fidelidade à monarquia — Freire Alemão era o médico pessoal de Pedro II —, o autor preferiu conter o seu "sentimento de indignação", respondendo que "não se ocupava com essas questões, e se particularmente era amante do imperador é porque não podia deixar de o ser sem ser ingrato".[60]

Esse mesmo eixo centrista pautou o posicionamento de Freire Alemão diante da destruição ambiental. Ele não chegou a defender, por exemplo, uma proteção absoluta das florestas. Não seria implausível que defendesse a preservação integral de algumas áreas, sob a forma de parques e reservas. Ele seria um dos intelectuais brasileiros mais aptos a propor alguma coisa nesse sentido. Seu pensamento não se pretendia político, não estando condicionado aos imperativos da economia. A influência romântica na construção do seu sentimento patriótico da natureza, assim como no caso de Silva Maia, era bem maior do que em outros críticos ambientais oitocentistas. É significativo, portanto, que ele tenha optado por alinhar-se com o eixo central da tradição que está sendo estudada, defendendo o uso racional de todas as florestas em benefício do progresso econômico.

Freire Alemão chegou mesmo a elaborar em 1849, a pedido do ministro da Guerra, um projeto bastante bem concebido de corte ordenado de árvores para a construção naval, definindo uma metodologia através da qual a extração das madeiras pudesse ser feita sem danificar a estrutura básica das florestas.[61] A encomenda do ministro, aliás, originou-se de um novo retorno da velha preocupação com a oferta de madeiras para a construção naval.

A moderação do velho botânico não esteve presente apenas na aceitação do uso econômico racional de todos os elementos da natureza. Ela manifestou-se também em uma certa falta de agressividade no combate à devastação. O sentimento de urgência de Freire Alemão em estudar as florestas fluminenses, por exemplo, não estava fundado em uma necessidade de acumular conhecimentos que ajudassem a lutar contra a sua destruição, mas sim no imperativo de resgatar para a ciência uma realidade que fatalmente seria extinta. Em 1849, ao iniciar uma tentativa de sistematização da história dessas florestas, ele afirmou que o esforço dessa pesquisa, apesar de superior à sua capacidade, não deveria ser adiado, pois "o machado devastador bem cedo aniquilará todos os materiais para ela".[62] Retomando a mesma tarefa dois anos mais tarde, resignou-se em admitir que o objetivo daquele trabalho seria o de "conservar alguma notícia do que em bem pouco tempo estará aniquilado, entregue como tudo se acha à mais lastimosa imprevidência".[63]

É importante constatar, contudo, que essa falta de agressividade não deve ser confundida com uma ausência de relevância no debate ambiental da época. Ao seu modo, e segundo o seu temperamento, Freire Alemão exerceu um papel fundamental. A falta de combatividade foi compensada pela perseverança com que o autor regularmente levantou o tema. Mais do que um líder conservacionista, que eventualmente ele poderia ter sido, sua postura era a de um sábio que, sem grandes esperanças, nunca se cansava de pregar no deserto. Em 1850, por exemplo, ele ajudou a criar, junto com Silva Maia, Guilherme Capanema, Frederico Burlamaque e outros, um centro independente de debates científicos voltados para a natureza brasileira. Seu nome foi Sociedade Vellosiana, em homenagem ao velho botânico José Mariano Conceição Velloso, autor da *Flora Fluminensis* e divulgador da ciência aplicada no Brasil Colônia. Entre os temas discutidos nessa sociedade figurava o problema da destruição florestal.

Em 1851, inaugurou-se entre os seus membros um interessante debate sobre as causas do nevoeiro ou "enfumaçado", segundo o dizer da época, que em certos períodos do ano sufocava a cidade do Rio de Janeiro. A tese central de Freire Alemão era a de que esse enfumaçado era provocado pela queima das matas que se fazia nas serras em torno da capital (um fenômeno análogo ao que hoje acontece em cidades da Amazônia, que ficam sufocadas durante a estação das queimadas). O argumento baseava-se no fato de os cronistas antigos não mencionarem o enfumaçado. O primeiro registro datava de 1816, logo depois da expansão da cultura do café naquelas florestas, que teve início no final do século XVIII.[64] Essa tese foi contestada por Frederico Burlamaque que, apesar de também ser um crítico severo das queimadas, considerava que elas não eram suficientes para provocar o enfumaçado, que teria origem em fenômenos meteorológicos. Segundo ele, "o fumo de cem mil fogueiras não seriam suficientes para produzir névoas espessas capazes de cobrir imensas superfícies".[65] A resposta de Freire Alemão, sem negar o valor das observações de Burlamaque, como era do seu feitio, insinuou que seu debatedor falava apenas em teoria, não tendo observado profundamente as queimadas que ocorriam no interior do estado. Essas últimas formavam algo muito maior do que cem mil fogueiras, pois eram "léguas de superfície cobertas de destroços das florestas primitivas, que se entregam ao fogo em tão vasta extensão de terreno, e por mais de 60 dias". O fenômeno apenas não se tornava "ainda mais medonho" devido à chuva e aos ventos do mar, que aliviavam a capital de uma parte dessa "massa enorme de fumo".[66]

A vida de Freire Alemão foi uma sucessão de iniciativas desse tipo, dotadas de maior ou menor complexidade. Sua persistência em estudar e discutir os problemas relacionados com o meio natural serviu como um fermento na formação de indivíduos e projetos coletivos. Em 1856, o encontraremos estudando para o IHGB a história da aclimatação das principais plantas agrícolas no Brasil.[67] Em 1859 e 1860, como veremos adiante, era possível acompanhá-lo em meio às andanças da Comissão Científica de Exploração pelo Ceará, tendo oportunidade para novamente lamentar "o nosso modo bárbaro de cultivar a terra" e o fato de não restarem das florestas da Serra Grande "senão a lembrança".[68] Em 1862 percorria os cafezais do Vale do Paraíba, tentando diagnosticar as pestes que grassavam no seio das monótonas monoculturas. Em seu parecer defendia a necessidade de renovar os cultivos, combinar culturas, estrumar as terras e conservar "os restos das preciosas florestas, tão imprudentemente destruídas". Perguntava-se, de forma melancólica, se passada a crise não voltariam os lavradores a "entregar-se ao descuido e a prosseguirem na perniciosa rotina que os tem trazido ao estado presente".[69] Em 1867, juntamente com Custódio Serrão, Ladislau Neto e Saldanha da Gama, realizava um inventário sistemático da riqueza madeireira do Brasil, para ser apresentado na exposição universal de Paris.[70] Esses exemplos dão apenas uma amostra da variedade de tarefas por ele cultivadas até bem próximo da sua morte, em 1874. No balanço final, portanto, talvez esteja certo Warren Dean em definir a biografia desse homem pacífico como tendo sido "uma vida de lutas".[71]

"O homem da natureza"

Apesar de a crítica ambiental no Brasil monárquico ter se desenvolvido principalmente no ambiente das associações imperiais, é preciso considerar a existência de exceções a essa regra. Um exemplo particularmente interessante de elaboração intelectual independente, inclusive advinda de um personagem que não fazia parte da elite social do país, apareceu em 1834, quando foi publicado no Rio de Janeiro o livro *Viagens e observações de um brasileiro*, assinado por Antônio Muniz de Sousa, um autor que praticamente não recebeu educação formal, era originário dos sertões nordestinos e teve uma trajetória de vida cercada de bastante nebulosidade.

O *Dicionário bibliográfico* de Sacramento Blake fornece poucas e vagas informações, afirmando que ele nasceu em Sergipe por volta de 1790 e morreu no Rio de Janeiro depois de 1840. Mas, na verdade, sabemos que ele ainda estava vivo em 1846, quando públicou um artigo no *Auxiliador da Indústria Nacional*. Nesse artigo, em que se assina como "O Moniz", ele afirmava ter se tornado fazendeiro em Cachoeiras de Macacu (RJ) a partir de 1840, após casar-se com a filha de uma viúva abastada.[72]

Se acreditarmos nas informações contidas no livro de 1834, temos que Muniz de Sousa nasceu em uma família de pequenos agricultores empobrecidos e viveu uma vida extremamente aventureira. Foi vaqueiro, comerciante e militar. Após abandonar sua região natal, depois de envolver-se em confrontos com "homens poderosos nas campanhas e sertões", com "pequenos déspotas" que atentavam contra os sertanejos e camponeses, tentou ir para Portugal a fim de lutar contra os franceses. Após seu barco naufragar na altura de Itamaracá, conseguiu que outra embarcação o levasse para o Rio de Janeiro. Na capital, aonde chegou por volta de 1809, estabeleceu-se como noviço do convento de Santo Antônio, onde teria recebido lições de botânica do próprio frei Conceição Velloso (o naturalista, de fato, retornou ao Brasil em 1809, falecendo dois anos depois). Não querendo seguir a carreira religiosa, tornou-se mateiro e explorador nos sertões do Nordeste de 1812 a 1822, vivendo no meio dos índios e caboclos, anotando tudo o que observava na região. Depois de participar das lutas pela independência na Bahia, em 1823, fez uma longa e difícil viagem por terra até o Rio de Janeiro, onde fixou residência.[73]

A primeira obra dele de que se tem notícia é um manuscrito de 1824, doado ao IHGB por Ignácio Aciolli, com o título de "Descobertas curiosas nos reinos vegetal, animal e mineral por sítios e sertões das brasílicas províncias da Bahia, Sergipe e Alagoas". Esse manuscrito apresentava um repertório da utilidade de vários produtos da natureza, escrito em homenagem a Pedro I. Sua maior presença pública, no entanto, apenas veio a ocorrer no final da década de 1820, quando ele se tornou popular entre os estudantes por revelar aspectos desconhecidos da realidade sertaneja, sendo por isso apelidado de "o homem da natureza" ou "o filósofo da natureza brasileira". Suas narrações começaram a aparecer na imprensa e, com a ajuda de amigos e admiradores, seu primeiro livro foi finalmente publicado.

O estilo de Muniz de Sousa apresentou uma interessante combinação de moralista popular, analista social e viajante. Sua motivação básica, segundo as palavras introdutórias do seu editor, fundava-se em "um modo de sentir guiado por natural retidão, inato amor da natureza e compreensão vivíssima". Essa vocação de moralista veio a aparecer de forma mais explícita no seu segundo livro, publicado em 1843 sob o título de *Máximas e pensamentos praticados por Antônio Muniz de Sousa, o homem da natureza*, uma compilação de regras de conduta para viajantes que também se aplica, segundo o anônimo apresentador, para todos "nós que somos verdadeiros viajantes, que viajamos neste mundo". Nesse conjunto de regras, o trato correto do mundo natural, que aparece de forma mais política em seu primeiro livro, é apresentado em termos basicamente éticos e individuais. O viajante "que vir preconceitos contra a posteridade, bem como a devastação dos matos e outros maus costumes que vão se arraigando, deve sentir como um mal próprio e presente, porque os procuradores dos vindouros são os homens virtuosos". Também era preciso reconhecer "a utilidade das plantas, e a consideração que a elas deve ter não só o viajante, como todos os entes racionais". Essa consideração deveria se traduzir em uma atitude ativamente benéfica: "Todos os bens de que se goza são devidos ao reino vegetal, o mais rico dos reinos e criador do animal. Por estas considerações cumpre que o viajante traga sempre na algibeira os gérmens delas, para quando achar terreno e estação própria semear em proveito do país onde se achar e do seu próprio."[74]

É no trabalho de 1834, porém, que vamos encontrar os conteúdos mais significativos para a temática deste livro. Além de conter um tesouro de observações sobre o interior do Brasil nas primeiras décadas do século XIX, o *Viagens e observações* chama atenção pelo forte espírito de crítica social, em geral de caráter democrático. Seus alvos são os mais variados: ele protesta contra o banditismo desenfreado, a incompetência das escolas públicas, a opressão contra as mulheres, as arbitrariedades no recrutamento e na prática dos militares, a corrupção dos juízes, a ociosidade e luxo desmedido da elite e a falta de zelo no trato com os animais e a terra. Critica também o relaxamento dos costumes, condenando a dança do entrudo, a festa das Cavalhadas e o abuso das bebidas.

Os preconceitos étnicos também estão presentes, especialmente na primeira parte do livro, quando Muniz de Souza investe contra o mau-caratismo dos ciganos e a selvageria dos índios. Sua posição a respeito destes últimos, no entanto, é bastante ambígua. Ele reconhece as virtudes das comunidades indígenas quando vivendo em seu estado primitivo, mas critica sua degradação moral quando em contato com a sociedade da época:

> Tenho ouvido alguns homens, que pensam filosoficamente, dizer que não há vida igual à dos índios, porque seguem a ordem da natureza. Não duvido. Porém só enquanto não é interrompida por nós, ou pela nossa ordem social, a qual é toda contraditória com a ordem da natureza que eles seguem. Além disso, ocorre mais que nós lhes temos tomado grande parte de seus terrenos e matas, e por conseqüência os temos privado de todos os socorros e comunidades que lhes franqueou a natureza. Por isso que vivem em continuada miséria.[75]

Na parte final do livro, especialmente, que reuniu anotações mais recentes, o autor afirma ter aprimorado sua opinião sobre os índios, compreendendo que eles possuíam uma moralidade e uma generosidade próprias, sendo sua violência uma resposta contra as arbitrariedades que seguidamente sofriam. É doloroso ver, afirma, "como os indígenas saem luzidos e reforçados das suas ricas florestas e em poucos meses ficam magros, corrompidos dos vícios que se encontram nas sociedades, único fruto que tiram da chamada civilização, do que resulta morrerem desgraçadamente". E, no entanto, contradizendo essas afirmações, sua proposta não foi a de protegê-los do contato com a sociedade, mas sim "os trazer a nós e fazê-los entrar em sociedade, garantindo-lhes a segurança e a plena igualdade de direitos".[76] A mesma ambigüidade esteve presente na questão dos escravos africanos: apesar de criticar de forma recorrente a violência contra eles, afirmando enfaticamente sua humanidade, Muniz de Sousa nunca defendeu concretamente uma proposta de abandono do escravismo, chegando mesmo a possuir escravos, como veremos adiante.

Mas, no tocante à crítica ambiental, suas posições foram bastante definidas. A crítica mais dura foi dirigida à "classe caçadora", que reuniria os "mais inúteis homens que existem entre nós":

> A ociosidade no Brasil é o tronco de todos os vícios. A primeira classe de ociosos se aplica à caçada e à pescaria, no que não tiram utilidade alguma porque, não criando os campos e matos cultivados abundância de animais silvestres como antigamente, gastam em vão o tempo e causam um notável prejuízo. E de mais existe o mau costume de lançarem tingui* nos poços e lagos, com o que matam todos os peixes que ali há, privando aos demais homens do socorro que lhe

* O uso de plantas das famílias das leguminosas e das sapindáceas para provocar o atordoamento e envenenamento dos peixes era uma prática de origem indígena amplamente adotada pelos colonos mestiços do interior. Ela foi registrada por vários escritores com o nome de timbó, tingui e tinguijada.

> podem servir tais viventes. E faz lástima ver aqueles poços esteirados de peixes podres rodeados de urubus: aquelas águas fazem morrer o gado prenhe que as bebe e causam peste aos homens.[77]

O extrativismo predatório revelava-se também nas práticas dos coletores de mel, que o autor chama de "caçadores meleiros". Estes últimos, ao invés de retirarem o mel de forma cuidadosa, optavam por destruir as próprias abelhas que formavam a base do seu sustento.

O absurdo dessa prática revelava-se mais ainda pelo fato de existirem métodos mais cuidadosos que, além de tudo, garantiam a continuidade daquela atividade econômica:

> Oh estúpido e insensível destruidor até daquilo que te é mais útil! Por que não fazeis como o meleiro prudente, que extrai o mel e deixa-lhes os filhos, e até mesmo lhes torna a arranjar a colméia para acharem outro dia o que naquele achou? ... Eu alcancei tempo na minha província em que abundavam as abelhas, e hoje são vasqueiras, motivado pelo estrago que nelas se tem feito.[78]

As práticas agrícolas não mereceram de Muniz de Sousa uma avaliação mais positiva. Os caçadores, por exemplo, adotavam o mesmo estilo destrutivo quando produziam algum tipo de lavoura:

> Este grande número de homens que só trabalham na destruição do Brasil, maquinando dia e noite a maneira de aumentar o dano que fazem. Vão no tempo do estio lançar fogo às frondosas matas para se divertirem com o incêndio, e outros para, na limpa que o fogo faz, plantar alguns pés de abóboras e cabaças, trocando destarte o que vale milhões pelo que nada vale. É doloroso ver reduzir a cinzas léguas de matas aformoseadas de preciosos troncos, tornando fecundos terrenos ornados daquelas em vis charnecas e péssimas mondas.[79]

Mas os agricultores regulares não apresentavam performance muito melhor. As matas do país estavam desaparecendo "sem especulação e cálculo" por agricultores que, "por não saberem o modo de beneficiar os terrenos, assim destroem as florestas em prejuízo seu e do Brasil". A estrutura agrária como um todo também é condenada, pois "havendo tanta terra para se cultivar, e tão poucos braços para o fazer, tem a avareza de certos homens conseguido que sobrem os agricultores e falte a terra! Daqui nasce haver tanta ociosidade naqueles e tanta míngua na prosperidade desta."[80] Além da falta de uma melhor distribuição da terra, a produção rural carecia de instrução técnica e crédito.

Apesar de não pregar o fim do escravismo em si — ele elogiou os senhores "que sabem tratar bem os seus escravos, porque eles vivem contentes e satisfeitos"—, Muniz de Sousa atribuiu aos maus-tratos conferidos aos cativos uma boa parte do atraso da lavoura. Essas violências prejudicavam a produtividade agrícola e o uso racional da mão-de-obra. As plantações domésticas realizadas pelos escravos em seus dias livres, por exemplo, muitas vezes se perdiam pela falta de tempo para cuidarem das mesmas.[81] Em um pequeno artigo que públicou em 1846, com o título de "Reflexões sobre a escravatura das fazendas do Brasil", ele relatou as melhorias que introduziu junto a um grupo de cativos herdados por sua esposa, através das quais logrou reduzir a sua mortandade. O fato, porém, é que apesar de reafirmar que os negros eram parte da raça humana e que sem igualdade entre os cidadãos não haveria o desenvolvimento das imensas forças do Brasil, o argumento de Muniz de Sousa foi essencialmente utilitário: os escravos tinham que ser bem tratados para evitar os processos através dos quais "o escravo perde a vida e o senhor o seu dinheiro, tudo isso em prejuízo do Brasil".[82]

A situação de decadência da agricultura derivava, em sua maior parte, da falta de atenção do governo para com a mais importante indústria do país, que era compensada apenas pela qualidade natural de seu território:

> O Brasil, esquecido e abandonado pelos políticos que regem os seus destinos, acha sempre apoio nos férteis terrenos e saudável clima, única âncora e amparo da nossa agricultura. Já não existiria Brasil se não estivesse apoiado em si mesmo, porque os políticos não velam sobre a sua felicidade e interesses verdadeiros. Um povo incauto, que nunca viu coisa alguma, como sejam os agricultores do Brasil ... deve ser auxiliado pelos que estão encarregados de promover a felicidade nacional.[83]

É importante ressaltar que Muniz de Sousa apresentava-se sempre como um patriota, alguém interessado no destino do país. Suas reflexões não destoaram, nesse sentido, da linha básica adotada por seus predecessores. Sua crítica ambiental, por trás das observações específicas dos costumes e realidades locais, era fundamentalmente política:

> Nada me parece mais digno de censura como seja a indiferença com que os homens que estão encarregados da felicidade do Brasil olham para estes estragos sem lhes fazer abalo. Não devemos ser insensíveis aos danos que o Brasil e seus habitantes sofrem. O povo é como as crianças que brincando destroem o que lhes é de grande utilidade. Em um país tão moderno e tão rico de madeiras como o Brasil estas já são raríssimas e de alto preço. E qual será o motivo? Os estragos que se tem feito em suas florestas em vista e face dos encarregados da sua felicidade, que não curam da sua boa administração.[84]

Trata-se de mais um exemplo da força do paradigma progressista na evolução da primeira crítica ambiental brasileira. Mesmo um autor dotado de biografia tão inusitada, apartado da formação educacional da elite, acabou por apresentar elementos semelhantes aos que demarcaram o ideário básico daquela tradição intelectual. Além da ênfase política, é preciso mencionar o sentido econômico das suas reflexões, sempre centrado na agricultura. O progresso do país, afirmou, teria que partir da disseminação do que chamava de "agricultores calculistas", que seriam capazes de tornarem-se "ricos e abundantes cultivando os seus terrenos com a melhor ordem e economia agronômica, isentando as matas do estrago dos incêndios". Ele se encantou, por exemplo, ao conhecer uma colônia alemã em Vila Viçosa, na Bahia, onde se podia observar "o arranjo, a limpeza, a economia, o verdadeiro método dos agricultores civilizados".[85] A construção de agentes econômicos desse tipo poderia ser estimulada através de uma série de medidas políticas, entre as quais o incentivo à imigração européia, a criação de caixas de crédito agrícola e o fomento à instrução e à técnica.

Nada mais revelador da força do enfoque modernizante do que a reivindicação de atores econômicos "calculistas" pelo mais rústico dos críticos ambientais da época, o único que logrou se apresentar, e se credenciar socialmente, como sendo um "homem da natureza".

"Maldição eterna à nossa memória"

A continuidade do debate ambiental no Brasil oitocentista não se limitou ao espaço do Rio de Janeiro. Em 1849, por exemplo, por iniciativa de Freire Alemão, o IHGB realizou um esforço para coletar informações sobre o estado original das populações nativas e do meio natural em cada província. Perguntava o Instituto, além das questões etnográficas, "qual a parte da mesma província que era já a esse tempo [o da conquista] desprovida de matas; quais são os campos nativos, e qual o terreno coberto de florestas virgens; onde estas têm sido destruídas e onde se conservam; quais as madeiras preciosas de que abundavam, e que qualidades de animais as povoavam".[86]

Esse questionário animou Ignácio Accioli de Cerqueira e Silva, um importante corógrafo e historiador de origem paraense, que era então sócio correspondente do IHGB na Bahia, a escrever uma "Dissertação histórica, etnográfica e política" onde abordou de maneira erudita os problemas florestais da sua província. Uma importante novidade teórica desse trabalho foi a de romper com um certo padrão existente na crítica ambiental brasileira, desde o final do século XVIII, no sentido de culpar exclusivamente os "interesses particulares" pela degradação ambiental. As críticas ao Estado, quando presentes, dirigiam-se à sua omissão e ineficácia fiscalizadora, nunca à sua coparticipação efetiva na obra da destruição. Ao contrário, Ignácio deixou claro desde o início que "foi o governo que concorreu nesta província para a rápida e progressiva devastação das ricas e majestosas matas seculares, que se estendiam por todo o seu litoral". Desde o começo do século XVIII, segundo ele, os governos baianos incentivaram irresponsavelmente a expansão das plantações nas áreas de florestas, promovendo a sua maciça substituição por lavouras pouco duráveis. A obrigação de plantar mandioca, além de contradizer "os verdadeiros princípios da economia política", aumentou a destruição das matas devido ao "prejuízo que ainda agora subsiste de serem unicamente próprios para a cultura da mandioca aqueles terrenos onde houverem árvores de vinhático e sicupira, que vem a ser o mesmo que dizer, as florestas virgens".[87]

No final dos anos 1700, teria começado a ocorrer um debate crítico sobre a necessidade de deter essa destruição, do qual Accioli menciona especificamente as representações de Francisco Nunes da Costa. Esse debate desaguou, em um primeiro momento, na tomada de medidas ao nível local, e mais tarde, na intervenção do próprio Estado português, que criou na virada do século a "conservadoria dos Ilhéus". O autor revelava-se céptico, contudo, quanto ao resultado de todas essas políticas, afirmando que a conservadoria das matas, "se algum benefício produziu, não foi certamente o que se procurava obter". A realidade então, como resultado desses fracassos, era pouco promissora, pois "têm desaparecido da extensa cadeia do litoral desta província as primitivas florestas que justamente enchiam de assombro e admiração o observador da natureza". De sorte que subsistiam apenas "alguns pequenos restos em diferentes pontos destacados", além daquelas "matas que ficam bastantes léguas distantes das vilas e povoações, onde por hora não chegou o machado devastador dos rotineiros lavradores, mas que chegará, volvidos que sejam mais alguns anos, por isso que continua o serviço agrícola a ser feito por escravos, e sabe-se que infelizmente iludem-se hoje as melhores leis".[88]

Apesar de não aprofundar a reflexão a ponto de propor uma superação do trabalho servil, Accioli aceitou a tese de que "o serviço agrícola feito por escravos" concorre para a "progressiva devastação das matas". Essa tese não deveria ser considerada uma "proposição temerária", já que o autor se dizia persuadido pelas "inúmeras razões políticas" apresentadas por José Bonifácio, uma "autoridade de grande peso" e "homem de sempre gratas recordações ao Brasil". Vale ressaltar que, além de recorrer à "Representação ... sobre a escravatura", de Bonifácio, Ignácio lançou mão várias vezes de outras autoridades intelectuais. Entre os estrangeiros mencionou Plínio, Sully, Lord Merville e Sir Walter Scott. Entre os brasileiros apareceram alguns dos nomes que já foram analisados no presente livro: Baltasar da Silva Lisboa é citado freqüentemente como fonte fidedigna em temas históricos e florestais; Maciel da Costa, e novamente Bonifácio, são invocados para criticar o tratamento dado aos índios: "O coração estremece com a recordação do método pelo qual governadores do Brasil, aliás não destituídos de juízo e humanidade, mandavam fazer esses chamados descobertos. Era verdadeiramente uma caçada humana, de que se encarregavam militares ferozes, escoltados da mais baixa ralé. Matar e exterminar eram as instruções."[89] Também o Visconde de Abrantes (Miguel Calmon du Pin e Almeida), que será discutido no próximo capítulo, aparece como fonte teórica para a defesa das florestas.

Em suma: assim como no caso de vários outros autores, a crítica ambiental de Accioli será construída através de uma convergência entre a observação vertical dos problemas existentes em sua região e a transmissão horizontal de um debate teórico mais antigo, que serviu para educar e direcionar esse olhar.

Este tipo de convergência aparecerá de maneira ainda mais clara no caso de uma outra província do Nordeste, o Ceará, onde as secas periódicas produziram uma situação potencialmente propícia à emergência de uma crítica ambiental. Esse potencial, no entanto, foi aproveitado de forma bastante tardia, demonstrando que a transformação de problemas ambientais em crítica ambiental não era um processo automático. Existe, em primeiro lugar, a questão da visibilidade mesma do problema. É impressionante constatar que as primeiras análises técnicas sistemáticas sobre o problema das secas apenas começaram a aparecer no final da década de 1850, não obstante as devastadoras conseqüências da grande seca de 1845 (para não falar das anteriores). Segundo um levantamento realizado por Joaquim Alves, apesar de algumas reflexões isoladas terem sido publicadas nas décadas precedentes, a primeira tentativa de enfrentamento técnico do problema aconteceu em 1859, através de um artigo de autoria de Viriato Medeiros. A esse artigo se seguiram, nas décadas seguintes, trabalhos relevantes de Tomás Pompeu Brasil (1860, 1863, 1877), Henrique de Beaurepaire Rohan (1860), Giacomo Raja Gabaglia (1861), Antônio Marco de Macedo (1871), André Rebouças (1877) e Guilherme Capanema (1878).[90]

É significativo o fato de a escolha do Ceará como destino da Imperial Comissão Científica de Exploração, a primeira oficialmente promovida pelo Estado brasileiro, ter se dado em função de uma pretensa existência de minerais preciosos na província, e não por qualquer intuito de levar eruditos brasileiros para solucionar o flagelo. O problema das secas, na verdade, praticamente não apareceu nas instruções preliminares da Comissão, que foram elaboradas em 1857 e 1859. Tal esquecimento é especialmente irônico se lembrarmos que o argumento utilizado pelo IHGB, para convencer o governo a financiar os trabalhos da comissão, era o de que as missões exploratórias estrangeiras tinham uma visão deturpada do Brasil, não logrando compreender plenamente a sua realidade interna.

Independente das intenções prévias, o fato é que a presença da chamada Comissão Exploradora no Ceará teve conseqüências relevantes para o futuro da crítica ambiental no Brasil. Ela manteve no Ceará, durante mais de um ano, alguns dos seus principais promotores, especialmente Freire Alemão e Guilherme Capanema. Este último era um engenheiro formado na Áustria que, após retornar ao Brasil, tornou-se professor da Escola Militar, subdiretor da divisão de geologia do Museu Nacional e mais tarde, de 1855 a 1889, diretor geral dos Telégrafos. Capanema foi sempre um personagem polêmico e um animador constante das discussões científicas no Brasil de seu tempo. Ele assumiu posições de liderança na SAIN, no IHGB, na Sociedade Vellosiana e em outras associações. Seu papel foi tão importante quanto o de Freire Alemão, apesar de sua personalidade ser quase a antítese da do velho botânico. Renato Braga o descreveu como alguém que "impressionava pela variada cultura, pela conversa fácil e recheada de boas pilhérias, pelos planos arrojados e atrevimento com que esvurmava adversários e figurões. Não temia escândalo. Avesso à comédia humana, apreciava a boa mesa, os vinhos franceses e a caça feminina."[92] Filho de Roque Schuch, cientista austríaco que veio para o Brasil na comitiva da Imperatriz Leopoldina, sendo depois nomeado bibliotecário da casa real, Capanema foi colega de infância de Pedro II. A relação de profunda amizade com o imperador contribuiu para o prestígio social de que desfrutou, apesar de suas opiniões heterodoxas sobre diferentes assuntos.

Todo o trabalho da Comissão, na verdade, foi marcado pela polêmica. Seus resultados científicos foram pouco expressivos, excetuando-se o "Relatório da seção botânica", levantamento da flora cearense realizado por Freire Alemão. O comportamento dos membros mais jovens do grupo, a começar por Capanema e Gonçalves Dias (responsável pela seção de etnografia), não correspondeu às expectativas do velho e austero cientista que o chefiava. Segundo Braga, que narrou deliciosamente as desventuras do grupo no Ceará, "o desregramento da maioria dos participantes ... ensejou a oportunidade para que vingasse o picante apelido de 'comissão defloradora', em vez de 'comissão exploradora', como às vezes lhe chamavam".[93] As críticas à utilidade científica do empreendimento, por outro lado, começaram quando o grupo ainda se encontrava no Ceará. Alexandre de Mello Moraes lamentou que se gastasse tanto dinheiro em "apanhar borboletas", dando origem ao apelido jocoso de "comissão das borboletas".[94]

De uma perspectiva histórica, contudo, é preciso reconhecer que uma margem significativa da oposição ao projeto tinha origem em conflitos partidários, científicos e literários que lhe eram anteriores. O problema do comportamento dos seus membros, além disso, deve ser debitado em boa parte ao choque entre uma sociedade provinciana e um grupo cosmopolita e acostumado a viver segundo costumes mais liberais. Mas o que não se pode negar é a qualidade intelectual da maioria dos seus participantes.

É interessante observar, igualmente, a conexão entre as idéias dos seus membros e algumas das propostas que vinham sendo formuladas desde o final do século anterior. Eles retomaram, por exemplo, o projeto de introduzir camelos no semi-árido. Guilherme Capanema, na qualidade de delegado no Brasil da Sociedade Zoológica de Aclimação de Paris, obteve o apoio do governo imperial para a importação de quatorze desses animais, que chegaram ao Ceará em julho de 1859, sendo recebidos pelos membros da Comissão. Como preparação para esse projeto, Frederico Burlamaque escreveu um estudo sobre a *Aclimatação do dromedário nos sertões do Norte do Brasil*, onde mencionou os esforços de introdução feitos anteriormente, inclusive a importação de um casal por Antônio Veloso de Oliveira, em 1811, quando ainda vivia no Maranhão. Um dos entusiastas dessa nova tentativa, que forneceu um parecer favorável à sociedade de Paris, foi o escritor romântico Ferdinand Denis. A autoridade de Humboldt também foi bastante citada em favor do projeto. Mas, apesar das expectativas favoráveis, a experiência fracassou totalmente, já que os animais não conseguiram sobreviver.[95]

Um outro ponto que deve ser considerado, no balanço dos resultados da passagem da Comissão pelo Ceará, foi a influência mutuamente positiva que o diálogo entre os intelectuais da capital e da província pode ter produzido. Não é obra do acaso o fato de Tomás Pompeu de Sousa Brasil ter publicado em 1860, no jornal *O Cearense*, uma série de excelentes artigos sobre o problema da destruição das matas, associando-o diretamente ao das secas. O autor era um dos mais destacados intelectuais locais, um jurista de formação católica (foi padre até 1845) que se tornou um importante estudioso da geografia e da história cearenses; um pouco mais tarde, em 1864, elegeu-se senador do império, cargo que ocupou até 1877. Em 1860, ainda vivendo em Fortaleza, Sousa Brasil transformou sua casa em um espaço constante de convívio com os membros da Comissão, criando uma espécie de fórum para o diálogo entre estes e a intelectualidade local. As idéias sobre a importância das florestas e do ambiente natural já freqüentavam sua mente antes da chegada do grupo, mas certamente foram aprofundadas pelo diálogo com Freire Alemão, Capanema e outros.

Os artigos de Sousa Brasil, de fato, destacaram-se pela consistência e a erudição. Seu ponto de partida foi profundamente político, tomando como unidade básica de preocupação o destino da sua província. Ele se definiu como uma "inútil Cassandra", pois tentava sem sucesso chamar a atenção "dos habitantes desta província, e dos poderes públicos, para os terríveis efeitos da devastação de nossas matas, que a ignorância e sobretudo o egoísmo e a indiferença para com as gerações futuras vão todos os dias reduzindo e quase aniquilando". As ameaças à sobrevivência e ao progresso da província eram enormes, já que "o pernicioso sistema de roteamento das matas, o incêndio dos campos do sertão, apressarão o termo de completa ruína de nossa terra e deixarão a nossos vindouros solidões e ruínas, e uma maldição eterna à nossa memória".[96]

Para explicar o fundamento dessas ameaças, Sousa Brasil recorreu a uma extensa literatura, onde não faltaram, como era de se esperar, referências ao "ilustre patriarca da Independência e distinto sábio José Bonifácio". Também são citados, entre os escritos de autores brasileiros, o *Discurso* de Silva Maia e os textos de Caetano Pacova que serão analisados no próximo capítulo. Entre os autores estrangeiros, a principal referência, como também era previsível, foi Humboldt, "o sábio alemão que há pouco deixou de ilustrar o mundo". Além destes são mencionados muitos outros autores, especialmente franceses, como Buffon, Volney e Mirbel.

A linha do seu raciocínio retomou vários dos temas que já vimos, inclusive o referencial no passado longínquo: "A história aí está apresentando tristes documentos da verdade desta lei eterna, de que o país mais fértil, abundante e rico pode ser convertido em charneca estéril e solidão inabitável se a imprudência humana o desguarnecer das matas que fazem a condição da sua uberdade e a benignidade do seu clima." Era o caso da antiga terra de Canaan (Palestina), da Síria e da Mesopotâmia. Importantes núcleos urbanos do velho mundo, como "Balbek (Heliópolis), Tadmor (Palmira), Babilônia, Ninive, Seleucia Cetzefon, Bagdá e tantas outras cidades que bordeavam o Eufrates, o Tigre, o Orantes e o Cidno, desapareceram da face da Terra e em seu lugar reinam hoje a esterilidade e a solidão."[97]

As causas dessa decadência tinham a ver com a "infração das leis naturais da ordem física". No dizer do autor, "é a seca que esteriliza estes países antigamente ubérrimos, e esta seca é devida à imprudência dos homens que talaram os campos, a fogos freqüentes, e à roteadura das matas que cobriam as fraldas dos montes e margens dos rios". O mesmo fenômeno podia ser observado em regiões e tempos menos longínquos: a destruição das matas do Atlas, na Berbéria, "arruinaram a África do Norte, antigamente o celeiro da Itália"; a região da Provença, na França, já estava sendo dominada por "vastas extensões de areias e pedras sulcadas periodicamente pelas torrentes dos Alpes".[98]

A própria história do Brasil era reveladora de processos crescentes de degradação do território, particularmente na região das secas do Nordeste:

> Se compulsassem os documentos que existem sobre o estado físico do Brasil no tempo de sua descoberta, no século XVI, e nas diversas épocas da sua história, e até pela simples comparação das porções do seu território aplicadas à cultura do açúcar com as em que se desenvolveu a do algodão, poder-se-ia provar a influência que exerce a ação do homem sobre o clima das terras que habita, e demonstrar a verdade deste princípio enunciado há quarenta anos por Fourier, que a atmosfera é um campo suscetível de cultura.[99]

A bela imagem da atmosfera como "campo de cultura" derivava da teoria do dessecamento: a umidade de um país resultava da evaporação das águas e da transpiração dos bosques. Nos desertos não chovia por não existirem lagos ou bosques "donde o calor arranque vapores". Além disso, esses acidentes geográficos, assim como as grandes montanhas, serviam para condensar os vapores que são trazidos pelos ventos de outras regiões, especialmente dos oceanos. As matas, montanhas e reservatórios d'água estabeleciam em torno de si um ar mais fresco que aglomerava e condensava os vapores aquosos em movimento. Sem essas barreiras de condensação, tais vapores simplesmente passavam pelo território sem provocar chuvas. Era exatamente o que ocorria no polígono das secas, já que os vapores advindos dos ventos do Atlântico, não encontrando barreiras, seguiam direto para a cordilheira dos Andes.[100] A destruição das florestas no Ceará, desta forma, extinguia ao mesmo tempo fontes endógenas de umidade e barreiras de condensação que pudessem gerar o aproveitamento da umidade exógena.

A conclusão política de Sousa Brasil era de que o enfrentamento dessa destruição representava uma verdadeira estratégia de sobrevivência, pois "quem não sabe se preparamos com este pernicioso sistema uma sorte desastrosa à nossa terra, semelhante à de Chipre, Síria, etc?" Tal enfrentamento passava, em primeiro lugar, pela conservação "de uma preciosidade de matas que ainda restam, como um patrimônio de família, uma condição de existência da sociedade". Era fundamental também praticar a arboricultura e construir mananciais de água no sertão, restituindo à natureza "aquilo que nossa imprudência ou de nossos passados lhe tirou".[101]

A mensagem final era essencialmente política, pregando a imposição do interesse coletivo, através de uma reação forte do Estado sobre a ação deletéria dos destruidores: "Promulguem os governos uma medida geral sobre os cortes de árvores, ainda que em contrário se invoquem o direito e a liberdade individual. A ditadura do bem é lamentável, mas necessária ... a intervenção do Estado na salvação das gerações futuras não pode ser repelida pelos mais zelosos liberais."[102]

Voltando ao mesmo tema dezessete anos depois — às vésperas da sua morte —, Pompeu de Sousa Brasil reafirmou as mesmas teses. Em sua *Memória sobre o clima e as secas do Ceará*, de 1877, analisou a história das secas desde a primeira de que se tinha registro, em 1711, repetindo o argumento de que a causa principal do fenômeno estava no fato de as correntes aéreas do Atlântico, não encontrando pontos de condensação, seguirem direto para os Andes. Vivia-se então um longo período sem grandes secas — a última havia ocorrido em 1845 —, fato que o autor atribuía principalmente a algum fenômeno natural ignorado, já que a natureza das correntes aéreas era ainda bastante desconhecida pela ciência. Também contribuía para isso, com base na sua própria teoria, o fato de que "os fazendeiros, e em geral os moradores do sertão, têm feito muitos açudes".[103] O risco de um novo agravamento do problema, no entanto, permanecia, já que o sistema de roteamento e destruição das matas continuava em pleno vigor.

Em importantes rios do Ceará, como o Jaguaribe, observava-se uma diminuição das águas devido aos desmatamentos provocados pela cultura do algodão. O desnudamento das encostas das serras, por outro lado, tinha contribuído para as enxurradas de 1875 (que destruíram muitas represas). Era o caso da serra do Araripe, onde o machado e o fogo continuavam a ser "os cruéis instrumentos com que uma população ignara dos princípios rudimentares da economia rural, e herdeira dos hábitos dos aborígines, há séculos desnuda sem cessar ... essas florestas virgens destinadas por Deus para ornamento da terra e serviço do homem e jamais para pasto das chamas desordenadas".[104] Era necessário, portanto, renovar as medidas de conservação e plantio dos bosques, implementando-se também um sistema melhor planejado de construção de represas e canais (a partir do projeto desenhado por Giacomo Raja Gabaglia, um dos membros da Comissão de 1859).

As advertências finais de Sousa Brasil revelaram toda a sua lucidez ainda naquele mesmo ano. Um apêndice ao livro comentava com grande tristeza o violento retorno da seca no Nordeste. Para o autor, a mencionada destruição de muitos açudes em 1875 poderia ter contribuído para esse retorno, que de toda forma demostrava o quanto continuavam presentes as causas estruturais do flagelo. A grande seca de 1877, efetivamente, revelou-se desoladora, chegando a provocar uma certa comoção na capital do Império. André Rebouças públicou *A seca nas províncias do Norte*, um eloqüente opúsculo onde clamava por apoio às populações que sofriam com o problema, criticando duramente a inércia e o descaso dos governos, que não aproveitaram o tempo de estio para implementar o plano de Raja Gabaglia. Ele comparava a situação nordestina com a da Índia, afirmando que até mesmo um governo colonial como o inglês mostrava-se mais atento ao problema das secas do que o brasileiro. Recomendava a realização de uma reforma agrária de emergência, assentando-se os retirantes no litoral, e a realização de várias obras de engenharia, defendendo a tese de que existia água suficiente no Ceará, estando apenas mal aproveitada, mal armazenada e mal distribuída.

Por iniciativa do mesmo Rebouças, o Instituto Politécnico organizou em outubro de 1877, sob a presidência do Conde D'Eu, uma série de concorridos debates sobre a questão das secas, com a presença da elite da inteligência técnica da Corte. Essas reuniões, no entanto, nas palavras de Joaquim Alves, "não passaram de simples palestras entre homens de ciência, nada mais".[105] Um plano de cinco pontos foi apresentado ao governo imperial, como resultado dos debates, mas nenhum deles chegou a ser executado, ou sequer planejado.

Uma das vozes que se levantou no debate sobre as secas de 1877-79, com a autoridade de quem havia estudado de perto o interior do Ceará, foi a de Guilherme Capanema. Nos *Apontamentos sobre as secas do Ceará*, de 1878, ele defendeu a tese de que as secas eram um fenômeno cósmico ainda pouco conhecido, ligado às chamadas "manchas solares", sendo por isso inevitáveis. A destruição das matas, segundo o autor, influía consideravelmente sobre o clima, mas a presença delas não conseguia impedir as secas, pois tanto no Brasil antigo quanto na distante Ilha Maurício ocorriam secas quando os territórios ainda estavam cobertos por florestas virgens. O plantio de árvores, por esse motivo, era positivo apenas em algumas localidades, já que elas "oferecem algum recurso e um pouco poderão influir no clima". Em outras localidades tal prática seria inútil. Mesmo nos melhores casos, era preciso ter claro que "as plantações de arvoredos em lugares apropriados diminuirá os efeitos das secas anuais, nunca evitará as calamitosas dos grandes períodos". O mesmo podia ser dito da construção de açudes. Em alguns lugares eles teriam cabimento, especialmente se cercados com árvores, servindo de bebedouro temporário para alguns plantios. Em outros poderiam até ser perniciosos, pois costumavam evaporar, entulhar-se de terra e encher-se de infusórios patológicos.

A única solução possível para enfrentar o problema, em termos realistas, estava em "guardar as sobras dos anos de prosperidade para consumi-las nos de penúria". Era preciso construir reservatórios de água potável e armazenar cereais, assim como plantar forragem resistente, de forma a garantir a alimentação das pessoas e do gado durante a seca. Também era necessário aumentar a capacidade de previsão e planejamento, promovendo um sistema de medições meteorológicas que pudesse fornecer sinais de alerta com alguma antecedência.[106]

Essas observações revelam bem o espírito pragmático e pouco dogmático do autor. Ele não desconsiderava o sofrimento do "povo simples" do Ceará. Em um texto anterior, de 1866, sobre a *Decomposição dos penedos no Brasil*, ele afirmava que a atitude dos retirantes que seguiam em direção à capital, em casos anteriores de seca, quando evitavam saquear os comboios que com eles cruzavam levando comida para a população do interior, era um gesto de solidariedade e abnegação "talvez sem exemplo onde a civilização esteja mais espalhada".[107] A melhoria da sorte dessas populações tinha que ser construída a partir de propostas que estivessem o mais longe possível de qualquer tipo de idealismo abstrato. Os movimentos da natureza precisavam ser vistos em todo o seu realismo cósmico, inclusive com o grau de brutalidade que lhes era próprio. Até porque, diante das dinâmicas do mundo natural, a posição do ser humano revela-se bem mais modesta do que sua presunção aceitava reconhecer:

> Deveríamos acusar a natureza de cruel por destruir todas as suas produções, ela representa Saturno devorando os próprios filhos; no entanto, é disso que ela se ocupa, o seu trabalho todo é modelar incessantemente, produzir a inúmera variedade de formas que vemos e de que nós mesmos fazemos parte; ela é obrigada a destruir para ter com que reconstruir, pois ela é apenas operária e não criadora ... Da decomposição das montanhas inanimadas modelam-se as formas

que recebem a vida; o carvão e mais partes sólidas se reduzem a pó, a água em vapor, que misturado com mais gazes é fugaz como a sombra, e daí a nossa qualificação de "pulvs et umbra", aliás pouco lisonjeira.[108]

"Processos verdadeiramente selvagens"

Observando o panorama da crítica ambiental no Norte e Nordeste do Brasil, ao longo do século XIX, chega-se a uma conclusão interessante: enquanto o paroxismo da carência ambiental, representado pela seca, suscitou um número considerável de reflexões críticas, o paroxismo da abundância, representado pela floresta amazônica, exerceu uma motivação oposta. Até onde eu tenha conseguido perceber, uma impressão que pode perfeitamente ser modificada por pesquisas posteriores, a crítica ambiental na Amazônia não foi muito intensa no período anterior a 1888. O que não significa dizer que ela não tenha existido. É preciso considerar o fato de que a ocupação econômica de vastas áreas florestais, particularmente a sua destruição para fins agrícolas, foi muito menos intensa na Amazônia do que na mata atlântica até o final do século XX. O grande ciclo de extração do látex, por outro lado, que se intensificou a partir de 1870, não provocou um desmatamento generalizado. O risco do esgotamento das florestas, no contexto de um estoque tão gigantesco como o da Amazônia, não chegou a gerar grandes preocupações. O tema central, a exemplo do que já ocorrera nos escritos de Alexandre Rodrigues Ferreira, foi o das conseqüências negativas do extrativismo predatório — ou seja, não o risco de destruição da floresta como um todo, mas sim de extinção de algumas espécies vegetais e animais de especial valor econômico.

Segundo um levantamento realizado por Victor Leonardi, centrado no baixo Rio Negro, essa preocupação apareceu nos relatórios dos presidentes da província do Amazonas, especialmente no caso de João Pedro Dias Vieira. Já em 1856 ele constatou que a salsaparrilha "desapareceu quase inteiramente das matas e margens dos rios mais próximos, à proporção que foi sendo colhida, porque lhe arrancaram do solo a batata inutilmente". O mais absurdo é que esse processo poderia ser facilmente evitado, bastando não cortar o bulbo e a radícula principal da planta. Mas "tal tem sido até agora nossa negligência!", dizia, "que esse ramo interessante do comércio se vai cada dia tornando mais difícil nessa província". Também a extração da estopa e do óleo da copaíba sofria danos semelhantes. A primeira pelos maus-tratos infringidos às castanheiras, a segunda porque o óleo estava sendo retirado através dos "golpes de machado contra a indefesa copaibeira", e não através de cortes superficiais que não destruiriam a árvore. Vieira propunha, para enfrentar esses problemas, a "aprovação de leis e regulamentos que coibissem o extrativismo predatório".[109]

O tema continuou presente nos anos seguintes. Em 1861, por exemplo, o governo provincial contratou Gonçalves Dias para presidir uma comissão que preparasse a participação do Amazonas em uma exposição de produtos comerciais a ser realizada no Rio de Janeiro. Nos relatórios preparados para essa comissão, o problema do extrativismo reapareceu de diferentes maneiras. A contribuição mais significativa foi elaborada por João Martins da Silva Coutinho, um engenheiro militar do Rio de Janeiro que, ao longo da década de 1860, viveu e trabalhou por muitos anos na Amazônia. A ligação desse personagem com o grupo intelectual que está sendo analisado, aliás, é bastante evidente. Ele trabalhou como assistente de Guilherme Capanema na chefia da seção geológica da Comissão Científica de Exploração, seguindo posteriormente do Ceará para o Amazonas. O mesmo aconteceu com seu amigo Gonçalves Dias, chefe da sessão de etnografia. Eles chegaram a realizar juntos, em julho de 1861, uma viagem de exploração pelo rio Madeira.[110]

Em seu relatório, baseado justamente nessa última viagem, Silva Coutinho fez um diagnóstico sintético e profundamente crítico da situação do extrativismo na Amazônia. A legislação de 1850, dizia, "proibiu expressamente a devastação das matas devolutas que, em prejuízo da lavoura e da salubridade, em prejuízo de todos ia progredindo demasiadamente". O problema estava em que a lei deixava de lado o extrativismo, que matava as árvores aos poucos: "derribar uma árvore é o mesmo que tirar-lhe a casca, cortar-lhe as raízes, comprimir-lhe fortemente o tronco ou perfurá-lo. A questão é somente de tempo". Os "processos verdadeiramente selvagens" que se empregavam na extração acabariam "em pouco tempo com as plantas, que desaparecerão de todo, visto como não se trata de substituí-las".[111]

O problema mais sério, devido à sua dimensão econômica, referia-se ao uso destrutivo das seringueiras. Segundo o autor, nas "ilhas e igapós do Baixo Amazonas (Pará) já se vai sentindo a falta dos seringais, e é a razão de ter afluído tanta gente para o Madeira. As árvores estragadas, enfraquecidas, não podem dar leite bastante para saciar a avidez dos fabricantes. Nesta província [Amazonas] há de acontecer o mesmo se o governo não tomar providências". Na visão de Silva Coutinho, o quadro geral da indústria da extração do látex era desalentador. Os extratores eram "uma horda nômade que pousa ora aqui ora acolá, tirando das seringueiras a máxima quantidade de leite que é possível, matando as plantas e deixando atrás de si a devastação". Através desse processo, os seringais antigos eram abandonados e cada novo seringal era "infestado, mutilado e destruído". O conjunto da indústria, portanto, estava produzindo "muitos males a par de alguns bens". Seu efeito era "pior ainda que o das minas de ouro em países incultos". Por esse motivo, o "progresso espantoso do Pará" não passava de uma ilusão, pois não tinha bases sólidas e logo acabaria se o governo não tomasse providências. Em sessenta anos, calculava, os seringais estariam mortos, assim como teriam desaparecido a salsaparrilha e as copaibeiras dos lugares mais favoráveis, forçando os extrativistas a explorar as "cabeceiras de outros rios ainda hoje desconhecidos". A solução para esse processo de decadência estava na fixação dos trabalhadores em áreas específicas da floresta, através do regime de concessão. Esta estaria condicionada a um claro regulamento, que coibiria os métodos predatórios e estimularia uma combinação entre o extrativismo do látex e a pequena agricultura.[112]

Um outro ponto importante do programa estava na idéia inovadora de promover o plantio das seringueiras. Como demonstrou Warren Dean, a proposta de plantar essas árvores — mais tarde executada com sucesso pelos ingleses no Sudeste asiático, ocasionando a *débâcle* do "boom" da borracha amazônica em 1912 — foi lançada pela primeira vez por intelectuais brasileiros. O primeiro alerta nesse sentido foi feito por Guilherme Capanema. Após participar, juntamente com Gonçalves Dias, da Exposição Universal de Paris em 1855, ele inspirou-se no plantio da cinchona pelos holandeses para propor algo semelhante em relação às seringueiras.[113] Mas as propostas de Silva Coutinho, ironicamente, acabariam tendo uma repercussão histórica mais ampla. Ao participar do júri da Exposição Universal de Paris, em 1867, ele defendeu a tese do plantio em um relatório intitulado "Gommes, résines et gommes-résines". Esse trabalho foi registrado pelos observadores ingleses, influenciando-os a tentar o cultivo da hévea![114]

Também no Brasil, as idéias de Silva Coutinho sobre a questão do extrativismo tiveram uma influência bastante longa, pelo menos na mente de alguns observadores. Em 1882, por exemplo, em um artigo sobre o extrativismo da borracha publicado nas páginas da *Revista Agrícola* do Rio de Janeiro, M.A. Pimenta Bueno defendeu as vantagens da cultura dessas árvores, fundamentando essa visão no "relatório que em 1867 sujeitou ao governo imperial o ilustríssimo Sr. Dr. Silva Coutinho, dando conta do papel da borracha na Exposição Universal".[115] Ou seja, a proposta de promover plantações de seringueiras foi feita ao governo brasileiro ainda em 1867. Quinze anos depois, no entanto, Pimenta Bueno lamentava ter que admitir a "triste verdade" de que a seringueira não estava sendo cultivada, mas sim "explorada e devastada, e a população que em tal serviço se emprega vive empobrecida e não goza nem prospera". Para demonstrar esse fato, citava passagens do relatório publicado em 1861 por Silva Coutinho. Citava também, de forma igualmente pouco atualizada, as observações feitas em 1862 pelo conselheiro Araújo Brusque, no sentido de que "os seringais vão sendo destruídos, e o produto que deles nos provém deve diminuir para o futuro, que registrará então nos anais de sua história o tempo que perderam os empreendedores dessa indústria e os males que sofreu a população que a ela se dedica".[116]

As observações específicas de Silva Coutinho, de toda forma, não se limitaram ao problema da borracha. Em um texto de 1863, denominado *Breve notícia sobre a extração da salsa e da seringueira*, ele criticou a coleta predatória da salsaparrilha:

> ordinariamente, os que se empregam na extração da salsa não esperam passar uma segunda vez pelo mesmo lugar, e assim as plantas, cujas raízes são arrancadas, ou morrem ou ficam tão maltratadas que dificilmente podem vingar. Daí veio a extinção dos melhores salsais perto dos povoados. Hoje é preciso ir buscar essa droga importante em lugares remotos, com muito trabalho e risco.[117]

Em 1868 ele enfrentou outro tema tradicional da crítica ambiental amazônica: o massacre das tartarugas. Em um texto publicado em francês pelo *Bulletin de la Societé Impériale Zoologique d'Acclimatation*, intitulado "Sobre as tartarugas do Amazonas", o autor condenou o esquecimento das regulações que "antigamente" (não especifica quando) controlavam a pesca das tartarugas através de inspetores e "chefes de rancho". Tais regulações restringiam a pesca ao período posterior ao fim do processo pelo qual as tartarugas chegam nas praias ("arribação") para colocar seus ovos ("postura"). Na época em que Silva Coutinho estava escrevendo, ao contrário, "nenhuma dessas prescrições é observada. As tartarugas são perseguidas a qualquer tempo, mesmo durante a arribação, uma grande parte assustada foge perdendo os seus ovos. Os ovos são destruídos em totalidade, escapando por descuido dos pescadores, uma postura aqui e outra acolá." O resultado era que, "após a coleta predadora dos ovos", as praias apresentavam a "imagem mesma do caos", "um verdadeiro cemitério a céu aberto".[118]

Era "sempre com o coração partido" que o autor observava "esses vestígios abandonados pela imprevidência dos homens. Por amor ao lucro desmesurado, destroem-se as fontes de riqueza disponíveis para assegurar a sobrevivência e o bem-estar da infância, bem como a felicidade das gerações futuras". Tais práticas, ademais, não estavam restritas às "classes mais ignorantes", mas eram também adotadas pelas "pessoas mais bem aquinhoadas" e, para grande surpresa do observador, contrariando a imagem de civilização associada à Europa, pela "esmagadora maioria dos estrangeiros estabelecidos na região".[119]

Apesar do "coração partido", é importante observar que a preocupação central de Silva Coutinho era com a preservação de uma importante "fonte de riqueza" que, sozinha, "poderia sustentar uma população duas vezes maior do que a que vive na região hoje, se não nos esforçássemos tanto em vê-la completamente destruída". A população das tartarugas, de fato, vinha apresentando uma queda drástica pelo fato de serem "impiedosamente caçadas". Para enfrentar esse risco era necessário proibir o "ato predatório de caça aos ovos da tartaruga para fabricação de manteiga". Mesmo porque esse comércio era pouco lucrativo: o que se ganhava com a manteiga fabricada com três mil ovos podia ser ganho pela venda da carne e da banha de um único desses animais. Era fundamental, além disso, estabelecer criatórios e proibir a pesca durante a arribação. Mas a execução dessas medidas não seria fácil, pois tentativas de regulamentação feitas pela Assembléia Provincial do Amazonas haviam fracassado devido à corrupção dos inspetores.[120]

Na mesma década de 1860, no outro grande pólo urbano da Amazônia, Belém do Pará, um grupo de cidadãos reuniu-se em torno do naturalista mineiro Domingos Soares Ferreira Penna para criar, em 1866, uma Associação Filomática que, cinco anos depois, transformou-se em um Museu Paraense (hoje denominado Museu Paraense Emílio Goeldi). Nos escritos de Ferreira Penna, especialmente em seus relatórios de viagem, é possível observar um outro esforço importante de crítica ambiental na Amazônia oitocentista. Um esforço que compartilhou o padrão regional de tolerância com o corte de árvores e preocupação com o extrativismo predatório.

No relatório sobre "A região ocidental da província do Pará", publicado em 1869, Ferreira Penna mostrava-se favorável a que não se aplicasse no conjunto da província a legislação que proibia o corte de certas madeiras designadas para a Marinha, mesmo que em áreas particulares. Para atender às necessidades do poder público, argumentava, seria suficiente reservar uma região, a do rio Trombetas, "franqueando-se todas as mais ao comércio, que acharia nisso uma fecunda fonte de riqueza, tomando-se todavia as providências precisas para se evitar a destruição das florestas". Ele não chegou a explicar, porém, como seria possível aplicar com eficácia essas providências se, logo a seguir, condenou a corrupção e complacência dos subdelegados locais de polícia encarregados da fiscalização.[121]

Do ponto de vista conceitual, no entanto, o autor deixava claro que, apesar de "pugnar conscienciosamente em prol da liberdade de extração e comércio de madeiras", essa liberdade não deveria nunca ser total, pois "a liberdade absoluta, neste particular, traria como conseqüência, em poucos decênios, a devastação das florestas e a destruição das madeiras". A atitude "avarenta" do governo — que guardava para si "o tesouro das madeiras, sem proveito para o Estado, nem para os particulares" — tinha pelo menos o mérito de conservá-las para o futuro, ao passo que a liberdade dada aos particulares, apesar de "trazer vantagens para o presente", seria incapaz de "economizar esse tesouro e deixaria o futuro privado de gozá-lo". Com essa liberdade, portanto, se passaria "loucamente a um extremo muito mais fatal". A alternativa racional seria permitir a exploração com base em um "regulamento florestal cuja execução fosse confiada a homens de critério e capacidade, e nunca a subdelegados de polícia".[122]

Apesar desses requerimentos, o cenário para a defesa da extração de madeiras, mesmo que controlada, era o de uma grande abundância de massa florestal.

O mesmo não ocorria no caso de vários produtos do extrativismo, que já apresentavam sinais de exaustão. No relatório sobre "O Tocantins e o Anapu", de 1864, Ferreira Penna apresentou um diagnóstico detalhado desse problema. Na região das baías do baixo Amazonas, podia-se dizer que "graças à imprevidência ou barbaridade dos seus usuários, o castanheiro, o craveiro, a baunilheira, a copaibeira, quatro vegetais dos mais estimados, pouco a pouco desapareceram ante a força do machado e do terçado daqueles mesmos que os deviam zelar, conservar e cultivar, se tanto fosse preciso". No caso das castanheiras, por exemplo, o problema era "a avidez com que, para aproveitarem tudo de uma vez, arrancavam-lhes a casca". Os cravos, por sua vez, já não eram encontrados nas margens dos rios "por haverem os seus colhedores antigos, e alguns modernos, destruído barbaramente as árvores que os produziam". Essa prática, de fato, "denunciava instintos selvagens". A conseqüência era que, na região do Anapu, os craveiros desapareciam como um "triste resultado da louca avidez e obstinação com que, a despeito dos preceitos e conselhos mais salutares, se quis sempre viver à custa da natureza".[123]

A visão de Ferreira Penna sobre a nascente indústria da borracha, além disso, estava longe de ser lisonjeira. Apesar de já ser "o elemento principal da riqueza pública da província", essa extração calcava-se em um processo desequilibrado que enriquecia a capital e tornava decadente o interior. A sazonalidade da presença do seringueiro na floresta, seu viver desregrado, sua condição endividada, seus ganhos efêmeros, impediam o surgimento de povoamentos sólidos e bem organizados no interior. A economia da borracha, na verdade, roubava "quase todos os braços, quase toda a força vital da agricultura, desprestigia e desacorçoa todas as empresas úteis, despovoa as vilas, dispersa o comércio e reduz uma parte dos habitantes a nômades sem residência certa".[124]

Apesar da crítica devastadora, a proposta do autor não era a de abrir mão dessa atividade extrativa. O que se devia fazer era modernizá-la e aperfeiçoá-la: "Se ela [a indústria] no estado atual não civiliza nem engrandece o interior ... é porque se não tem até hoje procurado melhorá-la e aperfeiçoá-la pelos meios que as artes e a ciência não deixaram jamais de ensinar". Em termos mais concretos, era necessário estimular os seringueiros a se fixarem na terra, a melhorar os métodos de preparo e a plantar "tantas seringueiras quanto as que tiver picado".[125]

Essa era a mensagem central: explorar de forma cuidadosa os elementos da natureza, plantar o que for retirado, valer-se do apoio da ciência, aperfeiçoar os métodos de produção, construir uma vida social estável e gerar um sólido processo civilizador. Nada muito diferente, portanto, não obstante as especificidades do cenário amazônico, do que estava sendo defendido por críticos ambientais atuantes em outras regiões do país.

Matas e mangues da capital

Não se deve pensar, diante da posição de Guilherme Capanema sobre a origem das secas no Nordeste, que ele considerava irrelevante o tema das florestas e da sua destruição. Muito pelo contrário. A seção final do seu importante livreto *Agricultura: fragmentos de um relatório dos comissários brasileiros à Exposição Universal de Paris*, publicado em 1858, foi toda dedicada à importância da conservação e plantio dos bosques. Nessas reflexões é possível encontrar, com muita clareza, a teoria do dessecamento:

> O corte das matas tem grande influência sobre as águas; com eles desaparecem as chuvas em parte, e mesmos estas quando caem não encontram mais um chão coberto de folhas, da camada de humo, e das fibras das raízes de árvores que impedem o seu correr na superfície de um chão compacto; ao contrário, obrigam a água a infiltrar-se no solo, assim alimentando os córregos e rios; também a sombra do arvoredo impede que os raios solares dardejem diretamente uma superfície despida, e façam evaporar a pouca água que ainda não teve tempo de penetrar a uma profundidade suficiente para subtrair-se a esta ação.[126]

Nelas também se pode perceber, especialmente no que diz respeito às florestas de montanha, os elementos da teoria das torrentes:

> Em montanhas íngremes, formadas de rochedos cobertos de tênue camada de terra, de maneira nenhuma se deve cortar o mato, porque nessas encontram-se as nascentes perto dos cimos e faltando a cobertura protetora secam as águas infalivelmente. Além disso as fortes pancadas de chuvas lavam a pouca terra e vão entulhar os rios com bancos de areia, e as águas achando esse rápido escoamento dão causa a enchentes devastadoras.

O recurso à abordagem histórico-ambiental de longo alcance, utilizado anteriormente por outros autores, apareceu igualmente na narrativa de Capanema. O colapso das antigas civilizações pela destruição florestal servia de alerta para os riscos potencialmente vividos pela sociedade brasileira:

> Os populosos reinos da Assíria e Ninive, a Palestina, as costas norte-africanas o atestam; por toda a parte onde o homem passou cultivando as gramíneas para o seu sustento, transformou o solo em deserto, e hoje a custo vai recuperando o que seus antepassados estragaram. Nas restingas dos mares Báltico e do Norte se estão plantando matos para fertilizá-las, para quebrar a força dos ventos, e impedir que estes acarretem areias. Nas orlas do Saara se tentou com feliz resultado a

cultura de árvores, e com ele se chama para pontos inteiramente estéreis os sedimentos atmosféricos. Também na Banda Oriental a cultura de bosques deu lugar a nascentes d'água que não existiam. Somos de parecer que não devemos esperar até que os acontecimentos, que em outras partes serviram de lição, venham dar-se entre nós; devemos antes preveni-los, estudando de que maneira plantar as nossas árvores florestais para produzirem mais rapidamente.

É importante ressaltar esse último ponto do texto de Capanema, próprio do seu estilo pragmático. O Brasil precisava adotar urgentemente um procedimento praticamente inédito na sua história: o plantio sistemático de árvores, inclusive para fins bastante específicos. A quina, por exemplo, deveria ser plantada devido à renda que poderia gerar no futuro, já que os "os peruanos empenham-se em destruir as suas florestas de quineiras e o precioso febrífugo vai se tornando cada dia mais caro". Era também importante cultivar árvores que produzem borracha, resinas, gomas, óleos, tintas e palmito. Os terrenos de difícil cultivo poderiam ser aproveitados para plantações de cactos e para retomar o cultivo da cochonilha, uma proposta que remontava ao final do século XVIII.[127]

O plantio de árvores deveria ser especialmente incentivado na capital do Império, pois em vinte anos o preço da lenha havia quadruplicado, tendendo esse processo a continuar "se com o aumento da população não se tratar da produção artificial do combustível". As madeiras de construção também estavam escasseando, começando a vir "de muito longe e por um preço exorbitante". A falta de madeiras de lei brasileiras aumentava o uso das importadas, que chegavam barato da Suécia, Inglaterra e Estados Unidos, como no caso do pinho. Este último, apesar de ter o seu uso proibido pela Câmara Municipal do Rio de Janeiro, se disseminava nas construções urbanas, aumentando os riscos de incêndios.[128]

O tipo de reflexão proposto por Capanema*, que incorporava tanto a questão política global das florestas quanto a problemática específica do abastecimento da capital, continuou bastante vivo nas décadas seguintes. Um espaço associativo

---

* A consistência da preocupação florestal de Capanema revela-se no fato de 44 anos mais tarde ele continuar refletindo sobre o problema. Em um livreto publicado em 1902, sob o título de *Reflexões sobre a geografia do Brasil e sua necessidade*, ele retomou a teoria do dessecamento, afirmando que as preciosas reservas de água do país tendiam a escassear "pela criminosa destruição das matas expostas à extraordinária voracidade das locomotivas e aos bárbaros meios de cultura". Afirmou também que no Vale do Paraíba podiam-se avistar "léguas e léguas de montanhas desnudadas que nem para pastos servem; as matas existentes foram aniquiladas para dar lugar ao cafeeiro, de que nem vestígio ficou". A conclusão era feita sob a forma de um pedido para que "respeitem-se as florestas, impeça-se a lavoura de tornar baldios os terrenos" para que "nossos vindouros não tenham motivo para amaldiçoarem a nossa imprevidência" (p.23, 25 e 26).

especialmente importante para esse tipo de debate foi o Imperial Instituto Fluminense de Agricultura (IIFA), fundado em 1860. Essa entidade, ao contrário da Academia de Medicina, não podia ser classificada como puramente profissional. O campo da agronomia, assim como o da medicina, servia de confluência para diversos estudos e práticas relacionados com as ciências naturais, mas a profissão médica era muito mais claramente estabelecida. A figura do agrônomo profissional apenas começava a se delinear, convivendo com toda uma gama de estudiosos mais ou menos diletantes, que podiam ser cientistas advindos de outras disciplinas ou agentes econômicos e políticos interessados na racionalização da produção rural.

Nesse sentido, o IIFA tornou-se um espaço de convivência entre intelectuais, fazendeiros, políticos e outros membros da elite social. Apesar de a maior parte dessa elite viver das práticas agrícolas fundadas no escravismo e nos métodos predatórios da monocultura, o fato surpreendente é que a direção intelectual do Instituto foi ocupada em grande parte por pensadores comprometidos com a crítica do atraso agrícola, da destruição ambiental e, em vários casos, do próprio trabalho escravo. Esse tipo de direção intelectual, que vinha desde 1860, com a secretaria do IIFA sendo ocupada por Frederico Burlamaque, consolidou-se entre 1865 e 1886, quando o lugar de presidente passou a ser ocupado por Luiz Pedreira do Couto Ferraz, o Visconde do Bom Retiro, que poucos anos antes havia sido Ministro dos Negócios do Império.

Ferraz era amigo de infância de Pedro II e de Capanema, e participava ativamente das discussões promovidas pelo círculo intelectual formado por este último, Freire Alemão, Araújo Porto-Alegre e outros. Na condição de ministro, e de ex-presidente do IHGB, ele foi o principal responsável por viabilizar a Comissão Científica de Exploração em 1856 (que por atrasos diversos apenas começou a trabalhar em 1859). Ao assumir a presidência do IIFA, Ferraz cercou-se de mentes críticas e progressistas. Para redator da *Revista Agrícola*, por exemplo, publicada a partir de 1869, convidou Miguel Antônio da Silva, um engenheiro militar catedrático da Escola Politécnica e membro do IHGB e da Sociedade Vellosiana. Um intelectual que se considerava discípulo de Capanema;[129] e defendia posições corajosas de crítica ao estado da agricultura brasileira, incluindo uma condenação bastante explícita da destruição ambiental e do sistema escravista. Com a morte de Silva, em 1879, o lugar foi assumido por Nicolau Moreira, um outro intelectual que, como médico e agrônomo, revelou-se um crítico constante dos métodos ambientalmente predatórios que dominavam a economia rural do país, além de ter sido chamado, pelo próprio José do Patrocínio, de "veterano dos abolicionistas brasileiros".

É bastante inusitado constatar, dessa forma, que o principal órgão de reflexão sobre as questões rurais no Brasil monárquico, um meio privilegiado de comunicação direta com os proprietários, estava entregue nas mãos de dois estudiosos que eram profundamente críticos das práticas adotadas por esses proprietários — não obstante o fato de que, no caso do escravismo, essas críticas eram expressas de forma cautelosa. Mesmo sem uma análise mais profunda da sociologia desse fenômeno, penso que esse tipo de realidade dificulta a identificação simples e direta da revista do IIFA com a representação ideológica dos proprietários rurais, como querem alguns analistas.

Um fato que não pode ser ignorado, nesse sentido, é a existência de uma lógica própria no vínculo teórico e pessoal estabelecido entre Ferraz e os outros membros do seu grupo de intelectuais preocupados com as questões ambientais. É verdade que todos os membros desse grupo, ou quase todos, formavam parte da elite social do Império. Mas entre eles estabeleceu-se uma articulação associativa que desenhava um projeto reformista para o país, projeto que os destacava em parte do universo social ao qual pertenciam.

Não pretendo afirmar que a crítica ambiental era o eixo articulador desse projeto, mas não resta dúvida de que constituía um dos seus principais denominadores comuns. Ela era um componente importante do ideário que Ferraz, Silva e Moreira procuraram difundir através da *Revista Agrícola*. Não pretendo também afirmar que seja ilegítimo, ou mesmo impossível, estabelecer uma articulação entre esse ideário e o movimento estratégico mais amplo da classe senhorial brasileira. Tal articulação, no entanto, precisa ser feita de forma cuidadosa, e sem perder de vista o fato de que o grupo intelectual que está sendo analisado possuía uma dinâmica e uma identidade específicas, não sendo um simples elo de transmissão para interesses mais amplos de classe. Como entender, por exemplo, a relação entre os membros desse grupo e os proprietários rurais cuja prática eles efetivamente criticavam? Que relação estabelecer, por outro lado, entre esses intelectuais e todo o setor majoritário da elite política "construtora da ordem" monárquica, que não manifestava qualquer preocupação ambiental? De que maneira esse grupo intelectual, apesar de seu pensamento ser tão diverso das práticas econômicas correntes no Império, logrou assumir funções tão importantes no seu sistema simbólico-cultural — inclusive, em diversas ocasiões, as presidências do IHGB, da SAIN e do IIFA? Estas são perguntas que precisam ser melhor investigadas em análises posteriores.

Um indício interessante, que deve ser considerado, encontra-se no Congresso Agrícola da região Sudeste, realizado em 1878, que reuniu um conjunto expressivo de proprietários. Nesse congresso, que será melhor analisado no próximo capítulo, a participação do IIFA e dos editores da *Revista Agrícola* foi bastante marginal. Ferraz e Miguel Antônio da Silva não estiveram presentes. Nicolau Moreira compareceu como representante da SAIN, mas não teve oportunidade de discursar. Os proprietários, ao que parece, não se reconheciam na liderança política e intelectual do IIFA.

A recíproca não foi verdadeira, pois os redatores da *Revista*, na edição de março de 1789, noticiaram e descreveram de forma elogiosa os trabalhos do encontro, interessados em aproximar-se dos fazendeiros. É bastante significativo, no entanto, que no texto onde analisou o Congresso, mesmo buscando ser simpático aos proprietários, o articulista anônimo da *Revista Agrícola* não tenha sido capaz de evitar a apresentação de alguns conceitos que, na prática, dificultavam esse diálogo. Por exemplo, apesar de reafirmar a importância das grandes propriedades para o país, ele deixava claro que "suas condições seriam hoje as mais propícias se não houvessem tido como essencial elemento o trabalho servil". Também deixava evidente sua simpatia pela pequena propriedade, ao afirmar que "a pequena lavoura é ainda uma aspiração" e que "sejam quais forem as razões de preferência com que se preconizem as vantagens da pequena sobre a grande cultura, não é só pela vontade dos homens que se operam as evoluções sociais".[130]

É preciso considerar, em outra direção, algumas nuances que complicam o quadro, como a existência de divergências teóricas entre os próprios dirigentes da *Revista*. Apesar de compartilhar as teses de modernização tecnológica e de cuidado ambiental defendidas por Miguel Antônio da Silva e Nicolau Moreira, Ferraz estava longe de defender a superação do escravismo. Ele chegou a ser duramente criticado pelos abolicionistas por falar em uma "natureza humana da propriedade escrava".[131] De qualquer maneira, independente dessas divergências pessoais, é fundamental considerar o espaço aberto para a crítica ambiental nas páginas da *Revista Agrícola*.

O tema florestal foi especialmente revelador da relevância teórica dessa crítica, inclusive por ter sido equacionado, em diferentes momentos, com base em um enfoque profundamente político. "Roteamentos e sua importância", um artigo anônimo publicado em 1875, provavelmente escrito por Nicolau Moreira, utilizou esse enfoque para discutir o problema da oposição entre os roteamentos agrícolas (a conversão em solo arável de áreas naturais) e a manutenção das grandes florestas. O movimento de expansão das lavouras, em geral, era considerado politicamente positivo, já que a agricultura, em um claro e tardio resquício das teses fisiocratas, era a "origem das maiores riquezas de um país, e a base principal da grandeza e do esplendor de um Estado".[132] Ele era não só positivo como também necessário, pois demarcava uma condição essencial para a manutenção da estabilidade política:

> A experiência aponta, como condição necessária à tranqüilidade pública e à conservação da ordem, todas as medidas cujos fins sejam o aumento produtivo do solo ... Nenhum governo poderá assentar tão solidamente a sua estabilidade

como sobre uma organização desta ordem; porque ela, e só ela, minorando consideravelmente, se não põe fim aos sofrimentos do povo, lhe granjeará a sua confiança e afeição, condições que as leis severas, a violência, os exércitos ... jamais conseguiriam.[133]

O caráter positivo dos roteamentos, porém, encontrava um forte limite quando começava a destruir de maneira significativa o espaço das florestas. Em um primeiro momento histórico, na "aurora da agricultura", o movimento de desarborização, de conversão de florestas em terras cultivadas, era "uma conseqüência necessária e natural da abundância de árvores", uma "empresa de utilidade pública", uma "fonte de riqueza", o "primeiro passo para a civilização". Com "ferro em punho", as populações destruíam as florestas sem pesar "os males ou benefícios deste procedimento". Mas esse movimento irrefletido não podia continuar para sempre. Era necessário fazer a pergunta crucial sobre o dilema entre progresso econômico e manutenção da integridade ambiental: "Convirá pois pôr um termo à insaciável avidez do homem na conquista do solo arável? Ou o aumento por toda a parte das terras próprias para a cultura será um melhoramento para as gerações que se hão de suceder?"[134]

O autor não chegou de fato a enfrentar diretamente esse dilema, mas enumerou um conjunto apreciável de argumentos em favor da conservação das florestas, ao mesmo tempo em que criticou as teses que os contestavam. Para defendê-los o artigo lança mão de autoridades como Humboldt, Saussure e, uma vez mais, José Bonifácio (especialmente o seu texto de 1815 sobre o problema dos bosques em Portugal).

Uma informação extremamente interessante apresentada no texto, que merece ser destacada, diz respeito ao velho tema do lago de Valência, observado por Humboldt em 1800. Naquela ocasião, conforme já foi visto, o naturalista alemão formulou a sua conhecida crítica quanto ao rebaixamento do nível da água devido ao desflorestamento. O químico francês Boussignault, segundo o artigo, teria retornado ao lago vinte e dois anos depois da passagem de Humboldt, notando que, devido ao "sanguinolento drama da independência", as terras cultivadas ao seu redor haviam sido abandonadas e as florestas haviam ocupado novamente a paisagem. O resultado era que o lago, agora novamente cercado por densa vegetação, tinha retornado às suas antigas proporções.[135]

A destruição das florestas, dessa forma, provocava impactos sobre o meio físico que podiam prejudicar a vida econômica e política das sociedades. Tal devastação "prejudicava os interesses marítimos", minando "tanto a independência de uma nação quanto a sua preponderância". Ela impedia "o progresso de todas as indústrias, porque sem florestas não ha construções navais e sem navios é impossível o comércio entre os países". Ela aniquilava a matéria-prima necessária para as "diversas artes agrícolas e industriais", para "a edificação de novas casas" e para a "combustão". Mas tal processo de decadência não era obrigatório. Os interesses do "mundo material" e do "mundo social" requeriam a preservação das florestas e a promoção de um intenso plantio de árvores. Era preciso promover essas plantações "não só nas montanhas e nas planícies, mas também nas praias do mar, nas margens dos rios, no limite das propriedades e ao longo das estradas, nos passeios públicos etc."[136]

Um outro artigo anônimo, publicado quatro anos depois com o título de "Silvicultura", retomava o tema na mesma perspectiva política, inclusive colocando-o em termos dramáticos. O caso da Espanha, por exemplo, revelava uma situação onde uma potência "que tinha em sua mão o comércio do mundo porque possuía em suas florestas a matéria-prima para fabrico dos seus navios", agora estava em decadência, pois "com a irrefletida destruição das suas matas desapareceram aqueles recursos, a agricultura desalentou-se, o comércio e a indústria se perderam ou abateram-se demasiadamente e o Estado estremeceu em seus fundamentos". A Inglaterra seguiria pelo mesmo caminho, caso os efeitos do desmatamento não tivessem sido atenuados pelo uso das suas grandes reservas de carvão de pedra e ferro. A França, a Itália, a Grécia e a Dinamarca sofriam de diversas formas com a falta das madeiras. A presença das florestas, portanto, constituía uma das bases essenciais da vida social, já que sob a sua proteção construíam-se a agricultura, as habitações, a propriedade e as leis, enquanto os povos habitantes de páramos e desertos "permaneciam sempre nômades e quase bárbaros".[137]

Em 1882, era possível constatar que o debate continuava em evidência. Um artigo de Nicolau Moreira, com base em uma conferência por ele pronunciada no Museu Nacional, retomou vários dos argumentos do artigo anônimo de 1875, inclusive repetindo algumas das suas passagens. Esse novo artigo, contudo, apresentou uma fundamentação científica mais detalhada e enfrentou de maneira mais explícita o dilema do roteamento agrícola versus conservação florestal. Não se tratava, diz o autor, de recusar os roteamentos florestais, mas sim de encontrar uma relação equilibrada entre o solo arável e o solo florestal. Uma norma prática a ser adotada, por exemplo, seria a de "arrotear os campos férteis e ricos em princípios nutritivos e arborizar os medíocres e ingratos, porque as árvores em geral com pouco se contentam". A natureza política da questão florestal, por outro lado, era reafirmada de forma ainda mais definitiva: "A conservação das florestas deve ser, e é, um dos primeiros interesses da sociedade e, por conseguinte, um dos primeiros deveres do governo. Todas as necessidades da vida se ligam a sua conservação. Necessárias aos indivíduos, as florestas não são menos aos Estados; sua existência é um benefício inapreciável para os países que as possuem."[138]

Uma idéia importante divulgada na *Revista Agrícola*, que terá implicações no caso da floresta da Tijuca, foi a de promover a recuperação florestal através de plantações de árvores. Em 1874, por exemplo, discutindo os resultados do Congresso Internacional de Agrônomos e Ecônomos Florestais realizado em Viena, José Saldanha da Gama reafirmava a necessidade de "se criarem entre as nações medidas de conservação e administração das áreas de florestas situadas nas margens dos grandes rios, para prevenir o mal de serem elas destruídas". Além disso, era preciso impor "condições e preceitos de conservação para os proprietários das florestas situadas em terrenos de areia movediça, cumes e encostas de montanhas, e em quaisquer outros lugares expostos". Mas também era necessário, em termos mais positivos, iniciar uma política de recuperação florestal. Era conveniente que todos os países favorecessem "o desenvolvimento da cultura de suas espécies silvestres, como remédio salvador contra a extinção ou diminuição sucessiva daquelas que a indústria consome, ou das que caem sem fim justificável".[139] Um outro texto publicado sem assinatura, dessa vez em 1878, com o título de "Arborização", lembrava que "uma das medidas que hoje está chamando a atenção dos governos, não só pela conveniência financeira como sanitária, é a da plantação de árvores nos lugares mais próximos das povoações e até dentro das próprias povoações, assim como a conservação das florestas em toda a extensão dos territórios".[140]

Mas o problema florestal urbano na capital do Império não ficou restrito à destruição e recuperação das matas das montanhas, que constituiu o principal objeto dos analistas. Ele também se manifestou na destruição das florestas de mangue ao longo da Baía da Guanabara. Esse tema esteve ausente das páginas da *Revista Agrícola*, seja pela preocupação mais focalizada nas florestas passíveis de conversão agrícola, seja pela imagem menos nobre dos mangues, considerado por muitos como um espaço de lama e degradação. Ele veio a inspirar, no entanto, a produção de um outro notável crítico ambiental oitocentista: Pedro Soares Caldeira. O trabalho desse jornalista, que públicou em 1884 um livro intitulado *O corte do mangue*, merece ser destacado por dois motivos. Em primeiro lugar, pelo caráter autônomo da sua elaboração. Assim como Muniz de Sousa, cinqüenta anos antes, Caldeira demarcou um espaço de reflexão independente no contexto da tradição que está sendo examinada. Ele não era membro das associações imperiais, deixando claro o fato de não possuir "títulos científicos" que o recomendassem. Mesmo assim decidiu reservar boa parte de seu tempo livre para estudar as causas ambientais "que tornavam endêmica a febre amarela neste país".[141]

Sua atitude, de certa forma, prenunciou a figura do moderno ativista ambiental voluntário. Guiado apenas por uma forte preocupação com a degradação do espaço habitado por seus concidadãos, Caldeira se sentiu com plenos direitos para expressar publicamente suas opiniões. O conceito de cidadania, como explicou em outro trabalho, era a única fonte de sua atuação pública: "Nestas questões que envolvem a felicidade e o bem-estar da humanidade não se pode ser bom demais.

É preciso primeiro ser homem bom para depois ser bom homem. São estas as duas qualidades que reunidas constituem um verdadeiro cidadão, uma individualidade útil."[142]

O segundo ponto a ser destacado está no fato de o autor ter chamado atenção para uma realidade até então bastante ignorada: a destruição dos manguezais que cobriam a zona costeira da capital. Esse fenômeno impressionava pela sua intensidade:

> Até a terça parte do nosso século, era esse litoral, assim como o de avultado número de suas ilhas, ornado por grande quantidade de árvores que cobriam imensos lodaçais. Hoje, a parte interna da baía, na vazante da maré, mostra o aspecto de enorme parcel, de cor preta e repugnante. Aquela outrora extensíssima orla de árvores, abrangendo área de muitos quilômetros quadrados, constituía verdadeira mata marítima, formada de árvores em que predominava o tanino e que, indiretamente, nutriam a vida de prodigiosa quantidade de peixes, de mariscos e de toda a população do mar.[143]

Para analisar as conseqüências dessa destruição, e sua relação com a febre amarela, Caldeira discutiu com perspicácia o papel dos mangues no sistema ecológico da baía. Essas árvores solidificavam as áreas costeiras onde estavam localizadas, impedindo o espargimento do lodo e mantendo conservadas as barras e embocaduras dos rios, riachos e canais. Com isso, a profundidade dos canais permanecia constante, facilitando a navegação e o escoamento das águas pluviais em direção ao oceano. O tanino que o mangue desprendia, por outro lado, constituía um poderoso antídoto contra a putrefação. A água do mar, na sombra dos manguezais, ficava cheia de matéria orgânica e com uma temperatura não muito elevada, favorecendo a reprodução de peixes, caranguejos, camarões etc.

A partir dessas informações era possível deduzir a lista dos malefícios gerados pela destruição dos manguezais. Com ela, o lodo se precipitava sobre os canais, obstruindo-os e favorecendo a formação de lodaçais. Tal obstrução dificultava o escoamento das águas, provocando inundações (também produzidas pelo desmatamento e a edificação dos morros, encostas e demais partes altas da cidade). A oferta de peixes se reduzia, produzindo escassez e carestia. O aspecto mais danoso, porém, encontrava-se nas suas repercussões para a saúde pública. Durante a maré baixa, os lodaçais ficavam expostos ao sol, tornando-se uma massa de matéria orgânica putrefacta e fermentada. Esses lodaçais intoxicavam as águas e os peixes que a população consumia, ao mesmo tempo em que seus vapores eram levados pelos ventos, envenenando o ar das cidades. A hipótese de Caldeira, baseada na teoria então em voga de que a febre amarela era causada pelo ácido brômico desprendido da decomposição de organismos marinhos, associava essa contaminação com a origem da febre amarela no Rio de Janeiro. Na bela imagem do autor, a matéria orgânica que sob os manguezais formava um "laboratório da vida" transforma-se, a partir do desflorestamento, em um "laboratório da morte".[144]

O aspecto mais significativo da reflexão de Caldeira, para efeito deste livro, está em o autor ter sido capaz de extrair desse processo de degradação ambiental algumas conseqüências políticas mais amplas. Existia, de início, a questão da imagem externa do país, que constituía algo extremamente palpável naquele momento em que a política de imigração afirmava-se como essencial para o futuro da nação. O ambiente degradado da capital fazia com que o Brasil fosse considerado um "país doentio", afastando "dos nossos portos a corrente migratória, repelida pelo terror da febre amarela".[145] Uma segunda questão política relevante dizia respeito ao problema da reprodução interna da população. Esse problema, que passava em primeiro lugar pela qualidade da alimentação, deveria ser considerado um tema político. A alimentação constituía "o que há de mais importante para a vida de uma população", e por isso

> as questões desta natureza inspiram em todos os países policiados o mais vivo interesse. Nada do que toca a alimentação é deixado à mercê da livre indústria; tudo está regulado, previsto e ordenado, de maneira que só por abuso pode a população ser mal alimentada; governos e municipalidades entendem que a este supremo interesse é para ser sacrificada essa falsa liberdade que, nociva à comunhão social, não pode constituir direito de ninguém. População sadia é a primeira necessidade das nações, e para isso é necessário que a alimentação seja severamente fiscalizada.[146]

O terceiro problema político, de certa forma já enunciado no parágrafo anterior, referia-se exatamente à necessidade de estabelecer um controle público sobre a destrutividade da ação privada. Os manguezais estavam sendo destruídos por "imprevidência, ignorância e cobiça". A motivação mais imediata era a busca de combustível barato e cal para a indústria de construções, a partir das cascas dos mariscos. A intensidade desse processo era impressionante, pois "devem ser contadas aos milhões as árvores que o braço do homem desarraigou da baía", criando um "vácuo aberto pela devastação". A destruição espraiava-se para além dos manguezais, penetrando também nos métodos de pesca na baía, que incluíam o uso de "redes de arrastão" e "torpedos de dinamite". Caso se prolongasse o uso desses "mortíferos aparelhos", veríamos "desaparecerem espécies inteiras de peixe". Apesar disso, observava-se a continuidade dessas ações "sem nenhum freio ou obstáculo regulamentar a sua selvageria"[147]. A conclusão política que se impunha, uma vez mais, era a da necessidade de defender o interesse coletivo contra a liberdade de iniciativa de alguns:

> Jamais indústria alguma, seja qual for, receberá sem murmurar medidas tendentes a subordiná-la a regras e obrigações; o regime da liberdade é fascinante; a falsa aparência das coisas induz cada classe a pensar que toda a restrição a sua liberdade é para ela estorvo e causa de decadência. À primeira vista parecerá aos nossos laboriosos pescadores que sujeitar a sua indústria a condições de tempo, vedando-lhes o usos de aparelhos a que estão afeitos, importa dificultá-la ... Mas ocorre que a fronteira legítima da liberdade de cada um é o interesse da comunhão, e não há para essa interesse mais sagrado do que a abundância e sanidade da alimentação. Prover o repovoamento das águas é necessidade social de primeira ordem, e os pescadores são nisso interessados. A parte de liberdade tolhida de cada pescador redundará em benefício para todos.[148]

Essa ênfase na restrição à liberdade dos agentes privados, que vimos em quase todos os autores até aqui examinados, pode ser lida como parte da genealogia do pensamento autoritário brasileiro. Mas também pode ser entendida no contexto da defesa institucional do espaço comum e dos interesses públicos, que está presente nos conceitos republicanos, em sentido amplo, de cidadania e de Estado de direito. No caso de um autor como Caldeira, ademais, a necessidade dessa intervenção estava fundada em objetivos mais pragmáticos do que doutrinários. O poder público precisava enfrentar a destruição das florestas, terrestres ou marítimas, e a continuidade da pesca predatória. Era necessário proteger os remanescentes das matas e promover sua restauração. A queda da oferta de peixes, causada também pela multiplicação de máquinas a vapor, esgotos e resíduos de gás na baía, tinha que ser combatida com tenacidade. Era tarefa urgente estimular o repovoamento da baía, inclusive com espécies exógenas que aqui pudessem ser aclimatadas. Só assim seria possível promover a "sanificação da cidade do Rio de Janeiro", que constituía um dos "mais momentosos problemas para a prosperidade do Brasil".[149]

Nos anos seguintes, através de séries de artigos publicados no *Jornal do Comercio*, Caldeira continuou a discutir criticamente os problemas ambientais do país. Esses artigos foram reunidos, em 1889, na forma de um livro intitulado *Questões de higiene e de alimentação*. O denominador comum dos artigos, segundo o autor, estava no fato de todos eles partirem do mesmo princípio — "a ação recíproca do homem e da natureza". A sorte dos manguezais continuava a ser um tema preponderante, mas também vão ser discutidos a devastação da mata atlântica, a degradação da lagoa Rodrigo de Freitas, o problema dos esgotos e cemitérios, o aumento da temperatura, a qualidade do sal, a contaminação do ar etc.

O enfoque tornou-se menos político e mais fortemente ético, até mesmo religioso. A morte de um filho animou Caldeira em sua cruzada contra a insalubridade e o descaso com a saúde dos cidadãos. A natureza é vista como obra de

Deus — que "fez o que quis e quis o que fez" —, não podendo ser devastada impunemente. Os homens são vistos como "antes de tudo, destruidores da natureza, mesmo contra os seus interesses". Em alguns momentos seu raciocínio adquire uma espantosa atualidade e lucidez, como quando propõe um enfoque inovador para entender o surgimento das pragas na agricultura, bastante parecido com o que hoje em dia se desenvolve no âmbito da agroecologia: "Nas florestas e nas terras cultivadas, sendo destruídos certos animais, especialmente as aves, outros seres se desenvolvem e multiplicam de tal modo que é iminente o perigo para as culturas e vegetação em geral. Daí resulta o que o povo chama de 'praga'. Não há pragas, não; Deus não criou pragas; foram os homens que as criaram."[150]

Trata-se, portanto, de um trabalho eclético e de difícil classificação, que mais uma vez testemunha a riqueza histórica do pensamento ambiental brasileiro. É significativo observar, no entanto, que mesmo um jornalista criativo e independente como Caldeira, bastante afastado da elite imperial — sendo, ao contrário, um republicano de primeira hora — em nenhum momento enfrentou a questão da escravidão. Isso ajuda a demonstrar a força da tendência para dissociar o tema da destruição ambiental do tema das relações de trabalho ao longo de todo o período monárquico.

Floresta da Tijuca: da teoria à prática

É importante discutir, como fecho desta análise geral da vertente não-abolicionista da crítica ambiental no Brasil monárquico, aquela que provavelmente constituiu a sua realização mais impressionante e bem-sucedida: a restauração da floresta da Tijuca, no Rio de Janeiro. Não pretendo discutir aqui as decisões políticas, práticas sociais, coordenadas geográficas e tecnologias específicas que estiveram presentes nos trabalhos de reflorestamento do maciço da Tijuca, ocorridos basicamente entre 1862 e 1887 (período em que foram plantadas cerca de 95.000 mudas de árvores de diferentes espécies).[151] O aspecto que quero enfocar diz respeito à relação entre esse empreendimento e a tradição intelectual que está sendo analisada.

É verdade que a questão muito concreta de garantir o abastecimento de água para a capital representou um fator fundamental na decisão de reflorestar aquela área (berço das nascentes dos principais rios utilizados pela população carioca). Essa decisão tornou-se ainda mais premente devido às sucessivas secas que prejudicaram a vida da cidade, especialmente a grande seca de 1843. Não se pode esquecer, porém, que a constatação dessa necessidade prática não é condição suficiente para o entendimento da decisão de reflorestar; desde os tempos coloniais a cidade sofria com esse tipo de crise e quase nada se fez a respeito. Um decreto de 1817, assinado por d. João VI, que proibia o corte das matas que rodeavam as nascentes da Serra da Carioca e o trajeto do aqueduto de Santa Teresa, foi completamente ignorado na prática.[152]

É muito significativo observar, nesse sentido, que as primeiras medidas concretas para o enfrentamento mais amplo do problema, especialmente o início das desapropriações dos terrenos necessários ao reflorestamento, foram tomadas entre 1854 e 1856, quando o lugar de Ministro do Império estava ocupado justamente por Couto Ferraz. Vale lembrar que a necessidade de um enfrentamento efetivo do problema da destruição florestal no Rio de Janeiro já vinha sendo abordado por vários dos membros mais próximos do círculo intelectual do ministro. Seu grande amigo Capanema era um defensor da necessidade de praticar a silvicultura e de reconstituir as matas da capital (apesar de centrar-se no problema do combustível, e não da água). É verdade que suas reflexões sobre esse tema foram publicadas apenas em 1858, mas tendo como ponto de partida debates que já ocorriam muito antes. Quando vereador na Câmara Municipal do Rio de Janeiro, em 1854, Manuel de Araújo Porto-Alegre bateu-se pela desapropriação de todos os sítios e matas das nascentes dos rios que abasteciam a cidade.[153] Não é de surpreender, portanto, que Couto Ferraz estivesse intelectualmente sensibilizado pelo tema. Sem a presença do problema concreto do abastecimento, no entanto, é provável que não tivesse tido argumentos políticos suficientes para iniciar uma obra cujos resultados apenas apareceriam várias décadas depois.

O entendimento histórico do projeto, dessa forma, passa por uma interação entre a necessidade concreta da cidade e a motivação político-intelectual dos seus idealizadores.* É preciso compreender essa motivação, inclusive, dentro de um quadro ideológico mais amplo. O verde das montanhas de Santa Teresa e da Tijuca tinha um significado importante na vida cultural e artística da capital, servindo de inspiração para vários trabalhos de pintura e literatura. A profunda admiração por esse cenário, por exemplo, como bem analisou Claudia Heynemann,[154] estimulou José de Alencar a produzir algumas passagens importantes de crítica am-

* Há de se considerar também a inércia da máquina governamental. Os esforços iniciais de Ferraz foram abandonados nos anos seguintes, apenas ganhando um novo impulso em 1861, quando foram elaboradas as instruções para o reflorestamento e o major Manoel Archer foi contratado para implementá-las. É significativo que esse novo começo tenha ocorrido quando o Ministério da Agricultura, Comércio e Obras Públicas estava ocupado por Manoel Felizardo de Souza e Mello, um intelectual que se relacionava bem com o grupo de Ferraz e, provavelmente, conhecia as teorias sobre o benefício das florestas.

biental, configurando um dos casos mais significativos desse tipo de postura entre os literatos do romantismo brasileiro.

Mas deve-se levar em conta, inclusive corroborando a tese da participação relativamente marginal desses últimos na evolução daquela crítica, que a maior parte das passagens de Alencar sobre a floresta da Tijuca preocupou-se mais em elogiar a paisagem natural do que em condenar a destruição da mesma. Em alguns momentos, porém, sua obra foi capaz de estabelecer um confronto valorativo entre natureza e civilização que, desenvolvido de forma mais profunda, poderia ter conduzido o autor no rumo de uma crítica ambiental menos calcada no viés político e mais centrada no valor intrínseco do mundo natural. No romance *Diva*, de 1864, ele descreveu com nostalgia as encostas de Santa Teresa no tempo em que "ainda a fouce exterminadora da civilização não esmoutara os bosques que revestiam os flancos da montanha", quando as "límpidas correntes" ainda não haviam sido estancadas pela "sede febril do gigante urbano", quando as "lindas colinas" ainda formavam "a verde coroa da jovem Guanabara, hoje velha regateira, calva de suas matas, nua de seus prados".[155] A cidade se apresentava, dessa forma, não apenas como antitética em relação ao ambiente natural, mas também como uma força de degradação e empobrecimento da paisagem. Quatro anos depois, em uma carta a Machado de Assis sobre a visita de Castro Alves ao Rio de Janeiro, ele descreveu o alto da Tijuca como um espaço onde "tudo é puro e são" e o corpo respira o "hálito celeste do Criador". Um lugar como esse, por outro lado, onde a "terra conserva essa divindade do berço", apenas podia existir "nos ermos em que não caíram ainda as fezes da civilização". Observada a partir do Alto da Boa Vista, a "cidade réptil" se revelava um "pântano" no qual "as paixões pululam" e "a alma se atrofia" em um "foco de materialismo".[156]

Abrindo um parêntese na discussão sobre a Tijuca: sentimentos como esse poderiam ter fundamentado uma crítica mais radical da civilização moderna. Mas Alencar não estava preparado para dar esse passo decisivo. Ele permaneceu, assim como Bernardo Guimarães, em uma posição ambígua entre a recusa e a aceitação resignada do progresso. Nas "Cartas sobre a confederação dos tamoios", de 1856, ele criticou a incapacidade de Gonçalves de Magalhães para transmitir condignamente a grandeza do meio natural brasileiro, em contraste com o que fizeram Chateaubriand em relação à Florida e Bernardin de Saint-Pierre em relação à Ilha de França. Para fazê-lo de forma apropriada, afirmou, seria necessário que o poeta esquecesse as "idéias de homem civilizado" e, sentindo-se "filho da natureza", se embrenhasse pelas "matas seculares" a contemplar as "maravilhas de Deus". Até aquele momento, porém, essa natureza grandiosa ainda não tinha dado a um dos seus filhos o gênio suficiente para narrar toda a sua luz e beleza.

A questão era que o tempo para realizar essa utopia artística estava se estreitando, na medida em que "a civilização aí vem: o *wagon* do progresso fumega e vai precipitar-se sobre essa teia imensa de trilhos de ferro que em pouco cortarão as tuas florestas virgens. Os turbilhões de fumaça e de vapor começam a enovelar-se, e breve obscurecerão a limpidez dessa atmosfera diáfana e pura". Diante dessa realidade, que "saiu nua das mãos de Deus", as "mãos dos homens não podem tocá-la sem ofendê-la". Ao invés de se indignar com essa perspectiva, porém, Alencar assumiu logo em seguida uma postura conformista e moderada: "Quem sabe! Talvez isso seja necessário. O Brasil, em toda a sua beleza natural, ofusca o pensamento do homem com a luz forte, que deslumbra a vista e cega. É preciso que essa luz perca um pouco de sua intensidade para que os olhos humanos possam se habituar a ela".[157]

Mas, voltando ao tema da floresta da Tijuca, é preciso considerar, além dessas motivações culturais de caráter mais geral, a contribuição específica dos intelectuais do IIFA. Mesmo antes da criação do Instituto, quando ainda ocupava o lugar de ministro, Couto Ferraz já manifestava uma avaliação ampla do problema das florestas, ao estilo das posições que foram descritas na seção anterior. Sua decisão de iniciar o processo de reflorestamento, nesse sentido, foi bastante consciente e inspirada pelo ideário do seu grupo intelectual. Não se tratava apenas de resolver o problema do abastecimento da capital, mas sim de dar início ao enfrentamento da questão florestal no Brasil. Em 1856, ao relatar orgulhosamente à Assembléia Legislativa o início das desapropriações, ele retomou a linha de argumentação política que veio se desenvolvendo desde o final do século XVIII, inclusive a defesa do interesse público contra as ações privadas:

> Convencidos da indeclinável e urgente necessidade de se afastar da proximidade dos mananciais e aquedutos a propriedade particular, que tão prejudicial tem sido à conservação e pureza das águas, e atendendo às reclamações ... feitas pelo Inspetor Geral das Obras Públicas e pelo Presidente da Junta Central de Higiene, tratei de não demorar por mais tempo a aquisição de alguns terrenos, e de dar todo o impulso aos meios necessários para a compra de outros. A tolerância com que se havia consentido que se estendessem até estas paragens os estabelecimentos particulares começava já a produzir perniciosos efeitos na atualidade e no futuro, se não se tratasse de remediá-la o quanto antes, seria de funestas conseqüências para a sorte da população da cidade, cortando-lhe o gozo de um dos mais apreciáveis bens que a natureza lhe oferece. Grande parte das majestosas florestas, protetoras destes mananciais, havia já desaparecido para dar lugar a pequenas plantações ou para servir à indústria do lenhador. Além deste grande mal, as fábricas e moinhos estabelecidos junto aos cursos d'água, e mesmo a simples vizinhança de habitações, viciavam-nas em prejuízo da salubridade pública.[158]

Mesmo após seu afastamento do ministério, passando a atuar através do IIFA, seu comprometimento pessoal com o projeto permaneceu intenso. O Instituto apoiou o reflorestamento em termos práticos e teóricos. O Jardim Botânico, que então encontrava-se sob sua administração, foi um fornecedor de mudas para serem plantadas nas montanhas. Em 1870, nas páginas da *Revista Agrícola*, Miguel Antônio da Silva regozijava-se com o surgimento de uma "silvicultura brasileira", louvando o "trabalho que empregados zelosos têm feito para converter as encostas estéreis da serrania da Tijuca em copado arvoredo, composto das mais belas e variadas espécies das nossas árvores de construção, ornamentos das nossas florestas virgens, e que vão desaparecendo, de dia em dia, ante os golpes mortíferos do machado, auxiliado pelo tição do fogo".[159] Era cada vez mais evidente, segundo ele, a utilidade das florestas "nos arredores e dentro das povoações". Elas serviam, entre outras coisas, para regular as chuvas e o abastecimento d'água, além de garantir o suprimento de madeiras de construção "civil e naval". O sucesso do projeto de reflorestamento, que estava ainda "ignorado do público", tinha que ser melhor divulgado, estendendo-se também por outras montanhas da capital.[160]

No relatório do IIFA ao Ministro da Agricultura, em 1873, Ferraz acrescentou um elemento adicional de contentamento: o caráter autônomo e nacional do projeto. Segundo ele, "muitos estrangeiros de distinção, que têm visitado a nova floresta [da Tijuca], confessam que não faziam idéia de se achar a silvicultura já encetada entre nós, e tão satisfatoriamente".[161] Essa afirmação, obviamente, não foi gratuita. O uso correto dos recursos naturais poderia ser um dos instrumentos para elevar a imagem no Brasil no mundo civilizado. Para isso era necessário que a nova silvicultura que estava nascendo no país não ficasse restrita à capital. A experiência da Tijuca deveria reproduzir-se em outras partes do país, dando origem a um "sistema florestal em mais larga escala". Os resultados obtidos na Corte "hão de em pouco tempo ser seguidos de outros, nas províncias, em cujas capitais convém que desde logo se comece a criação de semelhantes florestas, recomendando-se tão importante assunto aos presidentes, e auxiliando os governos com os precisos meios". Os trabalhadores treinados na Tijuca poderiam ser utilizados diretamente nesses outros empreendimentos.

Uma política desse tipo era premente no Brasil, pois "é tempo de cuidarmos seriamente da replantação das madeiras de construção, em nossas montanhas. Nas cidades e vilas beira-mar, e até em muitas do interior, já são mui custosas as edificações, e quem as tem de fazer vê-se obrigado a procurar recurso no pinho."[162] O sentido histórico dessa política foi também afirmado em outro relatório do IIFA, o de 1870, quando Ferraz alertou que "não pode a geração presente descuidar-se por mais tempo do futuro, continuando a deixar progredir a destruição de nossas florestas e abandonando o estudo do cultivo de madeiras de lei".[163]

A proposta de criar uma dinâmica de plantio florestal em diferentes regiões do Brasil, a partir da experiência da Tijuca, não chegou a ser executada, até onde eu saiba. Mas essa experiência acabou por se tornar, apesar dos sucessivos cortes de orçamento e de mão-de-obra que provocaram o pedido de demissão do major Archer, em 1874, um sucesso histórico maior do que podiam imaginar seus executores. Talvez tenha tido razão o personagem do romance *Sonhos d'ouro* de José de Alencar, publicado em 1872, ao classificar como "viva imagem da loucura humana" o trabalho que a "paciência e inteligente esforço do major Archer" estava realizando no sentido de alinhar mudas de árvores de lei "aos milhares pelas encostas". Pois ele representava, de fato, uma tentativa de "refazer à custa de anos de trabalho e dispêndio de grande cabedal, o que se destruiu em alguns dias pela cobiça de um lucro insignificante". O mesmo "homem civilizado", que "abateu os troncos gigantes para fazer carvão", agora que precisava de "sombra para obter água, arroja-se a inventar uma selva, como se fosse um palácio".[164]

E, no entanto, assim como em outros momentos da história humana, esse tipo de "loucura" acabou por deixar uma herança admirável para o futuro. Mesmo que a floresta da Tijuca tenha sofrido um certo desinteresse por parte das autoridades públicas ainda na década de 1880 — quando a água da cidade passou a ser obtida prioritariamente na serra do Tinguá e, mais tarde, no maciço da Pedra Branca —, os plantios feitos anteriormente já eram suficientes para iniciar um processo irreversível de regeneração das matas. O grande legado de todo esse esforço, ironicamente, não foi a resolução do problema da água, mas sim a garantia de permanência da notável massa verde que ainda hoje caracteriza a paisagem do Rio de Janeiro.

CAPÍTULO 5

"Um fluido pesado, fatal ao homem e à natureza": O problema da agricultura e a vertente abolicionista da crítica ambiental no Brasil monárquico

Os sofrimentos, as maldições, as interrogações mudas a Deus, do escravo, condenado ao nascer a galés perpétuas, criança desfigurada pela ambição do dinheiro, não se extinguem de todo com ele, mas espalham nesse vale de lágrimas da escravidão, em que ele viveu, um fluido pesado, fatal ao homem e à natureza.

Joaquim Nabuco, *O abolicionismo*, 1883

E assim como o escravo tem que desaparecer da lavoura do Brasil, para dar lugar ao trabalho livre, a derrubada, o fogo, a encoivaração hão de ser substituídas pelo arado e pela grade; a incineração resultante da queima por outros meios de estrumar a terra; a lavoura extensiva pela intensiva; a grande pela pequena propriedade.

Nicolau Moreira, *Breve notícia sobre a cultura do algodão na província do Maranhão*, 1884.

"O mal pela raiz"

Em 1837, um ano antes da morte de José Bonifácio, apareceram sinais de que uma das suas intuições teóricas fundamentais, o vínculo entre escravidão e destruição ambiental, seria levada adiante por outros pensadores. No início da década, em 1831, foi criada a Sociedade Defensora da Liberdade e Independência Nacional. Entre os fundadores encontravam-se Evaristo da Veiga e Odorico Mendes, aos quais se uniram mais tarde nomes como José Bonifácio e Francisco Freire Alemão. Em 1837, a Sociedade decidiu realizar um concurso de ensaios direcionados a "mostrar a odiosidade toda do comércio de escravos"; "notar detalhadamente as vantagens que tem o serviço de homens livres sobre os que podem prestar braços cativos"; "fazer ver a nociva influencia que a introdução de escravos africanos exerce em nossos costumes, civilização e liberdade".[1]

Em resposta a esse concurso, um jovem engenheiro e professor da Escola Militar, Frederico Burlamaque, escreveu a sua *Memória analítica acerca do comércio de escravos e acerca dos males da escravidão doméstica*. Trata-se do mesmo autor que, em momentos posteriores da sua trajetória, apareceu em diversos episódios discutidos no capítulo anterior. No início da sua carreira intelectual — que mais tarde incluiu a direção do Museu Nacional, e a secretaria perpétua da SAIN — ele foi capaz de escrever um tratado abolicionista que, em grande medida, honrava a herança de José Bonifácio, uma das suas principais referências teóricas.

O eixo do livro estava em retomar a reflexão crítica que associava o escravismo ao atraso econômico e social do país, inclusive no plano ambiental. Burlamaque defendeu a tese, consolidada mais tarde pelos abolicionistas da década de 1880, de que a escravidão era o fator estrutural determinante para o conjunto dos aspectos perversos da vida nacional. Daí a gravidade das suas conseqüências, que ameaçavam a própria sobrevivência da comunidade política. A escravidão era "um vulcão que de contínuo ameaça a nossa ruína", pois gerava um estado de coisas que "proíbe o desenvolvimento das luzes e da indústria, a propagação da civilização e a multiplicação de uma população livre e homogênea". Ela também contaminava "os costumes públicos, o caráter nacional, a religião e o desenvolvimento das faculdades industriais". No limite, "com a praga dos escravos o Brasil nunca poderá prosperar, e suas instituições estão ameaçadas a cada passo, e talvez mesmo a sua existência como nação".[2]

A partir dessas conclusões, Burlamaque foi capaz de dar um salto político importante, ao afirmar categoricamente que o fim do tráfico não era mais um objetivo suficiente. Era necessário considerar não "somente os males e inconvenientes da maior ou menor importação de escravos, mas os males permanentes e duradouros que nascem em geral da existência da escravidão doméstica". O "comércio de entes humanos", dizia, "pode aumentar até um certo ponto os males de que já sofre o país; porém, é dos princípios e sistema da escravidão que eles se geram todos". Era preciso, portanto que "se atacasse o mal pela raiz se o queremos extirpar"; os meros paliativos não eram capazes de curar enfermidades mortais e "o melhor meio de evitar os perigos é encará-los sem pavor, para que se possa fugir do precipício a tempo". Por tudo isso, Burlamaque será um dos primeiros pensadores sociais brasileiros a afirmar com todas as letras: "Se os senhores devem temer grandes perigos, os mais graves nascem não da regular abolição da escravidão, mas da sua persistência em conservá-la".[3] A idéia de "abolição" aparecerá várias vezes no seu trabalho, mesmo que sempre seguida da recomendação de que tal objetivo fosse atingido de forma lenta e planejada.

Em seu esforço de produzir argumentos a favor da abolição, Burlamaque retomou a crítica bonifaciana do caráter improdutivo e ambientalmente destrutivo da economia brasileira. A escravidão provocou "o aviltamento absoluto de toda sorte de trabalhos" e "as classes livres fugiram de toda a profissão industrial e se absteram de aplicar seus órgãos à produção das coisas necessárias à existência". Os rendimentos eram baixos, já que "como a produção e o crescimento das riquezas estão na razão composta do trabalho e da acumulação dos capitais, é evidente que todas as rendas serão mesquinhas ou, antes, consumidas improdutivamente". O esforço intelectual não era aplicado na melhoria da produção, de tal maneira que as "faculdades intelectuais, como as físicas, dos senhores de escravos de nada servem para a produção, a conservação e a acumulação das riquezas". Os escravos, por sua vez, não tinham qualquer interesse em "apurar suas faculdades" e os proprietários, persuadidos de que "sua segurança depende da estupidez dos escravos, fazem todo o possível para reduzi-los a este estado".[4]

Tudo isso gerava uma economia marcada pelo mais ridículo atraso. Na agricultura brasileira, "a maneira de empregar a charrua e o trabalho dos animais é ainda desconhecida, só se sabe empregar uma pesada enxada que apenas pode mover a fraca mão de um escravo e que só revolve a superfície da terra". Nessa lavoura, "os progressos que tem feito a agricultura na maior parte dos Estados europeus são igualmente ignorados e recoltas que esterilizam o terreno se sucedem sem interrupção e sem repouso". Esse simples fato, segundo Burlamaque, "incrível se a experiência o não atestasse em toda a parte, só por si seria o maior dos argumentos contra a existência da escravidão". A monocultura de exportação, complemento lógico do trabalho escravo, destruía a saúde da paisagem, que só poderia ser mantida através da diversificação produtiva:

> É fato constante que a produção dos vegetais que entre nós se manufaturam, como a cana por exemplo, tornam em pouco tempo improdutiva a terra, quando é sabido que as terras cansam em breve se não se alteram as plantações, mas que

nunca cansam se esta alternação tem lugar de tempos a tempos: é isto um benefício da natureza que quer que os homens tenham não um só, mas muitos e diversos genêros de alimentos. Demais, é evidente que tanto mais diversificadas forem as substâncias alimentares vegetais, tanto mais se aproveitará o terreno, tanto mais recursos terão os povos e tanto menos sofrerão dos acasos funestos das secas ou das chuvas excessivas, sendo parte dos vegetais suscetíveis de resistirem às secas e outros a quem não causam danos as grandes águas.[5]

Esse sistema também provocava os enormes desmatamentos que tantos males causavam ao país:

> A ignorância desta verdade entre nós é a causa das derrubadas contínuas das florestas, da falta e carestia de madeiras e combustível que experimentamos, e ao mesmo tempo contribui para que se vão esterilizando as terras, e que em pouco não hajam nem matas nem lugares de plantações e, o que é pior, nem águas, porque, derrubando-se as árvores sem cuidados nem previsão do futuro, a terra exposta aos raios ardentes do nosso clima no verão se esterilizará tanto mais depressa, e deixará de atrair as nuvens e as chuvas; então as águas se evaporarão na atmosfera e deixarão de alimentar as fontes e os rios.

Os malefícios da lavoura centrada na monocultura escravista não eram exclusivos do Brasil. Valendo-se do "Tratado de legislação" de Charles Comte, o autor anotou que "a infertilidade do solo em toda a parte onde a escravidão está estabelecida é um fato tão notório nas colônias inglesas e na parte meridional dos Estados Unidos que não é necessário apresentar provas". O mesmo estava acontecendo no Brasil. Os lavradores já se queixavam "da grande diminuição que têm sofrido alguns dos nossos gêneros de exportação, especialmente o açúcar". E se podia observar que "entre nós já há povoações arruinadas e em alguns lugares já se morre de fome". Citando José Bonifácio, "um nacional que observou as nossas coisas há muito tempo", ele repetiu a passagem da "Representação... sobre a Escravatura" onde se afirmava que só quando os senhores de terras não tiverem uma multidão de escravos é que as áreas já abertas serão aproveitadas e as matas virgens, conservadas.[6]

A posição de Burlamaque sobre o uso econômico do meio natural seguiu a mesma linha intervencionista e antropocêntrica dos autores que o precederam. Ele afirmou, por exemplo, ao discutir a necessidade de estimular a imigração européia, que "a natureza foi liberal em todos os bens que nos são necessários, mas quer que os adquiramos pelo trabalho. A terra é estéril se nossas mãos não a fecundam". A tarefa dos homens, sempre que isso se fazia necessário, era a de "combater a terra" e "domar a natureza que aparentemente lhes é contrária". Mas para ser efetivo esse domínio era preciso superar a brutalidade e a devastação pela ciência e a tecnologia. O que se requeria na agricultura brasileira era estrumação, cultivo intensivo, rotação de culturas, aclimação de espécies úteis, uso de animais, de arados e dos mais diversos tipos de máquinas. E a condição necessária para isso estava em "expelirmos do nosso solo e do nosso seio essa praga da escravatura, única causa do nosso atraso porque ela é a única causa da nossa inércia".[7]

A proposta central do autor era a de estabelecer um processo claro e gradual através do qual os escravos fossem sendo libertados à medida que atingissem uma idade determinada (25 ou 30 anos). Tal proposta, no entanto, ao contrário do que queria Bonifácio, rechaçava a incorporação dos ex-escravos na sociedade, defendendo que os libertos fossem enviados de volta para a África. Existe um evidente racismo nessa sugestão, inspirada em alguns intentos que estavam sendo feitos na América do Norte, apesar de o autor argumentar que o motivo essencial da proposta estava no peso dos "antigos prejuízos" e dos conflitos potenciais que poderiam ocorrer após a emancipação. Mas o componente racista não podia ser negado, pois em outra passagem ele afirmou a "inabilidade dos negros para todo serviço que exige a menor porção de inteligência".[8]

A substituição da mão-de-obra escrava se daria pela imigração de colonos livres e pela modernização da economia, que envolveria tanto a racionalização tecnológica da lavoura quanto a revitalização das minas e o surgimento de manufaturas mecanizadas. Com essa transformação o problema da falta de mão-de-obra não se faria sentir, pois seria possível, apenas no caso da agricultura, realizar todo o trabalho dos escravos com apenas um terço de homens livres.[9] O crescimento posterior do Brasil se daria nos marcos de um ambiente de valorização do trabalho livre, produtividade econômica, progresso científico e cuidado ambiental, transformando completamente o destino histórico do país.

As propostas reformistas divulgadas por Frederico Burlamaque não apresentaram a generosidade e a amplitude das formuladas por Bonifácio, apesar de o velho estadista ser citado várias vezes na "Memória analítica". Mas suas reflexões, quando menos, tiveram o mérito de afirmar o escravismo como instituição inaceitável no novo país que se queria construir.

O que efetivamente surpreende, porém, tendo em vista a importância crucial do tema, foi o isolamento em que acabou permanecendo o trabalho de Burlamaque. A verdade é que ocorreu uma escassez de textos sobre a relação entre escravismo e destruição ambiental da década de 1840 à de 1880. Algo nesse sentido apareceu em trabalhos de crítica da agricultura, mas sem a força teórica encontrada em Bonifácio e Burlamaque ou, bem mais tarde, em André Rebouças e Joaquim Nabuco. A própria discussão mais genérica sobre o trabalho servil, pelo menos no período que vai até meados da década de 1860, perdeu grande parte da vitalidade intelectual que apresentou nos primeiros decênios do século XIX. José Murilo de

Carvalho referiu-se a esse fenômeno como sendo uma espécie de "cortina de silêncio". O debate jornalístico e acadêmico sobre o tema encontrou naquele período um ambiente social relativamente difícil, não tendo sido capaz de produzir qualquer obra teórica de vulto, mesmo considerando a abolição efetiva do trafico em 1850.[10]

Isso não significa dizer que a maioria dos intelectuais, especialmente os que se dedicaram à crítica ambiental, defendiam o escravismo. Não conheço qualquer texto onde a defesa do meio natural e do trabalho escravo caminhem juntas ou possuam alguma vinculação causal. Eventualmente, na obra de um autor como José de Alencar, foi possível encontrar manifestações isoladas em favor tanto da conservação da natureza quanto da manutenção do trabalho escravo. A regra geral, no entanto, relacionou a crítica ambiental com a antipatia, mais ou menos explícita, frente ao escravismo. Os próprios versos de Porto-Alegre sobre o braço destruidor do escravo, citados no capítulo anterior, podem ser interpretados como uma condenação implícita do escravismo, na medida em que este propiciava a entrega da terra e das florestas às mãos de bárbaros.

Mas o fato é que condenar o trabalho cativo, nas primeiras décadas do segundo reinado, significava assumir uma postura freqüentemente interpretada como irrealista, desagradável e, no limite, desafiadora da ordem monárquica; uma postura que podia gerar sansões sociais ou dificultar o acesso às associações que monopolizavam a vida cultural da elite. Em 1845, por exemplo, Henrique Veloso de Oliveira, filho de Antônio Veloso de Oliveira, se disse perseguido e caluniado por defender o fim do trabalho servil.[11]

Não se trata de afirmar, por certo, que o debate estava interditado. Frederico Burlamaque republicou sua "Memória analítica" nas páginas de *O Auxiliador da Indústria Nacional* em 1847 e 1848. Também Carlos Taunay, como veremos adiante, posicionou-se claramente em favor do abolicionismo nas páginas da mesma revista, em 1848. Mas não era fácil para os membros da elite intelectual, especialmente os mais próximos ao imperador, expressar suas críticas ao escravismo para além do espaço privado. Após o fim do tráfico, inclusive, consolidou-se o argumento complacente de que o assunto se resolveria com o tempo.

Esse ambiente começou a se transformar em meados da década de 1860, devido a uma série de fatores históricos que não podem ser analisados aqui em profundidade. A Guerra do Paraguai, que demonstrou a fragilidade econômica, demográfica e militar do país, foi um marco nesse sentido. Em 1866, por exemplo, voltou a ser publicada no país uma obra importante de crítica geral ao escravismo: *A escravidão africana no Brasil*, de Perdigão Malheiro. Nesse mesmo ano, o próprio imperador tomou a iniciativa de encomendar a apresentação de projetos abolicionistas. Na "Fala do Trono" de 1867, d. Pedro II mencionou pela primeira vez a escravidão como um problema a ser resolvido. Também em 1867, em carta enviada à Junta Francesa de Emancipação, o imperador afirmou o desejo de priorizar a abolição após o fim da guerra.[12]

É interessante observar, no que se refere à posição dos intelectuais mais próximos ao soberano, que alguns deles não tardaram em aproveitar essa abertura para definir-se formalmente contra o cativeiro. Manuel de Araújo Porto-Alegre escreveu uma memória sobre o tema, cujo resumo foi apresentado em 1868 ao imperador sob a forma de um "Plano para a extinção gradual da escravidão no Brasil". Nesse texto ele afirmava, no melhor estilo bonifaciano, que "os brasileiros só serão independentes quando não forem mais escravos uns dos outros. A nossa constituição política e social não será uma verdade prática enquanto existir esta antinomia". Afirmava também que "no dia em que dermos o primeiro passo para a extinção da escravidão começará o novo ciclo social do Brasil, que será o da sua progressiva grandeza como nação".[13] Faz sentido supor que ele já pensava de forma semelhante antes da convocação feita por Pedro II, apesar de estar impedido pelas circunstâncias sociais de externar abertamente a sua posição.*

Não se deve imaginar, contudo, que as barreiras à crítica do escravismo tenham desaparecido totalmente nas décadas seguintes. Após aprovação da Lei do Ventre Livre, em 1871 (para o que foi fundamental a ação de d. Pedro II), a ordem monárquica entrou em um longo período de conformismo e desatenção para com o tema, que só veio a ser interpelado pelo movimento abolicionista da década seguinte. Para os intelectuais mais próximos do imperador, como Freire Alemão, Capanema e Porto-Alegre, retomar o assunto seria produzir um embaraço político para o soberano (vale lembrar que Porto-Alegre nunca publicou o texto sobre a escravidão). Foi apenas com a tomada de posição radical dos pensadores abolicionistas que a discussão voltou a ser colocada em toda a sua plenitude e ousadia, inclusive nos seus aspectos ambientais.

"Nesta terra devastada"

Existiu um campo de reflexão, no entanto, onde o pensamento brasileiro foi capaz de desenvolver uma clara postura crítica a partir da década de 1830, inclusi-

* É possível também que sua visão tenha mudado no decurso de duas décadas. No plano de 1868, por exemplo, ele afirma que "em geral o negro é bom, amoroso, e melhor do que o fazem seus algozes" (p.140). Uma imagem bastante diversa do bárbaro destruidor descrito no poema de 1845.

ve enveredando por condenações mais ou menos diretas do escravismo. Foi no interior da literatura agrícola, aspecto crucial do debate econômico no Brasil oitocentista, que reapareceram os elementos de uma aproximação entre os problemas da destruição ambiental e do trabalho servil.

Em meados da década de 30, por exemplo, páginas importantes de crítica à agricultura baiana foram publicadas por Miguel Calmon du Pin e Almeida, o marquês de Abrantes. Esse personagem, que desde 1827 começou a participar dos gabinetes ministeriais, tornou-se com o tempo um dos grandes políticos do Segundo Reinado. Em seus escritos de 1834 e 1835, no entanto, o que ainda transparecia eram os debates agrícolas e ambientais anteriores à Independência. Neles se pode perceber a formação recebida na Universidade de Coimbra e a forte influência intelectual de Manuel Ferreira da Câmara. Este último é apresentado no *Ensaio sobre o fabrico do açúcar*, de 1834, como "o nosso bom presidente [da Sociedade de Agricultura, Comércio e Indústria da Bahia], o Senhor Conselheiro Câmara que ... vai nos indicando a todos, com perseverante atividade, o caminho que devemos seguir".[14]

A motivação para criar essa Sociedade, segundo Miguel Calmon, passou pela existência de dois problemas concretos: a extinção do tráfico negreiro e a má qualidade do açúcar. Foi para indicar uma via efetiva para o enfrentamento desses problemas que o autor escreveu o seu trabalho sobre o açúcar. A indústria desse produto na Bahia, apesar de ter crescido bastante desde a introdução da cana caiana em meados da década de 1810, precisava atentar para a existência de três riscos potenciais: a baixa qualidade do produto, a possível escassez de mão-de-obra e o crescimento da competição internacional.

Muitos dos 300 engenhos da província, pelo menos até aquele momento, haviam sobrevivido graças à adoção das medidas de economia de combustível divulgadas por Manuel Jacinto de Sampaio e Melo, senhor do engenho de São Carlos em Cachoeira. Se não fosse o "método vivificador" ensinado por esse personagem — que teve que enfrentar "os sarcasmos da rotina" dos outros proprietários, os quais deram à sua propriedade "por cúmulo de mofa, a alcunha de engenho da filosofia" —, a maioria desses engenhos estariam parados, especialmente os "levantados em terras carecidas de matos". Mas, apesar dessas mudanças tecnológicas positivas, o que continuava a vigorar era a indiferença pela qualidade do açúcar e o pouco empenho em usar máquinas e novos processos. Tal inércia, contudo, logo se chocaria com uma dura realidade: a falta de braços era apenas uma questão de tempo. O fim do tráfico, mesmo com a existência do contrabando, reduziria consideravelmente a oferta de trabalhadores servis. Não fazia sentido, portanto, continuar com a mentalidade absurda de preferir a fadiga dos escravos ao maior trabalho dos animais e "ao cuidado que exigiria a prática de bons métodos para melhorar o açúcar". O trabalho forçado era um "mal de horrível transcendência" herdado do passado. Não se devia lamentar o fim do tráfico, pois a única injustiça da lei que o promoveu "foi não ter vindo mais cedo".[15]

Mesmo assim Calmon não chegou a defender a abolição ou compartilhar a generosidade de Bonifácio em relação ao africanos libertos e aos índios incorporados. A utilização da terra pelos primeiros estava fadada ao fracasso, por força dos seus vícios e falta de preparo. Os "filhos da natureza e da indiferença", por sua vez, em sua triste vida selvagem, não se adaptariam "de salto aos hábitos da civilização". Considerando que a imigração européia era ainda uma possibilidade distante, o potencial de crise da força de trabalho era evidente. Ainda mais levando-se em conta que, ao mesmo tempo em que ela se delineava, a produção do açúcar de cana, de beterraba e de outras fontes crescia na Europa, Ásia e África, tendendo a tomar espaços ocupados no mercado internacional pelo açúcar brasileiro de má qualidade.[16]

Uma verdadeira política do açúcar, nesse sentido, tinha que passar por uma ampla reforma nas práticas produtivas, que deveria fundamentar-se em várias medidas de longo alcance, muitas das quais já vinham sendo debatidas desde o século XVIII: melhoria na administração e economia nas despesas; desvelo no trato com os escravos, para incentivar seu trabalho e reprodução; construção de alambiques nos engenhos; plantio de espécies comestíveis para os moradores e escravos; melhoria nas raças de gado; plantio de árvores úteis, que "aumentassem a riqueza intrínseca dos prédios"; aproveitamento das terras inúteis e abandonadas; reforma das caldeiras e melhor preparo e acondicionamento do produto; utilização de arados, máquinas a vapor e métodos agronômicos modernos, inclusive a alternação de culturas; aproximação entre a pecuária e a lavoura, com estrumação intensiva e estabelecimento de prados artificiais; diversificação da produção rural, através de uma combinação entre espécies comerciais e de uso direto.[17]

Calmon reconheceu igualmente que a divisão das grandes propriedades em pequenas lavouras seria um fator de grande aumento na produtividade geral. Para reverter o mal da acumulação fundiária, "sem ofensa do direito de propriedade", defendeu a difusão dos arrendamentos e aforamentos, aconselhando os grandes proprietários a que se beneficiassem da renda gerada por esse método, ao invés de ficarem presos à "esterilizante ostentação dos potentados orientais".[18]

É na questão do plantio das árvores, porém, que suas recomendações tocaram mais de perto o tema deste livro, inclusive por assumirem uma radicalidade política que foi muito além da simples proposta de plantar. Em todas as épocas, segundo o autor, "os homens ilustrados e os povos mais cultos têm olhado as árvores como o mais belo ornamento da natureza e como os entes, na ordem vegetal, mais necessários à vida do homem". Para fundamentar essa afirmação ele citou exemplos de Roma, da China e da Europa moderna, chegando à conclusão geral de que "onde as árvores são tidas em desprezo, e as matas têm desaparecido, a agricultura é mesquinha, o clima insalubre, o solo estéril e a gente pobre".

Foi diante da constatação dessa "estima que as árvores têm merecido e merecem de sábios e nações inteiras", que o autor se chocou com o fato de que no Brasil o arvoredo "é já não digo um objeto de indiferença, porém sim um alvo de perseguição". Calmon denunciou a "cruel disposição e furor que excita os nossos feitores à derrubada desapiedada de quanta árvore encontram". Uma mentalidade que foi herdada dos colonizadores ibéricos e, ainda em sua época, continuava a ser justificada através de desculpas inconsistentes, como as de que as árvores conservam a umidade, atraem cobras, ofendem os alicerces e tiram a vista: "E por mais que perguntemos — vista de quê? — a resposta é sempre — porque tira a vista."[19]

A preocupação com essa mentalidade destrutiva, na seqüência do raciocínio, assume um caráter menos ético e mais político. Era preciso contestar o modelo de uso das matas que o autor denominava de "canibal", pois ele gerava práticas profundamente ruinosas para a economia rural e ameaçava a nação como um todo. A presença das matas era essencial nas zonas tropicais, já que reduzia a ação excessiva do calor. Por esse motivo, a natureza "deu a nossa zona a formosa vegetação que tanto maravilha o observador europeu". Com a destruição da vegetação, "têm-se esterilizado muitas terras, copiosos regatos e filtros de boa água têm desaparecido, algumas lagoas têm secado e a cultura perdido os seus mais valiosos recursos". A continuar a marcha destrutiva, além disso, o país conheceria uma forte escassez de madeiras ("quem o acreditará no país da vegetação e dos bosques!"):

> A devastação das matas do nosso litoral tem já produzido um grave dano, que será irreparável de futuro se a indústria agrícola não preveni-lo. A rotina mourisca, incendiada pela cobiça, destruiu em todos os pontos banhados pelo mar e pelos rios, próximo às povoações, as árvores que, aliás, podiam existir sem prejuízo da agricultura e em benefício das artes e comércio. Tanto assim que as madeiras já são quase raras para a construção civil e naval, custosas para o serviço agrário e caras ao ponto de valerem o tresdobro do preço que tinham há trinta anos.[20]

A perda de umidade, no contexto da teoria do dessecamento, poderia chegar ao extremo da desertificação:

> A desastrosa e bárbara plantação do algodoeiro e da mandioca, no interior, assim desta como de outras províncias, também vai destruindo as matas e esterilizando as terras. Se ao menos houvesse algum cuidado em promover o crescimento de outras árvores, acabada a colheita, ainda poder-se-ia atalhar grande parte do mal.

> Mas, entregue o roçado que se abandona ao mero esforço da natureza e à ação violenta do sol, converte-se em estéril charneca o que havia sido, cinco ou seis anos antes, um bosque frondoso. Desse método brutal devem necessariamente resultar as secas repetidas e a fraqueza dos terrenos, que já experimentamos em tantas comarcas, pois que as árvores, obrando como esponja, atraem as chuvas e fertilizam o solo ... E se tão calamitoso método progredir não será terrorista aquele que desde agora recear a futura existência de desertos no centro de algumas províncias, à maneira do Saara, Barca e Líbia no interior da África.[21]

Diante de uma expectativa tão funesta, Calmon propunha a execução de uma política voltada para "conservar e beneficiar as matas que nos restam" e plantar árvores nos mais diferentes espaços do país, incluindo campos, casas, estradas, margens de rios e lagos, ruas, praças etc. Duas medidas imediatas seriam a abertura de estradas nas matas, para vigiar e manejar a extração da madeira (uma sugestão retirada de sir Walter Scott), e a promoção de replantios nos lugares de corte e derrubada. Com esta última medida seria possível retirar madeira do mesmo lugar a cada 25 anos. Reforçando o paradigma intervencionista e antropocêntrico de análise, ele sugeriu, após o replantio, arrancar as plantas "que se reconheçam más ou inúteis, para que não privem as boas do espaço e alimento necessário".

Além desses replantios específicos, seria necessário executar um programa de reflorestamento geral das propriedades rurais. Ele imaginava que tal projeto poderia suscitar a "objeção egoística de não dar um lucro imediato e pronto", que seria contraditada pelo argumento de que o plantio das árvores valorizaria os prédios e, para contrabalançar os cálculos "do homem que só vive para si", que a utilização da madeira seria altamente útil para a vida interna dos engenhos e lucrativa para a venda a terceiros. Uma das exortações finais do livro, bastante significativa, estabelecia uma defesa da ética do trabalho em contraste com a rotina dominante: "E não venha com isto a objeção banal de muito trabalho, falta de braços etc., visto que só devemos deplorar e evitar o trabalho que se perde."[22]

Três anos depois, em 1837, um outro intento de crítica da agricultura brasileira, tendo a dimensão ambiental como um dos aspectos abordados, apareceu sob a forma do *Manual do agricultor brasileiro*, de Carlos Taunay. Ao contrário de Miguel Calmon, porém, Taunay não tinha ligação direta com a tradição de crítica político-ambiental que vinha se desenvolvendo no Brasil desde o final do século anterior. Talvez por isso, sua abordagem do tema da devastação foi bem mais pontual e periférica. Tendo chegado ao país apenas em 1816, como filho de Nicolas Taunay, um dos principais membros da Missão Artística Francesa trazida ao Rio de Janeiro por dom João VI, sua formação era muito mais de militar do que de naturalista ou empresário agrícola. Suas incursões pelo campo da agricultura, apesar de apresentarem uma pretensão de amplitude (a idéia de um manual), foram mais um exemplo da onda de estudos agronômicos diletantes que geraram prestígio social no Brasil oitocentista. O que não significa dizer, por certo, que Taunay não estava bem informado.

O ponto de partida do escritor, como de tantos outros, foi o contraste entre o enorme potencial econômico do território brasileiro e o caráter rudimentar da sua exploração efetiva. O Brasil é descrito como um "abençoado país, tão fecundo e variado em produções, ameno em aspectos e ares, tão regado de águas, revestido de matas e aprazível à vista, que os primeiros descobridores não duvidaram avançar que tinham por fim deparado com o paraíso terrestre". A cena produtiva do país, ao contrário, apenas oferecia "aos olhos do observador o triste quadro do mais vergonhoso atrasamento". A agricultura era dirigida por feitores grosseiros e incapazes, em geral "peões, desertores e marujos", guiados "por uma cega e supersticiosa rotina e pela brutalidade". Ela desconhecia as máquinas, o arado e outros melhoramentos, tendo a enxada como único utensílio.[23]

Diante dessa realidade, Taunay propunha a adoção de cinco propostas destinadas a desenvolver a agricultura nacional: a abertura de estradas e canais, com liberdade para o comércio de cabotagem; a redação de um código para a escravatura, que "uniformize o tratamento que se deve dar aos escravos, e combine o interesse dos senhores com o tolerável bem-estar dos pretos"; a convocação anual em cada comarca de um júri que premiasse os melhores e mais inovadores estabelecimentos (inclusive no bom trato dos escravos); a criação de cadeiras de agricultura em todas as capitais de província; a redação e distribuição de livros elementares e folhetos. Além dessas medidas, seria útil criar fazendas normais, depósitos de máquinas, sociedades de incentivo à vinda de colonos etc.[24] Ou seja, um conjunto de proposições bastante específicas, que não implicava qualquer transformação dos sistemas produtivos, das relações de trabalho e das formas de propriedade.

Na questão ambiental, igualmente, pode-se dizer que Taunay não tocou nos temas mais profundos, apesar de ter feito comentários de grande interesse. Ele alertou os agricultores, referindo-se às matas, para "não abusar deste manancial de riqueza quase inesgotável que a natureza nos outorgou, não só pela razão da economia a favor dos nossos vindouros, como mesmo para a boa conservação da terra e temperamento da nossa atmosfera". As matas prestavam grandes serviços, como os de fertilizar os solos, obstar o furor dos ventos, conservar as fontes de água, refrescar o clima e purificar a atmosfera. Esses serviços eram ainda mais preciosos nos morros, pois o "descortinamento de grande porção deles pode ocasionar uma sensível alteração do clima e notável diminuição das águas". Nas plantações de café, em particular, "a utilidade de conservar as matas nos cumes dos outeiros e montes torna-se patente em tempos de seca, nos cafezais que, por casualidade, ficaram com uma carapuça de mato, as extremidades das linhas que tocam no mato apresentam seis ou sete pés mais frondosos e viçosos que os outros".[25]

Uma passagem especialmente interessante, tendo em vista o que se discutiu no capítulo anterior sobre a reconstituição da floresta da Tijuca, foi aquela onde Taunay criticou o "sistema permanente de devastação" que "assola e desguarnece as fraldas da serra do Corcovado e das serras da Tijuca". O autor estava observando, na década de 1830, os desmatamentos que motivaram as atividades de replantio na década de 1860. A região da Tijuca, aliás, lhe era bastante familiar, pois seu pai havia construído uma casa em plena floresta, justamente ao lado da queda d'água que hoje é conhecida como Cascatinha Taunay. Na visão do autor,

> um respeito sagrado se deveria pagar às matas que tanto préstimo têm para ornato, refresco e purificação da atmosfera da cidade. O governo deveria dar nelas um exemplo do modo por que todo lavrador, lembrado das gerações futuras, haveria de tratar seus morros, deixando cada pico isolado com uma coroa de uma terceira ou quarta parte da altura total do morro. As matas e caatingas das fraldas íngremes e barrancos merecem igualmente serem poupadas. Quem observar semelhantes regras nos seus roçados será premiado pela conservação dos declives.[26]

As práticas exploratórias adotadas naquelas montanhas estavam longe de serem aceitáveis, pois

> muitos fazendeiros se ocupam em tirar madeiras, ou ocasionalmente para suas construções, ou para especulação lucrosa. A grande abundância de paus de diferentes qualidades faz com que sejam pouco poupados neste trabalho. A falta de condução ou dificuldade de caminhos são muitas vezes causa deste desleixo. Dar-lhes-emos o conselho de serem mais econômicos e de se lembrarem do seu futuro, ou ao menos do de seus filhos.[27]

O resultado geral daquelas atividades agrícolas e extrativas, de toda forma, era que a perda das matas de montanha estava produzindo uma clara deterioração no clima da capital. Desde a vinda de d. João VI, "a grande extensão que a cultura tomou nas vizinhanças da cidade, e o indiscreto corte de matas que causou, originaram sem duvida esta alteração. O calor está notavelmente mais intenso. As trovoadas, outrora diárias, são raríssimas, e finalmente, de tantas fontes próximas à cidade, umas já secaram de todo e outras correm mais escassas." As providências que o governo havia dado para "coibir o corte das matas sobranceiras aos aquedutos" não estavam sendo observadas. Taunay recomendava, nesse e em outros casos, o plantio organizado de árvores.[28] Ou seja, delineavam-se aqui, décadas mais cedo, os argumentos utilizados para justificar os trabalhos de reflorestamento posteriormente comandados pelo major Archer.

Mas a visão ambiental de Taunay, apesar de reconhecer a importância das florestas, não chegou a penetrar com profundidade na crítica dos processos agrícolas. Vimos que a proposta do autor para a Tijuca não estava em interromper ou mudar radicalmente os métodos de cultura do café nas montanhas da cidade, mas sim em conservar com árvores a terça ou quarta parte mais alta das encostas cultivadas. No caso das grandes lavouras do interior, suas propostas foram ainda mais condescendentes. As queimadas, por exemplo, foram apresentadas como um método racional e praticamente inevitável.

Ele não examinou com detalhes as diferentes qualidades de terrenos pois a

> faculdade de derrubar matas virgens, e de abandonar o terreno cansado até a renovação das matas, proporciona colheitas que rendem mais ao lavrador, mesmo nas terras medíocres e nos anos menos férteis, do que o agricultor europeu consegue das colheitas mais felizes. Portanto, qualquer terreno, nos três ou quatro anos imediatos à derrubação das matas virgens, preenche a expectação do fazendeiro.[29]

É verdade que ele levava em conta o fator regeneração, anotando que as terras lavradas eram abandonadas rapidamente, permitindo um tempo considerável de pousio. Apenas na vizinhança das cidades o lavrador tinha que roçar a mesma terra de maneira mais assídua. Mas nesses casos, como o uso do adubo era pouco conhecido, os resultados eram "muito inferiores ao produto quase espontâneo das derrubadas recentes".[30]

Também no caso do escravismo a postura de Taunay foi moderada. Assim como vários outros intelectuais, ele criticou a imoralidade do trabalho forçado sem defender a necessidade imperiosa da abolição. O escravismo por certo atacava as leis da humanidade e da religião, mas era preciso considerar a "inferioridade física e intelectual da raça negra, classificada por todos os fisiologistas como a última das raças humanas". Os proprietários de sua época, além disso, não podiam ser considerados solidários "da culpabilidade daquilo que, pela razão que existe, possui uma força muitas vezes irresistível, e certos abusos radicais têm uma conexão tão estreita com o princípio vital de uma nação que seria mais fácil acabar com a existência nacional do que com esses mesmos abusos". E o fato era que "nossa agricultura, já tão decaída, não aturaria no momento atual nem a libertação dos pretos, nem mesmo a real cessação do tráfico".[31*]

* Em um artigo publicado em 1848, nas páginas de *O Auxiliador da Indústria Nacional*, Taunay assumiu uma posição mais firme em favor da abolição do tráfico. Advogar essa causa, dizia, era uma atitude tachada como "banalidade odiosa". Mas muito pior era o mal que o sistema da escravidão causava ao país. O Brasil deveria preparar-se para uma transição

Mesmo assim, apesar desses atenuantes, a realidade era que a escravidão contribuía para o atraso da agricultura. Mas ao invés de querer sanar o mal de imediato, os esforços deveriam ser feitos no sentido de "mitigar os seus piores efeitos" e "preparar os meios às gerações futuras para se poderem livrar sem perigo da praga social que nossos geradores nos dotaram". A preparação desses meios passava por melhorias tecnológicas, incluindo, mais uma vez, o uso do arado: a "mais proveitosa operação para sustentar a nossa agricultura decadente, a única que pode fazer frente à carestia dos pretos, e para o futuro subministrar ao Brasil a faculdade de se livrar da praga da escravidão é, sem dúvida, a geral adoção do arado".[32]

Um aspecto da crítica agrícola de Taunay que merece ser destacado refere-se à cultura do café, que então espraiava-se pelo Vale do Paraíba. Taunay soube reconhecer que o café brasileiro era de baixa qualidade, muito inferior ao árabe, e que os métodos de plantio não eram os melhores. Ele chegou a ensaiar, por exemplo, uma condenação da conhecida prática de plantar o cafezal nas encostas em linhas retas e verticais de baixo para cima. Esse método, que facilitava a vigilância sobre o trabalho dos escravos, contribuiu consideravelmente para a erosão dos solos que marcou a ocupação do Vale.* Prevendo essa possibilidade, o autor chegou a sugerir o plantio horizontal: "Disseram-nos que os holandeses, nas suas colônias asiáticas, dispõem as mesmas fileiras ou paredões horizontalmente ao redor dos outeiros e morros, de sorte que a flor da terra, que tende a descer com as águas quando o solo está lavrado e fofo, vai pegar-se à primeira cerca que encontra, ganhando assim as imediatas na descida o que perdem as de cima." Mas, fiel ao seu estilo condescendente, não chegou a propor uma mudança geral no desenho do plantio, indicando apenas que "esse método merece que alguns lavradores industriosos o experimentem".[33]

É interessante observar que a preocupação com as conseqüências ambientais da expansão do café no Vale do Paraíba não ficou restrita aos estudiosos que a observavam desde uma perspectiva externa. Ela penetrou também, de maneira surpreendente, na mente de alguns fazendeiros que, na prática, eram os principais

---

iminente no sistema de trabalho. O principal instrumento para isso seria a colonização interna e a externa (cf. C. Taunay, "Reflexões sobre a escravatura e a colonização", *OAIN* n.10, p.447-53).

* Segundo Eduardo Silva, esse método não esteve presente na expansão original do café naquela região. No início, justamente para conter a erosão, as plantações eram feitas nas encostas sem qualquer sistema de alinhamento. O estabelecimento das fileiras verticais apareceu na medida em que o crescimento da monocultura de exportação exigiu um maior controle sobre o ritmo de trabalho dos escravos (cf. E. Silva, "O barão de Pati do Alferes...", in F.L. Werneck, *Memória sobre a fundação e custeio...*, p.29).

agentes das rotinas destrutivas. Um caso muito significativo foi o de Francisco Peixoto de Lacerda Werneck, barão de Pati do Alferes, talvez o mais típico dos chamados "barões do café". Em 1847, na sua *Memória sobre a fundação de uma fazenda na província do Rio de Janeiro*, ele apresentou o problema do desmatamento em tons verdadeiramente dramáticos, afirmando que para tanto gostaria de "ter um eco que repercutisse em todos os ângulos do império":

> O maior desperdício se encontra em quase todos os lavradores, não só deixando apodrecer as madeiras sobre a terra, podendo conduzi-las e recolhê-las para armazém, como mesmo lançando-lhes fogo com o maior sangue-frio, como se estivessem fazendo uma grande coisa. Sem dúvida que se não podem lançar abaixo e cultivar nossas matas sem se lhes lançar fogo, porém está da vossa parte acautelar quanto se possa a ruína de preciosidades que, reduzidas a cinzas, nem vós, nem a vossa décima geração, tornarão a encontrar nesta terra devastada.[34]

O barão também afirmava, meditando sobre o futuro, que era "tal o desmazelo que há sobre este importante ramo que mete dó e faz cair o coração aos pés daqueles que estendem suas vistas à posteridade e olham para o futuro que espera a seus predecessores (sic)". Por trás dessa forte retórica, porém, seu livro apresentou pouca coisa de substantivo em termos de modificar efetivamente as práticas predatórias. No conjunto das suas indicações agrícolas, incluindo a escolha da terra, a abertura do terreno, a forma de plantio e as relações de trabalho, o que se pode observar é uma adesão permanente à "rotina". Para encontrar o terreno adequado, por exemplo, era necessário observar a qualidade das árvores da floresta que seria queimada. Para cultivar os terrenos, como vimos acima, não existia outra opção que a de "se lhes lançar fogo". A melhor forma de plantar o café era "em meias-laranjas ou morros", sendo que o cafezal deveria ser "alinhado, formando no cabeço do monte um esquadro, cujas quatro linhas servem de mestras para todo o alinhamento. Este método é melhor para facilitar as capinas e a colheita, dando cada carreira a seu apanhador, que é responsável se não faz o seu dever." Ou seja, a facilidade de colher e vigiar se sobrepunha ao controle da erosão, que nem sequer é mencionado.

O trabalho, por fim, tinha que ser forçado: "Abundância de braços cativos e o imenso terreno por cultivar esquivam o trabalhador livre do cultivo dos nossos campos." É verdade que Werneck também pagou tributo ao que Paulo Mercadante chamou de "doutrina da abolição gradual", reconhecendo que a escravidão era o "gérmen roedor do império do Brasil, e que só o tempo poderá curar". Mas na dimensão prática, todas as suas indicações são no sentido de reforçar o uso severo e racional dos cativos, reconhecendo que "é da conservação da escravatura que depende a prosperidade do fazendeiro".[35]

Que propunha então o autor, em termos ambientais, que diferisse da conduta tradicional? Basicamente duas coisas: o aproveitamento econômico das madeiras que eram simplesmente queimadas e a promoção do plantio de árvores. No primeiro caso, a linguagem forte voltou a adornar uma proposta bastante moderada:

> Para obviar esse inferno de fogo das grandes derribadas que, em menos de uma hora, deixam em cinzas aquilo que a natureza levou séculos a criar, ordenai aos vossos derribadores que não deitem abaixo um só pau de lei, e logo que tiver chegado a época das queimadas, e for mister lançar fogo e deixar arder esse imenso combustível ... aqueles que se conservarem em pé, deixai-os ficar até que o fogo dos troncos da derribada se tenham apagado, então mandai derribar toda a que ficou em pé.[36]

O barão não propõe, dessa forma, qualquer método específico de conservação das matas, mais sim uma atitude econômica minimamente racional: as árvores fortes, que agüentassem o impacto da queimada, deveriam depois ser cortadas e utilizadas para cercas e outras construções da fazenda. A segunda proposta foi a de que "o governo deve começar a dar atenção a esse estado de atrasamento em que cegamente marchamos, ordenando que todos os fazendeiros sejam obrigados a plantar à margem dos caminhos de suas fazendas certa porção de paus de lei".[37] Uma proposta meritória, obviamente, considerando a quase inexistência do plantio de árvores no Brasil, mas que estava muito aquém do que seria necessário para corrigir o caráter destrutivo da cultura do café. Estava aquém, inclusive, do que Miguel Calmon havia sugerido treze anos antes, quando propôs um vasto programa de reflorestamento, bem mais amplo do que o plantio de "certa porção de paus" ao longo dos caminhos.

O barão Werneck sabia do potencial destrutivo da lavoura praticada no Vale, pois havia herdado de seu pai uma propriedade que descreveu como "muito velha e estéril fazenda, de cujo solo tirou meu pai toda a sua fortuna, mas que a deixou estragada completamente".[38] Não se deve considerar, além disso, que não existiam alternativas, especialmente para os fazendeiros mais capitalizados. Vimos que Carlos Taunay já havia indicado, por exemplo, a possibilidade do plantio em fileiras horizontais. Em 1844, três anos antes da publicação da *Memória*, Agostinho Rodrigues da Cunha divulgou no Rio de Janeiro um livreto sobre a *Arte da cultura e preparação do café*, que sugeria "fazer linhas inclinadas ou paralelas à base dos morros", que teriam a vantagem de "não deixar se escoar por o declive dos morros os sais que as águas da chuva dissolvem". Também indicava o potencial do plantio do café na sombra das grandes árvores, de modo que os cafeeiros não ficassem expostos aos ventos.[39] Essa prática, aliás, bastante comum na América Central e na Colômbia, teria reduzido bastante o desflorestamento da região.

Um grande fazendeiro como Werneck, que gostava de refletir sobre a sua atividade, poderia ter ensaiado muitas maneiras de passar da retórica à prática na superação da rotina predatória. O fato de não o ter feito, mesmo diante dos fortes alertas ambientais que logrou difundir, é revelador do tipo de racionalidade pragmática e imediatista que moldou o comportamento da elite pós-colonial no Brasil.

"À procura de terras virgens"

Na segunda metade do século XIX, entretanto, uma abordagem mais sistemática e cientificamente informada da agricultura brasileira começou a emergir, renovando e ampliando as perspectivas de uma análise crítica. Em 1858, por exemplo, Guilherme Capanema publicou um livreto denominado *Agricultura: fragmentos do relatório dos comissários brasileiros à Exposição Universal de Paris em 1855*. Nesse trabalho, a partir da descrição dos avanços tecnológicos observados naquela exposição, ele foi capaz de realizar um balanço crítico que apontou vários dos problemas que se tornaram ainda mais evidentes nas décadas seguintes. O ponto de partida de Capanema, repetindo a postura de vários outros autores, foi a análise histórica, remontando à formação colonial do Brasil. Segundo a sua avaliação, estudando.

> a marcha da nossa lavoura, desde o seu começo, conhecemos depressa que na maior parte de seus ramos ela ficou completamente estacionária. Os primeiros colonizadores encontraram terreno inteiramente virgem, produzindo em qualquer lugar com fartura tudo quanto nele plantavam, e por isso viram logo quanto era desnecessário adubá-lo etc., como faziam na terra pátria. Acresce a isso o diminuto custo dos braços escravos, que formavam um capital depressa amortizado ... Debaixo destas circunstâncias é muito natural que ninguém se importasse com os melhoramentos da lavoura, e ficasse firmada uma rotina que depressa fazia esquecer tradições a quem vinha se estabelecer nesta abençoada terra do Brasil.[40]

A abundância de recursos naturais e de mão-de-obra cativa havia provocado uma verdadeira involução tecnológica, na medida em que os colonizadores puseram de lado as técnicas tradicionais adotadas na Europa em favor do pragmatismo das queimadas. Era importante considerar, porém, que o quadro histórico era completamente diverso em meados do século XIX, de modo que a manutenção desses padrões representava agora uma ameaça:

> Hoje tudo esta mudado — na vizinhança das grandes cidades estão os terrenos cansados e que não produzem às vezes nem a semente que se lhes confia. Os braços quase gratuitos desapareceram, o escravo representa um capital muito notável, que aumenta cada vez que uma epidemia vem causar seus estragos. O nosso mercado não é mais um pequeno ponto da Europa, que comprava e vendia nossos produtos a bel-prazer. O mercado agora é todo o mundo civilizado.[41]

A grande lucidez de Capanema esteve em perceber que, nesse novo contexto, a manutenção dos antigos padrões produtivos inviabilizaria a modernização da economia rural. Mais ainda, a introdução de modernizações parciais, com a permanência desses mesmos padrões, poderia ter um impacto prejudicial. É o caso da importante passagem, parcialmente citada na introdução, onde ele discutiu o avanço da lavoura do café nas montanhas do Vale do Paraíba, após ter destruído e abandonado as florestas de montanha da capital. Poucas vezes se descreveu com tanto brilhantismo a marcha destrutiva da monocultura brasileira em regime de fronteira aberta, criando pólos de intensa exploração que logo depois eram abandonados, desestimulando o surgimento de formas verdadeiramente enraizadas de vida social e econômica. Caso esse avanço continuasse, seguindo o modelo nômade e agressivo que o caracterizava, a modernização dos meios de transporte, com a introdução de ferrovias, não representaria qualquer progresso, mas sim uma intensificação dos "instrumentos de devastação":

> Se não procurarmos mudar o nosso sistema de agricultura, e se não o fizermos com toda energia, acreditamos que as nossas estradas de ferro, em vez de nos serem úteis, virão a ser prejudiciais. Em torno da nossa capital não vemos senão colinas cobertas de capoeiras. Os seus matos primitivos desapareceram, e também as lavouras que se lhes substituíram: hoje está o terreno exausto e improdutivo, e quem quer boas colheitas vai para longe procurar terrenos virgens. Os cafezais próximos à beira-mar, que ainda há vinte anos eram rendosos, hoje estão desprezados e não crescem outros. Só serra acima é que a produção é excelente, mas no fim de alguns anos também lá será preciso abandonar o solo cansado para buscar uma zona fértil afastada, o que fará com que as estradas tenham de atravessar muitas léguas de terras em descanso para só na sua extremidade encontrar carga e ligar centros de população, os quais ficarão por sua vez desertos quando uma estrada de ferro passar além, e eles deixarem de ser os empórios de uma zona cultivada. Só com o melhoramento da lavoura poderemos evitar que as estradas se tornem instrumentos de devastação.[42]

Além do padrão geral destrutivo, a grande lavoura brasileira possuía requintes de irracionalidade e ineficiência. Após a derrubada dos matos virgens, quando a terra cobria-se com folhas e galhada miúda, seria possível esperar que em algum tempo o apodrecimento desse material produzisse uma camada de húmus rica em sais alcalinos. Para o agricultor brasileiro, contudo, "seria trabalhoso esperar por esta decomposição". A prática usual era a de queimar tudo, impossibilitando o surgimento de solo fértil e fazendo com que os sais fossem levados pelas chuvas. Com esse método destrutivo, o cultivo do terreno não podia durar mais do que três ou quatro anos, sendo depois abandonado. Esse tipo de lavoura, acostumada "ao sistema de destruição e esbanjamento de força útil", seguia decaindo rapidamente e, à medida que fossem faltando os braços escravos, os preços dos produtos agrícolas tenderiam a subir em progressão descontrolada. O país estava ameaçado de ter que importar até mesmo o feijão, a farinha e a carne-seca, alimentos da classe baixa.[43]

Enquanto isso, na Europa, todos os anos se cultivava o mesmo terreno, introduzindo-se máquinas e produtos químicos que podiam centuplicar o trabalho humano e arrancar "os meios de sua subsistência a uma natureza que, cansada, parece obstinadamente querer negá-los". Não se tratava ainda, no caso do Brasil, de introduzir a agricultura industrial; o uso de máquinas esbarrava no fato de "não termos em nosso país quem as aplique, nem sabermos ainda quais as circunstâncias locais que nos possam obrigar a modificar esta aplicação". Também a agroquímica, que estava sendo desenvolvida na Alemanha por pesquisadores como Justus Liebig, não podia ser introduzida no ambiente brasileiro de forma abstrata, carecendo-se de pesquisas específicas que definissem os padrões corretos para a sua utilização local. Mesmo assim era possível estabelecer mudanças técnicas intermediárias que, no caso do Brasil, já seriam uma revolução. Era possível, por exemplo, utilizar o arado com juntas de bois (que equivalem a 20 ou 50 enxadas) e a adubação da terra com estrume e matérias orgânicas, que podiam ser facilmente conseguidos através da consorciação entre a agricultura e a criação de animais. À medida que essas inovações fossem ganhando terreno, e a pesquisa agronômica se desenvolvesse no país, seria possível introduzir máquinas e adubos minerais que reduziriam em mais de cinco vezes o número de escravos necessários em cada propriedade.[44]

O diagnóstico realizado por Capanema caracterizou-se, em certos momentos, pelo realismo e pela lucidez, inclusive na recusa em transplantar simplesmente para o Brasil, sem as necessárias adaptações, os padrões tecnológicos europeus. As propostas por ele formuladas, no entanto, não apresentaram a mesma profundidade.

As reformas sociais, que na tradição de Bonifácio deveriam ser uma condição necessária para a transformação do modelo agrícola, como a divisão das grandes propriedades e a superação do escravismo, estão quase ausentes do seu raciocínio. No que se refere aos meios para educar os lavradores no rumo das melhorias técnicas, por outro lado, não lhe ocorreu nada melhor do que a velha proposta da fazenda modelo, que seria criada pelo governo para ensinar aos jovens lavradores como plantar de forma mais inteligente. Uma idéia que já havia sido indicada por Moraes Navarro em 1799! Não se pode negar que é bastante patético observar no Brasil de 1858, e até bem depois, a presença de escritos sobre a necessidade de introduzir o arado e outras técnicas simples de melhoria produtiva que já vinham sendo propostas desde o final do século XVIII. Também surpreende que um homem brilhante como Capanema pudesse defender soluções políticas tão superficiais, pretendendo fazer crer que a mera criação da fazenda modelo, e de uma futura "cadeira de química agrícola", seria capaz de transformar todo o cenário rural do Brasil, de forma que "os alimentos se tornarão baratos, a emigração estrangeira virá animada aportar a nossas praias, e ... a indústria, tão vacilante entre nós, começará a tomar pé, e então não se dará o fato de mandarmos o nosso algodão para fora, comprando-o tecido e fiado depois de ter pago os fretes de ida e volta".[45]

Essa discrepância entre a argúcia do diagnóstico e a pobreza da terapia ajuda a perceber os limites dentro dos quais foi obrigada a situar-se a crítica ambiental não-abolicionista, especialmente aquela que foi cultivada pelos autores mais próximos do imperador. Por não poder enfrentar a problemática estrutural básica, ela padeceu de uma permanente irregularidade teórica, atingindo em certos momentos uma capacidade crítica superior para, logo em seguida, cair na mais completa ingenuidade. Esse problema, particularmente no caso de Capanema, derivou muito mais de uma limitação social e política do que de uma falta de capacidade crítica. A proposta de uma reforma rural mais abrangente implicaria necessariamente o enfrentamento da questão do trabalho forçado e da concentração fundiária, algo que ele não estava preparado para fazer, pelo menos através de uma publicação formal. É significativo o fato de que na fazenda modelo imaginada por Capanema os filhos dos fazendeiros "esqueceriam que têm escravos" e teriam que trabalhar a terra com as próprias mãos. O valor do trabalho livre, portanto, é apresentado de forma indireta, como um princípio educativo, e não como o eixo necessário de uma mudança substantiva na sociedade brasileira.

Os limites sociais dessa abordagem ficam bastante evidentes se a comparamos com as análises e propostas formuladas no ano seguinte pelo empresário e agrônomo Caetano da Rocha Pacova, um autor dotado de maior independência política e social. Em seus *Apontamentos sobre a necessidade de uma escola de agricultura*, de 1859, esse fazendeiro e produtor de máquinas agrícolas em Campos, que estudou agronomia na França, foi capaz de produzir um conjunto de propostas bem mais abrangentes em favor de uma mudança na economia rural brasileira, inclusive no aspecto ambiental. Seu ponto de partida foi a necessidade de reduzir a carestia dos gêneros alimentícios, que ele informava estar acarretando privações no povo que magoavam o próprio imperador, segundo a fala do trono daquele ano. A agricultura brasileira, com exceção do café, estava definhando devido a uma combinação de motivos, que podiam ser resumidos nos seguintes itens: falta de instrução profissional; falta de tecnologias modernas; falta de crédito; dificuldades de transporte; escassez de braços; grande destruição ambiental. A solução para um leque tão amplo de problemas também precisava ser múltipla e abrangente, até porque, como o autor percebeu com lucidez, eles eram profundamente interdependentes.

A ignorância dos lavradores, por exemplo, impedia a introdução de máquinas modernas, já que muitas estavam paradas por não ter quem as soubesse manejar ou reparar. O crédito agrícola era escasso porque as propriedades não ofereciam a necessária estabilidade de valor, uma vez que os capitais estavam "precariamente comprometidos" em escravos e os recursos naturais das fazendas estavam cada vez mais destruídos. Esse ponto é particularmente importante, pois o problema do crédito, juntamente com o da falta de "braços", era uma das principais fontes de reclamação dos fazendeiros a partir da década de 1860. Pacova foi um dos poucos a perceber a sua dimensão social e ambiental, para além do âmbito exclusivamente financeiro.

A lavoura brasileira, segundo ele, era "nômade pelo seu sistema de trabalho, como em geral o são os nossos estabelecimentos rurais; ao contrario do que acontece nos países de cultura permanente, eles perdem sua importância com o tempo, porque o solo, perdendo todos os anos parte dos seus princípios nutrientes, necessários aos vegetais, torna-se avaro, improdutivo e portanto sem valor". O crédito para essas propriedades apenas se ampliaria a partir de uma reforma produtiva que fizesse com que "o solo, em vez de ser exaurido, receba cada ano uma soma de trabalho amelhorador e de matérias fertilizantes, de modo a torná-lo mais rico e produtivo". A questão da falta de estradas, por outro lado, também objeto de muita reclamação dos fazendeiros, possuía igualmente um componente ambiental. O modo nômade de agricultura estava "sempre à procura de terras virgens", aumentando assim "a distância dos mercados" e agravando "cada vez mais sua situação já tão desvantajosa".[46]

A soma desses fatores interdependentes gerava um quadro de sério risco político, que não devia ser obscurecido pela aparente estabilidade das instituições. A sociedade brasileira descansava "sobre as cinzas de um vulcão que labora internamente", pois " a produção é ineficiente" e "só a agricultura, quando for convenientemente estudada e protegida, pode trazer-nos a solução da crise econômica e financeira para que caminhamos". O enfrentamento concreto desse risco tinha que passar por um conjunto integrado de políticas. Em primeiro lugar, a colonização deveria substituir o trabalho escravo, mas deveria-se evitar a colonização em florestas distantes das cidades, onde os colonos morriam de "febre amarela, cólera, intermitentes ou desânimo". Essa opção de "tentar-se a colonização no centro das nossas florestas, longe dos povoados e distante de todos os cômodos e recursos", foi uma derivação direta do sistema agrícola dominante, que "exige constantemente terras virgens, onde o machado e o fogo vão exercer sua ação devastadora". A verdadeira colonização, bem como a reforma da agricultura brasileira, tinha que se concentrar inicialmente na recuperação das "terras cansadas" perto dos mercados. Também seria necessária a diversificação das culturas — combinado-se o café, o açúcar e o algodão com a mandioca, o arroz, o feijão e o milho, base do consumo popular. Um outro requisito básico estava na disseminação da educação rural (o autor nota que Cuba tinha mais escolas técnicas do que o Brasil) e na introdução da agroquímica e da maquinaria moderna.[47]

Um ponto que merece ser destacado, no contexto desse programa reformista, é o da necessidade de conservação das florestas. A publicação de partes dos *Apontamentos* de Pacova em jornais do Rio de Janeiro, aliás, influenciou diretamente a visão de Tomás Pompeu de Sousa Brasil sobre a relação entre o desflorestamento e as secas no Ceará. Na concepção de Pacova,

> praticamos hoje a agricultura como o fizeram os primitivos povos ... o machado e o fogo são quase os nossos únicos auxiliares. As nossas belas e ricas matas têm desaparecido ante estes dois terríveis agentes da destruição, e com elas um manancial de riquezas acumuladas por tantos séculos. Não será tempo por ventura de reconhecermos que um tal abandono pode, além da perda desses valores, trazer-nos calamidades imensas, como as secas, as inundações e a impureza da atmosfera? E lançar-nos no maior estado de miséria, e quem sabe talvez de aniquilamento.

De maneira mais específica, ele chegou a se perguntar se

> os fatos ... que se estão repetindo entre nós não serão de caráter tal que nos impressionem e chamem a atenção para o estudo das suas causas? As secas constantes na província do Ceará, as faltas de chuvas, principalmente nas províncias do norte, seguidas de semidilúvios, que tudo inundam e devastam; os trasbordamentos dos nossos rios que tantos desastres têm causado, não terão uma ligação íntima com a existência das nossas florestas?[48]

Para defender a existência dessa ligação, Pacova apoiou-se em autoridades européias como Royer, Blanqui e Humboldt. O aspecto a ser ressaltado, porém, foi o do eixo basicamente político da sua interpretação, centrado na questão da sobrevivência nacional. Uma postura que transparece em uma das suas perguntas cruciais: "A nossa existência como nação não se acha comprometida nesta questão? Ao menos assim o pensamos. Porque Deus ligou a existência do homem à dos vegetais, por fenômenos fisiológicos conhecidos e incontestáveis." A alternativa necessária para o país, portanto, estava em "implantar entre nós uma cultura esclarecida que, tirando partido das nossas terras em abandono, conhecidas pela denominação de cansadas, respeite os restos das nossas florestas para que no futuro não sejamos reduzidos a não ter madeiras para nossa construção naval e urbana e para os nossos móveis, nem o combustível para preparar a nossa alimentação".[49]

A mensagem essencial de Pacova, como podemos ver, era em favor de uma mudança substantiva na mentalidade e nas práticas dominantes, bem além da "fazenda modelo" de Capanema. Agora que o tráfico de escravos estava extinto no país, em homenagem aos "princípios eternos da justiça", ao "respeito devido à dignidade humana" e aos "bem entendidos interesses do Brasil", era tempo de mudar a base do trabalho, de avançar no campo tecnológico, de oferecer aos trabalhadores "bons salários, cômodos, alimentação abundante e sã", para chegar ao momento em que "o trabalho livre, nacional ou estrangeiro, será uma realidade".[50]

Cultura esgotadora

Com a publicação da *Revista Agrícola* do Imperial Instituto Fluminense de Agricultura, a partir de 1869, criou-se um espaço de reflexão onde começaram a aparecer, de forma recorrente, idéias semelhantes às expostas nos parágrafos anteriores. É verdade que a maioria dos seus artigos apresentou um estilo moderado e técnico, mas a visão essencial apontava no rumo de um país onde o trabalho livre, a pequena propriedade e o cuidado com o território substituiriam o escravismo, a grande propriedade e a destruição ambiental (como se vê na passagem de Nicolau Moreira citada como segunda epígrafe deste capítulo).

Para chegar a esse prognóstico, os intelectuais ligados à *Revista* tiveram que retomar o enfoque histórico adotado por vários dos autores que os precederam. Em um livro publicado em 1875, com o título de *Indicações agrícolas para os imigrantes que se dirigem ao Brasil*, Nicolau Moreira começou relatando a riqueza e os benefícios da natureza brasileira, com seu clima, suas montanhas, sua abundância de águas, sua uberdade de solo e suas formidáveis florestas. Mas a ação humana sobre esse magnífico território é apresentada como a própria negação dessa generosidade. Segundo ele, "há 375 anos que uma cultura rotineira e esgotadora, arvorando em sistema de produção o machado e o facho, a derrubada e a coivara, arranca das férteis terras brasileiras os elementos de grandeza e prosperidade das futuras gerações".[51] Ou seja, desde a chegada dos europeus, em 1500, o caminho adotado pela agricultura havia sido profundamente deletério.

Dois anos mais tarde, em um artigo publicado na *Revista Agrícola*, Miguel Silva apresentou uma análise mais minuciosa das causas desse fenômeno. Para explicar o fato de que "apesar de tão auspiciosas promoções da natureza brasílica, a agricultura nacional, mui longe de apresentar ridente quadro ao lavrador, jaz abatida e decadente, e debate-se nas agonias da próxima e completa ruína", ele optou por analisar os padrões coloniais que presidiram a formação do Brasil:

> Os primeiros colonos portugueses que aportaram a esse abençoado torrão da América, depararam com mateiros de fertilidade incrível, verdadeiros tesouros acumulados por séculos e séculos em solos virgens; esta fertilidade fascinou-os, julgando-a inexaurível, e tal foi a causa primordial do fatalíssimo sistema que iniciaram de espoliação das terras, verdadeiro roubo; sistema que desde os tempos coloniais ficou profundamente arraigado nas nossas práticas agrárias ... Entregavam desajeitadamente aos golpes do machado e ao fogo as matas primitivas, e sobre os terrenos virgens de toda cultura lançavam a semente.[52]

Naquele contexto de fronteira aberta e grande disponibilidade de recursos naturais, os efeitos predatórios do sistema, que logo se fizeram notar, foram ocultados pelo movimento nômade da agricultura:

> Os terrenos forçados por excessivas culturas, e sem nem um principio racional que lhes servisse de guia na prática, foram gradualmente perdendo sua fertilidade e reduziram-se por fim a completo estado de esterilidade. Neste momento, a terra ficava cansada, como se dizia e ainda hoje se diz. Era forçoso estão abandonar o campo, que fora tão cruelmente despojado na véspera, por outro novo e virgem, e as mesmas cenas de devastação a ferro e fogo recomeçavam de idêntico modo. O mesquinho valor das terras de cultura e o baixo preço do trabalho escravo (triste legado dos nossos antepassados) influíram notavelmente sobre o desenvolvimento da lavoura, feito sem reflexão nem critério, e condensaram em larga escala os elementos para a crise em que se debate atualmente a nossa indústria fundamental.

Na década de 1870, o que o autor observava como herança desse processo histórico era uma agricultura em profundo estado de decadência ambiental: "Hoje em dia os terrenos cultiváveis subiram tanto de valor que os braços escassearam, e a imprevidência dos exploradores primitivos, de depredação em depredação, levou fatalmente ao estado de quase completa esterilidade a zona de terrenos entregue ao feroz sistema de cultivação do solo."*

É importante entender, em seu contexto conjuntural, o pessimismo presente nessas avaliações históricas formuladas pelos editores da *Revista Agrícola*. Em meados da década de 1870, quando elas foram publicadas, difundiu-se entre fazendeiros, intelectuais e políticos a percepção de que a grande lavoura brasileira estava em crise. Mas o julgamento das causas dessa crise variou bastante, sendo que apenas uma minoria foi capaz de entendê-la enquanto uma crise do sistema produtivo como um todo, inclusive nos seus aspectos ambientais.

Um episódio interessante, nesse sentido, ocorreu em 1878, durante o Congresso Agrícola convocado pelo Ministro da Agricultura, Comércio e Obras Públicas, João Lins Cansansão de Sinimbu, no sentido de debater com os próprios lavradores os males que afetavam a agricultura nacional.** A natureza desses males, tal como foi percebida pela esmagadora maioria dos participantes, já estava indicada nas próprias perguntas formuladas pelo programa convocatório do congresso. Ela podia ser resumida no binômio "braços e capitais". O programa indagava, em primeiro lugar, se existia falta de braços no país e, em caso afirmativo, quais seriam os mecanismos mais adequados para enfrentá-la. Não haviam mais dúvidas quanto ao fato de a escravidão viver os seus momentos finais no Brasil, especialmente a partir da Lei do Ventre Livre, de 1871. As alternativas em pauta, tais como o incentivo à colonização européia, a importação de trabalhadores chineses ou indianos, a mecanização da produção rural ou a educação e qualificação da mão-de-obra nativa, levantavam problemas e possibilidades significativamente diversos dos que podiam ser encontrados na tradicional ordem escravista.

A segunda pergunta referia-se à questão do crédito, inquirindo se a grande lavoura sofria falta de capitais e, em caso afirmativo, se esta era resultante de um problema estrutural do país ou de uma conjuntura de depressão. O programa também pedia sugestões sobre os meios e instrumentos de levantar o crédito agrícola. A difícil conjuntura financeira dos anos 1870, após a Guerra do Paraguai, justificava essa preocupação. Mas ela também ecoava a existência de dilemas mais profundos, que diziam respeito ao modo de inserção do Brasil na economia

---

* Vale observar nesse texto que Miguel Silva inspirou-se bastante na avaliação histórica formulada em 1858 por seu mestre Capanema. Uma diferença significativa, porém, é que Silva, no contexto de 1877, chamou a escravidão de "triste legado", ao passo que Capanema apenas mencionou o escravo como um arriscado investimento de capital.

** O congresso realizou-se na cidade do Rio de Janeiro, limitando seu alcance às províncias do Rio de Janeiro, São Paulo, Minas Gerais e Espírito Santo. De 8 a 12 de setembro de 1878, reuniu cerca de 300 proprietários rurais e profissionais da agricultura provenientes dessas quatro províncias.

capitalista do século XIX, crescentemente fundada em escalas superiores de investimento e fluxo de capitais. A terceira pergunta, por fim, relacionava-se com os "melhoramentos" da lavoura, com as mudanças técnicas e administrativas que nela deveriam ser introduzidas. Nessa pergunta era possível detectar um outro elemento central da crise: a tecnologia rudimentar e a baixa produtividade da lavoura escravista brasileira. Uma característica que a tornava sempre menos competitiva diante de uma agricultura internacional que cada vez mais incorporava o uso de máquinas e química aplicada.[53]

Os debates realizados no congresso obedeceram, de maneira geral, aos três conjuntos temáticos mencionados acima, apesar de o problema dos braços e capitais ter ofuscado significativamente as questões técnicas e produtivas. Estas últimas foram levantadas por uma minoria de participantes, recebendo quase sempre uma abordagem pontual e apressada, centrada na necessidade genérica de incrementar a educação dos produtores. A maioria dos grandes proprietários, ao que parece, acreditava no potencial de continuidade do seu sistema extensivo de produção, desde que continuassem dispondo de crédito barato e mão-de-obra abundante (e também barata). As longas discussões sobre a conveniência ou não de importar trabalhadores asiáticos, ou sobre as bases para a criação de um banco de crédito real, ocuparam muito mais tempo do que as reflexões sobre a maneira de aumentar a quantidade e a qualidade da produção.

Diante desse cenário, torna-se ainda mais surpreendente o discurso proferido no congresso por Manoel Ribeiro do Val, apresentado como um lavrador de Paraíba do Sul. O discurso não apenas centrou-se nas questões produtivas como também, dentro delas, priorizou a problemática ambiental. Segundo Ribeiro do Val, destoando abertamente dos outros participantes, era um

> erro grave e imenso supor-se que a deficiência da nossa produção é proveniente unicamente da falta de braços e capitais. Só quem não pensa e estuda, só quem não acompanha e examina atentamente e de perto o nosso sistema de explorar o terreno sem arte e ciência, e a marcha que a lavoura tem seguido, e as revoluções meteorológicas e mudanças climatéricas por que tem passado o Brasil neste último quarto de século, é que pode avançar em absoluto uma semelhante proposição.[54]

A crise da lavoura, aos olhos daquele fazendeiro, era essencialmente ambiental, derivando dos "efeitos negativos da nossa plantação". A prova disso estava no fato de que "quando nos bons tempos tínhamos chuvas abundantes de princípios de agosto até fins de maio do ano seguinte, intercaladas apenas por um curto veranico, que nunca excedia de 15 dias, colhíamos abundantes roças e boas safras de café". Agora os produtores tinham que se deparar com a irregularidade das estações, a falta de chuvas, o aumento das temporadas de seca, o empobrecimento biológico dos cafezais, as pragas, as formigas e a "degeneração das plantas, dos animais e até da nossa própria raça". O resultado era que a produção do café estancava, mesmo com o aumento na extensão das plantações e no número de trabalhadores empregados. Caso esse sistema de exploração continuasse, de nada adiantaria o governo aumentar o fornecimento de capitais e braços à grande lavoura, pois "é fácil de prever-se que ela, com estes recursos, tratará unicamente, como até agora, de explorar o resto de suas matas, e não de melhorar sua produção, que é o essencial, adiando por mais alguns anos a sua queda, mas não evitando que ela se realize, e então ainda mais desastradamente".[55]

Na verdade, dizia ainda o autor, apesar da depressão do crédito, causada em boa parte pelo abuso dos que sacavam adiantado contra o futuro "na esperança sempre de grandes colheitas que faltam", ainda era possível conseguir capital a juros módicos e com amortizações fáceis. O que se via, entretanto, era que "a maior parte dos grandes proprietários que possuem grandes capitais disponíveis e acumulados, são justamente os que menos tratam de melhorar suas lavouras, e muito menos na parte produtiva". A permanência desse descaso com a produção inviabilizava, inclusive, a criação de um sistema de crédito real, já que as grandes propriedades não ofereciam, "na vida de seus cafezais e no elemento servil", garantias suficientes para amortizações de longo prazo. A maior parte dessa lavoura, ao fim de vinte anos, estaria "velha e esgotada", não logrando cumprir seus compromissos e levando à ruína os bancos que nela apostassem.[56]

A causa central do problema tinha que ser buscada no sistema de exploração em vigor. Por causa dele a natureza, que havia sido "pródiga e liberal para conosco em nossa infância", estava hoje retraindo-se e negando "água e pão do Norte ao Sul". O município de Vassouras, que antes fora o mais rico produtor de café, vivia agora em decadência, devido "unicamente ao exaurimento do terreno e não à falta de braços e capitais". As grandes cidades produtoras do Vale do Paraíba decaíam em diferentes graus de intensidade, "conforme a maior ou menor quantidade ainda existente de suas matas, e a natureza fria ou quente dos seus terrenos", sem deixar atrás de si "nem ao menos vestígios de uma outra qualquer indústria". Algumas já estavam se tornando "centros mortos, sem atividade, sem escola, sem alunos, sem indústria". A fértil província do Rio de Janeiro, com "a rotina que vai seguindo", em breve ficaria "abandonada ao sapé e ao capim melado". A única esperança de reverter esse quadro estava na promoção de um conjunto de transformações tecnológicas que poderiam ser realizadas a partir de uma combinação entre reforma agrária e colonização européia.

Ribeiro do Val foi extremamente crítico em relação à grande propriedade, que havia concorrido apenas para "o atraso agrícola e industrial do nosso país e sua educação". Era preciso promover o seu "retalhamento", para poder seguir a marcha dos "países mais civilizados" (como os Estados Unidos e a Bélgica). O método mais apropriado para implementar essa reforma seria a criação de núcleos de colonização, especialmente de colonos anglo-saxões ou centro-europeus. Tais núcleos seriam "exposições permanentes do trabalho e da indústria", introduzindo a ciência agrícola, o arado, a estrumação, a poda, a criação e outras práticas semelhantes. Essa "pequena lavoura educada" serviria de "amparo, auxílio, de escola e farol" para a grande lavoura. Os núcleos de colonização, com o tempo, tenderiam a apoderar-se "de uma grande parte dos terrenos improdutivos da grande propriedade que, forçada pela necessidade, pelas heranças e pela falta de braços, e mesmo pelo abandono, irá cedendo impreterivelmente ao colono o excesso dos seus terrenos em proveito de ambos e, ainda mais, do país". A bem-sucedida colonização do sul do Brasil, que estava provocando uma grande renovação social e tecnológica, deveria ser introduzida na própria província do Rio de Janeiro, coração da grande lavoura nacional, de forma a "refazer suas forças produtivas". Esse processo tinha que ser realizado com urgência, enquanto a região ainda possuísse "restos de sua antiga grandeza e fertilidade" e pudesse atrair "a cobiça e o interesse imediato do colono".[57]

É interessante observar que o discurso de Ribeiro do Val, apesar de ter sido um dos mais profundos e eloqüentes do encontro, não provocou grande reação na platéia. Não foram registradas perguntas, apartes ou exclamações de apoio ou protesto (que ocorreram em outros pronunciamentos). A sessão do dia foi encerrada logo após o discurso, sem maiores comentários, e os oradores das sessões seguintes não o mencionaram ou o tomaram como referência. Os pontos por ele criticados, provavelmente, não faziam parte do leque de questões que os outros fazendeiros estavam interessados em discutir. Ou então, sob outra perspectiva, eram questões que eles evitavam discutir, pois seu real enfrentamento implicaria em mudanças profundas nas práticas e estruturas sociais firmemente estabelecidas.

A menção ao relacionamento entre crise produtiva e degradação ambiental ocorreu de maneira apenas ocasional em alguns dos outros oradores, e mesmo assim de forma ligeira e superficial. É verdade que uma representação de lavradores de Juiz de Fora e Paraíba do Sul chegou a afirmar que "a agricultura extensiva, tal qual se pratica e se praticará por muito tempo ainda, longe de melhorar as terras e produzir incremento no valor da propriedade, tende ao assolamento e à degradação". Também é certo que o comendador Luiz Resende, de Valença, reconheceu que na província do Rio de Janeiro já existiam "muitas terras abandonadas, exaustas com o café" e Ricardo Guimarães, fazendeiro de Barra Mansa, que "a mudança atmosférica e a irregularidade das estações que têm reinado no país de 1856 em diante" originaram a "praga da lagarta na folha dos cafeeiros" e "a diminuição do fruto e da colheita". Essas observações, contudo, não foram apresentadas no bojo de uma crítica ecológica consistente e genérica, como no caso de Ribeiro do Val, mas sim como elementos ilustrativos em favor de demandas específicas: a formação de associações mutuárias, para os lavradores; a introdução da sericultura, para Resende, e o alívio da dívida dos agricultores com o comércio, para Guimarães. O que prevaleceu em vários outros momentos, na verdade, foi uma atitude desatenta e indiferente em relação aos problemas ambientais, assim como um elogio heróico do avanço da fronteira do café sem qualquer consideração quanto às conseqüências negativas dos métodos que estavam sendo utilizados. Manoel Lacerda Werneck, por exemplo, pediu um voto de gratidão aos presentes para "essa geração", pela "coragem indômita com que desbravou nossas florestas e nelas implantou estabelecimentos rurais".[58]

Mas não resta dúvida de que a presença do discurso da crítica ambiental no coração da "pátria do café", mesmo que muito minoritário, foi um fato significativo. Essa abertura se explica, em grande parte, pelo tipo de pregação que alguns intelectuais começaram a difundir através de jornais e revistas. A disseminação desse tipo de crítica ambiental chegou inclusive a atingir diferentes esferas da sociedade local. No clássico que escreveu sobre a trajetória de Vassouras, Stanley Stein coletou um número razoável de manifestações públicas locais sobre a decadência ambiental do Vale do Paraíba, incluindo artigos de jornal, relatórios técnicos, inventários, pronunciamentos nas câmara municipais etc. Até o subdelegado de polícia de Vassouras, J. Caravana, após prender um grupo de pessoas que incendiaram uma mata secundária na propriedade vizinha, declarou em 1887 que "a terra cultivada no município está diminuída, e ninguém pode tentar novas plantações, porque o solo está estéril e apenas produz ervas daninhas".[59]

Uma das mais lúcidas e profundas avaliações sobre a situação do Vale foi escrita por um fazendeiro do município de Cantagalo, Luiz Corrêa de Azevedo. Em seu artigo "Da cultura do café", publicado em 1877, ele atacou violentamente a continuidade irrefletida e automática das práticas agrícolas predatórias, a chamada "rotina", que classificou como "fanatismo da velha lavoura" e "pertinácia no erro". Foi através dela que instaurou-se na região a dinâmica de colher "sem nunca indenizar o terreno dos frutos que prelevava: tirar e nunca repor".[60] A perspicácia maior de Azevedo, no entanto, foi perceber que as conseqüências negativas dessas práticas não se limitavam ao espaço específico da região, mas manifestavam-se em níveis crescentes de dano político:

> *À proporção que terrenos descortinados e plantados se iam esgotando, ou provando serem "secas" as terras, administradores e fazendeiros, que só miravam materialíssimo lucro do momento, iam sem dó nem consciência derrubando novas matas em demanda de terras novas ... Se esse abuso só prejudicasse ao dono da localidade, bom seria; é às vezes útil deixar um inconsiderado correr após sua fantasiada vontade até parar ante a triste realidade da desilusão. Esse abuso, porém, em larga escala ...*

prejudica aos vizinhos, porque a falta de matas produz a falta de chuvas, transformando as qualidades do solo. Prejudica ao município, porque de rico e abençoado que era, começa a diminuir suas colheitas e a depauperar suas terras. Prejudica a província porque as falhas de café nenhum rendimento dão a suas barreiras ou coletorias, e inutiliza grandes capitais empregados em uma custosa estrada de ferro. Prejudica o Império, porque diminui-lhe os créditos de país de pequenas colheitas, quando haviam sido antes abundantes. Prejudica a nação, porque os créditos da civilização que ela adquiriu reclamam de toda parte, de ciências, artes, indústria e lavoura, a máxima perfeição e progresso.[61]

Após apresentar essa bela análise de caráter geral — que indicou a maneira pela qual a interação destrutiva entre práticas econômicas e ambiente natural poderia gerar uma cadeia de riscos que ameaçava a sobrevivência da sociedade brasileira —, Azevedo direcionou seu raciocínio para uma meta política muito concreta: a salvação das fazendas de Cantagalo (sempre explorando o confronto entre a rotina do atraso e o ideal progressista da nacionalidade, que requeria a busca de padrões superiores de perfeição e progresso). O cumprimento dessa meta tinha que passar, em primeiro lugar, pela tentativa de "renovar seus cafezais sem a barbaridade das derrubadas". A situação ideal, em relação à vegetação nativa, seria chegar ao momento em que "o grande laboratório constituído pelas matas virgens, nenhuma mão sacrílega virá destruí-lo, e menos o fogo petrificará as camadas superiores do solo". Para isso seria preciso adotar uma série de inovações técnicas*, como a poda dos cafeeiros, o uso de arados, a estrumação da terra e o aprendizado de plantar o café na sombra das florestas. O autor sugeriu, inclusive, que esse último experimento fosse ensaiado na floresta da Tijuca, que com tanta eficácia vinha sendo regenerada.[62]

As reformas mais importantes, porém, deveriam ser institucionais e culturais, promovendo a substituição do trabalho escravo pelo livre e a disseminação de uma nova mentalidade entre os proprietários. Era necessário que os fazendeiros entendessem não ser a agricultura apenas uma "coisa para fazer dinheiro", mas sim uma forma de "dar ocupação e felicidade aos vindouros, que por força hão de ser filiados à escola do progresso e da cultura". Era imperativo criticar aqueles que, apesar de "saírem ricos", deixavam "a miséria estampada no solo ao qual com violência extorquiram safras, descuidando-se do porvir". Deveriam ser condenados todos os que "só cuidam de transformar terras em capital, ainda mesmo

---

* Azevedo não se limitou à reflexão teórica sobre essas inovações, aplicando-as também na prática. No artigo "A poda e o arado na lavoura do café no município de Cantagalo", publicado em 1877 no *O auxiliador da Indústria Nacional*, ele descreveu os bons resultados que estavam sendo obtidos com o uso dessas tecnologias na fazenda Bem-Posta de Cantagalo, pertencente à sua família, e também na Ibicaba, de São Paulo, propriedade de José Vergueiro.

sugando-lhes a última seiva de sua vida vegetal, sem se importar de formar o patrimônio futuro dos filhos e dos vindouros, guarnecido de todos os meios que garantam a perpetuidade da uberdade do solo".[63]

Voltando à *Revista Agrícola*, penso ser plausível afirmar que ela foi decisiva para o desenvolvimento de idéias desse tipo por parte de fazendeiros como Ribeiro do Val e Azevedo. Ao menos uma parte pequena dos produtores, que teoricamente constituíam o público preferencial da revista, sensibilizaram-se com o conteúdo de sua pregação reformista. Vários dos intelectuais que nela escreviam, de fato, apresentaram reflexões sofisticadas, universais e antenadas com o que havia de mais recente na literatura européia.

José Saldanha da Gama, por exemplo, a partir de observações feitas no Congresso Internacional dos Agrônomos ocorrido em Viena, desenvolveu o tema da importância dos pássaros para a agricultura, manifestando receios quanto à extinção de algumas espécies particularmente necessárias. Dentro do enfoque antropocêntrico que caracterizou a crítica ambiental brasileira, sua proposta era desenvolver programas voltados para "conservar a todo o transe as espécies úteis e destruir as que vivem somente para embaraçar-nos".[64] Nicolau Moreira, por outro lado, analisou com detalhes o problema global do esgotamento dos solos, a partir de uma análise ambiental da política (que ele denominou de "física das nações"). Para Moreira, o que "ajunta ou dispersa as sociedades humanas", o que "faz desaparecer as nações e os Estados", ou então "os torna grandes e poderosos", é sempre o solo. O seu esgotamento podia ser considerado como um "veneno que lenta e seguramente penetra os tecidos e ataca as fontes da vida". Os países costeiros do Mediterrâneo estavam sofrendo abertamente as conseqüências desse processo, o mesmo acontecendo em quase todos os lugares, pois por toda parte se praticava uma agricultura que rompia o equilíbrio entre as "substâncias que fazem a força geradora do solo".[65]

Essa "decadência dos povos" poderia ocorrer de forma vagarosa, necessitando "séculos para que o empobrecimento da terra se declare e a população decresça", mas isso não invalidava o fato de "estar marcado o dia em que os filhos deverão pagar as conseqüências das faltas dos pais". A história fornecia muitos exemplos desse tipo de colapso, revelando casos onde "nações famosas antigamente por sua fertilidade" ficaram "completamente estéreis". Soluções parciais, como o uso do guano, não resolveriam o problema, pois "todo guano descoberto está em exploração" e a sua "massa diminui de dia a dia"*. A solução tinha que ser de maior

* O "guano" é uma substância orgânica produzida pelo excremento de aves. É um recurso muito lentamente renovável, cujos estoques estavam concentrados em algumas regiões costeiras do Peru. No século XIX, tornou-se o principal insumo exógeno da agricultura européia, sendo extraído até a sua completa exaustão em poucas décadas.

alcance, baseada em um sistema permanente de restituição à terra dos elementos químicos dos quais ela é despojada em cada colheita. Para isso era necessário organizar, ademais da pesquisa em agroquímica aplicada, um sistema amplo e constante de reciclagem de materiais, que teria como eixo os esgotos urbanos.[66]

Essa proposta, aliás, reflete claramente a influência de Justus Liebig. A tese central do pesquisador alemão era a da necessidade de substituir a agricultura de espoliação do solo, que até então prevalecia, por outra de restituição do solo. Suas pesquisas de química aplicada, voltadas para esse objetivo, marcaram o nascimento da moderna agricultura industrial. Elas tenderam a obscurecer, no entanto, o fato de que o autor também defendia a reciclagem constante dos materiais orgânicos para a produção de adubo, incluindo o esgoto produzido pelos habitantes das cidades. E também que criticava duramente os latifúndios e a urbanização desmesurada, que considerou incompatíveis com a construção de uma agricultura racional.[67]

Se questões ambientais de natureza tão global atormentavam a mente daqueles analistas, o que dizer da realidade específica do Brasil que, além de compartilhar vários desses problemas universais, apresentava práticas e instituições particularmente arcaicas e destrutivas? Diante de uma realidade como essa, e de sua persistência histórica, era possível esperar sentimentos de verdadeiro desespero. E eles se manifestaram, de fato, em alguns momentos. Dionísio Martins, por exemplo, um agrônomo baiano que freqüentemente escrevia nas páginas da *Revista Agrícola*, ao comentar "os males produzidos nas áreas cultivadas pelo cancro da imprevidência", profetizou que "o clamor das necessidades que surgirão das vicissitudes infalíveis em tais condições viciadas se encarregará de patentear o abismo cavado pela exageração de um lucro aparente, porque transitório, que além de ferir os interesses da sociedade, destrói irremediavelmente o futuro da família".[68]

Na maioria das vezes, contudo, em uma atitude aparentemente paradoxal, a visão que aqueles escritores apresentaram sobre o futuro do Brasil foi bastante otimista. Apesar de sua leitura do passado e do presente ser negativa, existiam pelo menos duas razões para fundamentar uma maior confiança no futuro. Era preciso levar em conta, em primeiro lugar, a grandeza única do meio natural brasileiro. O próprio Nicolau Moreira, quando falou nos "375 anos de cultura esgotadora", observou logo em seguida que, apesar disso, a "uberdade do solo não deixou uma só vez de corresponder às esperanças do lavrador inteligente, que lhe pede a alimentação e os meios de satisfazer as necessidades da vida social e de servir de fonte inesgotável de recursos para as urgências do Estado". Mesmo com o domínio das práticas destrutivas, a riqueza da natureza brasileira conseguia resistir, proporcionando condições para elevar o país "ao grau de primeira nação agrícola".[69] É verdade que tais palavras foram escritas para animar imigrantes europeus potencialmente propensos a se estabelecer no país, tendendo a exagerar os seus aspectos positivos, mas de forma alguma elas são inconsistentes com o ideário genérico daquele grupo intelectual.

O segundo fator de otimismo deve ser considerado em estreita relação com o primeiro: o Brasil do século XIX era uma realidade essencialmente inconclusa. Seu enorme território estava majoritariamente desocupado e subexplorado, restando quase tudo por fazer. Existia aí uma clara oportunidade para a construção de um futuro diferente. A população brasileira era pequena e imatura, não apresentando obstáculos intransponíveis à adoção de novos rumos civilizatórios. A tarefa crucial estava em promover sob novas bases a ocupação das áreas ainda inexploradas, muitas delas bem próximas das grandes cidades, de modo a reorientar a construção geral do país.

Os delineamentos desse novo modelo, por outro lado, atualizavam um conjunto de propostas que vinham sendo formuladas desde o século XVIII. O receituário fornecido por Moreira nas *Indicações agrícolas* de 1875 serve como quadro de referência para visualizar o projeto político dos editores da *Revista Agrícola*. Em primeiro lugar, era necessário melhorar o sistema de transportes e comunicações, incluindo estradas, ferrovias, navegação a vapor e telégrafo, de modo a permitir o estabelecimento de vida social nas áreas ainda inexploradas do território e encurtar a distância entre os novos centros de produção e os mercados consumidores. Em segundo lugar, era preciso disseminar novas tecnologias agrícolas que aumentassem a produção e diminuíssem a destruição ambiental. As formas ideais de produção seriam aquelas que "enriquecem as gerações" ao invés de "felicitar os pais e empobrecer a progênie". Essas tecnologias deveriam incluir o arado, a estrumação, a aclimatação de espécies úteis etc.

Em terceiro lugar, era crucial difundir a educação rural, criando-se um sistema integrado de fazendas-modelo, institutos, asilos e escolas que propagassem as tecnologias adequadas. Em quarto lugar estava a introdução de imigrantes e a fundação de colônias e núcleos de pequena propriedade ao redor das cidades. A Lei do Ventre Livre, já havia "estancado as fontes da escravidão", cabendo agora promover e consolidar o trabalho livre. Em quinto lugar, era fundamental apoiar o espírito associativo e de iniciativa, criando-se bancos e associações que gerassem crédito, cooperação e fomento rural. Dentro dessa reforma organizativa se deveria incluir o estímulo à divisão do trabalho, com a formação de fábricas e engenhos centrais que beneficiassem a produção agrícola antes da sua exportação.[70]

Todas essas medidas serviriam para promover o objetivo central de difundir uma ética do trabalho na sociedade brasileira, através da qual esta não mais veria "no operário a máquina bruta do trabalho, porém o homem que vivendo de sua dignidade, se emprega à força física e procura, ao mesmo tempo, libertar-se das algemas do labor ignorante para seguir a atividade racional".[71] O conceito de "atividade racional", como superação do "labor ignorante", é fundamental para entender a proposta de Moreira. O princípio da racionalidade deveria pautar tanto o comportamento do produtor individual quanto a dinâmica social coletiva. Tal racionalidade, por sua vez, incluía necessariamente o cuidado ambiental. Agir em seu favor seria acompanhar os ventos da história.

Em um texto escrito nove anos mais tarde, comentando a cultura do algodão no Maranhão, Moreira distinguiu com clareza os caminhos que se abriam diante do produtor rural brasileiro. Ele precisava escolher entre o sistema classificado como "extensivo", da "derrubada", "rotineiro" ou do "ferro e fogo", e o novo sistema "intensivo", representado pela "terra adubada, arada e plantada pelo sistema racional". Para o autor, apesar da existência de algumas tentativas fracassadas de introdução dos arados no Brasil, não havia dúvidas quanto à superioridade e à necessidade do segundo modelo. Através dele "torna-se o lavrador estável", deixando de ser "o nômade à procura de novos lugares para assentar por alguns anos sua tenda, pronto a ir para mais longe, assim que tiver cansado as terras que lhe ficam na circunvizinhança". Com a adoção do sistema racional seria possível permanecer na terra, renovar sua fertilidade e evitar o malefício de "acabar com as florestas virgens" e "tornar as boas madeiras raras neste país". A escolha do produtor tinha que levar em conta que os sertões ainda ofereciam "terras ubérrimas", mas "ninguém irá procurá-las para plantar pela quase impossibilidade do transporte", não restando ao lavrador outro remédio senão "lavrar a terra esgotada". O "sábio conselho", dessa forma, era que o produtor se preparasse para essa transformação irreversível, "adotando desde já, aquele que puder, o novo sistema".[72]

Essa defesa da racionalidade e do progresso associava-se, em geral, com o elogio da infra-estrutura e das tecnologias vigentes na moderna civilização européia. Mas é importante considerar que essa recepção não se deu de forma incondicional. A modernização defendida pelos intelectuais da *Revista Agrícola* relacionava-se muito mais com o desenvolvimento do mundo rural do que com uma opção pelo mundo urbano e industrial. Uma postura que, aliás, configurou uma certa permanência do ideal fisiocrata ao longo de quase um século de crítica ambiental. Essa dinâmica intelectual endógena raramente é levada em conta quando se discutem as origens da tese da "vocação agrícola" do Brasil, que muitos analistas consideraram uma marca de consciência conservadora ou, pior ainda, uma mera demonstração de ignorância reacionária diante dos rumos da modernidade.

No caso de intelectuais reformistas e progressistas como Nicolau Moreira e Frederico Burlamaque, a rejeição do mundo urbano-industrial foi bastante consciente, já que este era percebido como uma variante indesejável da modernidade européia, pelo menos no que se refere ao seu estabelecimento no Brasil. Em *Catecismo da Agricultura* que publicaram em 1870, com o objetivo de introduzir os jovens na agronomia, estes últimos são exortados a não abandonar "o lar doméstico pelo engodo das cidades" e a não trocar "as paisagens de pano pintado pela natureza, a estufa pelo sol e grande ar, as fadigas estéreis por uma útil atividade, os prazeres sem sabor pelos prazeres puros, em uma palavra, a vida fictícia pela vida real". Mais ainda, os autores pedem aos jovens, como foi mencionado na introdução, que não se ofusquem com o "falso esplendor das cidades". A paisagem rural dominante no Brasil, mais do que uma evidência de atraso histórico irremediável, era considerada como uma vantagem comparativa em termos civilizatórios, desde que fosse racionalizada e modernizada.[73*]

Essa modernização combinava a necessidade de reformas tecnológicas e sociais, que convergiam no estabelecimento de horizontes claros em favor da pequena propriedade e do trabalho livre. Os autores da *Revista Agrícola*, em geral, eram abolicionistas moderados, que não chegavam a defender a "abolição imediata e sem indenização" (para lembrar um lema da Confederação Abolicionista de André Rebouças). No *Catecismo* de 1870, por exemplo, a escravidão não foi abertamente condenada. Os autores afirmavam explicitamente que a agricultura não é "um simples ofício manual que possa ser exercido por ignorantes e explorado por braços escravos". Mas não chegam a explicitar o escravismo como algo inaceitável do ponto de vista moral, já que ele também poderia ser objeto de um comportamento ético: "Qualquer que seja o pessoal empregado, homens livres, servos ou escravos, o que governa os outros deve ser justo e humano."

A escravidão é apresentada como uma herança do passado, assim como as práticas agrícolas rudimentares ("vossos pais herdaram a enxada e o escravo"), mas não se dá o passo decisivo de estabelecer o fim do trabalho servil como condição necessária para a reforma da agricultura. Era possível, mesmo com a manutenção dos escravos, "extrair da sua herdade tudo quanto pode ser necessário ou útil a si mesmo e à sociedade, sem todavia estragar a terra".[74] Essa posição é especialmente irônica se lembrarmos que os dois autores do livro eram sabidamente abolicionistas, sendo que Burlamaque foi analisado no início desse capítulo pelas fortes críticas ao escravismo publicadas ainda em 1837. A passagem do tempo, ao que parece, moderou o seu posicionamento tático, apesar de não ter modificado sua oposição essencial ao trabalho forçado.

Esse tipo de condenação moderada, se bem que bastante explícita, ao escravismo, marcou a linha central da *Revista Agrícola*. Não se pode deixar de incluí-la,

---

* Essa perspectiva lança nova luz sobre a velha polêmica entre os defensores da vocação agrícola e da industrialização analisada no estudo clássico de Nícia Vilela Luz, *A luta pela industrialização do Brasil*. Em alguns autores, a defesa do rural representava, de fato, uma leitura seletiva da modernidade. Mesmo considerando que para a grande maioria dos proprietários a conservação da economia rural representava apenas a manutenção a curto prazo de privilégios econômicos, sociais e políticos, sem maiores considerações teóricas.

dessa forma, na vertente abolicionista da crítica ambiental no Brasil oitocentista. A manifestação do potencial teórico e político mais profundo dessa vertente, no entanto, apenas veio a aparecer com o novo radicalismo introduzido por André Rebouças e Joaquim Nabuco na década de 1880.

"Desatinos do esclavagismo"

Foi mencionado anteriormente que a década de 1860 demarcou uma maior abertura na sociedade brasileira para o debate sobre o escravismo. A "cortina de silêncio" mencionada por José Murilo de Carvalho começou a ceder paulatinamente. Nos órgãos de imprensa e nas instituições culturais, inclusive naquelas relacionadas com a produção econômica, como a SAIN e o IIFA, tornou-se comum demonstrar antipatia e irritação frente aos males e imperfeições causados pelo uso do trabalho servil. Mas essas manifestações não devem ser superestimadas. Os setores majoritários da elite econômica e política, que controlavam o poder legislativo e os sucessivos gabinetes do executivo, mantiveram a escravidão até onde foi possível, fazendo concessões com grande dificuldade. A vontade de Pedro II, a quem incomodava ver o Brasil tornar-se uma exceção entre as nações civilizadas, foi expressa de forma relativamente tímida, com largos períodos de omissão que lhe valeram algumas críticas cáusticas por parte dos abolicionistas. Basta lembrar a observação de Joaquim Nabuco, um monarquista insuspeito, em uma de suas *Cartas aos abolicionistas ingleses*, de que o imperador "teve quarenta anos de reinado para fazer aquilo que o Czar Alexandre II da Rússia fez em seis, não para um milhão, mas para quarenta milhões dos seus súditos, contra riscos terríveis e resistências sociais inigualáveis, sem dispor, de fato, de maior força do que tem o nosso imperador".[75]

A adoção da tese de que o trabalho escravo era um anacronismo que com o tempo deveria desaparecer não gerava grandes desconfortos do ponto de vista social. Era cada vez menor o número dos que defendiam a escravidão com base em posições doutrinárias. O argumento sempre presente era o da falta de alternativas imediatas. Dentro dos marcos da "doutrina da abolição gradual", era possível incorporar uma variedade considerável de posições, sem que houvesse necessidade de clivagens mais intensas. Um autor como Dionísio Martins, por exemplo, que nas páginas da *Revista Agrícola* podia ser bastante radical em suas críticas ao caráter predatório da agricultura brasileira, era capaz de adotar uma posição extremamente cautelosa frente ao fim do escravismo, lembrando a necessidade de considerar a questão também do ponto de vista econômico, e não apenas filantrópico.[76] Mesmo quando a instituição era fustigada com palavras mais fortes, como "triste legado" ou "herança nefasta", o conteúdo das propostas para a sua superação podia ser bastante conservador. O insulto à escravidão não era um ato subversivo por si mesmo.

O grande diferencial do abolicionismo, dessa maneira, não esteve no plano da retórica. O passo radical foi o de estabelecer uma relação de causalidade forte entre o escravismo e o caráter decadente, atrasado e destrutivo da vida socioeconômica brasileira. O argumento da abolição como condição necessária, e não apenas como fator positivo, para o progresso do país, para o próprio imperativo civilizador, gerava um sentido de urgência altamente perturbador. De mera "herança nefasta" ela se transformava em uma "questão nacional" no sentido pleno da expressão, ou seja, em um problema de tal modo crucial que inviabilizava qualquer tentativa de recusa ao seu enfrentamento.

Essa clivagem fundamental dividiu, inclusive, a crítica ambiental oitocentista. Uma análise mais sistemática, a partir das informações obtidas nos dois últimos capítulos, revela a existência não de duas, mas sim de três posições gerais dentro dessa crítica. A primeira posição ignorava, ou pelo menos não explicitava em seus textos escritos, o tema da escravidão, culpando a ignorância e ineficiência tecnológica pela destruição ambiental. É o que podemos encontrar em Freire Alemão e Guilherme Capanema. A segunda posição abordava de forma explícita e crítica o tema da escravidão, mas sem reconhecer a existência de uma relação causal forte entre esta última e a destruição ambiental. A escravidão e a degradação do território eram vistas como fenômenos paralelos, que compartilhavam o mesmo caráter atrasado e a mesma origem colonial. Essa identidade no anacronismo fazia com que ambas devessem desaparecer no mesmo movimento, sendo superadas pelo processo de modernização e racionalização do país. É a postura típica de vários analistas de assuntos agrícolas, como Nicolau Moreira e Miguel Silva. A terceira posição, inaugurada por José Bonifácio e retomada por André Rebouças e Joaquim Nabuco, vinculou diretamente a superação do trabalho servil e da cultura da destruição.

A reflexão ambiental dos abolicionistas, nesse sentido, não representou uma ruptura geral com a tradição que aqui está sendo estudada. Ela manteve o mesmo enfoque progressista, político, cientificista e antropocêntrico, apenas destacando, dentro desse universo teórico, a questão do escravismo. Até mesmo o tradicional tema da modernização agrícola assumiu um lugar central na obra de Rebouças e Nabuco. Foi sempre através da análise crítica da agricultura, aliás, desde os seus primeiros delineamentos em Vandelli e Baltasar da Silva Lisboa, que a interface entre o escravismo e a degradação do território pôde ser detectada. Daí a importância de examinar ambos os temas conjuntamente.

O *ethos* progressista presente nos escritos de André Rebouças, por exemplo, foi forte a ponto de muitas vezes quase obscurecer a preocupação com a destruição do meio natural. Ao comentar a colonização dos Estados Unidos, país que mencionou freqüentemente como um modelo mais democrático de ocupação da terra, ele se referiu triunfalmente aos pioneiros que abriram as florestas para o avanço dos assentamentos humanos:

> Raro é o colono que se atreve a atacar a floresta virgem e a estabelecer-se nas derrubadas. Na América do Norte são ... os yankees que preparam as terras e as vendem, em estado de serem lavradas, aos colonos europeus. Aos homens que adotam esta profissão especial denominam os anglo-americanos de "pioneers", que os vocábulos nacionais "exploradores" e "mateiros" mal podem exprimir.[77]

Este comentário, é bom lembrar, originou-se de uma discussão sobre o potencial de colonização do Piauí, província que, Rebouças argumentou, levaria a vantagem de não possuir matas, já que "a floresta virgem ... é reconhecidamente um dos maiores obstáculos ao estabelecimento dos colonos, não só no Brasil como nos Estados Unidos e no Canadá".

Esse tipo de discurso poderia gerar a falsa impressão de estarmos diante de um entusiasta da destruição das florestas. O mesmo autor, no entanto, era capaz de quatro anos depois descrever de forma extasiada as paisagens florestais de Itatiaia, falando de um ambiente "perfumado pelas árvores, pelos arbustos e pelas ervinhas em flor", onde as águas moviam-se como "diamantes fluidos que deslizam tranqüilamente", onde as chuvas eram "pérolas que se desfazem em gotas" e onde os "verdes vales fertilíssimos" enchiam-se de uma "camada de húmus de mais de um metro"[78]. Ou então, cinco anos mais adiante, rebelar-se contra a destruição das matas no Brasil, advertindo que "a Europa está calva disse Humboldt. Se continuarmos do mesmo modo teremos em breve despojado o Brasil dos riquíssimos cabelos, das preciosas florestas, que a natureza lhe deu. Repetimos: Poupai o mais possível as vossas florestas. Cada árvore que se corta é um 'capital' crescente que se destrói."[79]

Essa dupla afirmação do progresso e da conservação da natureza é uma fonte potencial de ambigüidades e contradições, que devem ser equacionadas no contexto histórico e teórico da primeira crítica ambiental brasileira. É bastante evidente, no caso de Rebouças, o domínio do pensamento tecnocrático, apesar de este último estar mediado por imperativos políticos e humanistas, especialmente o ideal democrático. Na lista de definições e conteúdos da idéia de progresso contida no seu livro *Agricultura nacional*, de 1883, aparece explicitamente a "extensão do domínio do homem sobre a natureza", além de outros aspectos, tais como "o desenvolvimento da força produtiva individual e social", "a máxima liberdade para a expansão de todas as faculdades do homem", a "terra mais bem cultivada e mais produtiva", "a indústria sempre próspera" e assim por diante. O progresso assume um sentido messiânico, sendo que "a missão do homem é trabalhar; a missão do mundo é progredir — sempre e indefinidamente".

Todos os que trabalham — e a esperança do autor estava dirigida particularmente para a iniciativa privada, individual ou associada — são "agentes do progresso", são instrumentos para "melhorar a sorte dos seus semelhantes e a superfície do planeta". Um ideário que na visão de Rebouças assumiu um certo sentido estético, para além do ético e político. O autor intuía a presença de um mundo novo que "hoje ouve cada uma das nossas palavras, vê cada um dos nossos atos, e sente cada uma de nossas pulsações sob a ação mágica da eletricidade!" Um protofuturismo do telégrafo e da locomotiva a vapor, antes da era do rádio e do automóvel.[80]

Mas onde situar, nessa cosmovisão, o problema do mundo natural e sua destruição? Para discutir esse ponto, é preciso considerar certas premissas. Em primeiro lugar, não existe na obra de Rebouças, apesar do elogio quase incondicional da tecnologia moderna, uma postura de desprezo pelo "natural", seja em termos de sua paisagem ou dos seus componentes. Já vimos que ele era capaz de extasiar-se com a visão das florestas e dos campos montanhosos. Um sentimento que não apareceu apenas no livro *Ao Itatiaia*, de 1878, mas foi recorrente ao longo dos seus escritos. No próprio *Agricultura nacional*, o rio Amazonas é chamado de "maravilhosa criação de Deus" e a província do Paraná é louvada porque o Criador lhe concedeu florestas imensas de erva-mate e araucária.[81] O fato é que Rebouças admirava profundamente a grandeza e diversidade do território brasileiro. Não se deve esquecer, nesse sentido, que além de engenheiro ele também era um estudioso perseverante da botânica, sendo um aluno devotado de Freire Alemão e um amigo próximo de José Saldanha da Gama, o principal discípulo do velho naturalista.

Mas é preciso considerar, como segunda premissa, que na visão progressista e antropocêntrica do autor não existia qualquer divórcio entre a fruição estética e o aproveitamento econômico e social da natureza. O sentido desta última estava no serviço ao desenvolvimento humano. Mesmo quando emocionava-se com as paisagens de Itatiaia, Rebouças não deixava de especular que "sem dúvida alguma, em futuro bem próximo, este magnífico planalto de Itatiaia-Açu servirá de sede a uma cidade que nada terá a invejar aos mais afamados pousos de salubridade da Itália e Suíça". Todo aquele cenário privilegiado era "uma região inteira a povoar, um cantão suíço situado nos limites da província do Rio de Janeiro". No futuro os seus "verdes vales" seriam excelentes "pastos naturais" para a criação de bois e cavalos, a produção de cereais e a indústria de laticínios.[82]

Esse tipo de perspectiva não ficou restrito aos arredores da capital. O rio Amazonas, além de "maravilhosa criação", era uma "exuberância de riqueza", e as florestas do Paraná podiam ser definidas como "um capital incalculável ... o qual espera vias de comunicação para entrar em circulação mercantil: são como outras tantas minas de ouro e prata, de ferro ou de carvão de pedra, ainda por explorar". Em uma outra passagem bastante significativa, ele recomendava que os proprietários, ao encontrarem nas matas um pé de jacarandá, vinhático ou cedro, mandassem "limpar o terreno em torno para dar-lhes mais ar e mais luz". Esse gesto de delicadeza foi justificado logo em seguida pelo fato de que "em alguns anos, estes cuidados vos serão recompensados generosamente pela venda da preciosa madeira".[83]

Não se deve considerar, a partir destas passagens, que Rebouças era um utilitarista vulgar. O ganho econômico individual não era o centro das suas reflexões, mas sim o ideal político do progresso, do avanço da civilização. Este último tinha que ser avaliado no contexto de cada país, a partir das suas qualidades manifestas, tanto em termos ambientais quanto sociais. Não se tratava de aceitar a modernidade de forma ingênua e sem qualificações. Existia, por exemplo, uma clara diferença entre a civilização industrial européia e a norte-americana. A segunda seria democrática e renovadora, enquanto a primeira apresentava muitos vícios de oligarquia, militarismo, teocracia etc. Tal diferença aparecia, inclusive no plano ambiental, na comparação feita pelo autor entre a Manchester "triste, negra e escura", com suas altas chaminés que "parecem negras colunas construídas para sustentar este céu tão baixo e escuro", e a cidade americana de Lowell, onde as chaminés industriais não impediam que o céu fosse "azul e diáfano como no Brasil".[84]

No caso da civilização a ser desenvolvida no Brasil, a alternativa mais imediata estava na agricultura e na exploração racional dos recursos naturais. O autor constatava, "bem tristemente", que se achava "nas fachas da infância a indústria deste império".[85] A agricultura, ao contrário, possuía um enorme potencial de crescimento, que poderia alavancar o progresso geral. Mas para isso seria necessária uma profunda transformação da realidade rural, que estava dominada pelo escravismo, pelo latifúndio, pelo atraso tecnológico e pela destruição da terra.

O diagnóstico de Rebouças quanto ao estado ambiental da grande lavoura escravista, nos seus mais diferentes aspectos, foi tão duro quanto era possível ser naquele contexto histórico. Segundo ele, na lista dos "flagelos da agricultura, dos despovoadores e infeccionadores do solo" elaborada por Fontpertuis, era preciso incluir "os barões escravocratas, que já conseguiram esterilizar o fertilíssimo vale do Paraíba e que mantêm o deserto nas margens das próprias estradas de ferro".[86] Os grandes proprietários tratavam as florestas e os solos com brutalidade, de forma que "floresta virgem derrubada e fogo são ainda as grandes palavras da rotina dos nossos lavradores".[87] Os resultados desse processo já podiam ser observados, pois "por mais rico que seja este solo, é intuitivo que, perdendo sempre, há de chegar um dia em que pouco ou nada mais tenha! Neste dia, vós direis: a terra está cansada. Abandonais esta terra e ides a ferro e fogo sobre a floresta virgem! Tudo isso é bárbaro, é barbaríssimo: não tem mesmo qualificação possível perante a química agrícola e a economia rural!"[88]

As teorias de Liebig e Boitel ensinavam que "todas as colheitas — quaisquer que elas sejam — são esterilizantes para o solo que as produz". Quando o Brasil exportava uma colheita de café enviava junto "muitos e muitos quilogramas desses princípios químicos que foram extraídos do solo". A solução não estava em cessar a exportação, mas sim em utilizar restauradores do solo, tais como estrumes e adubos. Estava na introdução de boas técnicas de cultura intensiva, incluindo o afolhamento, a rotação de culturas e o uso do arado.[89] Mas a lógica do escravismo, além de destruir o terreno existente, também impedia a sua restauração pelo melhor cultivo:

> A rotina escravista ousava afirmar que era impossível aplicar o arado em terras do Brasil. O que não têm ousado afirmar a iniqüidade e a ignorância? A esses desatinos do esclavagismo respondeu assim o inquérito da província de São Paulo: parece fora de dúvida que uma das causas de não ser mais próspera a lavoura é ainda o uso do antigo sistema de plantação. Tanto que nos municípios em que já se trabalha com as máquinas e instrumentos agrícolas têm-se colhido inúmeras vantagens.

A tarefa urgente, portanto, estava em deter a "oligarquia estulta" que reduziu "este país fertilíssimo a um estéril deserto". Era necessária, sendo essa uma das suas definições para o "progresso nacional", a "transformação da atual lavoura esclavagista, esterilizadora e rotineira em indústria agrícola livre, fertilizadora e progressista".[90]

Esse tipo de mudança era perfeitamente possível, desde que se adotassem as medidas políticas necessárias, a começar pela abolição do trabalho escravo. Rebouças tinha uma grande confiança na capacidade da boa tecnologia para regenerar o ambiente. Mas ela apenas seria aplicada se houvessem atores sociais motivados para tanto. A "demasiada extensão das propriedades rurais" era uma das principais causas dessa "obstinação em práticas absolutas e irracionais". A reforma agrária, a "subdivisão do solo", traria infalivelmente "a cultura intensiva, o emprego dos estrumes, dos arados e das máquinas agrícolas".[91] O domínio dos latifúndios era o fundamento das "principais misérias financeiras deste império." E o Brasil fatalmente perderia o mercado norte-americano para o café produzido no México se continuasse "avassalado a landlords e a barões feudais". O trabalho livre, por outro lado, teria um potencial extraordinário para recuperar a terra: "A terra 'cansada' para o senhor de escravos será fértil para o emancipado, para o imigrante, para o colono, que a trabalhará com seus próprios braços e a regará com o suor do seu rosto. O suor do homem livre ... tem uma força fertilizante que é impossível determinar, mesmo aos mais abalizados professores de química agrícola."[92]

É verdade que, em outras passagens, o autor não depositou uma confiança tão absoluta no suor humano. A vontade social tinha que ser auxiliada pelas soluções tecnológicas existentes, soluções que permitissem a regeneração das terras semidestruídas ou, pelo menos, alguma forma de aproveitamento. Os restauradores agrícolas, neste sentido, tinham um papel essencial. Outra alternativa seria a de plantar o tabaco, que adapta-se bem em solos empobrecidos: "Nestes terrenos que a rotina chama 'cansados', e que a química agrícola ensina que estão esgotados ou exauridos pela irracional repetição da mesma planta no mesmo lugar, sem regímen algum restaurador, devemos aconselhar a plantação do fumo." O reflorestamento, além disso, seria um excelente instrumento de recomposição ambiental. O plantio de árvores de lei, consorciadas com grama de prado, poderia transformar uma terra cansada em excelente investimento econômico, favorecendo o uso futuro da madeira e a possibilidade de trabalho pastoril.[93]

Rebouças não acreditava na existência de paisagens para sempre degradadas. Nos arredores do Rio de Janeiro era possível observar terras que a rotina classificava como "arenosas e estéreis"; também existiam terrenos alagados, produtores de febres e miasmas. Ocorria que, com base na "agronomia hodierna", não existiam mais justificativas para a existência de terrenos estéreis em volta das grandes cidades. A drenagem, a irrigação, a fertilização com estrumes (inclusive de origem urbana) poderiam perfeitamente sanar o problema.[94] Essa esperança na ciência e na tecnologia não se manifestava apenas na superação da crise ambiental, mas também de outros problemas nacionais.

O tema da incorporação dos índios, por exemplo, que sempre esteve presente na crítica ambiental brasileira, poderia ser tratado de forma bem diferente no contexto da modernidade, pois agora existiam o "vapor e a eletricidade" para ajudar na "santa missão de paz e progresso". Esses meios tornariam muito mais fácil a transformação dos índios em colonos. Ao contrário dos Estados Unidos, que "exterminaram barbaramente, a ferro e fogo, os infelizes índios", o Brasil poderia perfeitamente convertê-los pela "instrução e indústria". Era a grande chance para existir "ao menos um fato a citar no qual a raça brasileira superasse a norte-americana".[95]

A grande crise social, econômica e ambiental pela qual passava o país poderia ser invertida, quase integralmente, por uma combinação de vontade política, reformas sociais, liberação da livre iniciativa e ciência e tecnologia. A rotina predatória da agricultura poderia ser combatida pela disseminação da "instrução prática", das "escolas normais", dos "institutos de agricultura" e das "sociedades de aclimação". A difusão do conhecimento científico seria o grande trunfo para o progresso da sociedade. Sem esquecer, além disso, as virtudes do meio natural, que por mais atacado que fosse lograva manter a sua integridade, permitindo afirmar que "o fertilíssimo solo do Brasil recompensará os seus esforços na razão de cem para um!" Mas a premissa de todas essas mudanças estava na abolição, na divisão das terras, na promoção da pequena propriedade cultivada pelo trabalho livre. A "democracia rural" seria o principal veículo para corrigir "os erros da cultura esterilizadora da oligarquia esclavagista".[96]

A reflexão de Rebouças sobre os caminhos possíveis para superar o atraso do Brasil foi minuciosa e sistemática. Tanto em *Garantia de juros*, de 1874, um estudo sobre o desenvolvimento da infra-estrutura no país, quanto em *Agricultura nacional*, ele executou diagnósticos de cada província e região, e da interação entre elas, buscando examinar as potencialidades específicas e vantagens comparativas que cada uma poderia apresentar para o conjunto da nação. Ele formulou uma espécie de geopolítica do desenvolvimento, que pressupunha o estabelecimento de um "sistema quadriculado" de integração, o qual se daria através do encontro entre linhas paralelas e convergentes de comércio e comunicação, incluindo ferrovias e hidrovias.[97] Tal sistema de transportes ligaria sólidas economias agrícolas organizadas em torno de uma rede de engenhos e fábricas centrais, que processariam a produção primária dos pequenos proprietários ao seu redor.[98]

Essa postura de planejamento e estímulo ao desenvolvimento regional apareceu até mesmo, paradoxalmente, quando o autor propôs a criação de parques nacionais para a preservação integral de alguns tesouros da natureza. Tal proposta, diretamente inspirada na experiência norte-americana do Parque Nacional de Yellowstone (criado em 1872), foi feita em 1876 no livro *Excursão ao Salto do Guaíra*, ajudando a consolidar a imagem do autor como conservacionista. Até onde eu saiba, ele foi o primeiro brasileiro a fazer uma proposta desse tipo, já que a idéia setecentista de reservar algumas áreas de floresta para a Marinha Real, que Baltasar da Silva Lisboa tentou executar em Ilhéus, era bastante diferente do conceito bem mais amplo de parque nacional (que apenas apareceu em meados do século XIX).

É preciso examinar melhor, no entanto, o que Rebouças tinha em mente quando falava em áreas preservadas. Existe uma passagem de outro texto, o panfleto *Abolição imediata e sem indenização*, de 1883, que revela a repugnância que lhe causava a tese de preservar o mundo natural em detrimento dos seres humanos. Ao comentar a necessidade de instituir um imposto rural no Brasil e lutar contra a mentalidade feudal dos latifundiários, ele se referiu aos "herdeiros dos barões feudais do continente europeu, que ainda podem conservar imensas florestas para caçar veados e javalis, e várzeas alagadas para a caça de patos selvagens, quando o povo morre de fome por falta de campos para criar gado, e de terra para plantar trigo". Nos Estados Unidos, ao contrário, onde existia um forte imposto sobre a terra, era "impossível conservar latifúndios e guardar para o bárbaro prazer da caça terrenos que podiam dar pão e carne a milhares e milhares de famintos proletários".[99] Note-se que o texto não revela um desprezo pela existência dos animais em si — a caça como prazer é considerada "bárbara" —, mas sim pela proibição de usar a terra e seus recursos em benefício dos seres humanos em geral, apenas para satisfazer os desejos exclusivistas de uma elite egoísta e insensível.

A proposta de criação de parques nacionais no Brasil, nesse sentido, deveria trazer um benefício palpável para as sociedades locais. Ao invés de estabelecer barreiras para o progresso regional, os parques seriam um importante agente para a sua promoção. O autor enfatizava que a experiência dos parques norte-americanos estava trazendo vantagens muito concretas, tais como a presença de turistas ricos da Europa e a apresentação de um país atraente, por suas maravilhas naturais, aos olhos dos possíveis imigrantes. Ele registrava os incentivos que a indústria do turismo poderia trazer para a construção de meios de transporte mais modernos. O Brasil tinha todo o direito de usar "as belezas naturais que o Onipotente concedeu" para "atrair imigrantes e, quando muito, alguns ousados naturalistas, entusiastas de florestas virgens e de cataratas assombrosas."[100] Os primeiros lugares do território brasileiro recomendáveis para esta iniciativa seriam, a seu ver, o Salto do Iguaçu e as Sete Quedas do Guaíra, no Paraná, e a Ilha do Bananal, no rio Araguaia.

Apenas no parágrafo final do texto, aliás de modo bastante eloqüente, Rebouças foi além das considerações socioeconômicas para adotar um discurso mais propriamente conservacionista, centrado no valor intrínseco de preservar para o futuro aqueles monumentos naturais:

> A geração atual não pode fazer melhor doação às gerações vindouras do que reservar intactas, livres do ferro e do fogo, as duas mais belas ilhas do Araguaia e do Paraná. Daqui a centenas de anos poderão nossos descendentes ir ver dois espécimens do Brasil, tal qual Deus o criou; e encontrar reunidos, no norte e no sul, os mais belos espécimens de uma fauna variadíssima e, principalmente, de uma flora que não tem rival no mundo!"[101]

"A vegetação florestal do princípio da liberdade"

A importante presença da crítica ambiental no pensamento de André Rebouças não chega a ser surpreendente, pois é bem conhecida a sua sólida formação em questões de geografia, botânica e agronomia. Bem menos óbvia é a presença desse tipo de reflexão em Joaquim Nabuco, sempre associado com o campo do direito e da filosofia política. Um dos objetivos deste livro, aliás, é justamente o de questionar esse tipo de dicotomia, demonstrando a forte presença do mundo da natureza, inclusive em seu sentido mais material, na evolução do pensamento político brasileiro.

Não se deve imaginar, por outro lado, que o interesse de Nabuco pelos problemas ambientais nasceu a partir do contato com Rebouças, seu mais próximo colaborador no movimento abolicionista da década de 1880. Desde muito jovem o sentimento da natureza e do território esteve presente em suas reflexões; discursando na Assembléia Legislativa, em 1885, ele mencionou o fato de que "desde menino" a grandeza e as maravilhas do vale do Amazonas "fascinaram-me o espírito e a imaginação".[102] No primeiro livro que escreveu contra o trabalho forçado, aos 20 anos de idade, já aparecia uma clara intuição da incompatibilidade lógica entre a generosidade do território e a mesquinhez da forma de trabalho nele dominante. Nesse livro de 1870, intitulado *A escravidão*, ele argumentava que o trabalho escravo impedia que os brasileiros transformassem em arte e vida social superior os enormes benefícios estéticos e políticos que o território lhes concedia:

> O Brasil é um dos maiores países do mundo e o mais prodigamente dotado pela natureza. ... Diante de uma criação prodigiosa pela variedade e pela exuberância de vida tem-se o direito de perguntar o que aproveitarão, o que utilizarão os homens? E entretanto a resposta não dá senão a mais triste das decepções. Ao lado dessa opulência com que se deleitou a natureza, as obras dos homens atestam o grau inferior de cultura, e como se não fosse bastante ficar a arte inativa diante de tão esplêndidos modelos, tornaram eles esse solo viçoso das mais belas flores, coberto das mais vastas florestas, regado de rios que são mares, a obra-prima enfim da criação, em um estreito cárcere, onde penam e morrem dois milhões de seus compatriotas![103]

A percepção desse contraste já era suficiente para delinear, na mente do jovem Nabuco, um apelo em favor do engajamento pessoal na luta contra o cativeiro:

> Quem nasceu neste belo país do Brasil não pode ser insensível à ação salutar da natureza. Só as almas endurecidas pelo cálculo podem nunca ter vibrado sob a

impressão de tão grandes realces ... Ora, o efeito que se produz em quem se acaba de mirar neste espelho da fecundidade divina, se lança os olhos para os quadros tristes do cativeiro humano, neste mesmo solo, sob este mesmo céu, é um contraste indizível. Não queremos ser pitorescos, mas não podemos furtar-nos a pôr os homens em relação com as coisas.

Exemplos desse tipo de perspectiva, que deriva conclusões políticas do significado estético da natureza, e não apenas da sua materialidade, não foram tão comuns na primeira crítica ambiental brasileira. Na obra posterior de Nabuco, de qualquer forma, ela não teve um prosseguimento relevante. Mas a questão política do uso destrutivo do ambiente natural apareceu com bastante intensidade, especialmente nos seus escritos contra o escravismo. O texto central nessa direção foi o capítulo 14 de *O abolicionismo*, de 1883, que tratou da influência da escravidão sobre o território e a população do interior do país.

Para entender melhor o seu conteúdo, é preciso lembrar que o conceito de escravidão em Nabuco não se resumia ao sentido estrito de posse de mão-de- obra escrava. Nas palavras de Evaldo Cabral de Mello, ele "abrangia também as relações do escravismo com o meio físico, o sistema de propriedade da terra, o comércio, a indústria, a cultura, o regime político e o Estado".[104] Ou seja, todo o conjunto de mentalidades, práticas e instituições que haviam sido moldadas, influenciadas ou facilitadas pelo domínio do trabalho escravo. A escravidão era para o país como um "ar envenenado" que contaminava "todos e tudo", incluindo "chão e planta, o reino orgânico e o reino inorgânico, o indivíduo e a sociedade, desde a célula primordial da família até o organismo final do Estado". A palavra também poderia ser entendida, nesse sentido, como um "termo compreensivo — como é por exemplo em França a expressão 'Antigo Regime' — dos resultados do nosso sistema social todo, o qual é baseado na escravidão". Não era suficiente, portanto, como se pode ler em uma famosa passagem, "acabar com a escravidão", era preciso também "destruir a obra da escravidão".[105]

A herança da "obra da escravidão", entre outros componentes centrais, incluía a dominância do latifúndio e da monocultura na ocupação da terra; a presença marginal da pequena propriedade familiar e da indústria urbana na economia; a ausência de uma ética de valorização do trabalho e de inovação tecnológica na produção rural, que se contentava em repetir rotinas rudimentares; a ausência de um esforço real de educação popular; o desestímulo à imigração européia, já que os possíveis colonos temiam a convivência com o escravismo; e a relação promíscua entre o Estado e os grandes proprietários de terra que, ao nível local, exerciam um poder quase feudal e, ao nível nacional, controlavam em grande parte o parlamento e os principais partidos.

Um outro componente que deve ser destacado, particularmente no contexto da presente discussão, diz respeito ao fato de o escravismo impedir o surgimento de uma relação saudável entre o homem e a terra. A "influência da escravidão sobre o território e a população que vive dele" havia sido "em todos os sentidos desastrosa". Sua marca era "a imprevidência, a rotina, a indiferença pela máquina, o mais completo desprezo pelos interesses do futuro, a ambição de tirar o maior lucro imediato com o menor trabalho próprio possível, qualquer que seja o prejuízo das gerações seguintes". A grande lavoura escravista não cuidava do meio natural e das condições de produção com zelo e constância. A fronteira destrutiva avançava pelo vasto território brasileiro de forma quase nômade, deitando abaixo áreas ainda virgens e deixando para trás solos degradados e regiões decadentes. Seu impacto podia ser resumido em poucas palavras: "Onde ela chega queima as florestas, minera e esgota o solo, e quando levanta as suas tendas, deixa após de si um país devastado em que consegue vegetar uma população miserável de proletários nômades".[106]

O objetivo do capítulo 14 de *O abolicionismo* foi justamente o de detalhar as conseqüências desse impacto sobre as diferentes regiões do Brasil, no final do século XIX, reforçando o argumento de que a abolição era condição necessária para o estabelecimento de uma relação benéfica com a terra. O interior da província do Rio de Janeiro, por exemplo, segundo uma representação elaborada pela própria Assembléia Provincial em 1880, apresentava um "quadro desolador", que manifestava-se especialmente "nos municípios de serra abaixo, onde a fertilidade primitiva do solo já se esgotou e a incúria deixou que os férteis vales se transformassem em lagoas profundas que intoxicam todos aqueles que delas se avizinham".[107]

O Recôncavo da Bahia, segundo as informações fornecidas por André Rebouças, uma região antes fértil, apresentava agora terrenos em "triste condição", onde se observavam apenas "sinais de vida decadente e de atrofia em começo". O Ceará, a partir das observações de Tomás Pompeu de Sousa Brasil, debatia-se com as secas que evidenciavam "uma das maldições que sempre acompanharam, quando não precederam, a marcha da escravidão, isto é, a destruição das florestas pela queimada". Mesmo no distante e promissor Amazonas, no auge da cultura da borracha, a situação estava longe de ser sustentável, pois "os seringais, apesar de sua imensa extensão, têm sido grandemente destruídos, e esta riqueza natural do grande vale está ameaçada de desaparecer, porque o caráter da indústria extrativa é tão ganancioso, e por isso esterilizador, no regímen da escravidão, como o da cultura do solo".[108]

É verdade que algumas áreas, como no caso das regiões de Campinas e de Campos, viviam uma fase de aparente florescimento, mas que não passava de um ciclo ascendente típico das monoculturas brasileiras, a fase do "brilho meteórico", ao qual se seguia o colapso econômico e ambiental. A descoberta de produtos alternativos no mercado internacional e a incapacidade de superar as técnicas destrutivas acabavam por revelar a fragilidade do processo produtivo. A decadência dos canaviais nordestinos era uma demonstração clara desse fato, que apenas não se revelava com mais clareza porque o funcionalismo público servia como "grande asilo" para as "fortunas desbaratadas pela escravidão".[109]

O mesmo tendia a acontecer com as províncias litorâneas do Sudeste, no momento em que passasse "o reinado do café". Por hora, enquanto se podiam ver "os caminhos de ferro que temos construído, a imensa produção de café que exportamos, o progresso material que temos feito", podia-se imaginar que os resultados da escravidão não eram "tão funestos ao território"; mas com o passar do tempo ficaria evidente que "a aparência atual de riqueza e prosperidade" provinha de "um produto só", cuja "liquidação forçada" produziria uma "catástrofe financeira". A "lavoura única" assentava-se em "pés de barro". Sem o café, tanto Minas Gerais quanto São Paulo se tornariam "províncias decrépitas".[110]

Essa dinâmica perversa tinha uma explicação racional: o mundo da escravidão não criava um "consórcio do homem com a terra", uma situação de "habitação permanente", um contexto de "posse definitiva do solo" e "crescimento natural". O grande proprietário "conquistou-o [o solo] à natureza com os seus escravos, explorou-o, enriqueceu por ele extenuando-o, depois faliu pelo emprego extravagante que tem quase sempre a fortuna mal adquirida e, por fim, este solo voltou à natureza, estragado e exausto". O uso da mão-de-obra escrava distorcia a relação do produtor com a terra. Não era de admirar "que a cultura do solo por uma classe sem interesse algum no trabalho que lhe é extorquido dê estes resultados". Por toda parte podia-se observar "o triste espetáculo desta luta do homem com o território por meio do trabalho escravo", pois "em parte alguma o solo adquire vida" e "os edifícios que nele se levantam são uma forma de luxo passageiro e extravagante, destinada à pronta decadência e abandono".[111]

Com o interior do país ocupado por latifúndios, feudos arrogantes e autocentrados, era impossível desenvolver uma vida socioeconômica diversificada e independente. Não era viável a emergência das classes médias produtivas e inovadoras que "fazem a força das nações". Estas últimas, quando existiam, concentravam-se apenas nas capitais. Tal fenômeno gerava uma sociedade na qual, além dos escravos e dos senhores de escravos, apenas vegetava uma população pobre, ignorante e submissa. Por esse motivo, as poucas cidades do interior eram socialmente decadentes e materialmente precárias, sem lograr constituir-se, como nos Estados Unidos, em pólos de desenvolvimento regional. A quase totalidade do território encontrava-se desconhecida e inexplorada, ao passo que a sua parte ocupada estava sendo constantemente estragada pela avidez.[112]

A perversidade da obra da escravidão não se apresentava apenas no mal que ela fazia, mas também no bem que ela impedia de surgir:

> Em todos os sentidos foi ela, e é, um obstáculo ao desenvolvimento material dos municípios: explorou a terra sem atenção à localidade, sem reconhecer deveres para com o povo de fora das suas fronteiras; queimou, plantou e abandonou; consumiu os lucros na compra de escravos e no luxo das cidades; não edificou escolas, nem igrejas, não construiu pontes, nem melhorou os rios, não canalizou a água nem fundou asilos, não fez estradas, não construiu casas, sequer para os seus escravos, não fomentou nenhuma indústria, não deu valor venal à terra, não fez benfeitorias, não granjeou o solo, não empregou máquinas, não concorreu para progresso algum da zona circunvizinha. O que fez foi esterilizar o solo pela sua cultura extenuativa, embrutecer os escravos, impedir o desenvolvimento dos municípios e espalhar em torno dos feudos senhoriais o aspecto das regiões miasmáticas, ou devastadas pelas instituições que suportou.[113]

Essa passagem revela a filiação essencial de Nabuco aos princípios progressistas da tradição crítica que aqui está sendo analisada. A conservação dos recursos naturais não era um aspecto isolado da sua reflexão sobre o Brasil. O cuidado com as riquezas do território não era incompatível com máquinas, indústrias, pontes, escolas, estradas, lavouras e outros componentes do avanço social. Ele era incompatível com o imediatismo de uma elite senhorial que desprezava os interesses da coletividade nacional e das gerações futuras.

A falsa civilização do escravismo representava uma espécie de traição ao verdadeiro ideal do progresso: ela não logrou executar qualquer um dos seus verdadeiros imperativos, instaurando, como falso sucedâneo, uma ordem perdulária e imprevidente, uma "ilusão de riqueza, de desenvolvimento nacional" que não podia enganar aquele que "a estuda e observa nos seus contrastes, na sombra que ela projeta". Essa ordem corrompida, como o autor fazia questão de deixar claro, não era causada pela natureza intrínseca dos brasileiros, mas sim pela desgraça da escravidão. Tanto que, como se pode ler na segunda epígrafe deste livro, ela "passou sobre os territórios e os povos que a acolheram como um sopro de destruição". Seja na Rússia, no Sul dos Estados Unidos ou em qualquer outro lugar, ela representava sempre "a ruína, a intoxicação e a morte".[114]

Após apresentar, em *O abolicionismo*, essa forte e pungente interpretação da problemática ambiental brasileira, o tema da destruição incorporou-se de forma regular na pregação reformista de Joaquim Nabuco. Até onde eu saiba, um novo texto de síntese não foi produzido, mas o assunto foi mencionado em artigos e discursos. A "esterilização do território" passou a constar de vários dos seus pronunciamentos gerais sobre os males da escravidão. A sensibilidade ambiental também apareceu nos seus esforços de legislador, especialmente no Projeto da Monarquia Federativa por ele elaborado em 1885, que propunha a reorganização federativa da administração nacional como tarefa urgente e complementar ao programa abolicionista.

A centralização administrativa no Rio de Janeiro atrofiava o livre desenvolvimento das diferentes partes do Império, facilitando, pela incapacidade de promover um controle efetivo do mesmo, o abandono e a degradação do território. A burocracia do Império se movia de forma ineficaz e vagarosa por esse espaço imenso, sob o protesto "da freqüência das nossas serras, do relevo do nosso solo, da largura dos nossos rios, das nossas lagoas, das nossas florestas virgens, do nosso imenso planalto interior, em uma palavra, da formação física de um país onde realmente o homem até hoje não conseguiu possuí-la nem afeiçoá-la".[115] Tal realidade política, associada ao domínio do escravismo, inibia o surgimento do "consórcio efetivo entre o homem e o solo" que era a chave da prosperidade e a "grande lei do desenvolvimento da humanidade". Com a federação, com o autogoverno das províncias, era possível "tornar em toda a parte o território brasileiro vivo, animado, independente, para que o Brasil readquira a sua expansibilidade e se desenvolva, em vez de retrair-se sobre si mesmo, como está acontecendo".[116]

Esse processo tinha que caminhar simultaneamente com a promoção do conjunto de reformas sociais, econômicas e culturais defendidas pelo abolicionismo, de forma a elevar o nível moral e social do povo brasileiro e evitar que "neste incomparável domínio de terra cresça uma abstração chamada Estado, à custa de um território e de uma nação, e que um governo, isto é, um nome, não esterilize e atrofie estas duas grandes qualidades: um povo e um mundo". A construção de um verdadeiro espaço nacional supunha que "cada geira desta terra fique entregue às mãos dos que vivem dela e a beneficiam" e que a ressurreição do patriotismo brasileiro não se baseia em um Estado abstrato, mas sim "em um pedaço da nossa terra e uma porção do nosso povo".[117]

Trata-se, com se pode ver, de um Nabuco muito mais preocupado com a materialidade geográfica da política do que normalmente se supõe. É significativo, nesse sentido, que o avanço do movimento abolicionista tenha sido apresentado em um discurso parlamentar de 1885 — a respeito do Projeto do Elemento Servil — através de uma sugestiva metáfora de regeneração ecológica: "A instituição servil, cujas raízes estão hoje expostas à luz do sol, e que esterilizou o nosso território, matando nele não só a terra, mas também o homem, está dando em toda a parte lugar à grande vegetação florestal do princípio da liberdade, o único que pode manter a fecundidade física e moral de um país."[118]

No período imediatamente posterior à abolição da escravatura, o ímpeto reformista de Nabuco ganhou ainda maior fôlego. Era necessário avançar na tarefa de destruir a "obra da escravidão". Em julho de 1888, ele defendeu em um de seus discursos parlamentares que era o momento de prosseguir com as outras reformas pregadas pelo ideário abolicionista, especialmente no âmbito da estrutura agrária, que deviam orientar-se pelo "sentimento da pequena propriedade" e promover "o imposto territorial, o parcelamento e o mercado de terra". Em agosto do mesmo ano, ele reapresentou o Projeto da Monarquia Federativa, afirmando tratar-se de uma chance oferecida ao Estado imperial para "conseguir a clientela das províncias, como já conseguiu a da raça negra". Era o momento de "organizar o nacionalismo brasileiro" sob a forma do "provincialismo democrático e liberal".[119]

Naquele momento histórico, contudo, tornava-se cada vez mais evidente o fato de que o domínio político dos grandes proprietários não se havia esgotado, e que o fim da escravidão não significava automaticamente o fim da sua "obra". Ao criticar no parlamento o Projeto dos Bancos de Crédito Real, em julho de 1888, Nabuco expressava seu temor de que o 13 de Maio não tivesse sido "uma operação tão perfeita como eu acreditava, não foi pelo menos a operação anti-séptica que devia ser, porque há o perigo de que, por falta de desinfetante científico, venha ainda a gangrenar o organismo operado". O cerne desse temor estava na possibilidade de os antigos beneficiários da escravidão lograrem, como mecanismo de compensação política, drenar recursos das finanças públicas que garantissem a recomposição do seu domínio sob novas bases, evitando o avanço do processo democratizante na terra e na sociedade.

Aqui apareceu novamente o aspecto ambiental, quando o autor questionou a existência de uma base social e material segura para a concessão de crédito aos grandes proprietários. Diante da realidade da lavoura brasileira — muito diferente da que havia na Alemanha, que servia de modelo para o tipo de banco que se queria criar —, existia o risco de essa medida constituir-se em uma "doação gratuita do Estado", que poderia arruinar o seu tesouro. Na Alemanha "a terra é o laço de unidade da família e um empréstimo a longo prazo, por meio século ou mais, para beneficiar a propriedade, entra nos hábitos do país". No Brasil, ao contrário, "a agricultura é verdadeiramente nômade" e "abandona a terra que esteriliza à procura de novas destruições".[120] O crédito de longo prazo, nesse contexto, não teria uma base moral adequada.

Um questionamento semelhante apareceu, nesse mesmo período histórico, nos escritos de André Rebouças. Ele também acreditava que a renovação do regime monárquico pós-abolição levaria a um aprofundamento das reformas democráticas, tal como estava indicado na fala do imperador à Assembléia Legislativa em maio de 1889, que abordava temas como a divisão da terra, o imigrante proprietário e a democracia rural. O imperador estava bastante influenciado, aliás, pelo diálogo pessoal com o próprio Rebouças, de quem se tornou muito próximo. O líder abolicionista, por sua vez, chegou a falar em uma "monarquia popular e democrática", onde o poder do chefe de Estado se uniria às forças democráticas do país para enfrentar a força "aristocrática-plutocrática" que lutava para manter o seu "parasitismo" e a sua "ganância" contra os "princípios gerais da moral, da justiça e da eqüidade". Mas, ao mesmo tempo, ele observava com clareza a crescente reação política do "fazendeirismo escravocrata e republicanizante" e a "conspiração militar dos republicanistas escravocratas de Benjamin Constant".[121]

A Proclamação da República, que acabou acontecendo pela mão dos militares em novembro de 1889, retirou abruptamente Nabuco e Rebouças do cenário político nacional. A lealdade radical de ambos para com a monarquia, que fez com que renunciassem até mesmo à continuidade da luta reformista que tantos sacrifícios lhes custara, chegou a ser surpreendente para muitos observadores. Até nisso, no entanto, eles podem ser considerados como os mais legítimos herdeiros do ideário de José Bonifácio, já que o velho estadista também pregava a realização de fortes reformas sociais nos marcos de uma monarquia constitucional, tendo se envolvido em intensas lutas políticas devido a sua oposição, quase paranóica, ao estabelecimento de um regime republicano no Brasil do início do século XIX.

Os dois pensadores abolicionistas, aliás, reconheciam e saudavam esse vínculo intelectual e político. A "Representação ... sobre a Escravatura" marcou o pensamento de Nabuco desde a sua juventude. Já em 1870 ele afirmava que as idéias de Bonifácio revelavam um "profundo conhecimento da sociedade de então e uma grande caridade", de tal maneira que "neste país em que as autoridades são tão raras, é justo que quando uma surge com tão seguro direito, seja respeitada de todos, é por isso que colocamos a causa emancipadora já protegida pelos mártires de nossa independência sob a invocação do patriarca desta".[122] Ainda em junho de 1888, por outro lado, em um artigo da série "Republiquistas", publicada no jornal *Cidade do Rio*, Rebouças mencionava "a luta dos princípios altruístas, científicos e abolicionistas de José Bonifácio contra o parasitismo, a ignorância boçal e o escravagismo brutal dos resíduos deixados no Brasil pelo ominoso sistema colonial".[123] Uma luta que, aos olhos do abolicionismo monarquista, estava de certa forma se repetindo no Brasil do final do século XIX.

Não cabe discutir, no âmbito deste livro, os argumentos favoráveis ou contrários à tese de que o golpe republicano foi uma contra-revolução conservadora. Não resta dúvida, porém, de que a mudança de regime não impediu o processo de reorganização do domínio econômico, social e político dos grandes proprietários. Ela, de fato, facilitou esse processo, ao promover a realização de pactos oligárquicos ao nível municipal, provincial e federal. No aspecto ambiental, além disso, é bastante evidente que o fim do escravismo não representou um marco de ruptura com a herança da devastação. Ao contrário, apesar da rápida transição para o trabalho livre, a permanência das queimadas e das monoculturas continuou produzindo intensa destruição — destruição que, na verdade, foi intensificada pela abertura de novas regiões florestais e pela maior capacidade de impacto fornecida pela tecnologia industrial.[124]

Pode-se argumentar, portanto, que a vertente abolicionista da crítica ambiental no Brasil monárquico, que apresentei como sendo a mais profunda em termos de diagnóstico e receituário político, errou radicalmente ao considerar a escravidão como fonte primária das práticas devastadoras. Mesmo levando-se em conta, a seu favor, que o programa de destruição da "obra da escravidão", que deveria suceder o ato da abolição, não chegou a ser minimamente executado nas décadas seguintes. Enfocar esse dilema teórico de maneira simplista, no entanto, seria não captar o que aquela vertente apresentou de mais relevante, inclusive para o debate político contemporâneo. É o que pretendo demonstrar a seguir.

Considerações finais

Espero ter sido capaz de evidenciar, ao longo do caminho percorrido, a riqueza e a diversidade da tradição intelectual que procurei reconstituir. Espero também ter demonstrado, ao menos de maneira inicial, a legitimidade de utilizar o recorte da crítica ambiental para estabelecer um vínculo teórico e histórico entre os vários autores analisados. Não pretendo afirmar, por certo, que esse recorte é o único possível. Seria um reducionismo imperdoável pretender que a questão ambiental fornece o sentido definitivo para o entendimento de cada autor e da conexão entre eles. Mas estou convencido de que, entre os recortes possíveis, esse é um dos mais importantes e mais promissores (além de ser um dos menos explorados).

De toda forma, após observar a tradição em seu conjunto, cabe fazer alguns comentários gerais que ajudem a refletir sobre as suas características próprias, mas não necessariamente específicas, no contexto da evolução internacional desse campo de pensamento.

Não pretendo repetir o que foi dito na introdução sobre o viés político, cientificista e economicamente progressista que marcou a produção de praticamente todos os autores analisados. Espero, ao contrário, que essa espécie de "unidade epistemológica" tenha ficado evidente no corpo das análises. É importante deixar claro que esse tipo de abordagem da problemática ambiental não foi uma exclusividade dos intelectuais brasileiros da época. Na virada do século XIX para o XX, por exemplo, ela marcou profundamente a crítica ambiental norte-americana através do chamado Progressive Conservation Movement.[1] No caso da Rússia, igualmente, a crítica ambiental oitocentista foi majoritariamente progressista e cientificista. Mas também naquele país, assim como nos Estados Unidos, foi possível constatar a presença relevante de abordagens alternativas, mais próximas de uma perspectiva estética e espiritual, inclusive no caso de cientistas como o botânico Ivan Borodin. Uma postura que, aliás, foi diretamente influenciada pelo naturalismo romântico alemão e suíço.[2] O que surpreende, no caso do Brasil, é constatar o domínio quase hegemônico do enfoque progressista.

Para o olhar contemporâneo, a crença na modernização como panacéia ambiental, especialmente no plano tecnológico, soa bastante ingênua. Não é difícil constatar, retrospectivamente, a ampla gama de problemas ambientais causados pela expansão das modernas tecnologias industriais nos diversos setores da produção e da vida social, inclusive na atividade agrícola e florestal que constituía o eixo de preocupação daqueles autores.* Mas seria profundamente anacrônico formular uma condenação desse tipo. A vontade de progresso manifestada pelos primeiros críticos ambientais brasileiros derivava, antes que tudo, de uma legítima identificação entre a destruição do território e a herança colonial. Sua imagem de progresso, por outro lado, era essencialmente teórica, quase utópica, não podendo ser julgada a partir de dinâmicas posteriores da civilização urbano-industrial que eles não tinham como observar.

Apesar da existência de vislumbres ocasionais de crítica à civilização ocidental moderna, como no caso de certas passagens de José Bonifácio, o fato é que a imagem da Europa, e mais tarde dos Estados Unidos, constituiu o horizonte de progresso para aqueles autores. É relevante mencionar, nesse sentido, a observação do professor Ignacy Sachs, feita em comunicação pessoal, de que eles também deveriam ser considerados como parte integrante, se bem que esquecida, da própria história da idéia de "desenvolvimento". Os autores examinados, de fato, desde o final do século XVIII, pregaram a execução de políticas conscientes e determinadas que fossem capazes de aproximar um país pós-colonial, como era o caso do Brasil, das regiões identificadas como paradigmas de progresso, através de uma transformação acelerada em suas dinâmicas econômicas e sociais.

É possível criticar, sem dúvida, o fato de eles não terem tido a clarividência de antever os profundos riscos ambientais presentes no modo de vida que se consolidava naquelas regiões. Mas essa limitação deve ser compartilhada com a maioria dos pensadores sociais europeus e norte-americanos da época. E não se deve esquecer que o ideal de progresso presente em vários dos textos brasileiros foi seletivo, focalizando muito mais a modernização do espaço rural do que a expansão do espaço urbano-industrial.

Seria interessante contrastar essa adesão básica ao paradigma da modernidade ocidental, observada nos escritos ambientais pré-republicanos, com as reflexões formuladas por outro crítico ambiental brasileiro, que atuou algumas décadas depois. Em 1914, escrevendo de uma perspectiva mais próxima dos economistas e geógrafos europeus inseridos na crítica da *Raubwirtschaft*, ou "economia

---

* É verdade que o impacto dessas tecnologias não pode ser dissociado das estruturas e dinâmicas socioeconômicas que deram sentido à sua expansão. Uma discussão sobre esse tema, no entanto, estaria além do escopo deste livro.

destruidora". Alberto Torres foi capaz de adotar um enfoque alternativo, condenando a marcha do mundo ocidental como um todo, ao afirmar que "a civilização humana é produto do sacrifício da Terra ao impulso de cobiças incontidas" e que

> essa aparente e instável civilização, cuja altura, desigual e incoerente, atinge altitudes majestosas em alguns pontos, de parcial e secundário interesse, para mostrar abismos profundos em todos os que interessam à vida ordinária do homem, não resgata, como suas cidades, seus monumentos, suas estradas de ferro, todas as suas obras de arte, senão uma fração mínima da devastação da Terra, e não representa, como estado moral e social, mais que uma situação de disciplina coercitiva, onde sentimentos e intenções, aparentemente puros, não passam de acomodações do egoísmo à vigilância social.[3]

Quando esse texto foi publicado, porém, já se vivia um outro momento na história da crítica ambiental brasileira, cujas características devem ser objeto de trabalhos específicos.[4]

Um dos aspectos mais importantes do legado teórico dos autores aqui examinados, por outro lado, inclusive no que se refere à sua relevância para o debate político atual, aparece na própria natureza da literatura por eles gerada. Quase não estiveram presentes, entre os numerosos trabalhos produzidos, obras especificamente dedicadas ao tema ambiental. Não apareceu no Brasil, por exemplo, um importante livro de síntese ao estilo de *Man and Nature*, publicado em 1864 pelo diplomata norte-americano George Marsh. Esse livro foi considerado, por vários analistas, o marco fundador da crítica ambiental no século XIX, a ponto de a busca por manifestações de crítica ambiental "pré-Marsh" ter se constituído em uma meta para os historiadores desse campo de idéias. Ora, no presente livro foi possível constatar, apenas no contexto brasileiro, a existência de dezenas de críticos ambientais pré-Marsh. Esses autores, no entanto, abordaram a destruição do meio ambiente no contexto de obras mais gerais sobre os problemas econômicos e sociais do Brasil. A maioria dos textos que analisei foram escritos como capítulos, ou mesmo como trechos, de trabalhos não especificamente dedicados ao tema ambiental.

Essa característica, que poderia ser tomada como uma fraqueza teórica, constitui, a meu ver, a maior força e atualidade dessa tradição intelectual. A intuição básica dos autores brasileiros, mais pragmática do que teórica, foi a de que os problemas ambientais estavam inseridos no conjunto dos problemas estruturais que afetavam o país. Esses autores não eram "ambientalistas" no sentido moderno da palavra, mas sim pensadores preocupados com o destino do Brasil como um todo. Por esse motivo, a problemática ambiental não foi por eles abordada de maneira isolada ou específica, mas sim na sua relação com a questão econômica, social, tecnológica etc.

Essa perspectiva, de fato, possui grande atualidade. Cada vez fica mais evidente que a crise ambiental contemporânea não se deve a acidentes ou falhas ocasionais dos sistemas produtivos, mas sim ao funcionamento cotidiano dos padrões insustentáveis de produção e consumo vigentes nas diferentes sociedades, em sua interação com o planeta e seus ecossistemas. O real enfrentamento dessa crise, portanto, não pode se dar apenas através de medidas técnicas e setoriais. Ele requer ações políticas fundadas em objetivos amplos de transformação social, econômica e cultural. Uma visão próxima da que permaneceu como pano de fundo no pensamento dos autores aqui examinados. Seu objetivo, de maneira geral, não era o de corrigir a destruição ambiental por si mesma. O estabelecimento de uma relação benéfica com o meio natural servia de componente básico para um propósito bem mais audacioso: modificar o rumo da sociedade brasileira, ou de algumas das suas expressões regionais, de forma a situá-la em um patamar superior de racionalidade e justiça. Não é minha intenção, diante do que foi dito, em uma atitude essencialmente anacrônica, entronizar aqueles autores na condição de precursores do debate atual. Mas cabe destacar a relevância teórica da perspectiva por eles adotada, para além da óbvia relevância histórica.

É no contexto da formulação anterior que se pode demonstrar a superioridade teórica da vertente abolicionista no conjunto da primeira crítica ambiental brasileira. Essa vertente, desde a síntese elaborada por José Bonifácio, afirmou com especial consistência que os grandes problemas ambientais do país só poderiam ser enfrentados no contexto de uma mudança geral nas estruturas, práticas e mentalidades nele dominantes. Mas seu esforço foi ainda mais profundo, do ponto de vista analítico, ao buscar uma identificação do padrão estrutural básico que pudesse explicar a gênese de uma sociedade tão perversa, tanto do ponto de vista social quanto ambiental. O escravismo, como foco gerador do conjunto de tendências constituintes da "obra da escravidão", foi identificado como sendo esse padrão. Uma escolha teórica não apenas legítima como também corajosa, já que tocava em uma ferida histórica que muitos procuraram ignorar.

Alguns poderiam argumentar, a partir de uma leitura *a posteriori*, que aqueles autores superestimaram o peso específico da escravidão na gênese dos aspectos perversos da formação social brasileira — tanto que muitos desses aspectos, como a concentração fundiária, a marcante desigualdade social e a destrutividade ambiental, revelaram-se perfeitamente capazes de sobreviver após a abolição. Outros poderiam contra-argumentar que a herança do escravismo, e mais ainda da obra da escravidão, são fundamentais para entender a permanência desses aspectos ao longo do século XX.

Mas esse tipo de debate nos levaria a um horizonte de discussão que vai muito além das pretensões deste livro. O ponto que deve ser ressaltado, mais uma vez, é o esforço daqueles autores para enfrentar a questão ambiental no contexto mais amplo da questão nacional. E também a ousadia teórica dos abolicionistas em buscar, sem fechar os olhos para a crua realidade do país, o padrão lógico que pudesse explicar, entre outros elementos, a brutal devastação ambiental em vigor no Brasil de sua época. Como essa devastação continua em plena vigência, apesar de todas as metamorfoses históricas sofridas pelo país a partir do fim do escravismo, a busca por essa lógica, se é que ela existe, continua a ser uma tarefa teórica e política de primeira grandeza.

Notas

Introdução — Em busca de uma tradição intelectual esquecida

1. O trabalho mais importante é R. Grove é *Green Imperialism.*
2. M.O.S. Dias, "Aspectos da ilustração no Brasil", RIHGB 278, p.107.
3. Cf. ibid. e K. Maxwell, "A geração de 1790 e a idéia do império luso-brasileiro".
4. O. Munteal Filho, "Domenico Vandelli no anfiteatro da natureza".
5. Cf. J.-P. Deleage, *Histoire de l'ecologie*; J.-M. Drouin, *L'Ecologie et son histoire*; e D. Worster, *Nature's Economy.*
6. C. Lineu e H.C. Wilcke, "La police de la nature", in *L'Équilibre de la nature*, p.118.
7. A. Rebouças, *Excursão ao Salto de Guaíra.*
8. T. Collichio, *Miranda Azevedo e o darwinismo no Brasil.*
9. F.L.C. Burlamaque e N.J. Moreira, *Catequismo da agricultura*, p.2.
10. Cf. J.M. de Carvalho, "Escravidão e razão nacional".
11. Cf. S. Schama, *Landscape and Memory*, p.13.
12. Cf. J. Bate, *Romantic Ecology*; P. Stansky, *Redesigning the World*; R. Williams, *Socialism and Ecology*; R. Dominick, *The Environmental Movement in Germany*; e R. Nash, *The Rights of Nature.*
13. S. Fox, *The American Conservation Movement.*
14. H. Thoreau, "Caminhando", in J.A. Drummond, *Desobedecendo*, p.86.
15. A.G. Dias, *Poesia completa e prosa escolhida*, p.498.
16. B. Guimarães, *Poesias completas*, p.36-9.
17. Ibid., p.40.
18. Álvares de Azevedo foi citado em A. Cândido, *Formação da literatura brasileira*, vol. II, p.15. A citação de Gilberto Freyre vem de seu *Sobrados e mocambos*, vol. II, p.576. As palavras de Luiz Costa Lima estão em seu livro *O controle do imaginário*, p.134.
19. Cf. D. Pepper, *Modern Environmentalism*, e T. Hayward, *Ecological Thought.*
20. G. Capanema, *Agricultura*, p.4.
21. A. Crosby, *Ecological Imperialism* e F. Turner, *Beyond Geography.*
22. Ver R. Grove, "Colonial conservation, ecological hegemony and popular resistence" e op.cit. (n.1).
23. Cf. C. Glacken, *Traces on the Rhodian Shore*, e J. Freeman, "Forest conservancy in the Alps of Dauphiné, 1287-1870".
24. J.M. Carvalho, *A construção da ordem*, p.51.
25. I. Mattos, *O tempo Saquarema*, p.195.

26. J.M. Carvalho, *Teatro de sombras*, p.46.
27. W. Dean, *With Broadax and Firebrand*, e J.A. Drummond, *Devastação e preservação ambiental no Rio de Janeiro*.
28. C. Harcourt e J. Sayer, *The Conservation Atlas of Tropical Forests*, p.235.

Capítulo 1 — "Aniquilar as naturais produções": Cultura iluminista, crise colonial e as origens da crítica ambiental no Brasil

1. R.B. de Moraes, *Bibliografia brasileira do período colonial*, p.257.
2. W. Barbosa, *Dicionário histórico geográfico de Minas Gerais*, p.340. Alguns documentos contidos nas caixas Brasil/MG/156 e 162 do Arquivo Histórico Ultramarino de Lisboa revelam que Navarro também atuou como desembargador da relação do Rio de Janeiro e ouvidor em Sabará, Minas Gerais.
3. J.G.M. Navarro, *Discurso*, p.11.
4. Ibid., p.9.
5. Ibid., p.8.
6. M. Serres, *O contrato natural*, p.24.
7. J.G.M. Navarro, op.cit. (n.3), p.15-9.
8. Ibid., p.14-6.
9. Ibid., p.17 e 18.
10. Ibid., p.18-9.
11. Ibid., p.12, 16-9.
12. K. Maxwell, *A devassa da devassa*, p.257.
13. N. Sevcenko, "O front brasileiro na guerra verde", *Revista USP*.
14. H. Segawa, *Ao amor do público*.
15. C.A. Moreira Neto, "Introdução", in A.R. Ferreira, *Viagem filosófica ao rio Negro*.
16. D. Vandelli, "Memória sobre a agricultura deste reino e de suas conquistas", in Academia das Ciências de Lisboa, *Memórias econômicas*, vol.I, p.129.
17. Ibid., p.130.
18. D. Vandelli, "Memória sobre algumas produções naturais das conquistas", in op.cit. (n.16), p.144 e 154.
19. D. Vandelli, art.cit. (n.16), p.131.
20. D. Vandelli, art.cit. (n.18), p.147.
21. D. Vandelli, art.cit. (n.16 e 18), p.130-1 e 145.
22. J.B.A. Silva, "Memória sobre a pesca das baleias", in E.C. Falcão (org.), *Obras científicas, políticas e sociais de José Bonifácio de Andrada e Silva*, p.30.
23. E. Cassirer, *La philosophie des lumiéres*, p.73 e 107.
24. J.-P. Deleage, *Histoire de l'ecologie*, p.34.
25. C. Lineu e J. Biberg, "L'Économie de la nature", in *L'Équilibre de la nature*, p.57.
26. C. Lineu e H.C. Wilcke, "La police de la nature", in op.cit. (n.25), p.117-8.
27. R. Grove, *Green Imperialism*, p.153-65.
28. Cf. R. Grandamy, *La physiocratie*.
29. Citado em Ined, *François Quesnay et la physiocratie*, p.454.
30. P.R. Hay, "The contemporary environment movement as neo-romanticism", *Enviromental Review*, vol.12, nº4.

31. Cf. J. Bate, *Romantic Ecology*.
32. Cf. R. Nash, *Wilderness and the American Mind*.
33. J.-J. Rousseau, *Os devaneios do caminhante solitário*, p.71.
34. Para esses dois papéis ver G. Gusdorf, *Le savoir romantique de la nature*, e A. Gerbi, *La disputa del nuevo mundo*.
35. Cf. P. Acot, *Histoire de l'écologie*, p.25-30.
36. A. Humboldt, *Viaje a las regiones equinocciales del Nuevo Continente*, p.105-7.
37. C. de Montesquieu, *Pensées et fragments inédits*, p.180.
38. G. de Jovellanos, *Informe sobre la ley agraria*, p.171.
39. J.A. Miranda, "Memória constitucional e política sobre o estado presente de Portugal e do Brasil", in *O debate político no processo da Independência*, p.70-2.
40. J.S. Lisboa, "Carta muito interessante do advogado da Bahia ... para o dr. Domingos Vandelli, diretor do Real Jardim Botânico", *ABN* 32, p.499.
41. J.S. Lisboa, *Estudos do bem comum*, p.392.
42. Ibid., p.440.
43. Cf. R.G. Albion, *Forests and Sea Power*, e P. Bamford, *Forests and the French Sea Power*.
44. J. Evelyn, *Silva, or A Discourse*, p.1-2. Cf. também p.567-8.
45. Cf. C. Glacken, *Traces on the Rhodian Shore*, p.490.
46. Ibid., p.492.
47. Cf. R. Grove, op.cit. (n.27), cap.5.
48. B. Saint-Pierre, *Harmonies of Nature*, vol.I, p.117.
49. Cf. R. Grove, op.cit. (n.27), cap.7.
50. M.B. Nizza da Silva, *A cultura luso-brasileira*, p.187.
51. M.A. da Câmara, "Cartas a Rodrigo de Sousa Coutinho", in J.A.G. de Mello (org.), *Obras reunidas de Manuel Arruda da Câmara*, p.239.
52. J.G.M. Navarro, "Ofício para Rodrigo de Sousa Coutinho sobre mandioca, trigo..."
53. Apud M. Zemella, "A introdução do bagaço de cana como combustível...", p.237.
54. Apud I.A.C. Silva, *Memórias históricas e políticas da província da Bahia*, vol.6, p.284.
55. R.S. Coutinho, "Sistema político que mais convém...", in M.C. Mendonça, *O Intendente Câmara*, p.282-5.
56. R.S. Coutinho, "Ofício de 24 de novembro a Manoel Ferreira da Câmara...".
57. P.F. Souza, *Legislação florestal*, 1ª parte,p.23.
58. Ibid., p.29.
59. S. Miller, *Fruitless Trees*, p.50-5.
60. P.F. Souza, op.cit. (n.57), p.17.
61. Idem.
62. Ibid., p.23.
63. M.F.C.B. Sá, "Memória analítica sobre a memória escrita e enviada...", apud op.cit. (n.55), p.305.
64. M.C. Mendonça, op.cit. (n.55), p.277.
65. B.S. Lisboa, *Discurso histórico, político e econômico...*, p.16 e 30-6.
66. Ibid., p.39 e 48.
67. Ibid., p.47-50.
68. Ibid., p.53-5.
69. Ibid., p.67-8.
70. Ibid., p.40-55.
71. Ibid., p.58-66.

Capítulo 2 — "Com o machado em uma mão e o tição em outra": O desenvolvimento da crítica ambiental nas últimas décadas do Brasil Colônia

1. R.C. Mattos, *Itinerário do Rio de Janeiro ao Pará...*, p.140.
2. Ibid., p.169.
3. Cf. A. Crosby, *Ecological Imperialism*, e J. Ferrão, *A aventura das plantas e os descobrimentos portugueses.*
4. Cf. N. Cook, *Born to Die.* Para uma explicação histórico-ecológica das razões desse colapso, calcada no isolamento planetário das populações ameríndias desde o final da última grande glaciação, há cerca de 12 mil anos, ver A. Crosby, op.cit. (n.3), e F. Tudela (org.), *Desarrollo y medio ambiente em America Latina y el Caribe.*
5. S.B. Holanda, *Raízes do Brasil*, p.51 e 49.
6. Cf. A. Canabrava, "Um capítulo da história das técnicas no Brasil", e J.H. Gallaway, "Agricultural reform and the Enlightment in late colonial Brazil".
7. A.J. Antonil, *Cultura e opulência do Brasil*, p.115.
8. J.J.T. Coelho, "Instrução para o governo da capitania de Minas Gerais", RIHGB vol.15, p.452.
9. Ibid., p.450.
10. R.C. Mattos, *Corografia histórica da província de Minas Gerais*, vol.I, p.226.
11. D.P. Muller, *Ensaio de um quadro estatístico da província de São Paulo*, p.50.
12. J.E. Ottoni, "Memória sobre o estado atual da capitania de Minas Gerais", ABN *30*, p.313.
13. J.J.C. Azeredo Coutinho, "Ensaio econômico sobre o comércio de Portugal e suas colônias", in *Obras econômicas de J.J. da Cunha de Azeredo Coutinho*, p.78.
14. A.J. Antonil, op.cit. (n.7), p.102.
15. A.A.M. Franco, *Desenvolvimento da civilização material no Brasil*, p.31.
16. C. Prado Júnior, *História econômica do Brasil*, p.163.
17. J.J.C. Azeredo Coutinho, "Discurso sobre o estado atual das minas do Brasil", in op.cit. (n.13), p.202.
18. J.E. Ottoni, art.cit. (n.12), p.305.
19. S.B. Holanda, op.cit. (n.5), p.43-6.
20. G. Freyre, *Casa grande e senzala*, p.45-7.
21. Idem.
22. Cf. R.B. Araújo, *Guerra e paz*, p.58.
23. S.B. Holanda, op.cit. (n.5), p.51.
24. F.V. Salvador, *História do Brasil*, p.42.
25. Idem.
26. Idem.
27. A.F. Brandão, *Diálogos das grandezas*, p.34.
28. Idem.
29. P.V. Caminha, *A carta de Pero Vaz de Caminha*, p.47 e 69.
30. G.S. Sousa, *Tratado descritivo do Brasil*, p.33.
31. S. Vasconcellos, *Crônica da Companhia de Jesus*, p.166.
32. Cf. J.M. Carvalho, "O motivo edênico no imaginário social brasileiro".
33. A.R. Ferreira, "Estado presente da agricultura no Pará", MBN n.21, 1, 16, p.17.
34. Cf. R. Grove, *Green Imperialism*, p.27.
35. A.R. Ferreira, art.cit. (n.33), p.34-6.
36. A.R. Ferreira, "Memória sobre a jurararetê", in *Viagem filosófica*, p.41.

37. A.R. Ferreira, *Viagem filosófica ao rio Negro*, p.665-6.
38. A.R. Ferreira, "Memória sobre o peixe-boi", in op.cit. (n.36), p.62-3.
39. A.R. Ferreira, op.cit. (n.37), p.656.
40. A.R. Ferreira, "Prospecto filosófico e político da serra de São Vicente", MBN n.21, 1, 37, p.5.
41. M.A. Câmara, "Memória sobre a cultura dos algodoeiros", in J.A.G. Mello (org.), *Obras reunidas de Manuel Arruda da Câmara*, p.112-3.
42. M.A. Câmara, "Discurso sobre a utilidade da instituição de jardins...", in op.cit. (n.41), p.198-9.
43. Ibid., p.205, 201 e 197.
44. M.A. Câmara, "Ofício sobre a almécega e a carnaúba", in op.cit., p.230.
45. Ibid., p.231-2.
46. M.F.C.B. Sá, "Ensaio de descrição física e econômica...", in Academia das Ciências de Lisboa, *Memórias econômicas*, vol.I, p.231, 233-5.
47. Ibid., p.233, 235, 250 e 255.
48. Ibid., p.256.
49. Para esta citação e as seguintes, ibid., p.258 e 259.
50. Cf. S. Miller, *Fruitless Trees*, p.62 e 91.
51. Cf. M.F.C.B. Sá, "Ofício sobre o estado da mata do Pinhal de Leiria".
52. M.F.C.B. Sá, "Memória analítica sobre o trabalho...", in M.C. Mendonça, *O intendente Câmara*, p.58-60.
53. Ibid., p.62.
54. Cf. F.I. Ferreira, *Repertório jurídico do mineiro*, p.67.
55. Cf. J.R. Brito, *Cartas econômico-políticas sobre a agricultura e comércio da Bahia*, p.81.
56. M.F.C.B. Sá, "Carta sobre a agricultura da Bahia", in op.cit. (n.55), p.96.
57. Ibid., p.97.
58. B.S. Lisboa, "Memória topográfica e econômica...", in *Memórias da Academia Real das Ciências de Lisboa*, p.170-1.
59. Ibid., p.170-4. Ver também F.N. Costa, "Representação... dirigida à rainha sobre a devastação...".
60. B.S. Lisboa, art.cit. (n.58), p.175-6.
61. Ibid., p.175-9.
62. P.F. Souza, *Legislação florestal*, 1ª parte, p.23.
63. F.W. Morton, "The royal timber trade in colonial Brazil".
64. Cf. ibid., p.50.
65. B.S. Lisboa, "Princípios da física vegetal" e "Descrição das árvores de construção...".
66. B.S. Lisboa, art.cit. (n.58), p.102 e 118.
67. Ibid., p.222, 154 e 196.
68. Ibid., p.160-3.
69. Ibid., p.176-7.
70. Ibid., p.162.
71. Ibid., p.222 e 183.
72. Ibid., p.182.
73. Cf. B.S. Lisboa, "Ofício do ouvidor da comarca de Ilhéus...", ABN 36, p.109, e S. Miller, op.cit. (n.50), p.56.
74. B.S. Lisboa, art.cit. (n.58), p.220.
75. Ibid., p.181, 222, 122 e 182.

76. Cf. P.F. Souza, op.cit. (n.62), p.30.
77. J.S.B. Aciolli, "Memória sobre a plantação dos algodões", OAIN 1, p.33.
78. Ibid., p.29 e 35.
79. J.S.B. Aciolli, "Observações sobre o plano feito para a conservação das matas...", MBN n.22, 1, 9, p.292-3.
80. Idem.
81. Ibid., p.291, 296 e 297.
82. Ibid., p.296-7.
83. B.S. Lisboa, "Crítica à reputação do plano dos cortes de madeira", MBN n.34, 3, 6, p.1, 3 e 22.
84. Ibid., p.5-8.
85. Ibid., p.15.
86. Cf. R.S. Coutinho, "Ofício de 24 de novembro...".
87. Cf. M.F.C.B. Sá, "Carta do intendente das minas ... para d. Rodrigo de Sousa Coutinho...".
88. M.J.S. Melo, *Novo método de fazer açúcar*, p.VII-IX.
89. Ibid., p.31.
90. Ibid., p.X-XI.
91. Cf. M.C.P. Almeida, *Ensaio sobre o fabrico do açúcar*, p.8, e M.B. Nizza da Silva, "Os senhores de engenho e a cultura científica".
92. J.V. Couto, "Memória sobre a capitania de Minas Gerais", RIHGB 11, p.289-320.
93. Cf. ibid., 320-5.
94. Ibid., 319.
95. Ibid., 319-20.
96. Ibid. p.320.
97. Cf. Cf. A. Clayre (org.), *Nature and Industrialization*.
98. J.V. Couto, *Memória sobre as minas da capitania de Minas Gerais*, p.110-1.
99. J.G.M. Navarro, *Discurso*, p.8-10.
100. Ibid., p.10-3.
101. Ibid., p.13.
102. Idem.
103. A.R.V. Oliveira, *Memória sobre o melhoramento da província de São Paulo*, p.1-2.
104. Ibid., p.12-83 e A.R.V. Oliveira, "Memória sobre a agricultura no Brasil", RIHGB 36, p.126.
105. A.R.V. Oliveira, art.cit. (n.104), p.96-9.
106. Ibid., p.112-3, 127 e 182.
107. Ibid., p.96, 115-8.
108. A.R.V. Oliveira, op.cit. (n.103), p.4.
109. Ibid., p.11.
110. Ibid., p.27-8, 73 e 11.
111. A.R.V. Oliveira, art.cit. (n.104), p.100.
112. A.R.V. Oliveira, op.cit. (n.103), p.9, 30 e 54.
113. J.S.M. Costa, "Memória sobre a necessidade...", in G. Salgado, *Memórias sobre a escravidão*, p.15-9.
114. Ibid., p.21 e 27.
115. Para esta citação e a próxima, ibid., p.31 e 30.
116. Para este parágrafo e o seguinte, ibid., p.30-3.
117. Ibid., p.33.

Capítulo 3 — A profecia dos desertos da Líbia: Conservação da natureza e construção nacional no pensamento de José Bonifácio

1. Cf. J.M.L. Coelho, "Elogio histórico de José Bonifácio de Andrada e Silva", in E.C. Falcão (org.), *Obras científicas, políticas e sociais de José Bonifácio de Andrada e Silva*, vol.III, p.337.
2. Cf. E. Cassirer, *La philosophie des Lumiéres*, p.41.
3. J.B.A. Silva, "Memória sobre a pesca das baleias", in op.cit. (n.1), p.31.
4. R. Grove, *Green Imperialism*, p.164.
5. J.-M. Drouin, *L'Ecologie et son histoire*, p.35.
6. J.B.A. Silva, "Memória sobre a necessidade e a utilidade do plantio...", in op.cit. (n.1), p.229.
7. R. Grove, op.cit. (n.4), p.168.
8. J.B.A. Silva, "Representação...sobre a escravatura", in *Obra política de José Bonifácio*, p.168.
9. Cf. J.B.A. Silva, "Extratos da obra de Humboldt", MIHGB n.71, 2/4.
10. E.J.S. Maia, *Elogio histórico do ilustre José Bonifácio*, p.24.
11. Cf. J. Radkau, "Wood and forestry in German history".
12. J.B.A. Silva, art.cit. (n.6), p.166.
13. M.A. Porto-Alegre, *A destruição das florestas*, p.74.
14. J.B.A. Silva, art.cit. (n.3), p.29.
15. Ibid., p.30-1.
16. Ibid., p.35.
17. Idem.
18. Cf. K. Thomas, *Man and the Natural World*, p.176, e R. Nash, *The Rights of Nature*, p.22-5.
19. J.B.A. Silva, art.cit. (n.3), p.39 e 43.
20. Ibid., p.43-4.
21. J.B.A. Silva, art.cit. (n.6), p.172.
22. Cf. V. Carter e T. Dale, *Topsoil and Civilization*; J. Roszka, *Euphrates and Tigris*; e J.D. Hughes, *Pan's Travail*.
23. J.B.A. Silva, art.cit. (n.6), p.186.
24. Ibid., 174.
25. J.B.A. Silva, "Carta ao conde de Funchal", in M. Dohlnikoff (org.) *José Bonifácio de Andrada e Silva*, p.168.
26. Para estas citações e a seguinte, J.B.A. Silva, art.cit. (n.6), p.176.
27. Ibid., p.174 e 178.
28. Ibid., p.177-8.
29. Ibid., p.180-4.
30. H. Vianna, "José Bonifácio no arquivo do Instituto Histórico", RIHGB 260.
31. J.B.A. Silva, art.cit. (n.25), p.170-2.
32. O.T. Sousa, *José Bonifácio*, p.62.
33. J.B.A. Silva, "Discurso histórico perante a Academia Real das Ciências de Lisboa", in op.cit. (n.1), p.472.
34. Ibid., p.473.
35. H. Vianna, art.cit. (n.30), p.300.
36. O.T. Sousa, op.cit. (n.32), p.69.
37. J.B.A. Silva, "Viagem mineralógica na província de São Paulo", in op.cit. (n.1), p.505, 512 e 530.

38. Ibid., p.507.
39. Ibid., p.523.
40. Idem.
41. Ibid., p.516 e 530.
42. J.B.A. Silva, art.cit. (n.8), p.90-1.
43. J.B.A. Silva, "Lembranças e apontamentos do governo provisório...", in op.cit. (n.8), p.19.
44. J.B.A. Silva, art.cit. (n.8), p.97.
45. J.B.A. Silva, "Memória econômica e metalúrgica...", in F. Varnhagem, *História geral do Brasil*, p.208.
46. J.B.A. Silva, "Apontamentos para a civilização dos índios...", in op.cit. (n.8), p.75.
47. Cf. Marshall Sahlins, *Stone Age Economics.*
48. Para esta citação e as seguintes, J.B.A. Silva, art.cit. (n.46), p.74 e 79.
49. J.B.A. Silva, art.cit. (n.8), p.132.
50. Ibid., p.95.
51. Ibid., p.103.
52. Ibid., p.93.
53. Idem.
54. J.B.A. Silva, "Considerações sobre o Brasil, as mulheres e os índios".
55. J.B.A. Silva, "Necessidade de uma Academia de Agricultura no Brasil", in op.cit. (n.8), p.35.
56. Ibid., p.37-8.
57. Ibid., p.36.
58. Ibid., p.21 e 41.
59. Para esta citação e as seguintes, J.B.A. Silva, art.cit. (n.55), p.41.
60. Entrevista publicada no jornal *O Tamoio* 5, em 1823. Reproduzida em O.T. Sousa, op.cit. (n.32).
61. J.B.A. Silva, art.cit. (n.55), p.42.
62. Ibid., p.42-3.
63. Ibid., p.42.
64. Ibid., p.44 e J.B.A. Silva, art.cit. (n.8), p.94.
65. J.B.A. Silva, art.cit. (n.43), p.21.
66. J.B.A. Silva, art.cit. (n.8), p.94.
67. J.B.A. Silva, art.cit. (n.43), p.21.
68. J.B.A. Silva, art.cit. (n.55), p.37.
69. Cf. J.B.A. Silva, "Pensamentos sobre o trabalho, o luxo e a desnecessidade do comércio externo para o Brasil".
70. J.B.A. Silva, art.cit. (n.54).
71. Cf. I. Lustosa, *Insultos impressos*, cap.6.
72. Para esta citação e a seguinte, J.B.A. Silva, "Discurso na Câmara dos Deputados...", in op.cit. (n.8), p.21.

Capítulo 4 — "Mais inconseqüentes que os selvagens da Lusiana": As associações imperiais e a vertente não-abolicionista da crítica ambiental no Brasil monárquico

1. M.A. Porto-Alegre, *Brasilianas*, p.78, 81.
2. D. Antunes, *O pintor do romantismo*, p.38.

3. M.A. Porto-Alegre, op.cit. (n.1), p.77.
4. Ibid., p.80, 79.
5. Ibid., p.77-8.
6. Ibid., p.82.
7. Ibid., p.83.
8. T.P.S. Brasil, *A necessidade de conservação das matas e da arboricultura*, p.61.
9. M.A. Porto-Alegre, op.cit. (n.1), p.4.
10. E.V. Costa, *Da monarquia à república*, p.87-95.
11. M.A. Porto-Alegre, op.cit. (n.1), p.72.
12. Ibid., p.45, 46 e 76.
13. J.B.A. Silva, "Representação...sobre a escravatura", in *Obra política de José Bonifácio*, p.95.
14. M.C. Mendonça, *O intendente Câmara*, p.264.
15. P.F. Souza, *Legislação florestal*, 1ª parte, p.90.
16. B.S. Lisboa, "Biografia do conselheiro Balthazar da Silva Lisboa", RIHGB 2, p.390.
17. Cf. P. Calmon, "Baltasar da Silva Lisboa".
18. B.S. Lisboa, *Riqueza do Brasil em madeiras de construção e carpintaria*, p.7.
19. B.S. Lisboa, *Anais do Rio de Janeiro*, vol.IV, p.152, 157.
20. Ibid., vol.I, p.401 e vol.IV, p.198.
21. Ibid., vol.III, p.288-90.
22. Ibid., p.291, 294.
23. Ibid., vol.IV, p.14, 15.
24. Cf. I. Lustosa, *Insultos impressos*.
25. Cf. M. Guimarães, "Nação e civilização nos trópicos".
26. J.C. Barboza, "Discurso sobre o abuso...", OAIN 10, p.17-20.
27. Ibid., p.20-3 e 18.
28. Ibid., p.18-9.
29. Para esta citação e a seguinte, ibid., p.19 e 22.
30. J.C. Barboza, art.cit. (n.26), p.19-20.
31. Ibid., p.21-2.
32. Ibid., p.22, 23 e 19.
33. C. Gestas, "Memórias sobre os abusos...", OAIN 1, p.15.
34. Ibid., p.16 e 24.
35. Ibid., p.25.
36. R.C. Mattos, *Corografia histórica*, p.263.
37. Ibid., p.264.
38. R. Grove, *Green Imperialism*, p.304 e 382.
39. E.J.S. Maia, *Discurso sobre os males que tem produzido no Brasil...*, p.1.
40. Cf. E.J.S. Maia, *Elogio histórico do ilustre José Bonifácio*.
41. E.J.S. Maia, op.cit. (n.39), p.6.
42. Ibid., p.4
43. Ibid., p.4, 6 e 7.
44. Ibid., p.7-10.
45. Ibid., p.6 e 11.
46. Ibid., p.1.
47. Cf. L. Kury, "Entre nature et civilization", *Cahiers du Centre de Recherches Historiques*, p.109-11.

48. Cf. R. Dominick, *The Environmental Movement in Germany*, p.22.
49. Cf. A. Bramwell, *Ecology in the 20th Century*.
50. E.J.S. Maia, op.cit. (n.39), p.2 e 8-10.
51. Ibid., p.12.
52. Cf. F.F.A. Cisneiros, "Caça que existiu..." e "Nota sobre uma derrubada nas matas...".
53. F.F.A. Cisneiros, "Discurso no aniversário da Academia Imperial de Medicina", *RMF* 4, p.291.
54. F.F.A. Cisneiros, "Apontamentos que poderão servir...", *TSV*, p.55.
55. F.F.A. Cisneiros, "Carta a Augustin de Saint-Hilaire"*ABN* vol.81, p.138.
56. Para esta citação e a seguinte, F.F.A. Cisneiros, art.cit. (n.53), p.291 e 292.
57. Ibid., p.292-3.
58. Ibid., p.293.
59. J.S. Gama, "Biografia e apreciação...", *RIHGB* 38, p.80.
60. F.F.A. Cisneiros, "Sentimento da gente do Ceará para com os estrangeiros", *ABN* 81, p.317.
61. Cf. F.F.A. Cisneiros, "Apontamento sobre a conservação...", *ABN* 81.
62. F.F.A. Cisneiros, "Tentativa duma história das florestas...", *ABN* 81, P.177.
63. F.F.A. Cisneiros, art.cit. (n.54), p.53.
64. F.F.A. Cisneiros, "Questões propostas...", *TSV*, p.79.
65. F.L.C. Burlamaque, "Qual é a causa do enfumaçamento...", *TSV*, p.81.
66. F.F.A. Cisneiros, "Questão do nevoeiro ou enfumaçado...", *TSV*, p.106.
67. Cf. F.F.A. Cisneiros, "Memória sobre as plantas aclimatadas no Brasil".
68. F.F.A. Cisneiros, "Relatório da seção botânica", *Trabalhos da Comissão Científica de Exploração*, p.269.
69. F.F.A. Cisneiros, "Ofício sobre a praga que devasta...", in A.C. Fonseca, *Tratado da cultura do algodoeiro no Brasil*, p.107-9.
70. Cf. F.F.A. Cisneiros et al., *Breve notícia sobre a coleção das madeiras do Brasil*.
71. W. Dean, *With Broadax and Firebrand*, p.403.
72. A.M. Sousa, "Reflexões sobre a escravatura das fazendas do Brasil", *OAIN* 1, p.185.
73. A.M. Sousa, *Viagens e observações*, p.8-23.
74. A.M. Sousa, *Máximas e pensamentos...*, p.7, 3, 19 e 8.
75. A.M. Sousa, op.cit. (n.73), p.30.
76. Ibid., p.92 e 31.
77. Ibid., p.24 e 77.
78. Ibid., p.78-9.
79. Ibid., p.77.
80. Ibid., p.77 e 103.
81. Ibid., p.38 e 91-167.
82. A.M. Sousa, art.cit. (n.72), p.186.
83. A.M. Souza, op.cit. (n.73), p.90.
84. Ibid., p.80.
85. Ibid., p.79 e 185.
86. I.A.C. Silva, "Dissertação histórica, etnográfica...", *RIHGB* 11, p.143.
87. Ibid., p.169.
88. Ibid., p.176.
89. Ibid., p.165.
90. Cf. J. Alves, *História das secas*.

91. R. Braga, *História da Comissão Científica de Exploração*, p.37 e 17.
92. Ibid., p.49.
93. Ibid., p.52.
94. A.J.M. Moraes, *A vida e a morte do exmo. sr. conselheiro...*, p.18.
95. Cf. F.L.C. Burlamaque, *Aclimatação do dromedário nos sertões do norte do Brasil*, p.5, 82 e 86, e M.A. Villa, *Vida e morte no sertão*, p.35.
96. T.P.S. Brasil, *A necessidade da conservação das matas e da arboricultura*, p.61.
97. Ibid., p.64.
98. Ibid., p.65.
99. Ibid., p.88.
100. Ibid., p.63-4.
101. Ibid., p.91 e 88.
102. Ibid., p.100.
103. T.P.S. Brasil, *Memória sobre o clima e as secas do Ceará*, p.39.
104. Ibid., p.42.
105. J. Alves, op.cit. (n.90), p.103.
106. Cf. G.S. Capanema, *Apontamentos sobre as secas do Ceará*, p.18, 20, 14 e 8.
107. G.S. Capanema, *Decomposição dos penedos no Brasil*, p.22.
108. Ibid., p.34.
109. J.P.D. Vieira, *Relatório apresentado à Assembléia Legislativa Provincial do Amazonas*, p.16-7. O levantamento de Victor Leonardi faz parte de *Os historiadores e os rios*.
110. Cf. R. Braga, *História da Comissão Científica de Exploração*, p.27 e 87.
111. J.M.S. Coutinho, *Relatório sobre alguns lugares...*, p.64.
112. Ibid., p.65-6.
113. G.S. Capanema, *Agricultura: fragmentos de um relatório...*, p.22.
114. W. Dean, *A luta pela borracha no Brasil*, p.34 e 74.
115. M.A. Pimenta Bueno, "Indústria extrativa: a borracha", RAIIFA vol.13, p.101.
116. Ibid., p.102.
117. J.M.S. Coutinho, *Breve notícia...*, apud V. Leonardi, op.cit. (n.109), p.70.
118. J.M.S. Coutinho, "Sobre as tartarugas do Amazonas", *Terra das Águas* vol.1, n.2, p.253.
119. Ibid., p.254.
120. Ibid., p.256 e 259.
121. D.S.F. Penna, "A região ocidental da província do Pará", in *Obras completas*, p.289.
122. Ibid., p.290-1.
123. D.S.F. Penna, "O Tocantins e o Anapu", in op.cit. (n.121), p.115-26.
124. Ibid., p.139-42.
125. Ibid., p.142-4.
126. Para esta citação e as seguintes, G. Capanema, op.cit. (n.113), p.20 e 22.
127. Ibid., p.20-1.
128. Ibid., p.20-3.
129. Segundo um obituário publicado na *Revista Agrícola*, Miguel Antônio da Silva morreu "tendo sempre ao seu lado o retrato do nosso grande amigo e mestre Dr. Capanema". (Cf. L.L., "Notícia resumida...", RAIIFA vol.11, n.1, p.86)
130. Anônimo, "Agricultura nacional", RAIIFA vol.10, n.1, p.3-4.
131. J. Nabuco, *Obras completas*, vol.12, p.35.
132. Anônimo, "Roteamentos e sua importância", RAIIFA vol.6, n.1, p.27.
133. Ibid., p.29.
134. Idem.

135. Ibid., p.30-3.
136. Ibid., p.36-7.
137. Anônimo, art.cit. (n.130), p.141-2.
138. N.J. Moreira, "Florestas: sua influência", RAIIFA vol.13, n.1, p.183-4.
139. J.S. Gama, "Relatório sobre o Congresso Internacional dos Agrônomos", RAIIFA vol.5, n.1, p.103-4.
140. Anônimo, "Arborização", RAIIFA vol.9, n.4, p.155.
141. P.S. Caldeira, *O corte do mangue*, p.3.
142. P.S. Caldeira, *Questões de higiene e alimentação*, p.176.
143. P.S. Caldeira, op.cit. (n.141), p.5.
144. Ibid., p.6, 8, 29 e 33.
145. Ibid., p.40-1.
146. Ibid., p.23.
147. Ibid., p.7-8, 23 e 34-5.
148. Ibid., p.37-8.
149. Ibid., p.40.
150. P.S. Caldeira, op.cit. (n.142), p.5, 162, 75 e 130.
151. Sobre esse tema foram publicados alguns bons trabalhos nos últimos anos. Ver por exemplo M. Abreu, "A cidade, a montanha e a floresta"; C. Heynemann, *Floresta da Tijuca*; e J.A. Drummond, *Devastação e preservação ambiental no Rio de Janeiro*.
152. M. Abreu, art.cit. (n.151), in M. Abreu (org.), *Natureza e sociedade no Rio de Janeiro*, p.63.
153. D. Antunes, *O pintor do romantismo*, p.37.
154. Cf. C. Heynemann, op.cit. (n.151).
155. J. Alencar, *Diva*, in *Obras completas*, p.494.
156. J. Alencar, "Carta a Machado de Assis", in op.cit. (n.155), p.932.
157. J. Alencar, "Cartas sobre a confederação dos tamoios", in op.cit. (n.155), p.865.
158. L.P.C. Ferraz, *Relatório apresentado à Assembléia Legislativa pelo ministro...*, p.23.
159. M.A. Silva, "Silvicultura brasileira", RAIIFA n.4, p.29.
160. Ibid., p.31-2.
161. L.P.C. Ferraz, "Relatório do Imperial Instituto Fluminense de Agricultura", RAIIFA n.17, p.21.
162. Ibid., p.21-2.
163. L.P.C. Ferraz, "Relatório do Imperial Instituto Fluminense de Agricultura", in *Relatório apresentado à Assembléia Legislativa pelo ministro...*, p.24.
164. J. Alencar, *Sonhos d'ouro*, in op.cit. (n.155), p.730-1.

Capítulo 5 — "Um fluido pesado, fatal ao homem e à natureza": O problema da agricultura e a vertente abolicionista da crítica ambiental no Brasil monárquico

1. F.L.C. Burlamaque, "Memória analítica...", in G. Salgado (org.), *Memórias sobre a escravidão*, p.103.
2. Ibid., p.103, 105, 110 e 142.
3. Ibid., p.104 e 176.
4. Ibid., p.151-2.
5. Para esta citação e a próxima, ibid., p.158.

6. Ibid., p.158, 159 e 165.
7. Ibid., p.190 e 195.
8. Ibid., p.178 e 208.
9. Ibid., p.192.
10. Cf. J.M. Carvalho, "Escravidão e razão nacional", *Dados* 31, n.3, p.299.
11. Cf. H.V. Oliveira, *A substituição do trabalho dos escravos...*, p.3.
12. J.M. Carvalho, *Teatro de sombras*, p.299-300.
13. M.A. Porto-Alegre, "Plano para a gradual extinção...", *Estante Clássica da Revista de Língua Portuguesa*, vol.XIII, p.127 e 131.
14. M.C.P. Almeida, *Ensaio sobre o fabrico de açúcar*, p.13.
15. Ibid., p.8 e 21. Também na *Memória sobre a cultura do tabaco*, de 1835, o autor afirma ser incapaz de deplorar o fim do tráfico, mesmo que esse fosse um dos responsáveis pela queda na produção baiana, na medida em que ocasionou a perda do mercado africano para o tabaco de má qualidade. (Cf. p.26-7.)
16. M.C.P. Almeida, op.cit. (n.14), p.5, 6, 17, 24 e 25.
17. Ibid., p.45, 54, 56, 71 e 100.
18. Ibid., p.105.
19. Ibid., p.88-92.
20. Ibid., p.92-3.
21. Ibid., p.93. Calmon menciona a plantação do algodoeiro e da mandioca, mas diferenciava a lavoura do tabaco, já que essa não requeria grandes desmatamentos. Seu espaço ideal era o campo aberto sombreado por algumas árvores e fertilizado com estrume animal. A cultura devia ser conjugada, portanto, com a criação de bois, ovelhas e cavalos. (Cf. *Memória sobre a cultura do tabaco*, p.15.)
22. M.C.P. Almeida, op.cit. (n.14), p.94-8.
23. C. Taunay, *Manual do agricultor brasileiro*, p.5-6.
24. Ibid., p.7-8.
25. Ibid., p.37 e 96.
26. Ibid., p.96.
27. Idem.
28. Ibid., p.88 e 96.
29. Ibid., p.2.
30. Idem.
31. Ibid., p.2 e 5.
32. Ibid., p.25.
33. J.A. Drummond, *Devastação e preservação ambiental no Rio de Janeiro*, p.36-7.
34. F.L. Werneck, *Memória sobre a fundação e custeio de uma fazenda na província do Rio de Janeiro*, p.59-60.
35. Ibid., p.58, 59, 62, 66 e 70.
36. Ibid., p.60.
37. Idem.
38. E. Silva, *Barões e escravidão*, p.144.
39. A.R. Cunha, *Arte da cultura e preparação do café*, p.29 e 47.
40. G.S. Capanema, *Agricultura*, p.2.
41. Ibid., p.3.
42. Ibid., p.4.
43. Ibid., p.3, 5 e 9.
44. Ibid., p.1, 5, 7 e 8.

45. Ibid., p.16.
46. C.R. Pacova, *Apontamentos sobre a necessidade de uma escola de agricultura*, p.3, 11 e 13.
47. Ibid., p.11-4.
48. Ibid., p.15-6.
49. Ibid., p.17-9.
50. Ibid., p.11-4.
51. N.J. Moreira, *Indicações agrícolas para os imigrantes...*, p.6.
52. Para esta citação e as seguintes, M.A. Silva, "Agricultura nacional", RAIIFA vol.8, n.4, p.134.
53. Congresso Agrícola, *Coleção de documentos*, p.2.
54. M.R. Val, "Discurso", in Congresso Agrícola, op.cit. (n.53), p.163.
55. Ibid., p.163-4.
56. Ibid., p.164.
57. Ibid., p.161-3.
58. Ibid., p.71, 198, 53 e 231.
59. S. Stein, *Vassouras, a Brazilian Coffee County*, p.224.
60. L.C. Azevedo, "Da cultura do café", in F.L. Werneck, op.cit. (n.34), p.198 e 188.
61. Ibid., p.193.
62. Ibid., p.187 e 224.
63. Ibid., p.195 e 224.
64. J.S. Gama, "Relatório sobre o Congresso Internacional dos Agrônomos", RAIIFA vol.5, n.1, p.101.
65. N.J. Moreira, "Empobrecimento do solo por falta de capitais", OAIN n.1, p.244-5.
66. N.J. Moreira, "Fertilidade do solo", RAIIFA vol.17, p.227-8.
67. J.M. Alier e K. Schlupmann, *La economia y la ecologia*, p.56.
68. D.G. Martins, "A situação agrícola da província da Bahia em 1870", RAIIFA n.8, p.10.
69. N.J. Moreira, op.cit. (n.51), p.6.
70. Ibid., p.8-10.
71. Ibid., p.9.
72. N.J. Moreira, "Breve notícia sobre a cultura do algodão na província do Maranhão", RAIIFA vol.15, n.1, p.140.
73. F.L.C. Burlamaque e N.J. Moreira, *Catecismo da agricultura*, p.2.
74. Ibid., p.18-20.
75. J. Nabuco, *Cartas aos abolicionistas ingleses*, p.14.
76. D.G. Martins, "Relatório sobre a Primeira Exposição Agrícola...", RAIIFA vol.2, n.9, p.23.
77. A. Rebouças, *Garantia de juros*, p.147, para esta citação e a próxima.
78. A. Rebouças, *Ao Itatiaia*, p.46.
79. A. Rebouças, *Agricultura nacional*, p.141.
80. Ibid., p.14, 15 e 75.
81. Ibid., p.48 e 86.
82. A. Rebouças, op.cit. (n.78), p.6, 73 e 90.
83. A. Rebouças, op.cit. (n.79), p.48, 87 e 142.
84. Ibid., p.234.
85. Idem.
86. Ibid., p.29.
87. A. Rebouças, op.cit. (n.78), p.28.
88. A. Rebouças, op.cit. (n.79), p.141.
89. Ibid., p.125 e 140-1.

90. Ibid., p.80, 70 e 14.
91. A. Rebouças, op.cit. (n.78), p.28-9.
92. A. Rebouças, op.cit. (n.79), p.30 e 118.
93. Ibid., p.55 e 142.
94. A. Rebouças, op.cit. (n.78), p.10-5.
95. A. Rebouças, op.cit. (n.79), p.102-3.
96. Ibid., p.56 e 253.
97. A. Rebouças, op.cit. (n.77), p.187.
98. A. Rebouças, op.cit. (n.79), p.13-4.
99. A. Rebouças, *Abolição imediata e sem indenização*, p.35.
100. A. Rebouças, *Excursão ao Salto do Guaíra*, p.70.
101. Ibid., p.73.
102. J. Nabuco, *Obras completas*, vol.11, p.266.
103. Para esta citação e a próxima, J. Nabuco, *A escravidão*, p.66.
104. E.C. Mello, "O caráter orgânico da escravidão", *Folha de S. Paulo*, 12.12.1999.
105. J. Nabuco, op.cit. (n.102), vol.7, p.53, 228 e 286.
106. J. Nabuco, *O abolicionismo*, p.120 e 111.
107. Ibid., p.111.
108. Ibid., p.111, 112, 116 e 120.
109. Ibid., p.114-5.
110. Ibid., p.118 e 115.
111. Ibid., p.112-4 e 117.
112. Ibid., p.113, 114, 117 e 120.
113. Ibid., p.120.
114. Ibid., p.118 e 123.
115. J. Nabuco, op.cit. (n.102), vol.11, p.265.
116. Ibid., p.275 e 283.
117. Ibid., p.275, 282 e 283.
118. Ibid., p.183.
119. J. Nabuco, *Discursos parlamentares*, p.503 e 486.
120. Ibid., p.455 e 466.
121. Apud M.A. Rezende de Carvalho, *O quinto século*, p.204-5 e 224-5.
122. J. Nabuco, op.cit. (n.103), p.105-6.
123. Apud M.A. Rezende de Carvalho, op.cit. (n.121), p.206.
124. Cf. J.A. Pádua, "500 anos de destruição ambiental no Brasil", *Série Técnica*, vol.V, p.14-7.

Considerações finais

1. Cf. S. Hays, *Conservation and the gospel of eficiency*.
2. D. Weiner, *Models of Nature*, p.8-14.
3. A. Torres, *A organização nacional*, p.174-5. A respeito da *Raubwirtschaft*, ver Cf. J. Raumolin, "L'Homme et la destruction des ressources naturelles".
4. Para uma análise inicial das críticas ambientais na República Velha, inclusive focalizando de maneira mais detalhada as idéias de Alberto Torres, ver J.A. Pádua, "Natureza e projeto nacional".

Bibliografia

Abreviaturas:

ABN	Anais da Biblioteca Nacional
ABEF	Anuário Brasileiro de Economia Florestal
OAIN	O Auxiliador da Indústria Nacional
DISP	Documentos Interessantes para a História e Costumes de São Paulo
MAHU	Manuscrito do Arquivo Histórico Ultramarino de Lisboa
MAN	Manuscrito do Arquivo Nacional
MBN	Manuscrito da Biblioteca Nacional
MIHGB	Manuscrito do Instituto Histórico e Geográfico Brasileiro
MMA	Manuscrito do Museu Amazônico
MMP	Manuscrito do Museu Paulista
RAIIFA	Revista Agrícola do Imperial Instituto Fluminense de Agricultura
RIHGB	Revista do Instituto Histórico e Geográfico Brasileiro
RMF	Revista Médica Fluminense
TSV	Trabalhos da Sociedade Vellosiana

I. Autores brasileiros e portugueses até 1888 (manuscritos, artigos e livros)

ACIOLLI, José de Sá Bittencourt e. "Memória sobre a plantação dos algodões", *OAIN* n.1/1844, 1884 [1797].

______. (atribuído a). "Observações sobre o plano feito para a conservação das matas da capitania da Bahia", Rio de Janeiro, *MBN* n.22, 1, 9, 1799.

______. "Memória sobre a viagem ao terreno nitroso", *OAIN*, n.3 e 4/1845, 1845 [1800].

ALENCAR, José de. "Cartas sobre a Confederação dos Tamoios", in *Obras completas*, Rio de Janeiro, Aguilar, 1960 [1856].

______. "Diva", in *Obras completas*, Rio de Janeiro, Aguilar, 1959[1864].

______. *Ao imperador. Novas cartas de Erasmo*, Rio de Janeiro, 1867.

______. "Carta a Machado de Assis", in *Obras completas*, Rio de Janeiro, Aguilar, 1960 [1868].

______. "Sonhos d'ouro", in *Obras completas*, Rio de Janeiro, Aguilar, 1959 [1872].

ALMEIDA, Miguel Calmon du Pin e. *Ensaio sobre o fabrico do açúcar*, Salvador, 1834.

______. *Memória sobre a cultura do tabaco*, Salvador, 1835.

ANÔNIMO. "Roteamentos e sua importância", RAIIFA vol.6, n.1, 1875.

ANÔNIMO. "Arborização", RAIIFA vol.9, n.4, 1878.

ANÔNIMO. "Agricultura nacional. Congresso Agrícola do Rio de Janeiro", RAIIFA vol.10, n.1, 1879.

ANÔNIMO, "Silvicultura", RAIIFA vol.10, n.4, 1879.

ANTONIL, André João. *Cultura e opulência do Brasil por suas drogas e minas*, São Paulo, Melhoramentos, 1976 [1711].

AZEREDO COUTINHO, José Joaquim da Cunha de. "Ensaio econômico sobre o comércio de Portugal e de suas colônias", in *Obras econômicas de J.J. da Cunha de Azeredo Coutinho*, São Paulo, Nacional, 1966 [1816].

______. "Discurso sobre o estado atual das minas do Brasil", in *Obras econômicas de J.J. da Cunha de Azeredo Coutinho*, São Paulo, Nacional, 1966 [1804].

AZEVEDO, Joaquim A. de. "Relatório da Associação Brasileira de Aclimação", RAIIFA vol.5, n.1, 1875.

Azevedo, Luiz Corrêa de. "A poda e o arado na lavoura do café no município Cantagalo", OAIN, n.9, 1877.

______. "Da cultura do café", in Francisco de Lacerda Werneck, *Memória sobre a fundação e custeio de uma fazenda na província do Rio de Janeiro*, Brasília, Senado Federal, 1985 [1877].

BARBOZA, Januário da Cunha. "Discurso sobre o abuso das derrubadas de árvores em lugares superiores de vales, e sobre o das queimadas", OAIN n.10, 1833.

BRANDÃO, Ambrósio Ferreira (atribuído a). *Diálogos das grandezas do Brasil*, São Paulo, Melhoramentos, 1977 [1618].

BRASIL, Tomás Pompeu de Souza. *A necessidade da conservação das matas e da arboricultura*, Fortaleza, 1860.

______. *Memória sobre o clima e as secas do Ceará*, Rio de Janeiro, 1877.

BRITO, João Rodrigues de. *Cartas econômico-políticas sobre a agricultura e comércio da Bahia*, Lisboa, 1821.

Burlamaque, Frederico Leopoldo César. "Memória analítica acerca do comércio dos escravos e acerca dos males da escravidão doméstica", in Graça Salgado (org.), *Memórias sobre a escravidão*, Brasília, Arquivo Nacional, 1988 [1837].

______. "Qual é a causa do enfumaçamento da atmosfera do Rio de Janeiro em certa época do ano", Rio de Janeiro, TSV, 1855 [1851].

______. *Aclimatação do dromedário nos sertões do norte do Brasil*, Rio de Janeiro, 1857.

______ e Nicolau Joaquim MOREIRA. *Catecismo da agricultura*, Rio de Janeiro, 1870.

CALDEIRA, Pedro Soares. *O corte do mangue. Breves considerações sobre o antigo e atual estado da baía do Rio de Janeiro*, Rio de Janeiro, 1884.

______. *Questões de higiene e de alimentação*, Rio de Janeiro, 1889.

CÂMARA, Manuel Arruda da. "Cartas a Rodrigo de Sousa Coutinho", in José Antônio Gonsalves de Mello (org.), *Obras reunidas de Manuel Arruda da Câmara*, Recife, Fundação de Cultura, 1982 [1797].

______. "Memória sobre a cultura dos algodoeiros", in José Antônio Gonsalves de Mello (org.), *Obras reunidas de Manuel Arruda da Câmara*, Recife, Fundação de Cultura, 1982 [1799].

______. "Ofício sobre a almécega e a carnaúba", in José Antônio Gonsalves de Mello (org.), *Obras reunidas de Manuel Arruda da Câmara*, Recife, Fundação de Cultura, 1982 [1809].

______. "Discurso sobre a utilidade da instituição de jardins nas principais províncias do Brasil", in José Antônio Gonsalves de Mello (org.), *Obras reunidas de Manuel Arruda da Câmara*, Recife, Fundação de Cultura, 1982 [1810].

CAMINHA, Pero Vaz de. *A carta de Pero Vaz de Caminha* (editada por Jaime Cortesão), Rio de Janeiro, Livros de Portugal, 1943 [1500].

CAPANEMA, Guilherme Schuch de. *Agricultura. Fragmentos de um relatório dos comissários brasileiros à Exposição Universal de Paris*, Rio de Janeiro, 1858.

______. *A decomposição dos penedos no Brasil*, Rio de Janeiro, 1866.

______. *Apontamentos sobre as secas do Ceará*, Rio de Janeiro, 1878.

______. *Reflexões sobre a geografia do Brasil e sua necessidade*, São Paulo, 1902.

CISNEIROS, Francisco Freire Alemão. "*Discurso no aniversário da Academia Imperial de Medicina*", *RMF*, n.4, 1836.

______. "Caça que existiu, ou que ainda existe, nos matos verdes de Campo Grande", Rio de Janeiro, *MBN* n.I-28, 9, 48, 1845.

______. "Tentativa duma história das florestas da província do Rio de Janeiro", *ABN* vol.81, 1961 [1849].

______. "Apontamento sobre a conservação e corte das madeiras de construção naval", *ABN* vol.81, 1961 [1849].

______. "Carta a Augustin de Saint-Hilaire em 23 de novembro de 1851", *ABN* vol. 81, 1961[1851].

______. "Apontamentos que poderão servir para uma história das árvores florestais do Brasil, especialmente do Rio de Janeiro", Rio de Janeiro, *TSV*, 1855 [1851].

______. "Questões propostas para serem discutidas por escrito sobre o 'enfumaçado' no Rio de Janeiro", Rio de Janeiro, *TSV*, 1855 [1851].

______. "Questão do nevoeiro ou enfumaçado da atmosfera do Rio de Janeiro", Rio de Janeiro, *TSV*, 1855 [1852].

______. "Notas sobre uma derrubada nas matas de Campo Grande", Rio de Janeiro, *MBN* n.I-28, 9, 70, 1856.

______. "Memória sobre as plantas aclimatadas no Brasil", *RIHGB* vol.19, 1856.

______. "Sentimento da gente do Ceará para com os estrangeiros", *ABN* vol.81, 1961 [1860].

______. "Relatório da seção botânica", in *Trabalhos da Comissão Científica de Exploração*, Rio de Janeiro, 1862.

______. "Ofício sobre a praga que devasta os nossos cafezeiros", in Antônio Caetano da Fonseca, *Tratado da cultura do algodoeiro no Brasil*, Rio de Janeiro, 1862.

____ et al. *Breve notícia sobre a coleção das madeiras do Brasil*, Rio de Janeiro, 1867.

COELHO, José João Teixeira. "Instrução para o governo da capitania de Minas Gerais", *RIHGB* vol.15, 1852 [1780].

CONGRESSO AGRÍCOLA. *Coleção de documentos*, Rio de Janeiro, Casa de Rui Barbosa, 1988 [1878].

COSTA, Francisco Nunes da. "Representação...dirigida à rainha sobre a devastação que estavam sofrendo as matas virgens", *ABN* vol.32, 1910 [1785].

______. "Ofício....para o governador da Bahia", *ABN* vol.34, 1914 [1789].

COSTA, João Severiano Maciel da. "Memória sobre a necessidade de abolir a introdução dos escravos africanos no Brasil", in Graça Salgado (org.), *Memórias sobre a escravidão*, Brasília, 1988 [1821].

COUTINHO, João Martins da Silva. *Relatório sobre alguns lugares da província do Amazonas, especialmente o rio Madeira*, Manaus, Codeama/IHGA, 1986 [1861].

______. *Breve notícia sobre a extração da salsa e da seringueira*, Documento anexo ao relatório apresentado na abertura da 2ª sessão da Assembléia Legislativa Provincial do Amazonas pelo dr. Sinval Odorico de Moura, Manaus, 1863.

______. "Gommes, résines et gommes-résines", Exposição Universal de Paris de 1867, *Rapports du jury international*, n.6, 1867.

______. "Sobre as tartarugas do Amazonas", *Terra das Águas. Revista de Estudos Amazônicos* vol.1, n.2, 1999 [1868].

COUTINHO, Rodrigo de Sousa. "Discurso sobre a verdadeira importância das minas dos metais preciosos na indústria das nações", in Academia das Ciências de Lisboa, *Memórias econômicas*, vol.I, Lisboa, 1990 [1789].

______. "Sistema político que mais convém que a nossa Coroa abrace para a conservação dos seus vastos domínios, particularmente dos da América" (1798), in Marcos Carneiro de Mendonça, *O intendente Câmara*, São Paulo, Companhia Editora Nacional, 1958.

______. "Ofício de 24 de novembro a Manoel Ferreira da Câmara, que vai para a Bahia, dando-lhe S. Majestade diversas missões a cumprir", Rio de Janeiro, *MAN* n.códice 807, vol.1, 1800.

COUTO, José Vieira. "Memória sobre a capitania de Minas Gerais", *RIHGB* vol.11, 1848 [1799].

______. "Memória sobre as minas da capitania de Minas Gerais", Rio de Janeiro, IHGB, 1842 [1801].

CUNHA, Augustinho Rodrigues. *Arte da cultura e preparação do café*, Rio de Janeiro, 1844.

DIAS, Antônio Gonçalves. "Os timbiras", in *Poesia completa e prosa escolhida*, Rio de Janeiro, Aguilar, 1959 [1857].

FERRAZ, Luiz Pedreira do Couto. *Relatório apresentado à Assembléia Legislativa pelo Ministro e Secretário de Estado dos Negócios do Império*, Rio de Janeiro, 1854.

______. *Relatório apresentado à Assembléia Legislativa pelo Ministro e Secretário de Estado dos Negócios do Império*, Rio de Janeiro, 1856.

______. "Relatório do Imperial Instituto Fluminense de Agricultura", in *Relatório do Ministério da Agricultura, Comércio e Obras Públicas*, anexo A, Rio de Janeiro, 1864.

______. "Relatório do Imperial Instituto Fluminense de Agricultura", in *Relatório apresentado à Assembléia Legislativa pelo Ministro e Secretário de Estado dos Negócios do Império*, anexo E, Rio de Janeiro, 1870.

______. "Relatório do Imperial Instituto Fluminense de Agricultura", *RAIIFA* n.17, 1873.

FERREIRA, Alexandre Rodrigues. "Estado presente da agricultura do Pará", Rio de Janeiro, *MBN* n.21, 1, 16, 1784.

______. *Viagem filosófica ao rio Negro*, Belém, Museu Goeldi, 1993 [1785-1788].

______. "Memória sobre a jurararetê", in *Viagem filosófica. Memórias de zoologia e botânica*, Brasília, Conselho Federal de Cultura, 1972 [1786].

______. "Memória sobre o peixe-boi", in *Viagem filosófica. Memórias de zoologia e botânica*, Brasília, Conselho Federal de Cultura, 1972 [1786].

______. "Prospecto filosófico e político da Serra de São Vicente", Rio de Janeiro, *MBN* n.21, 1, 37, 1790.

______. "Observações gerais e particulares sobre a classe dos mamíferos observados nos territórios dos três rios, das Amazonas, Negro e da Madeira", in *Viagem filosófica. Memórias de zoologia e botânica*, Brasília, Conselho Federal de Cultura, 1972 [1790].

FERREIRA, Francisco Ignácio. *Repertorio jurídico do mineiro*, Rio de Janeiro, 1884.

GAMA, José Saldanha da. "Relatório sobre o Congresso Internacional dos Agrônomos", *RAIIFA* vol.5, n.1, 1874.

______. "Biografia e apreciação dos trabalhos do botânico brasileiro Francisco Freire Alemão", RIHGB n.38, 1875.

______. *Discurso pronunciado em sessão pública e extraordinária do Instituto Politécnico*, Rio de Janeiro, 1882.

GESTAS, Conde de. "Memória sobre os abusos das derrubadas e cortes de madeiras", *OAIN*, n.1, 1836.

GUIMARÃES, Bernardo. *Poesias completas*, Rio de Janeiro, Instituto Nacional do Livro, 1959.

L.L. "Notícia resumida da vida do conselheiro dr. Miguel Antonio da Silva", *RAIIFA* vol.11, n.1, 1880.

LISBOA, Baltasar da Silva. *Discurso histórico, político e econômico dos progressos e estado atual da filosofia natural portuguesa, acompanhado de algumas reflexões sobre o Estado do Brasil*, Lisboa, 1786.

______. "Ofício do ouvidor da comarca dos Ilhéus...para d. Rodrigo de Sousa Coutinho, no qual lhe comunica uma interessante informação sobre a comarca dos Ilhéus...", *ABN* n.36, 1914 [1799].

______. *Riqueza do Brasil em madeiras de construção e carpintaria*, Rio de Janeiro, 1823.

______. "Memória topográfica e econômica da comarca dos Ilhéus", *História e memórias da Academia Real das Ciências de Lisboa*, tomo IX, Lisboa, 1825.

______. *Anais do Rio de Janeiro*, Rio de Janeiro, Editora Leitura, 1967 [1834-35].

______. "Ofício ao príncipe", *MBN* n.II-34, 2, 35, 1808.

______. "Observações sobre o plano dos cortes de madeira", Rio de Janeiro, *MBN* n.I-47, 35, 2, s/d.

______. "Crítica à refutação do plano dos cortes de madeira", Rio de Janeiro, *MBN* n.II-34, 3, 36, s/d.

______. "Princípios da física vegetal", *MBN* n.22, 1, 30, s/d.

______. "Descrição das árvores de construção pelos seus caracteres botânicos", *MBN* n.I-32, 12, 21, s/d.

LISBOA, Bento da Silva. "Biografia do conselheiro Balthazar da Silva Lisboa", *RIHGB* n.2, 1840.

LISBOA, José da Silva. "Carta muito interessante do advogado da Bahia...para o dr. Domingos Vandelli, diretor do Real Jardim Botânico", *ABN* vol.32, 1910 [1781].

______. *Estudos do bem comum*, Rio de Janeiro, Ipea, 1975 [1819].

MAGALHÃES, D. Gonçalves de. *Comentários e pensamentos*, Rio de Janeiro, 1880.

MAIA, Emílio Joaquim da Silva. *Discurso sobre os males que tem produzido no Brasil o corte das matas e sobre os meios de os remediar*, Rio de Janeiro, 1835.

______. *Elogio histórico do ilustre José Bonifácio*, Rio de Janeiro, 1838.

MALHEIRO, Perdigão. *A escravidão africana no Brasil*, São Paulo, Cultura, 1944 [1866].

MARTINS, Dionisio Gonçalves. "A situação agrícola da província da Bahia em 1870", *RAIIFA* n.8, 1871.

______. "Relatório sobre a Primeira Exposição Agrícola e Industrial em Juiz de Fora", *RAIIFA* vol.2, n.9, set 1871 .

______. "A mecânica agrícola na Exposição Universal de Paris de 1867", *RAIIFA* n.15, 1873.

MATTOS, Raymundo da Cunha. *Itinerário do Rio de Janeiro ao Pará e Maranhão pelas províncias de Minas Gerais e Goiás*, Rio de Janeiro, 1836.

______. *Corografia histórica da província de Minas Gerais*, Belo Horizonte, Itatiaia, 1981 [1837].

MELO, José Rodrigues de e Prudêncio do AMARAL. *Temas rurais do Brasil (De Rusticis Brasiliae Rebus)*, Ponta Grossa, Editora UEPG, 1997[1781].

MELO, Manoel Jacinto de Sampaio e. *Novo método de fazer açúcar*, Bahia, 1816.

Mendonça, Antônio Manuel de Mello Castro e. "Providências interinas para a conservação das matas e paus reais da costa desta capitania", DISP vol.43, n.44, 1915 [1799].

MIRANDA, José Antônio de. "Memória constitucional e política sobre o estado presente de Portugal e do Brasil", in *O debate político no processo da Independência*, Brasília, Conselho Federal de Cultura, 1973 [1822].

MORAES, Alexandre José de Mello. *A vida e a morte do exmo. sr. conselheiro Francisco Freire Alemão Cysneiros*, Rio de Janeiro, 1874.

MOREIRA, José de Mendonça de Matos. " Das matas de Alagoas", RIHGB n.7, 1845 [1809].

MOREIRA, Nicolau Joaquim. *Elogio histórico do conselheiro doutor Frederico Leopoldo César Burlamaque*, Rio de Janeiro, 1866.

______. "Empobrecimento do solo por falta de capitais", OAIN n.1, 1869.

______. *Indicações agrícolas para os imigrantes que se dirigem ao Brasil*, Rio de Janeiro, 1875.

______. "Florestas: sua influência", RAIIFA vol.13, n.1, 1882.

______. "Breve notícia sobre a cultura do algodão na província do Maranhão", RAIIFA vol.15, n.1, 1884.

______. "Fertilidade do solo", RAIIFA vol.17, 1886.

MULLER, Daniel Pedro. *Ensaio de um quadro estatístico da província de São Paulo*, São Paulo, 1837.

NABUCO, Joaquim. *Obras completas*, especialmente vol.7, 11 e 12, São Paulo, 1949.

______. *Discursos parlamentares*, seleção de Gilberto Freyre, Rio de Janeiro, Congresso Nacional, 1949.

______. *Cartas aos abolicionistas ingleses*, Recife, Massangana, 1985.

______. *A escravidão*, Recife, Massangana, 1988 [1870].

______. *O abolicionismo*, Petrópolis, Vozes, 1988 [1883].

NAVARRO, José Gregório de Moraes. *Discurso sobre o melhoramento da economia rústica no Brasil*, Lisboa, 1799.

______. "Ofício para Rodrigo de Sousa Coutinho sobre mandioca, trigo, café, algodão e estado da população, agricultura e comércio deste sertão desde o rio São Francisco até a Vila de Paracatu", MAHU cx.156, doc.84, 1801.

NÓBREGA, Manoel da. *Cartas do Brasil*, Rio de Janeiro, 1931 [1549-1560].

OLIVEIRA, Antônio Rodrigues Veloso de. "Memória sobre o melhoramento da província de São Paulo, aplicável em grande parte a todas as outras províncias do Brasil", Rio de Janeiro, 1822 [1810].

______. "Memória sobre a agricultura no Brasil", RIHGB vol.36, 1873 [1810].

OLIVEIRA, Henrique Veloso de. *A substituição do trabalho dos escravos pelo trabalho livre no Brasil*, Rio de Janeiro, 1845.

OLIVEIRA, Luiz Torquato Marques de. *Novo método da plantação de café*, Rio de Janeiro, 1863.

OTTONI, José Eloi. "Memória sobre o estado atual da capitania de Minas Gerais", ABN n.30, 1908 [1798].

PACOVA, Caetano da Rocha. *Apontamentos sobre a necessidade de uma escola de agricultura. Teórica e prática*, Rio de Janeiro, 1859.

PENNA, Domingos Soares Ferreira. "O Tocantins e o Anapu", in *Obras completas*, Belém, Conselho Estadual de Cultura, 1973 [1864].

______. "A região ocidental da província do Para", in *Obras completas*, Belém, Conselho Estadual de Cultura, 1973 [1869].

PATROCÍNIO, José do. *Campanha abolicionista*, Rio de Janeiro, Fundação Biblioteca Nacional, 1996.

PIMENTA BUENO, M.A. "Indústria extrativa: a borracha", *RAIIFA* vol.13, n.1, 1882.

PORTO-ALEGRE, Manoel de Araújo. "A destruição das florestas", in *Brasilianas*, Viena, 1863 [1845].

______. "Plano para a extinção gradual da escravidão no Brasil", *Estante clássica da Revista de Língua Portuguesa*, n.XIII, 1924 [1868].

PORTUGAL, Alexandre Antonio das Neves. "Apontamentos sobre as queimadas enquanto prejudiciais à agricultura", in Academia das Ciências de Lisboa, *Memórias econômicas*, vol.III, Lisboa, 1990 [1791].

REBOUÇAS, André. *Garantia de juros*, Rio de Janeiro, 1874.

______. *Excursão ao Salto do Guaíra. O parque nacional*, Rio de Janeiro, 1876.

______. *A seca nas províncias do norte*, Rio de Janeiro, 1877.

______. *Ao Itatiaia*, Rio de Janeiro, 1878.

______. *Ensaio de índice geral das madeiras do Brasil*, Rio de Janeiro, 1878.

______. *Agricultura nacional. A propaganda abolicionista e democrática*, Recife, Editora Massangana, 1988 [1883].

______. *Abolição imediata e sem indenização*, Rio de Janeiro, 1883.

SÁ, Manuel Ferreira da Câmara Bittencourt e. "Ensaio de descrição física e econômica da comarca dos Ilhéus na América", in Academia das Ciências de Lisboa, *Memórias econômicas*, vol.I, Lisboa, 1990 [1789].

______. "Memória analítica sobre o trabalho que dom Rodrigo de Sousa Coutinho escreveu e apresentou ao conselho de ministros seus colegas, sob a denominação de 'Sistema político que mais convém que a nossa Coroa abrace...'" (1798), in Marcos Carneiro de Mendonça, *O intendente Câmara*, São Paulo, Companhia Editora Nacional, 1958.

______. "Ofício sobre o estado da mata do Pinhal de Leiria", *MIHGB* lata 11, doc.23, 1798.

______. "Memória analítica sobre a memória escrita e enviada do degredo de Angola pelo inconfidente dr. José Álvares Maciel sobre a fábrica de ferro de Nova Oeiras" (1798), in Marcos Carneiro de Mendonça, *O intendente Câmara*, São Paulo, Companhia Editora Nacional, 1958.

______. "Carta do intendente das minas...para d. Rodrigo de Sousa Coutinho, na qual se refere à administração pública da capitania da Bahia...", *MAHU* cx.114, doc.22.523, 1801.

______. "Carta sobre a agricultura da Bahia", in João Rodrigues de Brito, *Cartas econômico-políticas sobre a agricultura e comércio da Bahia*, Lisboa, 1821 [1807].

SALVADOR, Frei Vicente. *História do Brasil*, São Paulo, Melhoramentos, 1965 [1627].

SECRETARIA DE ESTADO DOS NEGÓCIOS ESTRANGEIROS. "Memória sobre a questão, 1. se convém ao Brasil vender madeiras de construção às nações estrangeiras, 2. se no Brasil há abundância das suas madeiras preciosas", Rio de Janeiro, *OAIN* n.11, nov 1845, [1811].

SILVA, Ignácio Aciolli de Cerqueira e. *Memórias históricas e políticas da província da Bahia*, vol.6, Salvador, Imprensa Oficial, 1940 [1852].

______. "Dissertação histórica, etnográfica e política sobre quais eram as tribos aborígines que habitavam a província da Bahia ao tempo em que o Brasil foi conquistado...", *RIHGB* vol.11, 1849.

SILVA, José Bonifácio de Andrada e. "Memória sobre a pesca das baleias e a extração do seu azeite", in E.C. Falcão (org.) *Obras científicas, políticas e sociais de José Bonifácio de Andrada e Silva*, Santos, Imprensa Oficial, 1963 [1790].

______. "Carta ao Conde de Funchal", in Miriam Dolhnikoff (org.), *José Bonifácio de Andrada e Silva. Projetos para o Brasil*, São Paulo, Companhia das Letras, 1998 [1813].

______. "Memória sobre a necessidade e a utilidade do plantio de novos bosques em Portugal", in E.C. Falcão (org.) *Obras científicas, políticas e sociais de José Bonifácio de Andrada e Silva*, Santos, Imprensa Oficial, 1963 [1815].

______. "Discurso histórico perante a Academia Real das Ciências de Lisboa", in E.C. Falcão (org.) *Obras científicas, políticas e sociais de José Bonifácio de Andrada e Silva*, Santos, Imprensa Oficial, 1963 [1819].

______. "Viagem mineralógica na província de São Paulo", in E.C. Falcão (org.) *Obras científicas, políticas e sociais de José Bonifácio de Andrada e Silva*, Santos, Imprensa Oficial, 1963 [1820].

______. "Memória econômica e metalúrgica sobre a fábrica de ferro de Ipanema", in Francisco Varnhagen, *História geral do Brasil*, 10ªed., São Paulo, Edusp, 1981 [1820].

______. "Lembranças e apontamentos do governo provisório da província de São Paulo para os seus deputados", in *Obra política de José Bonifácio*, Brasília, Senado Federal, 1973 [1821].

______. "Necessidade de uma Academia de Agricultura no Brasil", in *Obra política de José Bonifácio*, Brasília, Senado Federal, 1973 [c.1821].

______. "Apontamentos para a colonização dos índios bravos do império do Brasil", in *Obra política de José Bonifácio*, Brasília, Senado Federal, 1973 [1823].

______. "Representação à Assembléia Geral Constituinte e Legislativa do império do Brasil sobre a escravatura", in *Obra política de José Bonifácio*, Brasília, Senado Federal, 1973 [1823].

______. "Discurso na Câmara dos Deputados sobre agricultura extensiva e mão-de-obra escrava", in *Obra política de José Bonifácio*, Brasília, Senado Federal, 1973 [1831].

______. "Notas sobre as sesmarias", Rio de Janeiro, MIHGB n.192-19, s/d.

______. "Extratos das obras de Humboldt", Rio de Janeiro, MIHGB n.71-2/4, s/d.

______. "Notas sobre a população do Brasil", Rio de Janeiro, MIHGB n.192-3, s/d.

______. "Notas sobre economia política", Rio de Janeiro, MIHGB n.191-65, s/d.

______. "Pensamentos sobre o trabalho, o luxo e a desnecessidade do comércio externo para o Brasil", São Paulo, MMP n.1606, s/d.

______. "Pensamentos sobre a natureza do Brasil", São Paulo, MMP n.1506, s/d.

______. "Considerações sobre o Brasil, as mulheres e os índios", MMP n.I.1.8-402, s/d.

SILVA, Miguel Antonio da. "A reforma agrícola", RAIIFA n.1, 1869.

______. "Silvicultura brasileira", RAIIFA n.4, 1870.

______. "Agricultura nacional: Estudos agrícolas", RAIIFA vol.8, n.4, 1877.

SOUSA, Antônio Muniz de. "Descobertas curiosas nos reinos vegetal, animal e mineral, por sítios e sertões vários das brasílicas províncias da Bahia, Sergipe e Alagoas", Rio de Janeiro, MIHGB n.13.477, 1824.

______. *Viagens e observações de hum brasileiro*, Rio de Janeiro, 1834.

______. *Máximas e pensamentos praticados por Antônio Muniz de Sousa, o homem da natureza*, Niterói, 1843.

______. "Reflexões sobre a escravatura das fazendas do Brasil", OAIN n.1, 1846.

SOUSA, Gabriel Soares. *Tratado descritivo do Brasil*, São Paulo, Nacional, 1938 [1587].

TAUNAY, Carlos. *Manual do agricultor brasileiro*, 2ªed., com a colaboração de L. Riedel, Rio de Janeiro, 1839.

______. "Reflexões sobre a escravatura e a colonização", OAIN n.10, mar 1848.

VAL, Manoel Ribeiro do. "Discurso", in Congresso Agricola, *Coleção de Documentos*, Rio de Janeiro, Fundação Casa de Rui Barbosa, 1988 [1878].

VANDELLI, Domenico. "Memória sobre a agricultura deste reino e de suas conquistas", in Academia das Ciências de Lisboa, *Memórias econômicas*, vol.I, Lisboa, 1990 [1789].

______. "Memória sobre algumas produções naturais deste reino", in Academia das Ciências de Lisboa, *Memórias econômicas*, vol.I, Lisboa, 1990 [1789].

______. "Memória sobre algumas produções naturais das conquistas", in Academia das Ciências de Lisboa, *Memórias econômicas*, vol.I, Lisboa, 1990 [1789].

______. "Memória sobre as produções naturais do reino e das conquistas" in Academia das Ciências de Lisboa, *Memórias econômicas*, vol.I, Lisboa, 1990 [1789].

______. "Memória sobre a preferência que em Portugal se deve dar à agricultura sobre as fábricas", in Academia das Ciências de Lisboa, *Memórias econômicas*, vol.I, Lisboa, 1990 [1789].

VASCONCELLOS, Simão de. *Crônica da Companhia de Jesus no Estado do Brasil*, Petrópolis, Vozes, 1977 [1663].

VELLOSO, José Mariano da Conceição. *O fazendeiro do Brasil*, Lisboa, 1798-1805.

VIEIRA, João Pedro Dias. *Relatório apresentado à Assembléia Legislativa Provincial do Amazonas*, Manaus, coleção dos Relatórios de Presidentes de Província do Amazonas, 1856.

WERNECK, Francisco de Lacerda. *Memória sobre a fundação e custeio de uma fazenda na província do Rio de Janeiro*, Brasília, Senado Federal, 1985 [1847].

II. Fontes secundárias (artigos e livros)

ABREU, Maurício. "A cidade, a montanha e a floresta", in Maurício Abreu (org.), *Natureza e sociedade no Rio de Janeiro*, Rio de Janeiro, Biblioteca Carioca, 1992.

ACOT, Pascal. *Histoire de l'écologie*, Paris, PUF, 1988.

ALBION, R.G. *Forests and Sea Power. The Timber Problem of the Royal Navy, 1652-1862*, Cambridge, Cambridge UP, 1926.

ALIER, Joan Martinez e K. Schlupmann. *La economia y la ecologia*, México, Fondo de Cultura Económica, 1991.

ALVES, Joaquim. *História das secas (Séculos XVII a XIX)*, Mossoró, Fundação Guimarães Duque, 1982 [1953].

ANTUNES, Diocleciano. *O pintor do Romantismo. Vida e obra de Manoel de Araújo Porto-Alegre*, Rio de Janeiro, Zélio Valverde, 1943.

ARAÚJO, Ricardo Benzaquen. *Guerra e paz: Casa grande e senzala e a obra de Gilberto Freyre nos anos 30*, Rio de Janeiro, Editora 34, 1994.

BARBOSA, José Luís. "Olhos de ver, ouvidos de ouvir: os 'ambientes malsãos' da capital da República", in Maurício Abreu (org.), *Natureza e sociedade no Rio de Janeiro*, Rio de Janeiro, Biblioteca Carioca, 1992.

BARBOSA, Waldemar de A. *Dicionário histórico geográfico de Minas Gerais*, Belo Horizonte, Itatiaia, 1995.

BAMFORD, Paul. *Forests and French Sea Power — 1660/1789*, Toronto, University of Toronto Press, 1979.

BATE, J. *Romantic Ecology. Wordsworth and the Environmental Tradition*, Londres, Routledge, 1991.

BERTRAN, Paulo. "Desastres ambientais na capitania de Goiás", *Ciência Hoje* vol.12, n.70, 1991.

BLAKE, Augusto Sacramento. *Dicionário bibliográfico brasileiro*, Brasília, Conselho Federal de Cultura, 1970 [1898].

BRAGA, Renato. *História da Comissão Científica de Exploração*, Fortaleza, Imprensa Universitária do Ceará, 1962.

CALMON, Pedro. "Baltasar da Silva Lisboa", in Baltasar da Silva Lisboa, *Anais do Rio de Janeiro*, Rio de Janeiro, Editora Leitura, 1967.

CANABRAVA, Alice. "Um capítulo da história das técnicas no Brasil", in *Anais do IV Congresso de História Nacional*, vol.11, Rio de Janeiro, IHGB, 1951.

CÂNDIDO, Antônio. *Formação da literatura brasileira*, Belo Horizonte, Itatiaia, 1981.

CARTER, Vernon e Tom DALE. *Topsoil and Civilisation*, Norman, University of Oklahoma Press, 1974.

CARVALHO, José Murilo de. *A construção da ordem*, Brasília, UnB, 1981.

______. *Teatro de sombras*, Rio de Janeiro, Vértice, 1988.

______. "Escravidão e razão nacional", *Dados* vol.31, n.3, 1988.

______. "O motivo edênico no imaginário social brasileiro", *Revista Brasileira de Ciências Sociais* vol.13, n.38, 1998.

CASSIRER, Ernst. *La philosophie des Lumières*, Paris, Fayard, 1966.

CASTRO, Guillermo. *Los trabajos de ajuste y combate. Naturaleza y sociedad en la historia de América Latina*, Caracas, 1994.

CHONCHOL, Jacques. *Sistemas agrários en América Latina*, México, Fondo de Cultura Económica, 1994.

CLAYRE, Alasdair (org.). *Nature and Industrialization*, Oxford, Oxford UP, 1977.

COELHO, J.M. Latino. "Elogio histórico de José Bonifácio de Andrada e Silva", in E.C. Falcão (org.), *Obras científicas, políticas e sociais de José Bonifácio de Andrada e Silva*, vol.III, Santos, Imprensa Oficial, 1964 [1877].

COLLICHIO, Terezinha. *Miranda Azevedo e o darwinismo no Brasil*, Belo Horizonte, Itatiaia, 1988.

COOK, Noble. *Born to Die. Disease and New World Conquest*, Cambridge, Cambridge UP, 1998.

CORVOL, A. (org.). *La nature en revolution — 1750/1800*, Paris, 1989.

COSTA, Emília Viotti da. "José Bonifácio: homem e mito", in Carlos Guilherme Mota (org.), *1822: Dimensões*, São Paulo, Perspectiva, 1972.

______. *Da monarquia à República. Momentos decisivos*, São Paulo, Ciências Humanas, 1979.

COSTA LIMA, Luís. *O controle do imaginário*, São Paulo, Brasiliense, 1984.

CROSBY, Alfred. *Ecological Imperialism. The Biological Expansion of Europe*, Cambridge, Cambridge UP, 1986.

CUNHA, Antônio Geraldo da. *Dicionário histórico das palavras portuguesas de origem tupi*, São Paulo/Brasília, Melhoramentos/UnB, 4ªed., 1998.

DEAN, Warren. "Forest conservation in Southeastern Brazil, 1900 to 1955", *Environmental Review*, n.9, 1985.

______. *A luta pela borracha no Brasil*, São Paulo, Nobel, 1989.

______. *With Broadax and Firebrand. The Destruction of the Brazilian Atlantic Forest*, Berkeley, Berkeley UP, 1995.

DELEAGE, Jean-Paul. *Histoire de l'écologie*, Paris, La Decouverte, 1991.

______. "Aux origines de la science écologique", *Écologie Politique*, n.7, 1993.

DIAS, Maria Odila da Silva. "Aspectos da ilustração no Brasil", *RIHGB* n.278, 1969.

DOMINICK, Raymond. *The Environmental Movement in Germany. Prophets and Pioneers, 1871- 1971*, Bloomington, Indiana UP, 1992.
DORNAS FILHO, J. *Aspectos da economia colonial*, Rio de Janeiro, Biblioteca do Exército, 1958.
DROUIN, Jean-Marc. *L'Écologie et son histoire. Réiventer la nature*, Paris, Flammarion, 1991.
DRUMMOND, José Augusto. *Devastação e preservação ambiental no Rio de Janeiro*, Niterói, Eduff, 1997.
EVELYN, John. Silva; or, *A Discourse of Forest-Trees*, York, A. Ward, 1776.
FERRÃO, José M. *A aventura das plantas e os descobrimentos portugueses*, Lisboa, 1992.
FIGUEIRÔA, Silvia. *As ciências geológicas no Brasil*, São Paulo, Hucitec, 1997.
FOX, Stephen. *The American Conservation Movement. John Muir and His Legacy*, Madison, University of Wisconsin Press, 1981.
FRAGA, M. "A questão florestal ao tempo do Brasil Colônia", ABEF n.3, 1950.
FRAGOSO, João e Manolo FLORENTINO. *O arcaísmo como projeto*, Rio de Janeiro, Civilização Brasileira, 2001.
FRANCO, Afonso Arinos de Melo. *Desenvolvimento da civilização material no Brasil*, Brasília, Conselho Federal de Cultura, 1971.
FREEMAN, John. "Forest conservancy in the Alps of Dauphiné, 1287-1870", *Forests & Conservation History* vol.38, n.4, 1994.
FREYRE, Gilberto. *Casa grande e senzala*, Rio de Janeiro, José Olympio, 1987 [1933].
______. *Sobrados e mocambos*, Rio de Janeiro, José Olympio, 1977 [1836].
______. *Nordeste. Aspectos da influência da cana sobre a vida e a paisagem do nordeste do Brasil*, Rio de Janeiro, José Olympio, 1985 [1937].
GALLOWAY, J.H. "Agricultural reform and the Enlightenment in late Colonial Brazil", *Agricultural History* vol.53, n.4, 1979.
GERBI, Antonello. *La naturaleza de las Indias nuevas*, México, Fondo de Cultura, 1975.
______. *La disputa del Nuevo Mundo. Historia de una polémica — 1750/1900*, México, Fondo de Cultura, 2ªed., 1982.
GLACKEN, Clarence. *Traces on the Rhodian Shore*, Berkeley, Berkeley UP, 1967.
______. "The origins of the conservationp", in Ian Burton e Robert Kates (orgs.), *Readings in Resourse Management*, Chicago, The University of Chicago Press, 1967.
GRANDAMY, René. *La physiocratie*, Paris, Mouton, 1973.
GROVE, Richard. "Colonial conservation, ecological hegemony and popular resistance: towards a global synthesis", in J. MacKenzie (org.), *Imperialism and the Natural World*, Manchester, 1990.
______. *Green Imperialism*, Cambridge, Cambridge UP, 1995.
GUIMARÃES, Manoel. "Nação e civilização nos trópicos", *Estudos Históricos* n.1, 1988.
GUSDORF, Georges. *Le savoir romantique de la nature*, Paris, Payot, 1985.
HAY, P.R. "The contemporary environment movement as neo-romanticism", *Environmental Review* vol.12, n.4, 1988.
HAYS, *Samuel. Conservation and the Gospel of Eficiency. The Progressive Conservation Movement, 1890-1920*, Harvard, Harvard UP, 1959.
HARCOURT, Caroline e Jeffrey SAYER. *The Conservation Atlas of Tropical Forests. The Americas*, Londres, Simon & Schuster, 1995.
HARRISON, Robert. *Forests. The Shadow of Civilization*, Chicago, Chicago UP, 1992.
HAYWARD, Tim. *Ecological Thought. An Introduction*, Londres, Polity Press, 1996.
HEYNEMANN, Cláudia. *Floresta da Tijuca. Natureza e civilização*, Biblioteca Carioca, 1995.
HOLANDA, Sérgio Buarque de. *Raízes do Brasil*, São Paulo, Companhia das Letras, 1995 [1936].

______. *Caminhos e fronteiras*, São Paulo, Companhia das Letras, 1994 [1956].

______. *Visão do paraíso*, 2ªed., São Paulo, Editora Nacional, 1968.

HUGHES, J. Donald. *Pan's Travail*, Baltimore, Johns Hopkins UP, 1996.

HUMBOLDT, Alexander von. *Viaje a las regiones equinocciales del nuevo continente*, livros 5 e 6, Caracas, Biblioteca Venezolana de Cultura, 1941[1820].

INSTITUT NATIONAL D'ÉTUDES DÉMOGRAPHIQUES (Ined). *François Quesnay et la physiocratie*, Paris, 1958.

JOVELLANOS, Gaspar de. *Informe sobre la ley agraria*, Barcelona, Materiales, 1968 [1795].

KURY, Lorelai. "Entre nature et civilisation: Les médecins bresiliens et l'identité nationale (1830-1850)", *Cahiers du Centre de Recherches Historiques* n.12, 1994 .

LAFRENIERE, Gilbert. "Rousseau and the European roots of environmentalism", *Environmental History Review* vol.14, n.4, 1990.

LEONARDI, Victor. *Os historiadores e os rios*, Brasília, Paralelo 15/UnB, 1999.

LINEU, C. von. *L'Équilibre de la nature* (organizado por Camille Limoges), Paris, J. Vrin, 1972.

LUSTOSA, Isabel. *Insultos impressos. A guerra dos jornalistas na Independência, 1821-1823*, São Paulo, Companhia das Letras, 2000.

LUZ, Nícia Vilela. *A luta pela industrialização do Brasil*, São Paulo, Alfa-Omega, 2ªed., 1978.

LYRA, Maria de Lourdes. *A utopia do poderoso império*, Rio de Janeiro, Sete Letras, 1994.

MAXWELL, Kenneth. "A geração de 1790 e a idéia do império luso-brasileiro", in *Chocolate, piratas e outros malandros*, Rio de Janeiro, Paz e Terra, 1999.

______. *A devassa da devassa*, Rio de Janeiro, Paz e Terra, 1995.

MARSH, George. *Man and Nature, Or Physical Geography as Modified by Human Action*, Harvard, Harvard UP, 1965 [1864].

MARTINS, Wilson. *História da inteligência brasileira*, vol.II, São Paulo, Cultrix, 1978.

MATTOS, Ilmar de. *O tempo Saquarema. A formação do Estado imperial*, Rio de Janeiro, Access, 1994.

MELLO, Evaldo Cabral de. "O caráter orgânico da escravidão", *Folha de São Paulo*, 12.12.1999.

MENDONÇA, Marcos Carneiro. *O intendente Câmara (1764-1835)*, São Paulo, Companhia Editora Nacional, 2ªed, 1958.

MERCADANTE, Paulo. *A consciência conservadora no Brasil*, Rio de Janeiro, Saga, 1965.

MILLER, Shawn. *Fruitless Trees. Portuguese Conservation and Brazil's Colonial Timber*, Stanford, Stanford UP, 2000.

MONTESQUIEU, Charles de. *Pensées et fragments inédits*, Bordeaux, G. Gounouilhou, 1889.

MONZOTE, Reinaldo Funes. "Azúcar y deforestación: Una aproximación a la história ambiental en Cuba", in M.G. Molina e J.M. Alier (orgs.), *Naturaleza transformada*, Barcelona, Icaria, 2001.

MORAES, Rubens Borba de. *Bibliografia brasileira do período colonial*, São Paulo, Edusp, 1969.

MOREIRA NETO, C.A. "Introdução", in Alexandre Rodrigues Ferreira, *Viagem filosófica ao rio Negro*, Belém, Museu Emílio Goeldi, 1983.

MORTON, F.W. "The royal timber trade in Colonial Brasil", *Hispanic American Historical Review*, n.58, 1978.

MUNTEAL FILHO, Oswaldo. *Domenico Vandelli no anfiteatro da natureza*, dissertação de mestrado, Departamento de História, Rio de Janeiro, PUC, 1993.

NASH, Roderick. *Wilderness and the American Mind*, New Haven, Yale UP, 3ªed., 1982.

______. *The Rights of Nature. A History of Environmental Ethics*, Madison, University of Wisconsin Press, 1989.

NIZZA DA SILVA, Maria Beatriz. "Os senhores de engenho e a cultura científica", *Ciência e Cultura* vol.31, n.4, 1979.

______. *A cultura luso-brasileira*, Lisboa, Estampa, 1999.

NOVAIS, Fernando. *Portugal e Brasil na crise do antigo sistema colonial*, São Paulo, Hucitec, 1979.

OLIVEIRA, Octávio Tarquínio de. "Um soldado na tormenta: Cunha Mattos", in Raymundo da Cunha Matos, *Corografia histórica da província de Minas Gerais*, Belo Horizonte, Itatiaia, 1981.

PÁDUA, José Augusto. "Natureza e projeto nacional: As origens da ecologia política no Brasil", in J.A.Pádua (org.), *Ecologia e política no Brasil*, Rio de Janeiro, Espaço & Tempo/Iuperj, 1987.

______. "Biosfera, história e conjuntura na análise da questão amazônica", *Manguinhos. História, ciências, saúde*, vol.6, suplemento, 2000.

______. "500 anos de destruição ambiental no Brasil", *Série Técnica*, vol.V, Brasília, WWF Brasil, 2000.

PEREIRA, Osny Duarte. *Direito florestal brasileiro*, Rio de Janeiro, 1950.

PEPER, David. *Modern Environmentalism*, Londres, Routledge, 1996.

PRADO JUNIOR, Caio. *História econômica do Brasil*, São Paulo, Brasiliense, 1945.

PRIETO, Maria R. e Teresita CASTRILLEJO. "Las ideas de los ilustrados del virreinato del rio de la Plata sobre conservación de la naturaleza", in B.G. Martínez e A. Jácome, *Estudios sobre historia y ambiente en América*, vol.I, México, El Colégio de México/ Instituto Panamericano de Geografía e Historia, 1999.

RADKAU, J. "Wood and forestry in German history", *Environment & History*, vol.2, n.1, 1996.

RAUMOLIN, Jussi. "L'Homme et la destruction des ressources naturelles: La '*Raubwirtschaft*' au tornant du siècle", *Annales*, Juillet, 1984.

REZENDE DE CARVALHO, Maria Alice. *O quinto século. André Rebouças e a construção do Brasil*, Rio de Janeiro, Revan/Iuperj, 1998.

RODRIGUES, José Honório. *A Assembléia Constituinte de 1823*, Petrópolis, Vozes, 1974.

______. *História da história do Brasil*, vol.I, São Paulo, Nacional, 1979.

ROUSSEAU, Jean Jacques. *Os devaneios do caminhante solitário*, Brasília, UnB, 1986 [1782].

RZOSKA, J. *Euphrates and Tigris. Mesopotamian Ecology and Destiny*, The Hague, W. Junk, 1980.

SAHLINS, Marshall. *Stone Age Economics*, Nova Yok, Aldine de Gruyter, 1972.

SAINT-PIERRE, Bernardin de. *Harmonies of Nature*, Londres, 1815.

SCHAMA, Simon. *Landscape & Memory*, Londres, HarperCollins, 1995.

SCHMIDT, Carlos Borges. *Técnicas agrícolas primitivas e tradicionais*, Brasília, Conselho Federal de Cultura, 1976.

SEDREZ, Lise. "Imperial Instituto Fluminense de Agricultura: Uma ong ecológica no século XIX", mimeog., Rio de Janeiro, Sociedade das Florestas do Brasil, 1993.

SEGAWA, Hugo. *Ao amor do público. Jardins no Brasil*, São Paulo, Studio Nobel, 1996.

SERRES, Michel. *O contrato natural*, Rio de Janeiro, Nova Fronteira, 1991.

SEVCENKO, Nicolau. "O front brasileiro na guerra verde: Vegetais, colonialismo e cultura", *Revista USP* n.30, 1996.

SILVA, Eduardo. *Barões e escravidão*, Rio de Janeiro, Nova Fronteira, 1984.

______. "O barão de Pati do Alferes e a fazenda de café da velha província", in Francisco de Lacerda Werneck, *Memória sobre a fundação e custeio de uma fazenda na província do Rio de Janeiro*, Brasília, Senado Federal, 1985.

SIMONIAN, Lane. *Defending the Earth of the Jaguar. A History of Conservation in Mexico*, Austin, University of Texas Press, 1995.

SOUSA, Bernardino José de. *O pau-brasil na história nacional*, São Paulo, Nacional, 1978.

SOUSA, Octávio Tarquínio de. *José Bonifácio*, Rio de Janeiro, José Olympio, 1972.

______. *Fatos e personagens em torno de um regime*, Belo Horizonte, Itatiaia, 1988.

SOUZA, Paulo F. de. *Legislação florestal. 1ª parte: legislação histórica 1789-1889*, Rio de Janeiro, Ministério de Agricultura, 1934.

STANSKY, P. *Redesigning the World. William Morris, the 1880s and the Arts and Crafts*, Londres, 1996.

STEIN, Stanley. *Vassouras. A Brazilian Coffee County — 1850/1890*, Nova York, Atheneum, 1970.

THOMAS, Keith. *Man and the Natural World. A History of Modern Sensibility*, Nova York, Pantheon, 1983.

THOREAU, Henry. "Caminhando", in J.A. Drummond (org.), *Desobedecendo. A desobediência civil e outros escritos de Henry Thoreau*, Rio de Janeiro, Rocco, 1984 [1862].

TORRES, Alberto. *A organização nacional*, São Paulo, Nacional, 1978 [1914].

TUDELA, Fernando (org.). *Desarrollo y medio ambiente en America Latina y el Caribe*, Madrid, Pnuma/Mopu, 1990.

TURNER, Frederick. *Beyond Geography. The Western Spirit Against the Wilderness*, New Brunswick, Rutgers UP, 1986.

URTEAGA, Luís. *La tierra esquilmada. Las ideas sobre la conservación de la naturaleza en la cultura española del siglo XVIII*, Barcelona, Serbal, 1987.

VIANNA, Hélio. "José Bonifácio no Arquivo do Instituto Histórico", *RIHGB* vol.260, 1963.

VILLA, Marco Antonio. *Vida e morte no sertão*, São Paulo, Ática, 2000.

VON IHERING, Rodolfo. *Dicionário dos animais do Brasil*, São Paulo, Edusp, 1968.

WEINER, Douglas. *Models of Nature. Ecology, Conservation and Cultural Revolution in Soviet Rússia*, Bloomington, Indiana UP, 1988.

WILLIAMS, Raymond. *Socialism and Ecology*, Londres, Socialist Environment & Resources Association, 1980.

WORSTER, Donald. *Nature's Economy. A History of Ecological Ideas*, Cambridge, Cambridge UP, 2ªed., 1994.

YATES, Frances. *Astraea. The Imperial Theme in the Sixteenth Century*, Londres, Routledge & Kegan Paul, 1975.

ZEMELLA, Mafalda. "A introdução do bagaço de cana como combustível nos engenhos de açúcar coloniais", *Revista de História* vol.4, n.13, jan-mar 1953.

Agradecimentos

Este livro, versão bastante modificada de uma tese de doutorado defendida no Iuperj (Instituto Universitário de Pesquisas do Rio de Janeiro) em 1997, é fruto de mais de duas décadas de estudo, reflexão e aprendizagem prática sobre o significado e a evolução histórica da crítica ambiental no Brasil. Ao longo desse período tornei-me devedor da amizade e do apoio de um número considerável de pessoas. Quero mencionar alguns indivíduos e instituições que contribuíram mais diretamente para a realização desse trabalho, mesmo correndo o risco de cometer injustiças. Nesse caso, peço perdão antecipado por eventuais omissões e esquecimentos.

Agradeço, em primeiro lugar, ao orientador da tese, Ricardo Benzaquen de Araújo, um velho amigo e mestre de quem tenho recebido incontáveis lições de erudição e humanismo. Agradeço também a José Murilo de Carvalho, que orientou a primeira fase da pesquisa. Espero que o resultado apresente algo do brilho e do espírito renovador que sua obra vem imprimindo no campo dos estudos brasileiros.

Agradeço os comentários, críticas e sugestões, lúcidos e oportunos, de Eduardo Viola, Ilmar Rohloff de Mattos, Maria Alice Rezende de Carvalho e Marcelo Jasmin, durante a defesa da tese.

Agradeço aos professores, funcionários e colegas que estavam no Iuperj durante os anos de aprendizado e prazer intelectual que desfrutei naquela casa. Agradeço especialmente a Wanderley Guilherme dos Santos, pela oportunidade de debater os delineamentos iniciais da pesquisa nos seminários que coordenava.

Agradeço aos colegas, funcionários e alunos do CPDA/UFRRJ (Curso de Pós-Graduação em Desenvolvimento, Agricultura e Sociedade / Universidade Federal Rural do Rio de Janeiro), onde encontrei, entre 1998 e 2002, o ambiente acadêmico fraterno e estimulante que foi essencial para a conclusão do trabalho.

Minha dívida para com Warren Dean, a quem conheci no início dos anos 1980, acompanhando algumas das suas andanças em busca da história da mata atlântica, está consignada na dedicatória. É triste saber que não poderemos mais contar com seus grandes conhecimentos e seu espírito solidário.

A pesquisa começou a ganhar o seu formato definitivo durante uma curta visita à Universidade de Cambridge, em abril de 1996. Agradeço a Richard Grove pela hospitalidade e interlocução.

Vários amigos e colegas, dentro e fora da academia, contribuíram para este trabalho com sugestões, materiais e estímulo. Agradeço especialmente a Anna Fanzeres, Angus Wright, Antonio Carlos Diegues, Aspásia Camargo, Carlos Fausto, Carmelita e Luis Carlos Dias, Donald Worster, Eduardo Silva, Graça Salgado, Guillermo Castro, Inês Castro, Isabel Lustosa, Jean-Paul Deleage, Jean-Pierre Leroy, John Wirth, Joan Martinez Alier, João Moreira Sales, José Augusto Drummond, José Luís Petruccelli, Kelerson Costa, Héctor Alimonda, Hector Leis, Ignacy Sachs, Lise Sedrez, Lorelai Kury, Lucia Lippi Oliveira, Marcos Bretas, Marcos Sá Correa, Oswaldo Munteal Filho, Pedro Jacobi, Ricardo Arnt, Samyra Crespo, Silvana de Paula, Suzana e Cláudio Pádua, Victor Leonardi e Wanderbilt Duarte de Barros (em memória).

A base documental que utilizei está contida, principalmente, nos excelentes acervos da Biblioteca Nacional e do Instituto Histórico e Geográfico Brasileiro, ambos no Rio de Janeiro. Também coletei materiais valiosos no Arquivo Histórico Ultramarino (Lisboa), no Arquivo Nacional (Rio de Janeiro), no Arquivo Público Mineiro (Belo Horizonte), na Biblioteca Municipal Mário de Andrade (São Paulo), na Biblioteca Nacional (Lisboa), na Biblioteca da Universidade de Coimbra e nas bibliotecas da Fundação Brasileira para a Conservação da Natureza (Rio de Janeiro), do Instituto de Estudos Brasileiros da Universidade de São Paulo, do Instituto Histórico e Geográfico de São Paulo, do Jardim Botânico do Rio de Janeiro, do Museu do Índio (Rio de Janeiro), do Museu Nacional (Rio de Janeiro) e da Pontifícia Universidade Católica do Rio de Janeiro. Agradeço aos funcionários de todas essas instituições, cujo apoio, muitas vezes, foi além da mera obrigação profissional.

Agradeço os auxílios do CNPq, da Faperj e da Fundação Ford/ Anpocs durante os anos de elaboração e conclusão deste trabalho.

O carinho e a solidariedade de João, Lúcia, Gilberto e Aparecida foram absolutamente essenciais para que ele pudesse ser realizado.

O amor e a confiança de Ligia, Victoria e Flora estão presentes em cada uma destas páginas. Até pelas dificuldades que a elaboração da tese e do livro colocaram para a nossa vida em comum, enfrentadas com bom humor e flexibilidade, o resultado final pertence a elas.